BIBLIOTHECA SARDA

N. 10

In copertina:
Giuseppe Biasi, illustrazione per novella
pubblicata nel *Giornalino della Domenica*, 1919

Grazia Deledda

NOVELLE

VOLUME QUARTO

a cura di Giovanna Cerina

In collaborazione con la SFIRS
e le Province di Cagliari, Sassari,
Nuoro, Oristano

Riedizione delle opere:

Il ritorno del figlio, *La bambina rubata*, Milano,
Fratelli Treves, 1919;

Il flauto nel bosco, Milano, Fratelli Treves, 1928[2];

Il sigillo d'amore, Milano, Fratelli Treves, 1926.

Deledda, Grazia
Novelle / Grazia Deledda ; a cura di Giovanna
Cerina. - Nuoro : Ilisso, c1996.
432 p. ; 18 cm. - (Bibliotheca sarda ; 10).
I. Cerina, Giovanna
853.912

Scheda catalografica:
Cooperativa per i Servizi Bibliotecari, Nuoro

© Copyright 1996
by ILISSO EDIZIONI - Nuoro
ISBN 88-85098-53-3

SOMMARIO

PREFAZIONE

Il volume comprende tre raccolte, ulteriori tappe della parabola letteraria della scrittrice: *Il ritorno del figlio, La bambina rubata* (1919), *Il flauto nel bosco* (1923), *Il sigillo d'amore* (1926).

Gli anni 1919-26 sono contraddistinti, nella storia dell'arte narrativa della Deledda, da alcune delle opere più discusse. Nei romanzi *Il segreto dell'uomo solitario* (1921), *Il dio dei viventi* (1922), *La danza della collana* (1924), *La fuga in Egitto* (1925), a un consolidato possesso degli strumenti linguistici e narrativi fa riscontro la tendenza a collocare le vicende narrate in contesti diversi da quelli della sua Isola. Già *Il dio dei viventi*, pur ambientato in Sardegna, trasporta il giovane protagonista sulla riviera romagnola e ivi ambienta episodi importanti della storia. Nel 1923 la Deledda dichiarava di voler far seguire a quell'opera «un romanzo non d'ambiente sardo». E dopo *Il segreto dell'uomo solitario*, è in opere come *La danza della collana* e *La fuga in Egitto* che la scrittrice compie lo sforzo maggiore per staccarsi dal *cliché* che circoscriveva il suo mondo immaginario alla Sardegna.

Nelle novelle di questo volume vengono ulteriormente illustrate le modalità con cui la scrittrice tentava di svolgere letterariamente e narrativamente questo orientamento.

Nella prima raccolta appare modesta la resa narrativa dei due racconti lunghi: il primo, *Il ritorno del figlio*, è incentrato sul processo psicologico vissuto da una madre alienata dalla vita dopo la morte in guerra del figlio (un raro riferimento all'esperienza bellica appena conclusa). Solo quando le viene portato in casa un bambino, trovato dal marito abbandonato in una strada di campagna, sente rinascere la sua capacità di amare. Il tema, in sé patetico, è complessivamente svolto, pur con qualche tratto più spiccato e colorito nei profili dei personaggi minori, in modo piuttosto scontato e non sempre plausibile (inverosimile il ritrovamento del bambino, di cui non si riesce a stabilire la provenienza). L'ambientazione è vaga e indefinita, anche se diversi elementi dei luoghi e dei personaggi fanno pensare alla Sardegna.

Il secondo racconto, *La bambina rubata*, è invece un esempio tipico dei modi in cui la Deledda tenta di liberarsi da un legame esclusivo della sua esperienza artistica con il mondo sardo, attingendo materia narrativa a scenari diversi allo scopo, evidentemente, di dare maggior respiro alla narrazione anche conferendo ai racconti un significato umano di valore universale. Resta il dubbio se la realizzazione corrisponda all'ambizione dell'intento. La scrittrice raggiungerà risultati più persuasivi, come si è visto già nella raccolta *Il fanciullo nascosto*, conservando in alcuni testi l'ambientazione isolana (con cui dà alle sue narrazioni un tono di verità che, invece, cambiando lo sfondo, si perde), ma sfumando la caratterizzazione di tipo naturalistico degli spazi, del paesaggio, dei personaggi. È il tipo di procedimento di cui si serve nel romanzo *La madre* (1919) e in altri successivi. L'esperienza del racconto di cui parliamo rappresenta un momento di elaborazione che ha evidentemente valore di prova, e si inserisce in una serie di tentativi interessanti nell'ambito di una parabola complessiva che il *corpus* delle novelle ci aiuta a disegnare.

La bambina rubata è piuttosto estesa in lunghezza, e alquanto intricata è la sua narrazione svolta in prima persona: una sorta di memoriale di difesa, scritto, con ogni evidenza, in carcere dal protagonista, un infelice sordomuto. Questi racconta distesamente le circostanze della sua vita, fino al momento in cui è spinto a rapire la bambina, frutto di una sua violenza. La piccola muore, con ogni probabilità involontariamente soffocata dal padre nella fuga precipitosa – ma nella sua versione era già morta al momento del rapimento –, e il giovane nella tempesta di emozioni, vissute in quella notte, riacquista la parola, che non gli serve però a convincere i giudici della sua innocenza. Il procedimento di affidare la narrazione a un personaggio menomato ed emarginato è certo moderno, ma la realizzazione appare inadeguata alle intenzioni. Lo sviluppo del racconto procede in modo piuttosto piatto, senza quella complessità e quello spessore di indizi che abbiamo notato in novelle precedenti; e il punto di vista del personaggio, pur così caratterizzato in senso novecentesco, non suggerisce quell'oscurità labirintica e l'ambivalenza dei significati, come avviene in opere analoghe della narrativa moderna.

Alla scelta di una materia non connotata regionalmente corrispondono anche la misura e i caratteri dei testi delle raccolte in esame, concepiti, in gran parte, per la terza pagina del "Corriere della Sera", con il quale continua la collaborazione iniziata fin dal 1909. Se nei testi per il "Corriere" scritti prima della guerra la misura massima era di tre colonne, ora essa non doveva superarne due. La Deledda si adegua, avendo evidentemente fatto la mano alla formula dell'elzeviro e con un certo mestiere sceglie e presenta motivi, figure, situazioni, secondo un taglio in cui la parabola tradizionale del racconto è scorciata o soppressa.

La raccolta *Il flauto nel bosco* comprende ventisette testi scritti dal 1921 al 1923, di cui due lunghi (*Carbone fossile* e *Il cipresso*) e gli altri della misura della terza pagina. La Sardegna vi compare o come sfondo di racconti-leggenda o come luogo di un'adolescenza mitizzata: ne è un esempio la novella *Il cipresso*, in cui è dominante la presenza simbolica del vecchio albero, legato al suo destino di scrittrice, che cresce nell'orto della casa paterna.

Carattere leggendario ha la novella *I due*, ambientata in Gallura, dove Gesù e San Pietro si aggirano per mettere alla prova gli uomini. Un motivo diffuso nelle leggende popolari è svolto nella novella *Il tesoro* con caratteri didattici ed esemplari: il tesoro, vagheggiato come lascito paterno, si rivelerà a don Vissente come scoperta morale nel riconoscimento e nel rifiuto del proprio egoismo. La Sardegna col suo fascino leggendario dà più solennità al fatto esemplare. E ancora l'Isola è evocata attraverso le battute di un dialogo in sardo nella novella *La madonnina degli involti* (che in alcuni movimenti della trama ricorda la *Carmen* di Mérimée), in cui la scrittrice racconta di aver sorpreso, non senza emozione, due finanzieri conterranei mentre parlavano nella lingua del loro paese.

Nella raccolta *Il sigillo d'amore* le novelle sarde sono tre: *A cavallo*, *Il nome del fiume*, *Il sigillo d'amore*. L'Isola è ormai lontana, ma certamente non dimenticata, e le modalità della narrazione sono impostate sulla riemersione di un'esperienza. Questo è evidente nella novella *A cavallo*, dove la Deledda sembra quasi dare attraverso il racconto una risposta a quanti l'avevano accusata di aver sprecato troppo colore nei romanzi sardi. «Ritornando in macchina al mio paese – aveva detto – mi sono accorta che i luoghi sono più belli di come li ricordavo». Rilancia quindi non come un eccesso ma come un tratto caratteristico questo lusso di luci, colori, forme, che connota il paesaggio sardo. Si intravede nella novella una prospettiva di ritorno ai luoghi dell'infanzia nella ricostruzione fantastica di un episodio della propria storia, prove frammentate che anticipano il progetto della sua biografia romanzata (*Cosima*).

Nel racconto *Il nome del fiume*, la rievocazione di un episodio giovanile è giocata su tonalità fantastiche e realistiche: da una parte la rappresentazione della vita della casa, dall'altra il sogno dell'adolescente che segue con la fantasia il percorso dell'esploratore lontano, suo ammiratore anonimo, che darà il nome di lei a un fiume in un paese esotico. La novella eponima richiama la lettura giovanile dell'*Adelasia di Torres* di Enrico Costa: è una delicata ricostruzione della triste storia di Adelasia, moglie di re Enzio, dove i dati storici si tramutano in leggenda e diventano l'occasione per narrare un grande amore che si consuma nella solitudine di una lunga attesa. La morte non dissolverà il sentimento ma lo renderà eterno: il fermaglio donatole dal re sigillerà per sempre il cuore della regina.

Dal racconto storico in forma di leggenda la Deledda passa agilmente alla narrazione fiabesca, spesso intrisa di elementi fantastici. Tra fiaba e racconto fantastico, ad esempio, è la novella *L'anello che rende invisibili*, dove un anello magico (motivo fiabesco fra i più diffusi) trasporta in viaggio sulle ali del sogno una vecchia maestra; e temi fantastici animano novelle come *Lo spirito dentro la capanna*, *Il figlio del toro*, o *Il tesoro degli zingari*, quest'ultima sconfinante nell'esotico del mondo zingaresco e dei suoi sortilegi. A un esotismo esteriore cede invece la novella *Il leone*.

Richiamano il filone del bozzetto rusticano, pur se in forme convenzionali e sfumate, i racconti ambientati in paesi di montagna o nelle masserie della bassa padana. Nelle novelle *La prima confessione*, *Il pastore di anatre*, *Il figlio del toro* vengono osservati personaggi di bambini e, nell'ultima, un uomo adulto ma di una semplicità primitiva nel suo singolare ed esclusivo rapporto col toro (motivo antropologico che ritorna nella leggenda del muflone). Sulle difficoltà e le irrequietudini dell'infanzia sono incentrate *Il pastore di anatre* e *La prima confessione*, quest'ultima con un forte personaggio di bambina asociale.

In altri testi il mare, le barche, la vita degli uomini di mare ritornano con una certa frequenza. Ma è dominante, quasi per una sorta di condizionamento antropologico, soprattutto il paesaggio fra «la landa e il bel mare di Romagna» (come vien detto): non il mare propriamente, infatti, ma il paesaggio digradante sul mare, che non appare in primo piano o come luogo dell'azione, ma è sfondo, in un procedimento descrittivo o narrativo che tende allo sfumato. Ne risultano paesaggi essenziali, giocati sul colore, con marcate suggestioni pittoriche. Un quadro tuttavia animato dalla presenza del vento (motivo sempre ricorrente) percepito, in funzione quasi musicale, come la voce misteriosa di un mondo sconosciuto; una voce «che fa sopratutto sognare, come l'organo in chiesa» (*Dio e il diavolo*).

Nella novella *Il flauto nel bosco* una signora in villeggiatura è come stregata dalla musica di un flauto che si mescola alla vita del bosco. Ma il mistero si dissolve banalmente con la scoperta di un espediente escogitato per illudere i turisti. La novella che aveva un suo slancio e fascino iniziali scade, come diverse altre, nella conclusione.

Ancora sfondo sono luoghi di villeggiatura, in genere la costa della Romagna (una pineta dell'Adriatico nella novella *Lo spirito dentro la capanna*) o un paese (*Il nemico*). Un'eccezione è il paesaggio alpestre in *Vertice*: nella valenza metaforica del titolo è implicita una soluzione edificante; l'esemplarità è rafforzata dall'indeterminatezza dei luoghi e dei personaggi senza nome e senza caratterizzazioni sociologiche. Alcune di queste novelle si svolgono in ambienti naturali o in paesi indeterminati, e anche quando questi sono geograficamente riconoscibili i contorni e le forme appaiono più sfumati e alleggeriti.

Un altro spaccato ambientale ci viene offerto da novelle di vita romana: una Roma minore, tanto più interessante se la si raffronta con la Roma monumentale e ministeriale di altri scrittori, e anche con la Roma piccolo-borghese di Pirandello. Si colgono aspetti di una città insolita, quella della periferia, con i suoi giardini e orti che richiamano la casa romana della Deledda, il villino di via Porto Maurizio. Con occhio femminile la scrittrice indugia negli interni: lo studio del frenologo (*Strade sbagliate*), una stanza della questura (*Uccelli di nido*), una pasticceria (*Ecce Homo*); e specie negli interni delle case. In *Viali di Roma* ci attenderemmo dal titolo un'apertura ai viali alberati, al pittoresco della città, mentre la Deledda circoscrive lo spazio osservato al viale del Policlinico, verso sera, con una tonalità malinconica che prepara i temi funerei trattati. Pretestuoso il motivo della passeggiata (con fini di «ricerca di colore e di induzioni psicologiche») per avviare una narrazione prevalentemente descrittiva.

Estranea alla Roma tradizionale, come a quella dell'alta borghesia o degli ambienti letterari mondani, la Deledda si ritaglia un suo microcosmo. Da questa disposizione nascono novelle in prevalenza autobiografiche. Si tratta di un autobiografismo minore, quotidiano, che recupera episodi minimi di vita domestica, eppure significativi come spunti dal vivo per i suoi racconti: ne sono un esempio *Carbone fossile*, *Dichiarazioni*, *Discesa dalle nuvole*.

Se da una parte emergono momenti di vita quotidiana, aspetti idillici, rasserenanti, vissuti nel giardino che è anche orto, nelle voci delle massaie, dei piccoli artigiani, nei versi degli animali, dall'altra c'è un interesse quasi tozziano per aspetti un po' cupi della città. Nella novella *La sedia* domina un esterno urbano degradato, con le strade sconvolte, l'ammasso di sedie che ingombra la strada, le risse animate e inquietanti dei ragazzi. Ispirati a un'istanza sociale di un elementare spirito biblico e cristiano sono i quadri della miseria di certi ambienti e dello stato di soggezione e di subalternità, come in *Cura*, concepita secondo la formula collaudata del viaggio-passeggiata. In un momento di malinconia si aggira, in sintonia col proprio umore, in luoghi tristi e plebei dove le strade tra i grandi palazzoni, che cominciano a sorgere alla periferia di Roma, sono sempre desolatamente fangose. Alla vista di un'umanità emarginata e subalterna sente risvegliarsi l'antico spirito ribelle, non senza contraddizioni («perché se il poeta in lei era comunista, la padrona di casa era ferocemente fascista»). Significativa è la denuncia del degrado delle periferie e l'ansia che tutti possano godere della bellezza della città; la sua anima rurale è sempre viva e avverte in modo accorato l'impoverimento spirituale in cui l'uomo rischia di smarrirsi.

L'interesse per la classe degli umili, per i diversi, osservati con pietà e partecipazione, non esclude l'attenzione ai moventi non limpidi, irrazionali, delle loro azioni. Il suo è un vago umanitarismo, non sorretto da teorie politiche o di rivendicazione sociale alle quali guarda con un pizzico di scetticismo: si veda la novella *I beni della terra* dove, con divertita ironia, racconta la beffa di cui è vittima un singolare personaggio, soprannominato l'Apostolo, che tenta di dare un'organizzazione sindacale alla "classe" delle domestiche.

Anche dal punto di vista dei personaggi le raccolte presentano discordanze e forti discontinuità. Con più sicura e realistica individuazione caratterizza figure di strati sociali umili: artigiani, piccoli commercianti, ragazzi del popolo, servitori e altri. Ne è un esempio *La tartaruga*, di cui è protagonista una povera donna di servizio ritratta sullo sfondo di una Roma vista dalla terrazza, dove i panni bianchi alla luna acquistano forme e apparenze spettrali. Anche il diverso è una presenza ricorrente e offre l'occasione per rilevare situazioni di disagio sociale e psicologico, oltre che di infantile innocenza, mettendo in crisi la normalità degli altri.

Accanto a queste hanno un loro spazio specifico le figure di bambini e di adolescenti, innocenti e perfidi, mossi da pulsioni irrazionali o da scatti di rabbia e ribellione che li spingono ad azioni crudeli (*Il cane impiccato*, *Un pezzo di carne*, *Feriti*, *L'agnello pasquale*).

Una particolare rilevanza, sia per la suggestione del racconto sia per l'ampio sviluppo della trama, ha la novella *Piccolina*. È una delicata storia d'amore sotto l'apparenza di freddi e impeccabili rapporti tra servitore e padrona, di cui è tramite e transfert la cornacchia Piccolina, nome che il servo dà anche alla signora. È una novella moderna, che ha non poche risonanze pirandelliane, ambientata in interni, quello di una casa signorile, dove dominano silenzio e ordine, e la stanza all'ospedale: e in un silenzio fatto di gesti e di obliquità si gioca il rapporto interdetto tra i due. In chiave urbana si rinnova il rapporto tra padroni e servi dei romanzi sardi e, con un salto di qualità, si delinea con finezza sia l'affettività chiusa e raggelata della signora, sia il delicato riserbo del servitore che affida il suo sentimento inconfessato al linguaggio dei gesti e dei fiori acquistati per lei. Come una musica silenziosa e astratta, domina la novella il contrasto cromatico del bianco e del nero; e la malinconia del pensiero della morte col suo mistero, diffusa nella sequenza conclusiva, suggella romanticamente un impossibile amore.

La singolarità della storia e la complessità dell'intreccio rappresentano un caso narrativo non frequente rispetto all'uso di una misura breve e di temi che si presentano a uno sguardo più interessato a casi e figure comuni, alla vita della natura nelle sue manifestazioni.

Venuto meno il contatto e il riferimento alla bellezza straordinaria della natura sarda, la Deledda compensa questa perdita scoprendo un rinnovato rapporto con gli ampi paesaggi marini e di montagna o costruendo, con amore e con fatica, lo spazio esclusivo del suo orto-giardino nella periferia di Roma.

Nel mondo deleddiano gli animali sono esseri privilegiati, diventano «argomento di poesia», sono presenti o irrompono nella vita dell'uomo ora per confortarne la solitudine, ora imponendo la loro naturalità innocente con la forza di un esempio o la chiarità di uno specchio che svela miserie e debolezze, ora come simbolo vivo della coscienza. *Il cane* ha come spunto tematico un incontro fortuito tra l'"io" personaggio che racconta e un cane smarrito. L'amicizia che si stabilisce tra i due mette in luce il contrasto fra la generosità istintiva e gratuita dell'animale e la generosità condizionata «da piccoli calcoli» propria dell'uomo. Ma il fascino coinvolgente del racconto, più che dal significato esemplare, irradia dal luminoso paesaggio marino che pare sconfinare all'estremità della terra in una solitudine di dune immacolate e di un mare immoto «oblioso delle colline» appena turbato dall'immagine di quel cimitero di «conchiglie morte sparse come ossa in un campo di battaglia». Domina invece inquietante nella novella omonima la figura irruente del toro, forte di una carica simbolica, che incalza come un monito minaccioso la donna ancora ignara del suo peccato, rischiarandone la coscienza. La chiusa moralistica smorza la tensione di questa novella condotta con un ritmo veloce rafforzato dalle variazioni sonore del vento.

Non meno vivo e costante è l'amore per le piante e per i fiori che tengono vivo il colloquio della scrittrice con la natura. Nella novella *Il nostro giardino*, svolta in una serie di frammenti titolati, si delineano con un andamento episodico ma progressivo la storia e la vita delle piante osservate ad una ad una e nell'intrico rigoglioso di frutti, fiori ed erbe. In questa rivisitazione attenta di un piccolo universo si scoprono anche le vite nascoste di una miriade di insetti, i convegni d'amore dei gatti attratti dalla bellissima e indolente Nerina, si ode il canto degli uccelli e si rivela, essa stessa prodigio della natura, l'intelligenza e la bellezza in boccio della nipotina Mirella.

Altre novelle sono più deboli a livello compositivo e si affidano a trame esili e non sempre persuasive, ritagliate sulla misura dell'elzeviro, forse anche per l'urgenza di soddisfare le esigenze dei periodici e per una mancata rielaborazione, diversamente dai romanzi e dalle raccolte anteriori; tuttavia esse hanno un livello di scrittura e una scorrevolezza stilistica che segnano un progresso rispetto alle fasi precedenti, e rivelano un influsso delle nuove tendenze narrative europee (fino a comprendere la novellistica ungherese) oltre che della prosa d'arte.

Gran parte dei racconti è incentrata su piccoli casi quotidiani che si complicano nel gioco beffardo della vita o della morte; ora si risolvono in divertite parabole narrative, paradossali o da commedia tragicomica, ora in forma di beffa: la rivale della novella omonima risulta essere alla fine una pipa; una serie di disavventure matrimoniali inducono infine il protagonista (*Il vivo*) a scegliere di vivere da solo e felice; il rimorso che tormenta ossessivamente il frate appare alla fine infondato perché il portafoglio trovato e non restituito contiene solo una lettera d'amore (*Il portafoglio*). Oltre che per la particolarità delle chiuse che disattendono le attese destate dalla trama, queste novelle si caratterizzano per una leggera vena ironica o autoironica che sfiora i personaggi e talvolta l'"io" che racconta.

È assai presente in questi testi, sia nell'impianto descrittivo-moralistico, sia come elemento più o meno evidenziato, un'inclinazione riflessiva, filosofeggiante, peraltro non chiarita nei suoi fondamenti. La Deledda appare abbastanza consapevole sia della tendenza che la portava a moralizzare, sia anche dei limiti di questa sua esigenza. In una lettera di questi anni al figlio dichiarava che il mistero della vita «è il problema che non si risolve mai, è il mistero se noi viviamo per godere o per soffrire, è quasi, a mio parere, un senso fisico d'attrazione verso la terra e nello stesso tempo verso il cielo»; e affermava di sentirsi come «gli antichi pastori contemplatori e filosofi che rivivono ancora in noi, che sentono e non afferrano il mistero dell'essere». Questo ci aiuta a comprendere il carattere istintivo, non razionalizzato, delle concezioni che la scrittrice esprimeva o faceva esprimere ai suoi personaggi, estranee a una riflessione culturalmente approfondita. E, come acutamente osserva David Herbert Lawrence nella prefazione alla traduzione inglese del romanzo *La madre*, «nulla è portato a intellettuale chiarezza, e ogni cosa trascorre come in una corrente d'emozione più o meno vaga, più o meno realizzata, dentro una nebbia naturale o una fosforescenza di sensazioni che avvolge ogni cosa e conta più di quanto effettivamente esprimano le parole».

Ma talvolta «la corrente d'emozione» s'arresta: è infatti vaga e talvolta banale quando cerca di formulare o mettere in bocca a personaggi consapevoli, di educazione superiore, idee di tipo filosofico-morale, scientifico o politico-sindacale.

Contraddicendo un carattere della Deledda novellatrice, che è capace di trovare una chiusa misurata, allusiva, senza grossi effetti – un critico come Antonio Baldini le riconosceva l'abilità di «imbroccare i finali (...) in modo superlativo» –, la conclusione ora è spesso esplicativa: si affaccia l'esigenza di insegnare, di ricondurre gli uomini ai buoni sentimenti. Così nella novella *Un dramma* una madre, stanca della *routine* quotidiana, incompresa e bistrattata da marito e figlio, si allontana, lasciando i due uomini sconcertati e impigliati nei problemi casalinghi; ma ribellione e fuga non durano ventiquattr'ore: la sera la madre ritorna, e il suo gesto più che una rivolta radicale risulta una blanda lezione per scuotere la loro insensibilità. E tuttavia la novella ha una sua felicità espressiva e psicologica che richiama Pirandello, come ha ben notato Bice Mortara Garavelli: «un'imitazione pirandelliana, nella raffigurazione di uno spaccato di vita cittadina e piccolo borghese è tutto il racconto». Anche *Mattino di giugno* è la storia, che indulge all'idillio, di una madre di famiglia dedita alla casa e ai figli, per i quali rinunzia senza rimpianti ai suoi sogni di poesia: la novella sembra allontanarsi da una concezione della donna deleddiana, determinata nell'affermazione di sé (o forse esprime un momento di ripiegamento su affetti domestici). Una resa più incisiva ha *Il nemico*, con il singolare personaggio della vecchia Marala che nasconde pratiche usuraie sotto i panni di un'onesta venditrice e rivela un sotterraneo travaglio morale, espresso dalla voce della coscienza, il "nemico" che è in lei.

Una particolare attenzione meritano alcune novelle in cui la Deledda sembra adeguarsi, anche se in modo frammentario, alla tendenza metanarrativa tipica del Novecento. In questi casi il racconto introduce un "io" narrante vicino alla scrittrice che riflette su alcuni temi del fare letteratura e sul disagio del mestiere letterario. In altri casi la metanovella ha la forma del racconto nel racconto; ma mentre nelle novelle sarde la situazione narrativa orale emergeva da un contesto popolare autentico, qui si ha la ripetizione di uno schema che non riesce a trovare un ritmo e una tonalità giusti (si vedano *Lo spirito dentro la capanna* o *Deposizione*). Le riflessioni di carattere metanarrativo, i temi che riguardano la lettura e la scrittura, ricorrono qui in modo disperso, non sistematico. Per esempio nella novella *La palma* si parla del tormento e delle crisi che dà la letteratura, quel lavorio interno che fa dell'artista «un eterno arrotino occupato ad affilare il proprio coltello»; ma i dispiaceri possono essere le tasse o la scarsità dei guadagni, insufficienti a garantire un tenore di vita dignitoso, se si vuole soprattutto, com'è detto in una lettera di Madesani a Hérelle, rimanere autonomi e non inchinarsi ai potenti.

La Deledda non cerca programmaticamente una nuova fisionomia ma sonda territori inesplorati; forse anche scrive novelle per ragioni economiche, o prevale l'esigenza di mantenere un rapporto col gusto del pubblico che cambia, in linea con un livello medio di produzione letteraria che è quella dei Panzini, Moretti, Cicognani. In forme adeguate alla sua sensibilità e alla sua abilità accoglie e amalgama sollecitazioni culturali, che vanno da un'istanza morale (già interpretata dal moralismo di tipo vociano) alla prosa d'arte, o anche, per spunti molto lontani, a Pirandello, a Tozzi, fino a suggestioni di esperienze artistiche, incluso il futurismo (in riferimento ad aspetti del paesaggio urbano romano diceva: «vedendo queste cose si capiscono certi quadri dei futuristi»). L'esperienza della narrativa contemporanea, l'amicizia con Cecchi, con Moretti, ma anche con pittori come Michele Cascella e Filippo De Pisis, certamente hanno agito su di lei, ma senza marcati segni di sovrapposizioni o irriflesse imitazioni.

L'esperienza quotidiana della scrittura (può valere per lei il motto di Plinio *Nulla dies sine linea*), che si esercita più diffusamente e sperimentalmente nella misura del racconto breve, si traduce nella conquista di uno stile maturo e controllato, «corretto» e duttile che si piega ora a osservare la realtà concreta delle cose, ora ad ascoltare, in un silenzio raccolto, «le vibrazioni della nostra vita interiore», ora a percepire e interpretare voci, suoni, profumi, colori e forme in un rapporto di rinnovata armonia con la natura. I racconti brevi non di grande respiro, diseguali per resa narrativa ma di continuo variati, coprono pur con intermittenze l'intero arco della sua vita, sostenuti da un gusto antico e ora affinato del narrare, che è il segno di un profondo radicamento nella cultura originaria e insieme di un'istintiva capacità ad avvertire il mutare dei tempi, il fascino della modernità, proprio della sua dinamica culturale.

«Per questo a leggerla oggi Grazia Deledda non è segnata dal tempo», come sostiene Elisabetta Rasy, rovesciando non senza provocazione un persistente giudizio critico: questa sua lingua mezzo secolo e più dopo la morte «appare limpida e classica, priva degli odiosi manierismi della modernità e priva, quel che più conta, dei contorcimenti e dei sensi d'inferiorità dell'italiano romanzesco dei suoi contemporanei».

Giovanna Cerina

NOVELLE

VOLUME QUARTO

IL RITORNO DEL FIGLIO
LA BAMBINA RUBATA

IL RITORNO DEL FIGLIO

Fu una sera dell'aprile scorso che il possidente Davide D'Elia, tornandosene in calesse da una sua fattoria, credette di vedere in mezzo alla strada un agnellino sperduto: guardando meglio si accorse che era un bambino, avvolto in una vecchia sciarpa di pelo nero; così piccolo che al sopraggiungere del veicolo non si mosse neppure, tanto che il cavallo stesso, non facendo a tempo a scansarsi, si fermò di botto.

Davide però non era un uomo curioso, né si turbava facilmente: adesso poi, dopo la morte in guerra del suo unico figlio diciottenne, era diventato ancor più duro, col cuore arso da una invincibile ira contro Dio e contro gli uomini. Pensò che il bambino lo avesse deposto lì qualche contadina che lavorava nei dintorni, e tirò le redini perché il cavallo passasse a destra della strada: ma il cavallo, per la prima volta dacché era suo, non gli obbediva; non andava avanti: sollevava e scuoteva la testa seguendo il movimento delle redini, ma non andava avanti.

Il padrone, tutto agitato dentro il calessino leggero come una grande sedia a ruote, imprecò, tentando almeno di tirarlo indietro: ma il cavallo non intendeva neppure di andare indietro, fermo come se le sue zampe avessero messo radice nel suolo.

Allora Davide gridò al bambino di alzarsi e di scostarsi: la sua voce rude avrebbe intimorito un brigante: la creatura innocente si contentò di sollevare gli occhi. Che occhi! Grandi, pensiosi, di un colore indefinito, fra l'azzurro il bruno e l'oro, brillavano come due piccoli specchi che riflettessero il luminoso cielo del crepuscolo.

Davide non era uomo da commuoversi neppure per questo. Non amava i bambini.

Non amava i bambini: e adesso, con rimorso invano non riconosciuto, ricordava di non aver quasi mai accarezzato e baciato suo figlio quando era piccolo: e questo rimorso, come tutti i rimorsi veri, rincrudiva il suo disamore per tutti gli altri bambini del mondo che non erano suoi. I bambini poveri, poi, li riteneva furbi, intesi per istinto a destare una pietà che loro profittasse: tutti più o meno mendicanti. Gettava loro una moneta e tirava avanti.

Questa volta, però, suo malgrado è costretto a fermarsi, a interessarsi della creatura abbandonata nella strada: lo impressiona la strana riluttanza del cavallo ad andare avanti, e, in fondo, ricorda ch'egli è un uomo celebrato in tutti quei dintorni per la sua scrupolosità di coscienza e per la più rigida osservanza del suo dovere.

Eppoi è anche sindaco del paese. Suo dovere, dunque, è adesso, di non passare senza essersi assicurato che il bambino è lì momentaneamente deposto da qualcuno che verrà a riprenderlo.

Osservandolo bene gli pare che non sia ancora in età di parlare, sebbene i suoi occhi abbiano qualche cosa di strano, fissi e coscienti; sembrano quelli di un santo o almeno di un uomo saggio.

Antiche superstizioni sfiorano la mente, se non il cuore, del nostro Davide. Egli ricorda di aver letto o sentito raccontare certe leggende nelle quali si afferma che Gesù ama spesso tornare nel mondo a vagabondare sotto spoglia umana per provare il cuore degli uomini. Perché vi sono cuori abbandonati a sé stessi come terre incolte: basta smuoverli e seminarli perché diano frutto. Ma Davide pensa che il suo cuore è duro perché deve essere duro: e se il bambino misterioso è Colui che tutto vede ne sa il perché: inutile quindi fingere un turbamento che non si sente. Infine, poi, l'uomo veramente frustato dalla sventura non può più amare neppure lo stesso Dio.

Intanto, pensa e ripensa, guarda e riguarda di qua e di là, il tempo passava: era quasi sera e Davide pensava anche a sua moglie che s'inquietava profondamente quando egli tardava a rientrare. Si decise dunque a scendere dal calesse: d'un balzo fu in terra, agile nonostante la sua non più giovane età, col viso, al quale la pelle scura, le labbra grosse e la barba a punta davano un'aria diabolica, minacciosamente chinato sul bambino.

– Ebbene, ti muovi, o non ti muovi, malanno abbia tua madre che ti lascia andar così?

Ma né questa né altre maledizioni riuscirono a scuotere l'innocente: solo i suoi occhi pensierosi fissavano un po' inquieti l'uomo irritato: finché l'uomo irritato lo prese e lo tirò su afferrandolo per l'involto di pelo come un animaletto.

Allora le imprecazioni e le bestemmie raddoppiarono, così terribili che pareva oscurassero le cose intorno.

Perché Davide vedeva alcune goccie di sangue cadere dalle gambe scure e dai piedini scalzi del bambino; e ne provava un senso inesprimibile di raccapriccio; quel sangue innocente gli faceva tornare al pensiero Gesù, e il ricordo del suo figliuolo quasi ancora bambino ucciso dall'odio degli uomini.

Si piegò in mezzo alla strada e tenendo davanti a sé dritto il piccolo sconosciuto gli tolse la sciarpa di pelo: e gli pareva davvero di scorticare un agnellino, tanto il vestitino d'un bianco sporco era macchiato di sangue e ricopriva un corpo strano: non era il solito corpo dei bambini sani, polposo e voluttuoso con le sue pieghe e i suoi pomi di carne: era quasi un corpo maturo, nella sua piccolezza, con la pelle aderente alle ossa sottili; quasi limato da una lunga sofferenza interiore: due larghe ecchimosi violette venate di rosso fiorivano sulle piccole ginocchia, e in mezzo ad un'altra, a metà della gamba destra, una ferita dava sangue.

Davide però s'avvide subito che questa ferita non era grave né prodotta da arma: gli parve piuttosto che il bambino fosse caduto dall'alto, da un cavallo o da un carretto, o vi fosse stato buttato giù. Gli fasciò alla meglio la gamba col fazzoletto pulito che teneva sempre di riserva in saccoccia: poi lo riavvolse nella sciarpa, e lo prese in braccio tentando ancora d'interrogarlo.

E gl'indicava i punti estremi della strada chiedendogli dond'era venuto: di su o di giù? Il bambino, che non s'era lamentato neppure nel sentirsi toccare la ferita, seguiva con gli occhi il movimento del dito del suo salvatore, ma non apriva la bocca pallida.

Veniva voglia di batterlo, di rimetterlo per terra e abbandonarlo al suo destino: e per qualche momento Davide non ebbe altra idea.

Ma non si decideva, ostinandosi a guardare su e giù per la strada in attesa che qualcuno apparisse. Nessuno appariva. La strada saliva dolcemente tra due bordi di rovi e di ginestre fiorite, di là dei quali, in quel punto, neanche a farlo apposta, mentre il resto del versante era coltivato a grano e ad oliveti, si stendeva una zona pietrosa, nuda, deserta.

Cadeva dunque la supposizione che il bambino fosse stato lì deposto da qualche donna che lavorava nei dintorni. Una stizza pungente finì d'irritare Davide: gli pareva che qualcuno, lì nascosto fra i rovi, lo vedesse col bambino in braccio e si beffasse di lui, ma nello stesso tempo gl'impedisse di rimettere il piccolo sperduto sulla polvere della strada, e abbandonarlo di nuovo.

Cominciò allora a gridare, come chiamando quest'uomo nascosto; l'eco sola rispondeva.

Non c'era altro da fare che prendere il bambino e condurlo in paese e consegnarlo al parroco o ai carabinieri o tenerselo in casa fino a ritrovarne i parenti.

E Davide rimontò sul calesse, adagiandosi bene contro il fianco perché non avesse a cascare un'altra volta quel fagottino nero del quale avrebbe volentieri fatto a meno.

– Andiamo – disse al cavallo, e il cavallo si rimise a trottare rapido per riacquistare il tempo perduto.

Davide adesso lo frenava: voleva esplorare la strada, in cerca di qualche traccia che gl'indicasse la provenienza del bambino; ma su quel tratto di strada pietrosa non si vedevano neppure le impronte delle ruote dei veicoli: quando la strada pianeggiava un poco pareva di camminare attraverso un mare pietrificato, tanto le distese di roccia erano nude, ondulate, argentee al crepuscolo.

Ma ecco la vita ricomparire: alberelli con le foglie nuove che tremolavano di gioia bevendosi l'ultima luce del giorno s'inseguivano lungo l'orlo della strada, su, su, da una parte e dall'altra fino a confondersi nella svoltata: e attraverso i loro fusti sottili si vedevano le pallide distese del grano, e casupole e capanne nereggiare qua e là, come grandi nidi fra le siepi: di tanto in tanto un sentiero sbucava curioso sulla strada fermandosi a guardare e invitare il passante.

Davide conosceva i luoghi e quasi tutte le persone che l'abitavano; ma l'idea di fermarsi e cominciare un'inchiesta forse inutile lo annoiava; era tardi, e la moglie lo aspettava.

Tirava dunque dritto senza incontrare nessuno. I lumi del paese già apparivano, su, in una insenatura quasi in cima alla collina; pochi lumi rossastri che non riuscivano a illuminare le cose intorno a loro: solo uno brillava vivo come un faro, in alto, sopra il paese: e il cavallo lo fissava, riconoscendolo con gioia: era il fanale che il padrone teneva acceso a sue spese davanti al portone della sua casa.

Il bambino intanto si era addormentato, con la testina appoggiata alla coscia del suo salvatore; e questi lo sosteneva con cura, ma si difendeva sempre da ogni commozione e non vedeva l'ora di deporlo in qualche posto.

La sua prima idea di condurlo alla caserma dei carabinieri e consegnarlo al brigadiere, adesso però gli sembrava poco umana; o forse aveva paura di sembrare poco umano lui, facendo così.

Meglio andare dal parroco. Ma egli era geloso del parroco, e dei suoi pretini che volevano governare da soli il paese, e in un certo modo vi riuscivano. Consegnare a loro il bambino, che l'avrebbero subito preso come il ragno la mosca nella sua tela, era diminuirsi di autorità.

Il cavallo, intanto, per conto suo proseguiva a trottare verso casa: ecco passata la caserma dei carabinieri, ecco passata la casa comunale, ecco passata la parrocchia, tutte e tre, del resto, attaccate l'una all'altra sull'alto della piazza come tre sorelle rivolte d'intesa a sorvegliare e dominare il paese, disteso umilmente ai loro piedi con le sue case basse, le sue stradette ripide, i suoi orticelli umidi, triste anche nel sonno.

Ma la strada non si fermava lì, e anche Davide non si fermò lì. Chi era al di sopra di ogni potenza del paese era lui; giusto, quindi, che la sua casa fosse al disopra di tutte, anche della chiesa. Solo un'altra potenza dominava la sua, ma era una potenza morta: la torre in rovina di un antico castello.

La strada si faceva sempre più ripida, illuminata dal chiarore che il fanale versava dall'alto spandendolo anche sulle siepi e gli alberi intorno.

Un odore di erica, un silenzio sempre più fitto dànno l'impressione di andare su in cima a una montagna. E la casa lassù, sul suo spiazzo di pietra, col muro di cinta ricoperto d'edera, il portone ferrato, che dà luce col suo fanale, ma rimane nell'ombra a spiare come con una lanterna cieca, ha più della fortezza che del palazzo.

Un cane abbaiò dentro; poi tacque riconoscendo il rumore del calessino: tuttavia Davide dovette battere tre volte al portone e far sentire anche la sua voce perché qualcuno si decidesse ad aprire.

E chi apriva non si dava fretta: lo si sentiva levare i ganci che assicuravano meglio i battenti del portone, e tirare il paletto e il catenaccio e girare con cautela la chiave nella serratura.

Finalmente uno dei battenti si aprì un poco: apparve, nel vano misterioso, una figurina di vecchia: piccola ma diritta e dura, col viso tutto a punte aguzze circondato da una specie di cappuccio nero, e un mazzo di chiavi in mano, pareva la custode di un luogo di leggende.

I suoi occhietti neri lucenti come quelli di un uccello distinsero subito l'insolito fagotto che Davide senza lasciarle tempo di domandare di che si trattava, le gettò fra le braccia, quasi di sorpresa e come con l'intenzione di spaventarla un po' per burla e un po' sul serio.

– È un bambino, sì, è un bambino – egli disse, aprendo tutto il portone per far entrare il calesse. – L'ho trovato smarrito nello stradone: bada che è ferito. Scostati, Elisabetta! – gridò poi; ma la vecchia rimaneva come impietrita sulla soglia, palpando il misterioso fagotto, e tentando di vederlo meglio alla luce del fanale. Pareva non prestasse fede ai suoi occhi: non domandava spiegazioni, però, e una volta accertatasi che quello che teneva in braccio era proprio un bambino, e che non c'era altro da fare che portarlo dentro, richiuse il portone riassicurandolo col gancio, i catenacci e i paletti, e mentre il padrone staccava il cavallo ella rientrò nella cucina.

Cucina che sembrava una sala; alta, a volta, col pavimento di legno, e cassepanche e madie antiche che parevano mobili di sagrestia.

Una donna ancora giovane ma con gli occhi incavati sotto le palpebre livide e tutto il viso fino scarno come succhiato in dentro da un'angoscia insaziabile, stava seduta sulla panca davanti al camino acceso: teneva le mani in grembo e anche quelle mani lunghe, pallide, parevano solcate da cicatrici di dolore; tutta la sua attitudine era di chi aspetta pur sapendo che la sua attesa sarà lunga e forse vana.

Era la madre che pensava al suo figliuolo morto.

La sua indifferenza a ogni altra cosa era tale che neppure la vista del bambino che Elisabetta le depose accanto sulla panca la scosse. Solo domandò:

– Di chi è?

– Adesso, adesso glielo dirà il padrone – disse la vecchia serva. Poi non poté tenersi oltre: – È un bambino che il padrone ha trovato sperduto nello stradone: è anche ferito.

Un'altra serva era accorsa dalla stanza attigua e si chinava sulla panca osservando il bambino: anche la padrona si volse un poco a guardarlo, senza però muover le mani dal grembo: e la vecchia pareva a sua volta godersi la loro curiosità.

– Come ti chiami? Come ti chiami, bello? Non parli? Non ce l'hai la linguetta? Parla, tesoro: non parli davvero?

Il bambino aveva riaperto i grandi occhi serii, ma non rispondeva: la sua attenzione, più che dalle donne, pareva attirata da un uomo coricato su una stuoia, lungo la parete all'angolo del camino; o per meglio dire da due piedi che sbucavano di sotto a un sacco buttato in quell'angolo: due grossi piedi rivestiti di scarponi di cuoio grezzo coi chiodi che luccicavano al fuoco.

L'uomo sotto il sacco pareva dormisse profondamente, perché né l'entrata della vecchia serva col bambino, né le esclamazioni delle donne lo riscuotevano; del resto nessuno badava a lui; solo Davide, nel togliersi il cappotto e il cappello che attaccò lì accanto, lo guardò dall'alto, con fugace attenzione: poi andò a sedersi anche lui sulla panca, vicino a sua moglie.

E dapprima parve contento che la moglie si fosse scossa dal suo torpore doloroso, poi s'irritò perché il bambino, impazientitosi finalmente di tutta la curiosità che destava, contrasse il viso come per ridere e invece si mise a piangere: un pianto nervoso, desolato, di chi è all'estremo delle sue forze e della sua rassegnazione.

– E dategli qualche cosa da mangiare, piuttosto! Dico a te, Bona; e tu, vecchia cornacchia, non hai un biscotto da dargli?

Le due serve si ritrassero: la stessa Bona, come impaurita dal grido del marito, prese il bambino in grembo e cercò di farlo tacere. Fu portata una tazza di latte, un biscotto, un altro biscotto: questi argomenti furono validi più che tutte le moine delle donne a far chetare il bambino.

Egli prendeva e beveva e mangiava tutto con avidità, stendendo le manine sporche per difender la sua roba come fanno i piccoli gatti gelosi; quando fu un po' sazio cominciò a battersi una di queste manine sul petto, per significare che tutto ciò che gli davano era buono e gli piaceva; e Bona lo capì subito, perché così faceva anche il suo Eliseo quando era bambino. Anche il marito doveva ricordare vagamente qualche cosa perché guardò il gesto del bambino, poi guardò la moglie e la vide più pallida del solito; allora s'arrabbiò.

– E adesso basta con l'ingozzarlo! Non è un animale, poi! Basta, Bona!

Ella intanto lo sfasciava dalla sciarpa di pelo.

– Ma è vero ch'è ferito? – domandò con voce sorda: e quando vide il vestitino insanguinato spalancò gli occhi, e le sue pupille si fecero grandi come per un dolore fisico: ma non aggiunse parola.

Il marito raccontava l'avventura: gli sembrava però ch'ella non gli prestasse fede; e neppure molta attenzione, intenta com'era a osservare il bambino, al quale aveva tolto il fazzoletto dalla ferita. Le serve erano di nuovo accorse, una con un catino d'aceto, l'altra con delle pezze di tela: e ben presto, per opera di quelle sei mani pietose, la ferita fu lavata e fasciata di nuovo. Bona passò la pezza inzuppata d'aceto anche sulle gambe insanguinate e sulle ginocchia del bambino che aveva arrovesciato sul suo grembo; poi domandò un panno per asciugarlo.

Il marito raccontava, e diceva la sua intenzione di consegnare il bambino ai preti o al brigadiere: la sua voce era tranquilla, ma d'improvviso stridette di nuovo, irritata, per la ragione che si vedevano come delle goccie d'oro piovere dagli occhi della moglie.

– Non l'ho portato subito dal parroco perché avevo fame. Ho fatto male però. Malissimo. E adesso datemi da mangiare: poi penseremo al da farsi. Voi avete già cenato?

Avevano già cenato, perch'egli quando tardava a tornare voleva non lo si aspettasse: andò quindi a sedersi davanti alla tavola ancora apparecchiata, nella stanza attigua che pareva il refettorio di un convento tanto era lunga e nuda: e la più vecchia delle donne lo servì.

Un lume ad olio a tre becchi, alto sul suo stelo di rame come un giglio dorato, rischiarava con la sua luce quieta le pareti imbiancate con la calce e la tavola ricoperta di una grossa tovaglia di lino: tutto era antico e primitivo lì intorno: la stessa serva vestiva come un'ancella della Bibbia; ma il suo viso tutto a punte esprimeva una malizia quasi perfida, e il padrone s'accorse subito ch'ella lo guardava aspettando, anzi provocando il momento di dirgli che lei non credeva alla storia del ritrovamento del bambino in mezzo alla strada.

Non credeva mai a nulla di quanto le si raccontava, la vecchia Elisabetta; perché una volta da ragazza, nel tempo dei tempi, era stata ingannata da un uomo. Per conto suo era fidata e sincera; i padroni avevano piena fiducia in lei, tanto che era lei, si può dire, la vera padrona di casa: Davide, anzi, la temeva un poco perch'ella influiva molto sul carattere già melanconico e sognante di Bona. La temeva ma non la rispettava, perché sapeva che a sua volta Elisabetta non avrebbe abbandonato la casa, dove faceva il comodo suo, se non per andarsene all'altro mondo.

– Perché mi guardi così? – le disse. – Mi pare che diventi losca, ragazza mia. A che pensi?

– Penso, – ella rispose sottovoce, perché non la sentissero quelli che stavano di là, – che ai miei tempi i bambini non si trovavano così in campagna come leprotti.

– Ai tuoi tempi non si trovavano ancora né bambini né leprotti, nel mondo. Adamo non era ancora nato.

La serva non insisté, per non farsi sentire dalla padrona; ma Davide aveva voglia di gridare: s'alzò, senza aver finito il pasto, e ripeté:

– Non credere che me lo voglia tenere in casa. Adesso vedrai che ci pensi anche tu.

– Gli oggetti ritrovati si portano in chiesa – disse con accento ironico, tornando a sedersi sulla panca di cucina. – Dunque, a pensarci bene, questa creatura deve essere proprio consegnata al parroco: e questa notte stessa. Bisogna che qualcuno vada giù in parrocchia a portarla.

– Adesso? – mormorò la moglie, che teneva sempre il bambino in grembo.

– E perché? Non è una notte di burrasca per non poter uscire. Io, però, no davvero non ci vado, e tu neppure. Albina ha paura degli spiriti: bisogna dunque che ci vai tu, Elisabetta.

Elisabetta non aveva paura di uscir sola di notte, ma capì

31

che mandando lei dal parroco col bambino il padrone voleva castigarla per la sua malizia e si mise a sorridere. In fondo faceva sempre quello che le piaceva.

– Se vossignoria mi manda ci vado, ma dovrò forse tornarmene col mio carico. Sua reverenza il parroco vorrà parlare con vossignoria, prima di accettare il bambino; non vorrà credere così subito che...

– Elisabetta! – gridò il padrone senza lasciarla finire. – Quando io dò un ordine tu devi eseguirlo e non discutere. Tu devi prendere il bambino e portarlo giù dal parroco; s'egli non vorrà accettarlo toccherà poi a me e non a te a provvedere.

Visto che la cosa si faceva seria, la serva smise di sorridere. A lei, dopo tutto, non importava nulla di condurre la disgraziata creatura in giro di notte; una serva deve fare sempre quello che ordina il padrone; ma le pareva un'azione vergognosa, da parte del padrone, che era anche sindaco, non bisogna dimenticarlo, e di tutta la sua accreditata famiglia, di scacciare così, come un cane randagio, un povero bambino ferito.

E lo disse, dopo qualche esitazione però, perché aveva paura d'irritare maggiormente il padrone. Del resto, nonostante la furia di lui di liberarsi del bambino, ella persisteva nel credere poco vera la storia del ritrovamento in mezzo alla strada.

– Certo, non si tratta di un oggetto, ma di una creatura di Dio – mormorò la moglie, già impressionata dalle parole di Elisabetta.

– E allora tienitelo – gridò il marito.

Bona chinò un po' la testa su quella del bambino, ma sollevò gli occhi grandi e tristi.

– È quello che tu vuoi – disse sottovoce, con un accento misterioso, come volesse non farsi sentire. Ma tutti avevano buone orecchie, tutti sentirono: e Davide scattò con impeto quasi selvaggio, imprecando e facendo atto di strappare alla moglie il bambino che ella strinse a sé, senza più parlare.

Il dibattito continuò allora fra il padrone e la vecchia serva, finché questa dichiarò nettamente che non intendeva uscir fuori di notte con un fardello così strano.

– Vossignoria mi mandi fuori sola; vado in cima al monte, ma con la creatura no.

– Allora andrai tu, Albina.

Albina si fece il segno della croce, rifugiandosi nell'angolo più lontano della cucina: lo stesso padrone si mise a ridere, vedendo il suo terrore, poi disse che bisognava si movesse pur lui poiché aveva delle serve nutrite, pagate e calzate solo per tener la coda alla padrona e farsi comandare invece che essere obbedito da loro. Non si moveva, però; anzi aveva acceso la pipa e fumava rabbiosamente mandando di qua e di là il fumo, come ad empirne meglio la cucina, tanto che l'uomo sotto il sacco cominciò a tossire, ma d'una tosse più di protesta che veramente causata dal fumo; e il primo istinto di Davide fu di scansarglielo, poi invece lo mandò dispettosamente tutto da quella parte.

Ma la consolazione della pipa non calmava la sua collera: inghiottiva amaro e si pentiva di non aver già consegnato il bambino ai preti o al brigadiere, o a qualche donna che il Comune poi non avrebbe mancato di compensare.

La sua amarezza era causata dal ricordo che la moglie fino a poco tempo prima aveva sofferto di gelosia: gelosia muta, rodente, non del tutto ingiustificata, – era uomo del mondo anche lui, – che si manifestava solo nelle lunghe tristezze e nei silenzi esacerbati di lei, ma che a volte prendeva una vera forma di malattia e faceva dimagrire e ingiallire la donna di modo che Albina sospettava si trattasse di stregoneria.

Il dolore per la morte del figlio aveva assorbito anche questa passione, anche perché ella sentiva che il marito rispettava la memoria del diletto perduto conservandosi casto e fedele a lei. E infatti era così: Davide in fondo aveva l'impressione che il figlio dall'eternità lo *vedesse* in ogni sua azione e in ogni suo pensiero, e ne temeva il giudizio.

– Tu vedi, queste donne hanno torto, adesso – gridò fra di sé, scendendo nel profondo della sua coscienza e risalendovi alquanto placato.

Si levò la pipa di bocca e sputò: sì, la sua coscienza non gli rimproverava nulla; ma il sospetto continuava a soffiargli egualmente intorno, con l'alito stesso della donna.

– Allora nessuno si muove? Aprimi la porta, Elisabetta, poiché dunque devo essere il servo io, in casa mia.

– In quanto ad aprire la porta, vossignoria non ha che da

comandarmi – replicò la serva, agitando il mazzo delle chiavi; ma intanto non si moveva.

Ed ecco d'un tratto l'uomo che stava sdraiato cominciò ad agitarsi stranamente: dapprima buttò via il sacco, scoprendo le grosse spalle rivestite di una giacca da cacciatore; poi sollevò la testa grossa pur essa e avvolta da una nuvola di capelli neri polverosi, infine puntò i gomiti sulla stuoia, ma tosto si lasciò ricadere come impotente ad alzarsi: dopo qualche attimo, però, si volse e si mise a sedere, d'un colpo, con le gambe lunghe distese, le mani aperte appoggiate a terra, la testa così abbassata sul petto che i capelli gli velavano il viso grigio e duro come scolpito sulla pietra: aveva gli occhi chiusi e tutto un aspetto di Sansone cieco.

Davide lo guardava con un po' di derisione.

– Adesso sentiremo anche il suo verbo – pensò; ma intanto si rimise a fumare sospendendo la sua decisione di alzarsi e di uscire.

– Davide D'Elia, – cominciò a dire l'uomo, dapprima come parlando fra sé e poi a poco a poco alzando la voce e in tono alquanto declamatorio, – la sua serva vecchia ha perfettamente ragione. Manca di rispetto e di obbedienza ai suoi padroni, ma parla secondo la sua coscienza. Non si manda via così una creatura smarrita. Oh, se la famiglia D'Elia non ha un pezzo di pane da dare a un bambino povero a che è ridotto il mondo?

– Ma sta' un po' zitto! – gli disse Elisabetta, sebbene egli prendesse le parti di lei.

L'uomo parve non sentirla, però proseguì con tono più dimesso e più sincero:

– La famiglia D'Elia mantiene qui sulla stuoia come un Cristo deposto il suo servo cieco, buono più a niente, e rifiuta ospitalità a una creatura smarrita? Mandatemi via, piuttosto, mandatemi via. Mandatemi via, – ripeté per la terza volta con voce tremante; – io troverò sempre chi mi farà l'elemosina e non correrò pericolo come può correrlo questa creatura innocente.

– E basta – gridò a sua volta Davide masticando il cannello della sua pipa.

E il cieco non replicò. Era del resto un uomo taciturno e mite: i D'Elia lo tenevano presso di loro perché egli s'era accecato spegnendo un incendio nel loro granaio: non parlava quasi mai, non s'immischiava mai nei fatti di casa; ed era con una certa meraviglia che le donne, adesso, l'avevano sentito gridare.

Anche Davide si difendeva contro un vago turbamento superstizioso: gli pareva che il cieco parlasse meccanicamente, spinto da una volontà superiore alla sua: come una marionetta che altri fa muovere. Bisognava non prender la cosa in derisione, ma pensarci su.

Il cieco non replicava: rimaneva però fermo nella sua posizione, come aspettando che il padrone si alzasse per alzarsi anche lui e continuare nella sua protesta. Ma neppure il padrone si mosse. E così, per quella notte il bambino rimase in casa.

La serva Albina lo portò a dormire nel suo letto, poiché Elisabetta non volle incaricarsene. Aveva fatto il suo dovere, Elisabetta, rifiutandosi a portarlo fuori di casa, ma non intendeva perdere il sonno per lui: non aveva pazienza coi bambini, d'altronde, fossero pure bambini smarriti e sofferenti.

Anche la padrona era ricaduta nella sua triste indifferenza: lasciò che Albina le prendesse di grembo il bambino già di nuovo addormentato e lei rimase accanto al fuoco.

Le serve avevano ciascuna la sua camera, al pian terreno: camere grandi e tristi, arredate con vecchi mobili, armadi alti fino al soffitto, casse antiche, letti medioevali.

In quella di Albina gli oggetti avevano un aspetto ancor più grave, quasi misterioso, illuminati com'erano da una fiammella che ardeva notte e giorno entro un bicchiere giallognolo a metà colmo d'olio, deposto entro una nicchia in fondo alla quale brillava il vetro di un quadretto sacro.

Altre immagini e statuette di santi popolavano la camera, e sull'uscio e sopra il letto pendevano rami di palme e d'olivo, ceri, amuleti contro le tentazioni, gli spiriti e i vampiri.

Ciò non bastando, Albina prese una falce e l'attaccò al suo uscio, dalla parte esterna; perché il vampiro ha una predilezione spiccata per il sangue dei bambini, e, così, se veniva, si attardava sull'uscio a contare tutti i denti della falce, e non riuscendovi mai, o sembrandogli di sbagliare, tornava daccapo tante e tante volte finché la luce dell'alba lo costringeva a fuggire.

Così un po' rassicurata, ella s'inchinò da tutte le parti per salutare le sue immagini; poi cominciò a spogliare il bambino guardando per ogni verso le sue povere vestine se trovava qualche segno di riconoscimento. Nulla; tranne quelle macchie di sangue che la impressionavano sinistramente.

Ma anche lei non era molto curiosa, e considerava talmente vana e di passaggio la vita che giudicava con apatia ogni cosa.

Domani ci sarà chi s'incaricherà di scoprire il mistero del bambino sperduto: il brigadiere, certamente, riuscirà a sapere tutto: per questo è brigadiere: perché dunque deve pensarci lei?

Dunque mise il bambino sotto le coperte, poi, sebbene la notte fosse ancora fresca, si cacciò completamente nuda nel letto: ma di lì a un poco si sentì tutta ardere: toccò il bambino e le parve che avesse la febbre. Allora cominciò a recitare una preghiera contro la febbre, che dopo tutto è un'agitazione del sangue prodotta dall'alito del demonio: ma il calore continuava e aumentava. E che cosa avviene adesso, Signore? L'uscio è spinto silenziosamente, un fantasma entra; tutte le ombre misteriose della camera si agitano.

Albina ha prudentemente messo la testa sotto il lenzuolo, e proprio in quel momento di paura le sembra – sogno o realtà – che anche il bambino si stringa contro di lei e finalmente parli.

– Chi è? Quel santo cieco? – le mormora sul viso.

– Albina, – disse nel medesimo tempo la voce sommessa della padrona, – con tutto questo trambusto ti sei dimenticata di far bollire il latte; domani sarà acido, certo.

La serva mise fuori la testa. No, il trambusto non le aveva fatto dimenticare il suo dovere; ma capiva che la padrona, prima di andarsene anche lei a letto, era entrata con quella scusa per vedere il bambino.

– Il latte è bollito – rispose; poi abbassò la voce. – Signora, sa che il bambino ha parlato! Mi ha chiesto: Chi è? Quel santo cieco?

– Impossibile! È troppo piccolo; avrà quindici mesi. Alla sua età Elis non parlava.

E di tutte le cose straordinarie di quella notte, quella che più impressionò la serva fu il sentire la padrona, che non parlava mai del figlio morto, ricordarlo a quel modo.

Bona intanto era passata dall'altra parte del letto e sollevava meglio le coperte per vedere se il bambino era sveglio: il
bambino dormiva, rosso in viso, con la bocca aperta, tutto caldo di sudore.

– Sente? Sembra un pane nel forno. E il padrone voleva
mandarlo via così, di notte.

– Gli uomini non hanno cuore, Albina. Se avessero avuto
cuore…

Non proseguì, con la gola stretta dal suo ricordo: ma Albina capiva tutto e non insisté; ricordava che la padrona non
amava si accennasse in alcun modo alla sua sventura. Strana
cosa, però, quella notte lei stessa ne parlava, con voce velata,
come uno che s'è appena svegliato e racconta un sogno.

– Ricordi, Albina, quando Elis era così piccolo e voleva
dormire con te per accertarsi se quanto tu dicevi delle tentazioni e degli spiriti era vero? Era coraggioso fin da bambino: ecco
perché è andato incontro al pericolo, Albina.

Albina, sotto le coperte, frenava i suoi singhiozzi: ricordava, sì, e le parole della padrona, pur dette con calma, quasi con
indifferenza, scioglievano il gelo del suo cuore, anche perché
le pareva di aver quindici anni di meno e che il bambino sconosciuto fosse davvero il piccolo Eliseo.

– Come il tempo è passato! – proseguì la padrona, muoven-
do qualche passo nella camera rischiarata dalla sola fiammella
nel bicchiere. – Mi sembra ieri ch'egli mosse i primi passi. Eravamo
lì, nella stanza da pranzo; già da qualche giorno egli si attaccava a tutti i mobili e rideva, rideva, come pazzo di gioia per il
miracolo che gli accadeva. Un bel momento si staccò dalla sedia
alla quale si appoggiava, e stette da solo fermo, serio; poi camminò. Dio, Dio mio! Era come Gesù che camminava sulle acque
del mare. Ti ricordi, Albina? E quando lo mettevi sul letto egli si
divertiva ad afferrarsi i piedini e portarli alla bocca. Era tanto bello: come la rosa di maggio. Sembra ieri… Qui in questa camera
tutto è come allora – ella aggiunse, sfiorando i mobili come per
accertarsi ch'erano tutti ancora al loro posto. – Gli oggetti non
muoiono e noi moriamo.

– Tutto muore; prima o dopo è lo stesso – mormorò Albina per confortarla, ma lei stessa piangeva.

– Del resto, – riprese la padrona, seguendo il filo del suo angoscioso pensiero, – mio marito ha ragione: non bisogna intenerirsi, non bisogna aver pietà. Ne hanno avuta gli altri con noi? Mi meraviglio, anzi, ch'egli si sia portato appresso questa creatura.

– Era meglio che non la portasse, davvero! Così vossignoria non si agitava.

– Oh, questo non importa. Anzi a volte l'agitarsi fa bene. È che proprio bisogna non aver pietà né amore; si vive meglio.

– Gesù però disse il contrario – mormorò la serva; pur ricordando che la padrona dopo la disgrazia non era più stata in chiesa, né soleva far celebrare messe per il suo ragazzo morto.

Bona intanto si aggirava per la camera, trascinandosi intorno la sua grande ombra come un velo nero; e continuava a toccare gli oggetti per assicurarsi che c'erano, ch'erano gli stessi di *quel tempo*. Sì, erano gli stessi: tutto c'era, lì e in tutta la casa: solo lui mancava.

D'un tratto un piccolo gemito, seguito da un pianto sommesso, tremolò nel silenzio, con la luce e le ombre: era il bambino che s'agitava nel letto, fra le braccia della serva.

E Bona vibrò anche lei; le pareva che tutto fosse stato un incubo: e che Dio cancellasse quindici anni dal libro della vita, e il piccolo Elis sognasse, sfidando ancora, nel letto della serva, i fantasmi del male.

Albina dormì poco, quella notte. Il calore del bambino si comunicava al suo corpo duro e legnoso ma sopratutto alla sua anima. Era un'anima dura anch'essa e legnosa, che non aveva mai fiorito: un'anima quasi monacale.

Perché adesso s'intenerivia per questo bambino misterioso che forse era di passaggio nel suo letto per quella notte sola, mentre non s'era affezionata neppure al figlio dei padroni, e le maggiori sventure del prossimo, come appunto la morte di Elis, o la disgrazia del servo divenuto cieco ancora in giovine età, la lasciavano quasi indifferente?

La sorte del bambino la faceva piangere. Chi era, poi? Aveva una madre, un padre? Perché lo avevano buttato in mezzo alla strada come un oggetto inutile?

Invano tentò di farlo parlare ancora: egli continuava a dormire il suo sonno un po' agitato, lamentandosi di tanto in tanto, in sogno, come se qualcuno lo molestasse e lo facesse soffrire.

Così Albina dormì poco quella notte: ed era scuro ancora quando si alzò.

Nel rivedere il cieco provò un sentimento nuovo: le parve di aver maggior rispetto e considerazione per lui; egli invece, appena sentì il calore del fuoco che ella aveva riacceso, balzò di sotto il suo sacco e disse con dispetto:

– Senti, se i nostri signori mandano via la creatura me ne vado anch'io.

– Speriamo di no. Sebbene mi abbia dato tanto fastidio, stanotte: non ho chiuso occhio, e adesso ho la schiena rotta.

– Perché siete tutti senza cuore, in questa casa; non volete bene che a voi stessi.

– Intanto, tu sei tenuto qui come uno di famiglia. Se non ti si fa dormire a letto è perché tu non vuoi; ma cosa ti manca, d'altro?

– Niente mi manca, è vero; ma chi mi vuol bene, qui?

Albina non rispose subito; sentiva che egli aveva ragione.

– Loro padroni mi tengono qui perché la gente dica: come sono benefici! E voi serve, mi date da mangiare come si dà al cane: del resto non vi amate neppure fra voi: tu pensi alla vita eterna, Elisabetta pensa al suo vecchio corpo; i padroni pensano al figlio che non c'è più. Neppure fra loro si vogliono bene: lui solo, Elis, era il ben voluto: tutto l'amore era per lui: lui solo esisteva in questa casa, per lui il padre e la madre si dimenticavano persino di Dio: per questo il Signore l'ha fatto sparire.

– Taci! – disse Albina atterrita; ma egli proseguì:

– È vero però che lui solo sapeva amare. Quanto non mi ha voluto bene? L'ho veduto nascere e crescere. L'ho portato in braccio più che suo padre stesso. E se ho spento il fuoco l'ho fatto per lui, perché lui solo mi voleva bene. Mi diceva sempre: Michele, quando morrai ti chiuderò gli occhi io. E lui me li ha chiusi. E se rimango qui, Albina, sai il perché? Perché credo che lui non sia morto. Dopo tutto, il suo corpo non è stato trovato.

Disperso! Per dei mesi lo si è creduto disperso o prigioniero: poi è venuta la notizia della morte: ma nessuno lo ha veduto morire.

Albina lo ascoltava turbata.

Gli chiese, un po' timida, se voleva una tazza del caffè che aveva preparato per i padroni: egli torse la bocca e non rispose. Dopo i primi giorni della sua infermità nessuno gli aveva più usato tanta gentilezza.

E Albina non insisté: cominciò le sue quotidiane faccende, con l'apatia solita che non le impediva di farle con accuratezza; ma di tanto in tanto un senso di angoscia la distraeva; pensava al bambino: andò a vederlo, gli rimboccò le coperte, gli toccò la fronte e le orecchie: scottava meno ma aveva sempre la febbre.

Anche Elisabetta si alzò, a suo comodo, e pareva non si ricordasse neppure del bambino perché attraversò la camera di Albina senza fermarsi, e andò dritta dritta a prendersi il caffè preparato per i padroni; poi mise sul vassoio le tazze per portarlo a loro.

– Dirai loro che la creatura ha avuto tutta la notte la febbre: e l'ha ancora – avvertì Albina.

Elisabetta non credeva se non coi propri occhi: depose dunque il vassoio e andò ad osservare il bambino. E il bambino aprì gli occhi e la fissò: lo stesso sguardo pensieroso e profondo rivolto a Davide quando questi l'aveva sollevato dalla strada.

Elisabetta ebbe una strana impressione: le parve di riconoscere quello sguardo; ed esaminando meglio gli occhi del bambino si convinse che rassomigliavano a quelli di Bona, quando ancora il dolore non li aveva appassiti.

Poi andò a portare il caffè ai padroni. Appena si avvicinò al letto vide che anche Bona teneva gli occhi aperti, che l'aspettava – non per il caffè, certo – e che il suo sguardo profondo e ancora innocente, rassomigliava, sì, a quello del bambino.

Il padrone, invece, dormiva ancora, di un sonno pesante che neppure la voce delle due donne turbò.

– È stato agitato tutta la notte – disse la moglie. – Parlava e parlava, litigava col prete e col brigadiere che non volevano incaricarsi del bambino. Poi è stato sveglio a lungo: adesso lasciamolo dormire.

– Il bambino ha avuto ed ha ancora la febbre; devo dargli qualche cosa?

– Fa come vuoi.

– La farina è già lievitata: dobbiamo impastarla?

– Fa come vuoi.

Fa come vuoi! Un tempo Bona s'alzava prima delle serve e dava loro gli ordini e le sollecitava: tutto il giorno su e giù affaccendata a custodire la roba e far economia: adesso non si curava più di nulla: neppure l'oro, neppure il tempo avevano più valore per lei. S'attardava a letto, la mattina, andava a coricarsi dopo il pasto del mezzogiorno: sì, una cosa ancora aveva valore per lei: il sonno; e un'altra: i sogni; perché sognava sempre di lui, vivo, fiore e anima della casa; e lo vedeva tornare, in sogno, per non ripartire più, ed egli le diceva: ma perché vi siete tanto disperati? Ero disperso, ero prigioniero, ma vivo: come potevo morire quando sapevo che mi aspettavate?

Quella notte, il bambino smarrito si era mischiato ai suoi sogni un po' febbrili: portava una lettera nascosta sotto le vesti: ma il sangue l'aveva tanto macchiata da renderla illeggibile. E oltre questo, egli aveva da dire qualche cosa a Bona: un segreto che doveva dire a lei sola; e aspettava che fossero soli per parlare; Davide, però, le serve, altra gente venuta di fuori non li lasciavano mai soli, e lei non osava prendere il bambino e portarlo nella sua camera o nel cortile, in un angolo ove nessuno potesse ascoltare il segreto. Non osava; per timore di apparire meno indifferente a ogni altra cosa che non fosse il suo dolore: e aspettava che la gente se ne andasse, ma altra gente invece veniva; tutta la casa ne era piena, ed erano soldati, erano donne malate, erano parenti di militari in guerra; tutti venivano per vedere il bambino, perché s'era sparsa la voce ch'egli operava miracoli: guariva gl'infermi, sapeva dire dov'erano i soldati dispersi; e a tutti parlava, fuori che a lei.

Ma in fondo ella sapeva già il misterioso segreto ch'egli doveva dirle; era il segreto stesso del suo cuore, la vana speranza che ancora teneva fresca la radice della sua vita. Che il figlio non fosse morto.

Perché ella era una donna superstiziosa e sognante. Da qualche tempo, poi, quest'impressione di sogno che l'aveva sempre guidata, s'era intensificata fino al punto di farle credere che la vera vita consistesse nel sonno e nel sogno, e l'altra fosse solamente un incubo.

Per fortuna aveva il sonno facile; la stessa vita monotona che conduceva, in quella specie di fortezza ch'era la sua casa, glielo conciliava.

Così, quella mattina, sebbene avesse bevuto il caffè e la luce del giorno irradiasse la camera, finì col riaddormentarsi: un sonno lieve attraverso il quale sentiva i rumori della casa, il canto degli uccelli e il russare del marito; finché il rumoroso e agitato svegliarsi di lui la riscosse. E dapprima egli si arrabbiò perché l'avevano lasciato dormire tanto: poi perché sua moglie s'attardava a letto. Egli ci teneva, ch'ella s'alzasse presto e sorvegliasse le serve; non perché oramai anche a lui premessero molto le cose di questo mondo, ma perché non voleva che la moglie si sprofondasse in quel suo torpore mortale ch'era peggiore di ogni agitata disperazione.

Poi parve ricordarsi di qualche cosa che doveva fare di premura e si gettò dal letto gridando: – Bisogna dunque che vada giù io dal brigadiere, per quest'accidente di creatura. Di' un po' alle tue padrone che si affrettino: ne voglio una con me, per portare il bambino. Che fai lì, imbambolata?

– Il bambino ha la febbre: non è da cristiani portarlo in giro.

Allora Davide si precipitò giù nella camera di Albina, imprecando contro le serve, come fossero state loro a far ammalare il bambino.

Gli toccò la fronte che scottava, e d'un tratto, anche lui sentì come un flutto amaro salirgli dalle viscere al cuore; ricordava anche lui il suo bambino quando lo minacciava qualche malessere e tutti intorno trepidavano.

Ed ecco come in quel tempo egli doveva precipitarsi fuori di casa in cerca del dottore.

– Non voglio che mi si ammali in casa, perdio: in casa non lo voglio, né sano né tanto meno malato – diceva ad alta voce correndo giù per la strada. I ciottoli rotolavano al suo passaggio; pareva avessero timore di lui, ma un timore per burla: perché anche le pietre della strada sapevano che Davide D'Elia in fondo non era un uomo feroce.

Per poco non si avverò il sogno di Bona. La voce che c'era in casa quel bambino misterioso fece subito addensare davanti al portone un mucchio di gente.

Ogni tanto Elisabetta doveva adoperare le sue chiavi: e qualche persona bisognava pur lasciarla entrare: per esempio il brigadiere.

Aveva un aspetto tragico, il brigadiere, e compassato; quasi andasse a constatare un delitto.

Sottopose ad un lungo interrogatorio le donne, e anche il servo cieco, finché Elisabetta non perdé la pazienza.

– Ma cosa vuole che ne sappiamo noi? Ne sappiamo tanto quanto vossignoria; forse anche meno.

Albina, tutta tremante alle spalle della compagna, le tirava la veste per farla tacere; ma Elisabetta non aveva paura di nessuno.

Chi pareva non avesse né paura né altra passione era Bona: aveva ripreso il suo posto sulla panca, e se ne stava con le mani in grembo oziosa indifferente: ad ogni domanda del brigadiere rispondeva:

– Io non so nulla.

Non si mosse neppure quando il brigadiere entrò con le serve nella camera attigua: sollevò però la testa nel sentire il bambino a piangere: che cosa gli faceva il cattivo uomo?

Anche il cieco tendeva le orecchie: e domandò con voce quasi minacciosa:

– Che, lo portano via?

La donna riabbassò subito la testa, sembrandole che il cieco la vedesse: non rispose, non parlò più, neppure quando sopraggiunse tutto agitato e irritato il marito, il quale raccontava ancora una volta al vecchio dottore che lo accompagnava, come aveva trovato il bambino, dichiarando che s'era pentito di averlo preso e che non intendeva incaricarsene.

Il vecchio dottore lo lasciava dire, anzi pareva non lo ascoltasse neppure: perché era un po' sordo. Alto, secco, vestito come un pastore protestante, aveva l'aspetto d'una marionetta;

eppure ispirava soggezione. S'avvicinò a Bona, che s'era alzata per deferenza ma non muoveva un passo né diceva una parola, e la guardò come fosse lei la malata, facendole cenno di rimettersi a sedere.

Ella si rimise a sedere, riabbassando la testa come non potesse tenerla su. Il marito gridava:

– Ma non prepari neppure il caffè per il dottore? La vede, dottore? Sta sempre così, come una foglia secca sul ramo.

– Ella ci preparerà il caffè – disse tranquillo il dottore. – Adesso fatemi vedere il bambino.

Il bambino piangeva, taceva, ricominciava a piangere. Bona provava un certo fastidio a sentire il chiasso nella camera, e desiderava che tutto finisse presto: che portassero via il bambino e la lasciassero di nuovo nel suo cerchio di silenzio, con la sua ombra diletta.

Ma in fondo aveva pietà della povera creatura; e le pareva, inoltre, che il cieco spiasse i suoi pensieri e la giudicasse severamente.

Che noia, anche quel disgraziato! Stava sempre lì, ai suoi piedi, come un vecchio cane lebbroso, e *vedeva* tutto. E lei voleva esser sola, non spiata, non distolta un attimo dal suo pensiero.

Che, inoltre, il cieco la giudicasse male, in quell'occasione, se ne convinse subito; perché nel sentire che il bambino insisteva adesso nel suo pianto lamentoso, egli disse come fra sé:

– Sembra davvero un agnello abbandonato: ma chi se ne cura? E buttatelo nell'orto, a pascer l'erba; sarà meglio per lui.

Lei stava zitta, dura: eppure quel pianto cominciava a darle una strana impressione: le pareva che il bambino la chiamasse, che se lei si muoveva, se, come la sera prima, lo prendeva in grembo, si sarebbe calmato.

Ma non voleva muoversi, no: anche perché sentiva un odio sordo contro il brigadiere, che per lei era uno di quei feroci personaggi che tutti in blocco rappresentavano la Forza mostruosa che le aveva tolto il figlio di casa per buttarlo nei campi della morte. Zitta, dunque, e dura, anche per protestare contro la sorte: perché doveva muoversi a raccogliere il figlio altrui? Lo buttassero nell'orto, a pascer l'erba; e se il cieco non smetteva di brontolare poteva esser buttato anche lui fra le immondezze.

Il cieco non brontolava più: s'era alzato, però, e stava fermo contro la parete, con le mani aperte penzoloni e il viso sollevato, coi capelli sulle guancie, come un Cristo schiodato dalla croce e messo lì appoggiato al muro: aspettava con inquietudine che si decidessero le sorti del bambino. Adesso si sentivano Davide e il brigadiere discutere, e quest'ultimo non sembrava molto convinto delle ragioni che il primo si dava.

Infine il dottore dichiarò che la ferita del bambino era prodotta semplicemente da una caduta dall'alto, forse da un cavallo, forse da un carretto, come Davide sosteneva: la febbre proveniva da cause interne: ad ogni modo era umano e prudente tenerlo lì finché non si fosse trovata una donna per bene a cui affidarlo.

Davide non replicò: e così fu deciso che momentaneamente il bambino restasse in casa. Allora il cieco si calmò; anzi parve cercar di sparire, per non dar noia alla padrona: andò lungo la parete; uscì nel cortile e per tutta la mattina nessuno più lo vide né si curò di lui.

Davide, intanto, e il brigadiere, erano andati via: il dottore invece, ritornato presso Bona, reclamava la tazza di caffè ch'ella un tempo ad ogni sua visita usava offrirgli.

Ella chiamò Albina: ma il dottore, sedendosi sulla panca vicino a lei, le batté una mano sulla spalla come per scuoterla dal suo torpore:

– Lo voglio proprio da voi; su!

Ella arrossì, un po' irritata; ma subito si alzò e rimise la caffettiera ancora tiepida sul fuoco.

– Sembra ieri, – egli disse, – quando io venivo per vedere il vostro Elis: e ci venivo spesso, perché lo ingozzavate, gli consentivate ogni abuso: o, per dir la verità, perché mi chiamavate ad ogni suo più innocuo disturbo; mi dava più da fare lui che tutti gli altri malati presi assieme. E con quanta lana lo avvolgevate, d'inverno; era un bel bambino, però! E bello anche da ragazzo.

Mentre il dottore parlava così, Bona si sentiva un sassolino nella gola: avrebbe voluto mettere del veleno nel caffè che gli offriva, eppure desiderava ch'egli proseguisse. Egli proseguiva; ma parlava di lei adesso.

– Avete l'ombra della morte negli occhi, Bona. Bona, su! Se non volevate soffrire, non dovevate godere: se non volevate perdere vostro figlio non dovevate farlo.

Ella scattò.

– Lei parla così perché figli non ne ha.

– Non ne ho, appunto, perché non ne ho voluto. Né moglie, né figli, né nipoti, né parenti. Solo! La vita bisogna prenderla così: o accettare i suoi beni e i mali che ne derivano, o nulla.

– Ma io non voglio più nulla: io non ho più nulla.

Egli tendeva l'orecchio per non perdere le parole di lei.

– Lo dite voi! E vostro marito non lo avete? E i vostri beni, i vostri parenti, la casa, i servi, non li avete? Siete obbligata a loro, poiché li avete voluti, come io sono obbligato ai miei clienti. Si vive o si muore – egli proseguì, bevendo, dopo ogni frase, un sorso di caffè. – Se si vuol vivere bisogna compiere tutti i doveri che la vita c'impone; altrimenti si muore.

– Come si fa a morire? – ella domandò con voce sorda.

– Che cosa?

– Come si fa a morire? – ella ripeté esasperata.

– Ci si impicca, ci si spara, ci si getta nel fiume.

– L'avrei già fatto, se…

"Se non sperassi ch'egli ritorni". Il suo segreto, però, lei stessa lo sentiva così assurdo che non volle rivelarlo.

– Se voi non amaste ancora la vita – interpretò il dottore. – Chi è veramente disperato muore. Ma voi no, non siete disperata; voi amate ancora l'aria che respirate; il fuoco che vi scalda, la vostra casa, il vostro stesso dolore. E del resto avete ragione: la vita è bella per sé stessa; la vita anche così come voi la prendete, nella forma materiale, come io prendo questa buona tazza di caffè. Tutto è bello, fuorché la morte.

Ella scuoteva la testa: no, no, egli non sapeva, non poteva capire: eppoi, a che serviva parlare? Le parole degli altri, e anche le sue stesse, ormai, le sembravano vane come il rumore del vento. Eppure qualche cosa si agitava nella sua coscienza mentre il dottore proseguiva:

– Chi avrebbe ragione di dolersi, se gli fosse possibile, sarebbe lui, il vostro ragazzo, perché morto. Ma egli non può più: e questo è il male più terribile della morte; neppure più soffrire. Più nulla! Capite bene questa parola, Bona? Nulla?

– È questo… è questo…

– No, voi non soffrite perché è morto, soffrite perché non è più vivo, perché non l'avete più qui, perché non vi vedete più vivere in lui. In fondo cos'è che si ama nei figli? Noi stessi, sempre, fino a che siamo morti o che loro sono morti. E piangiamo noi stessi in loro, se essi muoiono prima di noi.

– Non è questo, non è questo… Non è perché sia morto… è perché è morto così… così… prima del tempo, per mano degli uomini…

– Gli uomini sono guidati da Dio. Tutto avviene per suo volere; se il vostro Elis fosse morto di malattia il vostro dolore sarebbe stato lo stesso.

– No, no. Non è Dio a volere queste cose orribili. Me l'hanno portato via gli uomini, me lo hanno ucciso gli uomini. Perché? Una famiglia sta in casa sua, tranquilla, senza molestare nessuno, allevando con cura e onestà il proprio figlio, ed ecco vengono a prenderglielo, questo figlio: lo prendono come una cosa, lo fanno servo, lo mandano a soffrire, a morire: perché? Perché?

Il dottore sorrideva, guardando dentro la tazza vuota: il suo sorriso sarebbe parso cinico senza una lieve piega amara all'angolo della bocca.

– Voi dunque volevate vivere fuori della società, se pretendevate che questa, giunto il momento, non vi avesse chiesto anche la vita del figlio vostro? Tutto si mette in comune nella società; appunto per questo si chiama società! Essa vi regala il brigadiere, il sindaco, il pretore, il prete, vi salvaguarda la vita, gli averi, l'onore, persino la salute – poiché ha istituito scuole dalle quali escono asini sapienti come me – e voi non volete darle nulla! Ma lasciamo andare queste cose: solo vi ripeto, a proposito della società, ciò che vi dissi per la vita: si accetta o non si accetta: ci si sta dentro o fuori. E ditemi una cosa, Bona, – aggiunse poi, rimettendo la tazza sul vassoio che ella teneva fermo sulle ginocchia, – perché non vi prendete questo bambino sperduto?

Bona sollevò gli occhi, grandi tristi e pieni d'odio eppure attraversati da un baleno di speranza; ma non rispose.

– La vita ricomincia tutti i giorni. E voi siete giovine ancora. Su, alzatevi e andate a guardare quel bambino. Non pare che il destino ve lo abbia mandato apposta in casa come un regalo, per compensarvi di quello che vi ha tolto?

Ma la donna stava ferma, premendosi sulle ginocchia il vassoio; solo scuoteva la testa china, accennando di no, di no. Non voleva piccoli compensi dal destino, lei; nulla poteva compensare il danno che le era stato fatto.

Ma rimasta sola cominciò a ripensare alle parole del dottore. E per la prima volta la spiegazione della morte del suo figliuolo le apparve chiara alla mente: non la convinse e tanto meno la consolò, ma le apparve chiara.

Di là il bambino piangeva: quanto la sera prima era stato quieto, adesso era agitato: pareva sentisse l'ostilità della gente intorno a lui. La stessa Albina, un po' stanca per la cattiva notte passata, sembrava non se ne curasse più. Elisabetta diceva:

– I bambini bisogna lasciarli piangere: fa loro bene ai polmoni.

Bona però ricordava che quando Elis piangeva, la vecchia serva correva a porgergli un dolce o un fiore, per farlo chetare: e di nuovo ella ricadeva nei suoi ricordi, nella sua pena, e il pianto del bambino non riusciva che ad irritarla.

Poi vennero delle visite: donne curiose, che nella loro fantasia trovavano mille spiegazioni alla oscura avventura del piccolo sperduto: e lo volevano vedere, e trovavano che rassomigliava a questo, o a quest'altro: qualcuna malignò accennando anche alle fattezze di Davide; ma Elisabetta, nonostante i suoi dubbi, difese il padrone.

– Ma non vedi piuttosto che rassomiglia alla padrona? Gli stessi occhi, lo stesso modo di guardare. Allora dovrebbe essere suo!

La cosa era così assurda che fece persino ridere le donne: una tentò di scherzare: andò da Bona e le batté la mano sulla spalla:

– Ah, avevi l'amico, ti sei fatta un figlio di nascosto, poi l'hai fatto mettere in mezzo alla strada perché Davide te lo riportasse a casa!

Ma Bona non rise; e neppure si offese: più che mai le vane chiacchiere delle donne le sembravano il rumore del vento.

Una vecchia signora ricca, vedova e senza figli disse:

– Se tu non lo vuoi, come dicono, me lo prendo io.

Allora Bona si animò un poco: anzitutto perché la signora era amica dei preti, eppoi perché una cosa ancora sopravviveva in lei: il senso della dignità.

– Chi dice che non lo voglio?

– Tutti lo dicono. Eppoi si vede: non ti commuove neppure il suo pianto.

Bona non discusse oltre; ma andata via quella e sopraggiunte altre donne, come il bambino non cessava di lamentarsi, si decise d'andare a vederlo. Era anche lievemente curiosa, dopo l'accenno di Elisabetta, di osservare se i loro occhi si rassomigliavano davvero, ma non le riuscì, perché il bambino volgeva il viso contratto dal pianto verso la parete e pareva volesse nascondersi.

Ella stette umiliata a guardarlo: non ne provava pietà, ma non s'irritava più.

Poi d'un tratto, mentre lei e le donne stavano di nuovo riunite in cucina, il bambino si chetò: Albina andò a guardare: tornò presso la padrona.

– Sa una cosa? Michele sta presso di lui e gli mormora delle paroline e la creatura lo guarda incantato e non piange più.

Tre giorni il bambino rimase a letto con la febbre: non si lamentava più, ma rifiutava il cibo, finché a Bona venne l'idea di farglielo offrire da Michele. Ed ecco Michele con una tazza di latte in mano: con l'altra mano cerca la testa del bambino sollevato sui guanciali e gli avvicina la tazza alla bocca: e il malato beve il latte fino all'ultima goccia.

– È una cosa strana – mormora Albina, trasognata. – Tutto è mistero in questa creatura.

Ma il dottore al quale le serve raccontano il fatto, spiega che la simpatia del bambino per il cieco è una cosa semplicissima: tutti i bambini sentono per istinto chi loro vuol bene e chi loro vuol male; e Michele vuol bene al piccolo Eliseo.

– Eliseo? Si chiama Eliseo anche questo? Come lo sa, lei?

– Giacché non sappiamo altro nome chiamiamolo così.

Allora cominciarono a chiamarlo Elis. Albina credeva che la padrona protestasse o piangesse: la padrona non protestò né pianse, ma si astenne dal chiamare il bambino con quel nome.

Del resto non se ne curava più che tanto: pareva ricaduta nello stato di prima, e lasciava fare agli altri quello che volevano.

Così, il cieco passava silenzioso lungo la parete della cucina, poi di quella della stanza da pranzo, penetrava nella camera di Albina e si metteva accanto al letto dov'era il bambino, e lo toccava timidamente, gli parlava sottovoce, poteva star lì finché voleva.

Il brigadiere, intanto, indagava: e naturalmente non riusciva a saper nulla. Il dottore veniva spesso: non insisteva presso Bona perché ella tenesse il bambino, ma ogni volta le chiedeva una tazza di caffè e lo voleva da lei.

Il quarto giorno consigliò alle serve di far alzare il nuovo Elis. Lo alzarono. Albina gli aveva lavato il vestitino, e gli ravviò i capelli fini ondulati e lunghi. Era bello, adesso, d'una bellezza bruna e un po' melanconica come quella della viola.

La serva lo portò in cucina, lo mise a sedere sulla panca, accanto alla padrona. Questa non si scuoteva, mentre il cieco, dall'altro lato del camino, protendeva il viso quasi ansioso ma come illuminato da un sorriso interno: non osava parlare né toccare il bambino, in presenza della padrona, ma pareva l'odorasse.

Per alcun tempo rimasero soli tutti e tre.

Anche Bona guardava il bambino ma non lo toccava: egli a sua volta pareva non curarsi di altro che dei suoi piedini con uno dei quali giocava un po' irritato, come volesse staccarselo per averlo meglio fra le mani. D'un tratto si agitò tanto che fu per cadere dalla panca. Allora Bona lo prese per le spalle, se lo attirò contro il fianco: egli sollevò gli occhi a guardarla in viso, come sorpreso dell'atto di lei e curioso di vedere chi ella fosse: e quello sguardo la turbò fino al profondo delle viscere. Sì, anche lei aveva veduto altre volte quegli occhi: ma Elisabetta sbagliava dicendo ch'erano simili ai suoi: erano gli occhi del suo Elis bambino.

Disse subito a sé stessa che si sbagliava anche lei: si offese della sua illusione, del suo turbamento: le pareva di rubare qualche cosa al suo vero Elis commovendosi per questo falso Elis.

Ma già lo strato della sua indifferenza s'era incrinato: o meglio, era come quando il gelo si scioglie sul prato e qualche filo d'erba pare che nasca dalla neve.

Bona chiamò Elisabetta per mandarla a comperare un paio di scarpette per il bambino: la serva brontolò, perché aveva da fare; allora Michele si offrì di andare lui; e tornò presto, come avesse corso, con un ottimo paio di scarpette. Il bambino, mentre Bona gliele calzava, guardava chino, curioso: d'un tratto sollevò il viso e sorrise alla donna mostrando i suoi otto dentini lucidi: poi tornò a piegarsi e rise forte, senza più osare di toccarsi i piedi.

E finalmente, finalmente la donna sentì come due pietre sciogliersi entro i suoi occhi: lagrime quasi di voluttà le scesero, fermandosi sui solchi del suo viso ove subito s'asciugarono come una lieve pioggia estiva su una terra riarsa.

Ma non voleva farsi vedere a piangere. Da chi se non c'era altri che il cieco? Appunto da lui, che appoggiato alla panca pareva, al solito, odorasse, con le narici un po' aperte, le cose intorno.

– Adesso che siamo calzati, possiamo andare a spasso – ella disse mettendo il bambino per terra. – Sei buono a camminare?

Ancora non avevano provato a farlo camminare.

– Su, Elis, su, coraggio, va.

Era la prima volta che lo chiamava così; ma Elis rimaneva attaccato a lei; allora lo riprese in braccio e andò fuori, nel cortile erboso, dietro la casa, dove al disopra del muro si vedeva la china verde della collina.

Uno stupore di sogno regnava nell'aria tiepida; sul cielo turchino le nuvole s'erano fermate e pareva dormissero. Ogni foglia, ogni filo d'erba era nel suo pieno rigoglio, gonfio, lucido di felicità.

Sul ciglione sopra il muro alcuni vecchi tronchi, con solo pochi rametti in cima simili ad artigli, s'erano anch'essi coperti di ciuffi di verde e pareva avessero strappato dell'erba e la tenessero così fra l'unghie per gioco.

Bona sedette sull'erba, stese il lembo della sottana e vi depose il bambino; e il bambino cominciò ad arricciare il naso indicando col ditino un ranuncolo che splendeva lì accanto: lo voleva, voleva odorarlo; qualcuno gli aveva già insegnato a odorare i fiori.

E Bona che credeva di non dover più mai cogliere un fiore, colse il ranuncolo e glielo mise fra le ditine, più belle e delicate dello stelo del fiore. Il bambino allora allungò il braccio e le accostò al naso il fiorellino: in quell'attimo ella ebbe l'impressione confusa che la vita e la natura volessero riconciliarsi con lei.

Ma ecco il "Mau", il gatto nero che si avanzava molle e silenzioso e le ruba subito l'attenzione e la tenerezza del bambino.

Dapprima i due si guardano, con curiosità diffidente, poi s'intendono subito. Il bambino offre esitando il suo fiore ad odorare al gatto; il gatto odora, ma non si commuove. I suoi occhi verdi come due foglie si sollevano con indolenza a guardare una farfalla che passa volando: anche il bambino la guarda; tutti e due hanno un lieve fremito, un desiderio di conquista; ma la farfalla è già lontana; essi tornano a guardarsi; il bambino allunga il suo piccolo indice per toccare il musino umido del gatto: non osa, però, finché Bona non gli prende la manina e attirando a sé la bestia gliela fa accarezzare tutta. Allora il bambino ricomincia a ridere di piacere, di gioia, e pronunzia finalmente una parola:

– Tata!

– Tata! Chi è? La nonna, la zia, la balia? La mamma non può essere, perché la mamma si chiama solo col suo nome. Mamma!

– Di' mamma, Elis, mamma.

Il bambino non lo sa dire: dunque nessuno glielo ha insegnato: forse mamma non ne ha avuto, non ne ha certamente avuto: una mamma non lo avrebbe lasciato sperdersi così nel mondo.

– Di' mamma, di' mamma. Mamma? – continuava a insistere Bona, sottovoce, guardandosi attorno per paura di essere sentita.

E ricordava qualche cosa di misterioso, di confuso, una scena alla quale aveva assistito da poco ma non ricordava dove, come, perché. Ah, ecco, il sogno, il segreto che il bambino doveva dirle appena si sarebbero trovati soli.

Ondate di un turbamento ch'era fatto ancora di dolore ardente ma anche di amore, la investivano tutta, così, di tanto in tanto, per ogni gesto ed ogni grido del bambino.

Forse era la primavera, col suo alito materno, a scioglierle quel gran dolore che le aveva pietrificato il sangue nelle vene; il fatto è che ella non cedeva una goccia sola di questo dolore e non voleva più neppure piangere per non perderlo con le sue lagrime, ma se lo sentiva diverso, scorrerle dentro le vene, caldo, vitale.

La sua folle speranza la riprendeva tutta.

– Egli tornerà, egli tornerà. Se io prendo questo bambino per figlio, Dio mi compenserà col suo ritorno.

Così il marito, di ritorno dal Consiglio, la trovò ancora nel cortile, col bambino, il "Mau", la farfalla che si divertiva per conto suo intorno a loro.

Anche il cieco era venuto piano piano a mettersi in una piega del muro, cercando di non farsi vedere per non irritare la padrona, ma odorando ogni cosa. Il bambino, a sua volta, sentiva che Michele era lì, e tendeva a staccarsi da Bona; ma Bona, che s'accorgeva anche lei della presenza del cieco, provava un senso di gelosia e teneva il piccolo stretto a sé cercando ancora di farlo divertire col gatto.

Oramai però i due amici s'erano stancati di desiderarsi, e cominciavano anzi a guardarsi con ostilità. La coda del buon "Mau" si gonfiava di stizza, le sue unghie apparivano e scomparivano in cima alle dolci zampette: finché cogliendo l'occasione della comparsa di Davide, col quale non aveva molta confidenza, s'allungò e sgusciò dalla mano di Bona.

Davide sembrava, al solito, di cattivo umore, cosa che, del resto, non impressionava più nessuno: piuttosto ci si sarebbe impressionati a vederlo di buon umore.

Ma anche lui non s'impressionò e finse di nulla, nel vedere Bona col bambino: qualche cosa però dovette passargli nell'anima perché si divertì a tormentare il cieco.

– Che fai lì in agguato? Pare abbi litigato con Dio tanto hai l'aria confusa.

L'altro non aprì bocca: potevano fargli quel che volevano, quel giorno, tanto era contento, d'una gioia un po' dolorosa di innamorato che è pronto a sacrificare anche il suo amore, purché l'oggetto amato sia felice.

Davide s'avanzava guardando il suo orologio.

– Lo sai, moglie mia, che ora è? Manca un minuto a mezzogiorno. E le tue padrone ancora non hanno preparato la tavola.

Bona fu pronta ad alzarsi, sorreggendo il bambino.

– Ah, ah, siamo già calzati! Bisogna camminare, dunque. E parlare anche.

Il bambino diede un grido:

– Tata!

– Curioso, non sembra più lui. È come ringiovanito: adesso è un bambino. Cammina, su, giovinotto.

Davide s'era piegato a stendere le braccia ad arco invitando il bambino a staccarsi da Bona. E Bona lasciò libero il bambino: no, del marito non poteva esser gelosa… Eppure un'ombra le attraversò il cuore… Sì, era ancora gelosa perché era ancora viva.

Ma il miracolo al quale assisteva le rischiarò di nuovo il cuore.

Il bambino camminava.

Andava dritto dritto rapido a Davide: inciampò, ma l'uomo fu pronto ad andargli incontro facendo: – Ah, bravo! – e l'accolse fra le sue braccia. Il bambino gli sorrise. Davide allora si volse a pochi passi dal muro e lasciò andare il bambino: e il bambino andò dritto dritto rapido dal cieco; gli afferrò una gamba per appoggiarsi e sollevando il viso sorrise anche a lui.

LA BAMBINA RUBATA

Le mie disgrazie cominciarono presto; quando per gli altri la vita è come il crepuscolo di una bella giornata; quando anche il pianto non è che un segno di gioia.

Avevo appena un anno quando caddi di braccio ad una servetta sventata: ferito gravemente alla testa, dopo una lunga infermità rimasi sordo e muto.

La mia mamma morì dal dolore: così almeno mi raccontava una sua sorella che mi prese con sé e mi allevò.

Più tardi entrai in un Istituto di Sordomuti, dove, essendo nel frattempo morto anche mio padre, in vista dell'eredità ch'egli mi lasciò – un terreno incolto – m'insegnarono un po' di agronomia.

Ma quando uscii dall'Istituto poca voglia avevo di fare l'agricoltore: mi piaceva piuttosto di leggere, di fantasticare, e, perché non dirlo?, di far nulla.

D'altra parte la zia, presso la quale ero tornato ad abitare, non m'incitava al lavoro: mi considerava ancora come un bambino infelice, forse anche un po' idiota, che si ha l'obbligo di mantenere e di proteggere.

Era una donna un po' strana anche lei, d'altronde. Non usciva mai di casa se non per fare qualche spesa e non riceveva nessuno: ma possedeva un numero infinito di piccioni, di gatti, di conigli e di pulcini, e chiacchierava continuamente con loro, sottovoce, tenendone sempre qualcuno in grembo o sulla spalla.

E aveva sempre da fare, dalla mattina alla sera. La casa era sua, e si viveva, almeno io credevo, con l'affitto del piano superiore: noi si abitava al piano terreno: un alloggio melanconico, dove all'inverno non batteva mai il sole; e triste anche d'estate perché alle cinque del pomeriggio pareva già di essere al tramonto; si usciva e ci si trovava storditi nel pieno splendore del sole estivo.

Poiché l'ingresso era riservato agli inquilini del piano superiore, noi si entrava dal salotto, la cui porta a vetri, chiusa da una persiana, dava sulla strada.

Dalla cucina stretta e lunga come un corridoio, tutta luccicante di tavole di marmo e di recipienti di rame che non si adoperavano mai, si usciva in un cortiletto cinto di muri altissimi ricoperti d'edera e di luppoli.

In quella specie di gabbia la zia teneva le sue bestiole; dalle quali, del resto, traeva una certa rendita, perché dopo averci chiacchierato a lungo e dopo averle accarezzate e bene ingrassate, le vendeva o ne faceva il nostro pasto quotidiano.

E io mangiavo volentieri i bei polli arrosto e i conigli alla cacciatora; ma non bastava questo a sollevarmi dalla tristezza dei primi giorni dopo il mio ritorno.

In quel tempo l'educazione dei sordomuti non era perfezionata come adesso: tuttavia ci si insegnava già a leggere e scrivere, a parlare e capire la parola altrui: io però avevo una insuperabile ripugnanza a parlare: sentivo che la nostra voce doveva avere qualche cosa di anormale, di animalesco: preferivo tenere con me un taccuino sul quale scrivevo quello che volevo dire e domandare.

Avevo diciotto anni e mezzo, ma ero già grande e grosso come un uomo fatto; ero già un uomo, anzi, con tutti i bisogni di una giovinezza tanto più forte quanto più oppressa dalla vita di disciplina fino allora fatta, e dall'infermità che mi costringeva a quella vita.

Nell'Istituto, almeno, si viveva in grandi camere ariose, in compagnia di altri simili a me; spesso ci si conduceva all'aperto, nei parchi e nei giardini di una grande villa; qui in casa della zia mi sembrava di essere in prigione. Temevo sempre di urtare contro qualche cosa, e di romperla: sentivo l'odore dell'umido e delle bestie fin sotto le lenzuola del mio letto, e tutto mi faceva soffrire.

Così passarono dei mesi; tornò la primavera. Io non avevo nulla da leggere, tranne qualche libro di devozione, non conoscevo nessuno, non mi rendevo utile se non con l'andare a far la spesa la mattina per conto della zia; le lunghe giornate inutili mi avvilivano; incominciai a odiare la casa, a pensare sul serio di occuparmi.

Allora andai a vedere il mio terreno. Non dimenticherò mai quel giorno. La zia mi aveva dato un cestino pieno di provviste, come s'io dovessi fare un lungo viaggio, mentre per andare al paese vicino, di là del quale era il terreno, bastavano venti minuti di treno.

Appena sceso alla stazione, mi avviai senza chiedere notizie a nessuno. Avevo indicazioni precise e non potevo sbagliarmi: si andava dritti per la strada provinciale; c'era una grande casa colonica subito prima di arrivare al terreno, e in mezzo a questo, proprio nel centro un po' elevato, un platano secolare, dal quale appunto la località prendeva il nome: "Il Platano".

"Il Platano": non potevo sbagliarmi. E andavo andavo, nel sole di primavera, lungo la strada provinciale, col mio cestino colmo, pensando a questo grande platano, al quale del resto avevo spesso pensato durante quegli ultimi anni: alla sua ombra mi sarei sdraiato dopo aver visitato bene il terreno, studiando il modo di cominciare la coltivazione.

Mi pareva di andare alla conquista di un continente nuovo, da civilizzare e sfruttare: mi avevano insegnato come si innestano le piante e quando si semina l'orzo e il trifoglio; e l'apicoltura e la composizione dei concimi. Ero certo che in breve, con l'aiuto di un buon contadino, avrei ridotto il terreno in un fertile podere.

Mancava la casa, è vero; ma in principio bastava una capanna. Meglio una capanna che la casa della zia.

Per quel giorno, poi, mi bastava l'ombra del platano. Cammina, cammina; attraversavo una regione perfettamente incolta e deserta, con prati ondulati, di qua e di là della strada, e terreni paludosi che non mi confortavano punto: se anche il mio fosse così?

Ma poi cominciò una zona coltivata a vigne e a frumento, e finalmente vidi una casa e sentii l'odore del letame e del fieno tagliato; segno che c'era gente: ma non poteva essere la casa colonica, che sapevo bianca mentre questa era rossa; e d'altronde, per quanto andassi avanti guardando attentamente non vedevo il mio platano.

Dopo i campi della casa rossa ricominciavano prati e sterpaglie: il sole batteva caldo sulle mie spalle e i piedi mi dolevano.

Fortunatamente la strada s'insinuò d'un tratto in un bosco ceduo; mi fermai; le fronde dei faggi e degli ontani scherzavano col sole e col vento; e il vento, anzi, pareva nascesse lì, dalla cima agitata e argentata di ogni pioppo.

L'odore della menta aggiungeva freschezza all'aria, e le ombre delle foglie sull'erba si rincorrevano come farfalle scure, con qualche cosa di vivo che mi divertiva e mi commoveva.

Fosse stato lì il mio terreno! Lo avrei amato subito; mi sarei sdraiato sulla terra con l'amore e l'abbandono di un amante, facendomi accarezzare da quelle ombre danzanti! Invece bisognava proseguire: e più mi attardavo peggio era: correvo il rischio di non far poi a tempo a riprendere il treno per il ritorno.

Cammina, dunque, cammina, col cestino che passavo da una mano all'altra e che mi sorrideva e tentava con gli occhi della bottiglia luccicanti attraverso la paglia. Ma io volevo far baldoria proprio sotto il mio platano, e andavo oltre. Desideravo che il bosco finisse, per orizzontarmi meglio: e il bosco finì: ma come finiscono le città, in una specie di grande cimitero; un cimitero d'alberi, una vasta estensione ove era stato di recente eseguito un taglio: i ceppi inghirlandati di campanule parevano tombe. E subito un dubbio mi attraversò la mente: andai ancora avanti, ma poiché non vedevo più che una distesa di macchie tornai indietro fino alla casa rossa.

Sì, doveva esser proprio quella la casa colonica, ritinta di recente: anche i due grandi portoni verdi che davano sulla strada odoravano di vernice: ed erano chiusi. Ma più in là vedo un cancelletto aperto nella siepe dell'aia: lo spingo, senza pensarci più che tanto; ed ecco venirmi incontro circondata da una corte di anatre e di oche, una ragazza così piccola che sembra una bambina; ha la gonna corta, il grembiale pieno di erba, un fazzoletto rosso intorno al bel viso la cui pelle scura fa brillare più vivi gli occhi turchini e i denti bianchissimi: questi denti, però, e questi occhi, hanno qualche cosa di felino, di crudele.

Le domando a cenni e come meglio posso se il terreno attiguo è "Il Platano": la ragazza si ritrae un po' spaventata e diffidente, forse credendomi un sordomuto finto e vagabondo.

Allora deposi il cestino per terra, non curandomi della curiosità delle anatre che subito mi circondarono; e trassi di tasca il taccuino di cui mi servivo spesso, ripetendo la domanda in iscritto e dicendo chi ero. Staccai il foglietto e lo porsi alla ragazza; ella parve ricordarsi: certo aveva sentito parlare di me; mi guardò meglio, arrossì e rise.

I suoi denti stretti nel ridere, parevano un anello d'avorio: mi restituì il foglietto e con la mano fece atto di falciare, poi, per essere più espressiva, con ambe le mani di battere la scure.

Io intendevo fin troppo: il platano era stato tagliato.

«Da chi e quando è stato tagliato?».

Questa volta porsi l'intero taccuino alla ragazza, col lapis attaccato.

«Credo per ordine di vostro padre, da anni» ella scrisse svelta svelta e con caratteri chiari, appoggiando il taccuino alla mano che stringeva le cocche del grembiale.

Poi vedendomi impallidire mi guardò con pietà; e con un cenno della testa mi invitò ad entrare. Ma io non volevo entrare, non potevo fermarmi. La delusione era già tanto forte che il mio primo pensiero fu di tornarmene in casa della zia senza neppure aver visitato il terreno: d'un tratto però il dolore stesso che provavo mi fece apparire ancora più triste nel ricordo la casa della zia. Per un attimo ebbi l'impressione di uno che non ha più un punto di appoggio sulla terra; uno senza casa e senza nessuno al mondo e che non sa dove andare.

Scrissi sul taccuino alcune domande che volevo presentare alla ragazza e con le quali le chiedevo se era sola in casa, se poteva darmi qualche ragguaglio preciso circa i confini del mio terreno, ed altre cose; ma una dopo l'altra le cancellavo e infine strappai i foglietti e ne sparsi i pezzetti per terra all'avidità curiosa dei volatili che tentavano di beccarli; infine ripresi il cestino, ringraziai la ragazza con un inchino e me ne andai.

Il mio inchino la fece di nuovo ridere, ma volgendomi prima di allontanarmi vidi che mi seguiva con gli occhi, con un viso serio nel quale la bocca rimasta aperta esprimeva un disappunto infantile. Forse aveva sperato di trattenersi e divagarsi un po' con me nella sua solitudine: ma io in quel momento l'odiavo.

Eppure sentivo che avevo torto; sentivo in fondo che ella aveva pietà di me perché ero diverso dagli altri uomini; ed io non potevo trattenermi con lei appunto per questa sua pietà.

Mi buttai all'ombra di una siepe, sul ciglio della strada, fra la polvere, come un vagabondo: le ginocchia mi tremavano, per la stanchezza, per il dolore, per la fame.

Allora squartai il cestino, proprio lo squartai, allargando le sue anse come si allargano le gambe di un animale morto per estrarne i visceri: e divorai ferocemente ogni cosa e bevetti la bottiglia sino in fondo; poi buttai via tutto, di là dalla siepe, come si buttano i rimasugli di un pasto di viaggio dal finestrino del treno.

Mi pareva davvero di viaggiare: tutto correva intorno a me. Era la mia testa che girava per l'effetto del vino!

Piano piano mi lasciai andare in fondo al ciglione e mi ci sdraiai come in una culla: ma non dormivo; anzi tutte le facoltà erano sveglie, in me, e sentivo un dolore infinito sotto quel piacere animale della sazietà, dell'ubriachezza, dell'abbandono sulla terra. E sentivo che questo dolore non era per il platano tagliato, ma per tutte le altre tristezze della mia vita, per la mia disgrazia che d'un tratto mi si era rivelata con tutto il suo peso, per l'ingiustizia che la natura e la sorte mi facevano subire.

"Io non potevo amare", pensavo questo. Non potevo amare, né avere una vita come tutti gli altri, e sopratutto non potevo essere amato!

Tutt'al più potevo destare pietà, ed io, a mia volta, provare dell'odio.

E già lo provavo: ed era questo che mi faceva soffrire.

Pensavo a tutti i delitti misteriosi che vengono commessi nelle strade solitarie, nei boschi, e anche nelle grandi città, e di cui l'autore quasi sempre rimane sconosciuto: e in quel momento mi sembrava una rivelazione l'immaginare che questi assassini ignoti fossero tutti dei disgraziati come me. Poi a poco a poco l'indigestione mi cominciò a passare e l'ubriachezza si fece tenera. Sentivo voglia di ridere e piangere nello stesso tempo. Dopo tutto, il mio passato non era stato tanto nero come pensavo. Tutti mi avevano amato e protetto nella sventura, cominciando dalla zia e continuando nei miei istitutori e nei compagni.

E con questi eravamo stati sempre allegri e spensierati: mi sembrava di giocare ancora con loro nei prati e nel giardino della villa dove quasi ogni pomeriggio un giovane istitutore ci conduceva.

Di primavera i muri erano tutti rivestiti di rose e l'aria ad aspirarla forte pareva un liquore aromatico. Io gustavo gli odori con una potente sensualità: mi davano brividi, sapori, visioni di cose e di luoghi fantastici.

In quel giardino ebbi la prima rivelazione dell'amore.

Avevo tredici anni; ero felice e spensierato, o per meglio dire incosciente e beato come un animaletto domestico ben tenuto. Tutti, del resto, eravamo così: allegri e anche un po' crudeli. La nostra vittima era l'istitutore che ci conduceva a spasso: un giovane serio, melanconico, che pareva raccogliere lui solo, che era sano e bello, tutto il peso della sventura nostra. Tutti i dispetti gli facevamo, appena si distraeva; non ci parve quindi vero, un pomeriggio, nella villa, quando egli come ubriacato dal profumo del giardino che odorava tutto come una grande rosa, ci lasciò soli nel prato ove si giocava. In un attimo, appena fu notata la sua assenza, quasi tutti i ragazzi si arrampicarono sugli alberi e sui muri staccando da questi le rose che cadevano giù pesanti e sanguinanti come brani di carne; e alcuni, rimasti nel prato, cominciarono a lottare fra di loro, stringendosi alla vita e molinando sull'erba in una danza pazza e feroce.

Solo io ero rimasto in disparte, preso ad un tratto da un senso di responsabilità che mi spinse in cerca dell'istitutore. E lo trovai in fondo al parco, in un tempietto dalle colonnine rivestite di edera; ma non era solo; stava con lui una fanciulla vestita di bianco: e si baciavano.

La fanciulla vestita di bianco teneva gli occhi chiusi, e il viso dell'istitutore era più triste del solito. Così la rivelazione dell'amore ebbe per me qualche cosa di religioso.

Per anni continuai a sognare l'amore così, in un tempio, distaccato da ogni cosa terrena; ed ecco d'un tratto mi si rivelava, adesso, terribilmente diverso.

Mi accorgevo che desideravo la ragazza dal fazzoletto rosso: la sua testa mi stava davanti agli occhi come quella del serpente tentatore.

Ancora a ricordare quei momenti vedo tutta la mia vita ricoperta di un velo rosso.

Nulla forse sarebbe accaduto, io me ne sarei tornato triste e inquieto ma ancora innocente a casa della zia, se il diavolo stesso non avesse spinto la ragazza sui miei passi.

Io m'ero alzato, ancora stordito dal vino e dai mali sogni, e andavo lungo la siepe, guardando dal di fuori il mio terreno.

Era una vera sterpaglia, e i cespugli fioriti della ginestra e i rovi coperti di rose canine non confortavano col loro colore e il loro profumo la mia disillusione: arrivato all'angolo ove la siepe svoltava vidi che era stato aperto un varco, richiuso poi con dei rami che si potevano smuovere. Qualcuno doveva entrare ed uscire liberamente nella mia possessione: a che farci non sapevo: non c'era nulla da prendere; tuttavia l'istinto della proprietà si risvegliò in me, e con esso il dubbio che il platano fosse stato tagliato non per ordine, ma ad insaputa di mio padre, da qualcuno che profittava dell'abbandono in cui il luogo era lasciato.

La rabbia mi riprendeva; scostai i rami ed entrai. Ma forse m'ingannavo. L'erba cresceva folta dovunque, non calpestata; in alcuni punti così alta che pareva frumento; le ortiche arrivavano a pungermi le mani, e le spighe selvatiche mi si attaccavano alle vesti. Tutto questo cominciò a darmi un senso confuso di piacere: mi pareva che tutte quelle cose *mie* si facessero vive in quel modo per salutarmi; prendevano possesso di me come io prendevo possesso di loro: con dolore, con amore selvaggio.

E d'un tratto quell'istinto primitivo di proprietà che solo mi aveva deciso ad entrare, si accese e si raddolcì in me. *Mio*, quel pezzo di terra era mio; il sole che vi batteva era mio; potevo fare quello che volevo, là dentro.

Non mi sentivo più solo nel mondo. Feci tutto il giro della siepe: varchi rattoppati con rami, come quello dove ero entrato, si ripetevano qua e là; tutta la siepe, del resto, era malandata, vecchia di chi sa quanti anni: neppure dove confinava coi campi della casa colonica era stata rinnovata, anzi era più bassa e cadente che dagli altri lati.

Arrivato là davanti mi fermai a guardare i campi del mio vicino osservando che erano mal coltivati: la terra era magra, le viti parevano malate e il frumento cresceva rado: inoltre mi stupivo di non vedere nessuno a lavorare, e pensavo: – Come potrei coltivarli meglio io questi campi, se quella ragazza è la figlia del padrone e volesse sposarmi!

Ed ecco subito, quasi cercata dal mio desiderio, la ragazza sollevarsi dietro la siepe come una serpe sbucata dall'erba. Mi par di vederla ancora, coi suoi occhi turchini che hanno una fissità pungente; lo splendore del suo fazzoletto rosso mi fa come per riflesso arrossire.

Cominciai, nonostante il mio turbamento, a farle dei cenni perché si avvicinasse di più: non sapevo ancora cosa volevo da lei: avevo bisogno di vederla meglio, di starle accanto: mi sentivo deciso a rincorrerla se non si avvicinava spontaneamente.

Ma come a sua volta affascinata, ella si accosta alla siepe; per qualche momento ci sorridiamo, ci parliamo con gli occhi; ella non ha più paura né pietà di me, lo sento, ma solo un piacere istintivo di guardare come son fatto, di osservare le mie vesti, la mia cravatta, il taccuino che io ho di nuovo tirato fuori e dove scrivo pregandola di dirmi il suo nome.

Ed ella mi prende il taccuino di mano e scrive senza esitare: «Fiora».

Guardai a lungo quel nome: poi tornai a guardar lei: sì, non poteva avere altro nome che quello.

«Fiora! Sei sola in casa?».

«No, c'è la mamma e il capoccia che si sente male: mio padre è andato in paese».

«Il campo è tuo?».

– Sì, sì – ella accennò subito, voltandosi a guardare la sua terra e poi fissandomi di nuovo con una lieve aria di superbia come per farmi sentire meglio la sua condizione.

Infatti io mi sentii un po' intimorito; ma tosto ne provai umiliazione e rabbia. – Eppure se mi riesce ti voglio baciare – pensai: e quasi senza accorgermene tolsi i rami dalla siepe ed allargai il varco.

«Vuoi venire a vedere il mio terreno?».

Le feci cenno di entrare, tesi la mano in giro indicandole anch'io la mia proprietà; e come lei esitava le presi il lembo della manica e la tirai dolcemente; bastò questo per farle varcare la siepe.

Si camminò un po' assieme sull'erba; lei guardava attorno curiosa, sebbene non ci fosse nulla di particolare da vedere; passando accanto ai cespugli coglieva istintivamente le chioccicoline che ne guarnivano le fronde e quando ne ebbe il pugno pieno le versò in un mucchietto per terra e le schiacciò col piede.

«Dov'era il platano?» le domandai.

Guardò davanti a sé, poi mi accennò il punto più alto del terreno: dove un giorno sorgeva l'albero adesso fioriva un grande cespuglio di ginestra: e come attirati da quella macchia d'oro, ci si diresse lassù, attraverso l'erba alta e i roveti in fiore.

Ella andava avanti: a volte spariva fra i cespugli, tanto questi erano alti, poi la sua testa rossa ricompariva tra le fronde come un grande fiore. Quel punto rosso mi affascinava selvaggiamente: e la sua vista, il sole, il profumo e la poesia del luogo accendevano il mio sangue.

D'un tratto ella si volse a me col viso luminoso, facendomi cenno con l'indice verso terra che l'albero era stato lì. Ma a me parve dicesse: vieni, mettiamoci qui tra i fiori, confondiamoci con essi.

La raggiunsi e mi buttai a sedere sull'erba, all'ombra delle ginestre. Ella mi guardava, in piedi davanti a me, un po' diffidente, un po' vogliosa d'imitarmi. Invano io battevo la mano sull'erba per invitarla a sedere: – No, bisogna andare; àlzati, vieni con me a casa mia – ella accennava con la testa e con la mano.

Allora scrissi una specie di dichiarazione d'amore:

«Fammi il piacere di stare un po' qui con me. Fra poco io devo andarmene; ma ritornerò, perché di questo terreno voglio farne un bel podere, per poi sposarti, o Fiora!».

Fiora lesse e si mise a ridere.

Quel riso tornò a irritarmi: io sentivo di scherzare, certamente, ma lei con quel riso non ammetteva neppure lo scherzo.

Eppure mi piaceva anche così, sopratutto così, e mi accorgevo benissimo che anche io piacevo a lei.

Divenni melanconico: chinai la testa e rimisi in saccoccia il taccuino, senza più guardarla. Essa allora, piano piano, come senza volerlo ma spinta da un desiderio superiore alla sua volontà, si mise in ginocchio poi si accovacciò vicino a me. I suoi occhi attiravano i miei. Si stette a guardarci così, tristi, senza saper perché. Ma io ricordavo il bacio dei due amanti nel tempietto della villa, e in fondo all'anima sentivo una gioia infinita.

Lo giuro, adesso, s'ella fosse rimasta così un po' con me, a saziarmi del solo suo sguardo, non le avrei recato male. Ma io dovetti far qualche movimento, stendere la mano per prendere la sua o per toccarle il lembo della veste, perché ella si alzò di botto e si mise a fuggire.

E io le corsi appresso: mi sembrava che ella ridesse, ridesse:

e il suo riso mi pungeva più delle ortiche.

La raggiunsi subito; l'afferrai per le gonne svolazzanti, la presi fra le braccia: ella continuava a trascinarmi con sé nella sua corsa; mi parve di molinare con lei fra l'erba, in un giuoco di lotta selvaggio come quello che si faceva coi compagni nel prato della villa; finché vinsi io: l'atterrai ed essa fu mia.

Mi sembra di vederla con i capelli che nella lotta le si erano sciolti e sgorgavano a ondate nere dal fazzoletto rosso, e gli occhi spauriti, ove la grande pupilla nera nuotava come in un velo di lagrime azzurre.

– Fiora, perdonami! Per il lungo castigo che ho accettato, per il dolore che è nato dal mio delitto, e sopratutto per il bene che ha accompagnato questo dolore, perdonami.

Ma ella non perdonava. Era bella, nel suo dolore e nel suo sdegno feroce, ed io sentivo di amarla per tutta la vita.

Ma lei non perdonava. Invano mi ero inginocchiato davanti a lei e le baciavo la veste: appena poté liberarsi di me fuggì.

Dapprima credetti che andasse a denunciarmi alla sua famiglia: a farmi prendere e uccidere; e non mi mossi; ero pronto a tutto e accettavo già il castigo; ma in fondo speravo che la cosa potesse aggiustarsi con un matrimonio.

M'ero buttato di nuovo sull'erba e aspettavo. Soffrivo profondamente, ma un dolore ben diverso dal passato: d'un tratto mi sentivo uomo, anzi uomo appunto perché colpevole.

Aspettavo. Che cosa? Il castigo, la felicità? Forse tutti e due assieme.

Ma nulla, nessuno veniva.

Vedevo il cielo sopra di me infuocarsi: poi dopo il tramonto si fece di un azzurro cupo. Era già sera ed io aspettavo ancora. Le lucciole passavano sopra di me con i loro fili di zaffiro, tante che illuminavano l'ombra.

Allora mi sollevai, e mi misi a piangere come un bambino fuggito di casa e smarrito nella notte. Un senso angoscioso di abbandono mi vinceva. Dunque, neppure il delitto valeva ad avvicinarmi, a mescolarmi agli uomini: dunque ero destinato a vivere come le lucciole, in silenzio, nell'ombra, spandendo invano la muta luce del mio amore.

Mi alzai; mi parve di rivedere la testa di Fiora; era un punto rosso, una finestra illuminata della sua casa.

Subito mi diressi a quella volta: inciampavo fra l'erba, più ubriaco di quando m'ero sollevato dal ciglio della strada: ma giunto alla siepe mi accorsi che qualcuno aveva rimesso a posto i rami e chiuso il varco con dei rovi.

Allora fui ripreso da un senso di rabbia, però misto a dolore e a un desiderio morboso di castigo. Strappai di nuovo i rami, i rovi, riaprii il varco e penetrai nei campi di lei. Mi ero tutto graffiato: sentivo le mani umide di sangue.

Attraversai il campo di frumento, il campo di fave. Non cercavo di nascondermi: anzi di tanto in tanto mi fermavo, aspettando che qualcuno mi vedesse e credendomi un ladro mi sparasse contro una fucilata.

Sarei morto felice quella notte. Ma nessuno appariva; neppure la morte mi voleva.

Attraversai la vigna. La vigna era in fiore: e tutta vibrante di lucciole. Oh solo con la musica si potrebbe esprimere la dolcezza e lo spasimo di quell'attimo quando io mi fermai in mezzo ai filari e d'un tratto mi trovai avvolto come da una rete di fili luminosi.

Erano le lucciole; e il profumo della vigna pareva emanasse da loro.

Mi passò il desiderio di morire; guardai in su e mi parve che gli occhi delle stelle rispondessero al mio sguardo. Qualche cosa si slanciava dall'anima mia in alto, in alto, come uno zampillo di fontana, e ricadeva su di me rinfrescando l'arsura del mio cuore selvaggio.

Desiderai di vivere, di amare, di soffrire, di darmi tutto, di diventare un uomo pur io davvero, di parlare senza parole e di ringraziare Dio di avermi fatto nascere, di farmi soffrire.

Allora continuai ad andare verso il punto illuminato, ma a misura che mi avvicinavo, il chiarore pareva alzarsi sopra di me per sfuggirmi anch'esso e non lasciarsi raggiungere. Era una finestra alta, munita di inferriata: forse la finestra della cucina, forse della camera di lei. Io non sapevo.

Forse là dentro si chiacchierava, forse un cane nell'aia abbaiava. Io non sentivo nulla. Tutto era buio nel resto della casa e la porticina dell'aia era chiusa.

Rimasi alcuni momenti immobile attaccato al muro sotto la finestra: sentivo il cuore battermi, ma null'altro.

Poi mi prese il pazzo desiderio di afferrare quel lembo di luce, come una bandiera da una vetta: mi slanciai, una, due volte; d'un tratto la luce si spense, e mi parve di averla spenta io.

Tornai indietro, nella vigna; e anche laggiù non trovai più la luminosità di prima. Tutto era diverso, tutto scuro.

Camminai fino a trovarmi davanti alla casa colonica.

Dalla parte della facciata le piccole finestre dell'unico piano sopra il terreno, e i due grandi portoni, tutto era chiuso: l'odore del fieno, del letame, delle bestie, si mescolava al profumo della notte.

Toccai tutti e due i portoni, sempre più meravigliato che nessuno apparisse: mi sembrava di sognare, di essere morto e che fosse la mia anima a errare in cerca di un rifugio.

E mi dispongo ad allontanarmi, quando nel prato a fianco della casa vedo un quadrato di luce, come una finestra aperta sull'erba: un'ombra vi si disegna: è la testa di lei! Oramai la riconosco così bene, anche nella sua ombra.

Di volo sono là: e vedo una piccola finestra illuminata, e la figura di lei che vi si affaccia immobile, più scura della sua ombra.

Dapprima non parve badare a me. Mai come in quel momento avevo sentito lo spasimo di non poter gridare.

Mi misi sul quadrato di luce sull'erba, in modo ch'ella potesse vedermi: ella restava immobile. Allora mi slanciai fin sotto la sua finestra, con l'intenzione di andare a sbattermi, a sfracellarmi contro il muro; ma io non avevo toccato questo, ch'ella, d'un botto, certamente spaventata, chiuse la finestra.

Di nuovo tutto fu buio.

Ma io non potevo andarmene così.

Mi buttai a terra, trassi il taccuino, trassi i fiammiferi: scrissi alcune righe pazze, dove confessavo il mio delitto, il mio pentimento, il mio desiderio di perdono; e sotto il mio nome.

Staccai il foglietto e l'avvolsi intorno a un sassolino che lanciai alla finestra. Il vetro si ruppe; parve ingoiarlo.

Io aspettai ancora, ma nessuno apparve.

Allora me ne tornai al paese e di là in casa della zia, alla quale feci conoscere la mia volontà ma anche la difficoltà di coltivare il terreno. Occorrevano dei denari: dove trovarne se lei non ne aveva?

Lei non ne aveva, né era donna capace di procurarsene.

Invano io la lusingavo.

«È un bel posto, con aria buona, con acqua buona. Venite a vederlo: vi piacerà. Verrete a stare con me: là potrete allevare tutte le bestie che vorrete. Saremo come in paradiso. Fabbricheremo una casetta e sarà piena di sole, di aria. Vendete questa casa, per procurarci i soldi».

Ella si mise a ridere, lei che non rideva mai. E il suo riso mi ricordò quello di Fiora, quando le avevo proposto di sposarla.

Mi venne desiderio di ammazzare la zia. D'altronde riconoscevo ch'era un'idea ingiusta, la mia, a pretendere che ella vendesse la sua vecchia casa alla quale era attaccata come un'anima al suo corpo. Può essere brutto e vecchio quanto volete, questo corpo; la sua anima non lo abbandona volentieri! Questa ragione non mi impediva di serbare astio alla zia e alla sua casa.

Eppure questa parve cominciare ad esercitare un triste fascino anche su di me. Nei tempi dopo il ritorno dal "Platano" non uscivo mai: tutto al più continuavo ad andare a fare qualche spesa, per conto della zia, in una drogheria all'angolo della strada, dove questa s'incrocia con un'altra più larga tutta bianca di sole e di polvere con gli sfondi perduti uno nell'azzurro dei monti l'altro nell'azzurro del mare.

Rientravo a casa stordito da quell'attimo di luce, di calore; e mi sembrava di rientrare in una grotta, tanto la nostra abitazione era diaccia e ombrosa. Solo nel cortiletto cadeva il sole, a picco, ma spariva presto, lasciandovi un tepore chiuso, fermo: i muri rivestiti di verde odoravano di musco, e a questo profumo un po' triste e voluttuoso si mischiava l'odore bestiale dei conigli.

Io me ne stavo là, seduto su una cassa rovesciata, e pensavo continuamente alla mia avventura. A volte chiudevo gli occhi e mi pareva di essere ancora nella vigna in fiore: un misterioso senso di attesa mi si risvegliava nel cuore e lagrime di tenerezza mi bagnavano gli occhi.

No, tutto non poteva essere finito così. Allora riaprivo gli occhi e prendevo il taccuino per scrivere ancora a Fiora; ma non potevo: non potevo più neppure scrivere il suo nome.

Mi pareva di essere diventato muto anche dentro di me: non potevo esprimere la mia angoscia, la mia stessa impotenza.

Eppure aspettavo sempre; non sapevo che cosa, ma aspettavo.

E io che avevo commesso il delitto avevo l'impressione di subire un'ingiustizia, perché mi si negava il diritto, il modo di ripararlo, o almeno d'espiarlo con un castigo qualsiasi.

Solo per amore di Fiora ed anche per quel senso di attesa che mi faceva sperare mio malgrado, non andavo a denunziarmi.

Ma a giorni si ridestava in me una sensualità feroce: mi pareva di aver diritto alla donna ch'era stata mia, che doveva essere ancora e solamente mia. Era come se fossi stato io il violentato e pretendevo una riparazione.

Ma tutte queste tempeste si sbattevano entro di me, inutilmente, come in un vulcano chiuso: fuori dovevo sembrare un po' idiota, e nessuno si curava di me, neppure la zia, che pensava solo al mio benessere materiale come a quello delle sue bestie.

Eppure bastava che una foglia, un fiore, una piuma calda di sole cadessero dal muro, davanti a me, per commuovermi: li prendevo fra le dita, li esaminavo, ne sentivo l'odore, il colore: le bestie, no, non le toccavo e non le amavo; ma quelle piccole cose mute e vagabonde mi piacevano; si rassomigliavano a me: e odoravo a lungo i fiori, fino ad appassirli, e li baciavo pensando a Fiora.

Una cosa sola mi aiutava a vivere, fra tanta desolata solitudine: il sonno.

Dormivo a lungo: e mi abbandonavo al sonno come ad un vizio, non perché mi portasse l'oblìo, ma perché mi gettava in una esistenza fantastica che si univa in qualche modo alla mia avventura. Nell'addormentarmi mi pareva di essere ancora davanti ai portoni chiusi della casa colonica: li toccavo uno dopo l'altro, poi andavo a mettermi sotto la finestra di Fiora. Inciampavo e mi svegliavo di soprassalto.

Ma poi mi riaddormentavo e sognavo. Invariabilmente, i sogni mescolavano la mia vita nell'Istituto con la mia avventura. Mi ritrovavo nel giardino della villa coi compagni: andavo in cerca dell'istitutore e lo trovavo con Fiora: ma questa mi sorrideva, di sopra la spalla di lui, e bastava tanto per farmi svegliare tutto in sudore e singhiozzante.

Quell'angoscia notturna era la mia salvezza; poiché mi costringeva a piangere e nel pianto si scioglieva il mio dolore.

Così passavano i giorni e le notti, tutti eguali, monotoni eppure dolci in fondo, irradiati dalla luce del mio segreto.

Ancora mi pare di vedere la zia col suo vestito grigio, i suoi capelli grigi, il viso grigio, muoversi leggera e rigida, come fatta di stagno, con un piccione violaceo in mano e l'altro sulla spalla. Lavora tutto il giorno senza concludere niente: ha la manìa dell'ordine, degli oggetti messi al loro posto, della pulizia, del silenzio.

Dio mi perdoni, ma credo ch'ella mi preferisse e mi mantenesse più che per pietà perché non parlavo: perché me ne stavo nel cortiletto e facevo parte dei suoi animali domestici.

Ma al sopraggiungere dell'estate, coi primi calori, sentii qualche cosa ribollire in me, come se il sangue intorpidito mi si sciogliesse d'un tratto nelle vene, e la mia volontà si risvegliasse.

Non potevo più dormire. Un giorno mi guardai nello specchio dell'armadio della zia, per vedermi indosso un vestito nuovo di tela ch'ella mi aveva fatto fare per l'estate: mi vidi grande e grosso più del solito, col viso grasso e colorito, le mani bianche, ed ebbi vergogna di me stesso.

Quella sera uscii; andai verso il mare. Era una notte di luna, d'una chiarezza inesprimibile: il paese era pieno di gente venuta per i bagni di mare; tutti sedevano fuori delle porte, e lungo i marciapiedi chiari di luna passeggiavano coppie di ragazze vestite di bianco, che si stringevano alla vita e si facevano delle confidenze; così bianche, così morbide che parevano le coppie dei colombi bianchi della zia.

I giardinetti lungo la strada odoravano di oleandri, e la luna era così vivida che si distingueva il colore dei fiori.

Giunto in fondo mi fermai, stordito. Davanti a me sul mare immobile il lungo riflesso della luna pareva una strada luminosa in proseguimento della mia.

Andai, andai, fino a toccare l'acqua col piede: no, non si poteva andare oltre; bisognava o affogare o tornare in casa della zia.

Mi buttai sulla sabbia, disperato, come mi ero buttato sull'orlo della strada davanti al mio terreno. Ma a poco a poco anche qui una specie di ubriachezza mi prese. Vedevo delle figure d'uomini passare sull'orlo del mare, scomposte dal lampeggiante splendore dell'acqua: se si fermavano, però, nere sull'azzurro e sull'argento, parevano quelle figure di statue che campeggiano sulle terrazze delle cattedrali, ferme di contro all'infinito.

Come dovevano essere felici questi uomini! Ciascuno di essi aveva il suo posto nel mondo, la casa dove tornare, la donna da amare. Io solo vivevo in un sogno vergognoso.

Trassi il taccuino e scrissi alla zia: «Io voglio lavorare, voglio vivere: lascio la vostra casa e me ne vado per il mondo in cerca di un posto».

Dove, non sapevo; ma ero deciso a tutto, a fare il manovale, il mietitore, il facchino; pur di guadagnarmi la vita e potermi ancora presentare a Fiora non come un vagabondo ma come un lavoratore.

Tornai a casa con l'intenzione di lasciare il foglietto sulla tavola e di andarmene di nascosto quella notte stessa.

La lunetta della porta a vetri era illuminata; segno che la zia mi aspettava, forse inquieta per la mia assenza insolita: ma ciò non mi commosse: non volevo commuovermi più, volevo essere un uomo.

Spinsi bruscamente la porta: e subito mi fermai con un misterioso senso di terrore e di gioia nel cuore.

Un uomo vestito di fustagno turchino, con le grandi mani ossute appoggiate a un grosso bastone, sedeva sul divano del salottino: pareva stanco, col viso scuro tutto righe reclinato sulla spalla destra.

Appena mi guardò mi accorsi che i suoi occhi turchini rassomigliavano a quelli di Fiora: lo sguardo pareva mite, umile, quasi supplichevole, eppure io ci sentii subito qualche cosa di crudele, di freddo, che m'impaurì più che lo sguardo alterato della zia.

La zia sedeva accanto al tavolino rotondo posto davanti al divano, ed era rossa in viso come non l'avevo mai veduta.

– Sa già tutto, – pensai, – ebbene, meglio così.

E andai dritto, con l'impressione che una mano mi spingesse violentemente davanti a quei due, come un accusato davanti ai giudici: non potevo difendermi con la voce, ma tutta la mia persona si tendeva in atto di protesta; e vedevo delle scintille, che mi sembravano il riflesso dei miei occhi splendenti di passione.

L'uomo mi fissava senza salutarmi: la zia tese la mano verso di me, guardandolo e dicendogli qualche cosa.

Nonostante questa presentazione egli non mi salutò, non si mosse. La zia allora mi accennò di sedermi. Sedetti, in faccia a lei, davanti al tavolino. Mi pare ancora di vederci, tutti e tre, intorno a quel tavolino in mezzo al quale ardeva una lampada a petrolio che fumava: l'ombra mia e quella della zia si stendevano dietro di noi, atterrate, sul pavimento, mentre quella dell'uomo si disegnava sulla spalliera del divano e sulla parete, grande e minacciosa.

Eppure io non avevo più paura: anzi d'un tratto mi ero rinfrancato, sollevato. Ecco che finalmente qualcuno era venuto: il mio presentimento d'attesa si era avverato.

– Sai di che ti accusa quest'uomo? – chiese la zia.

Mi guardò fisso, scuotendo lievemente la testa: pareva mi consigliasse a rispondere di no.

Io accennai con la testa di sì.

L'uomo guardò la zia, ergendo d'un tratto la piccola testa serpentina: la zia abbassò la sua, abbandonando le mani sui fianchi.

Pareva l'avessero colpita, ferita, e dovesse stramazzare. Eppure mi sembrò che fingesse un poco, o almeno esagerasse.

Speranze e gioie confuse mi attraversavano il cuore. Ecco che anch'io ero diventato uomo; qualcuno mi accusava di una colpa, ed io ero pronto a confessare, a riparare, a ricevere il castigo.

La zia a poco a poco si riebbe: l'uomo non cessava di guardarla, in apparenza mansueto e un po' afflitto: ma io lo vedevo sorridere fra le sue rughe, e mi accorgevo che egli non badava più che tanto a me: la zia era la vera responsabile, davanti a lui: quella che doveva rispondere per me e pagare per me.

Questo m'irritava. Stringevo i pugni, sotto il tavolino: – Secondo quello che accade, ti accorgerai chi sono io – dicevo con gli occhi al piccolo uomo.

La zia mi chiese il taccuino, con un gesto teatrale. Esitai a trarlo: e quando glielo diedi non ritirai la mano per essere più pronto a riprenderlo.

Le parole che lessi tornarono a turbarmi fino al profondo delle viscere; mi sembrò che fossero scritte in rosso.

«La ragazza è incinta».

Io scrissi lentamente, con caratteri chiari e fermi:

«Sono pronto a sposarla».

E feci leggere il foglietto alla zia; poi mi rimisi in tasca il taccuino deciso a non trarlo più. Secondo me la parola definitiva era detta.

Vidi la zia rivolgersi all'uomo, riferendogli la mia risposta. E mi parve di accorgermi di qualche cosa di orribile, che subito volli credere solo una mia maligna allucinazione, e che tuttavia mi fece tanto male: mi sembrò che quei due si guardassero con un sorriso di beffa.

Si beffavano di me.

La zia però riprese subito un aspetto tragico, pur continuando a parlare: apriva le mani e scuoteva la testa sul collo come per dire che lei non aveva nessuna colpa e non accettava nessuna responsabilità. L'uomo insisteva, senza scuotersi, appoggiato al suo bastone come ad una colonna: non ho mai più veduto in vita mia un uomo così deciso ad ottenere quello che vuole.

E doveva fare delle proposte e delle minacce precise, irrevocabili, perché la zia perdeva la sua rigidità ed anche il suo incosciente istinto di commedia; il viso le si deformava, si faceva bianco, con due solchi di dolore infantile intorno alla bocca.

D'un tratto parve appigliarsi a un nuovo metodo di difesa: si rianimò, e indicandomi col dito, sempre però rivolta all'uomo, cominciò a fare dei segni maliziosi con la testa.

Intesi quello che diceva: che non ero tanto colpevole come l'uomo affermava; che forse la ragazza mi aveva dato ascolto volentieri. Allora l'uomo trasse dalla tasca interna della giacca un grosso portafoglio nero legato con uno spago; l'aprì, ne tolse un foglietto piegato in quattro, che spiegò, e lesse. Riconobbi subito il biglietto che avevo buttato alla finestra di Fiora: mi sembrava di sentire le parole che avevo scritto con tanta passione, e non mi pentivo, anzi un'onda di tenerezza mi saliva dal cuore, al ricordo del martirio di quell'ora: solo mi dispiaceva di vedere il foglietto fra le mani adunche dell'uomo, e pensavo che Fiora dovesse essersene valsa per difendersi, per dimostrare che il suo fallo era involontario.

La zia ascoltava, con gli occhi aperti, di nuovo triste e vinta: si volse a guardarmi e io le accennai di sì: sì, il biglietto era mio.

Allora, mentre l'uomo tornava a legare e rimettere il portafoglio nella tasca che ebbe cura di abbottonare bene, ella mi accennò di ridarle il taccuino.

Ma io non glielo diedi: non c'era più nulla da scrivere, per conto mio. Ella si alzò e andò a prendere il calamaio e un quaderno; era il quaderno dei suoi conti, poiché ella non aveva altra carta, e lo rivolse dalla parte inversa ancora intatta; poi si mise a scrivere.

Scriveva, scriveva, con la testa reclinata, i poveri capelli grigi irradiati dalla luce della lampada. Io vedevo l'ombra del pennino correre e battere sulla carta come un becco nero; e aspettavo che ella finisse, ma non avevo curiosità di leggere.

Per me tutto era detto: non c'era che una soluzione sola, davanti alla mia coscienza, ed io l'avevo proposta.

Se non l'accettavano, che cosa volevano da me? Mi mandassero pure in carcere; ero pronto a tutto.

L'uomo aveva rimesso la mano sul bastone e seguiva anche lui con gli occhi la mano della zia: finalmente ella ebbe finito la paginetta; ma non quello che aveva ancora da dire: scosse il quaderno per asciugare ancora lo scritto, lo avvicinò alla lampada, volse poi il foglio e continuò.

La cosa era lunga!

E quando tutto fu detto, io dovetti aspettare ancora, perché la zia lesse dapprima all'uomo quello che aveva scritto: e l'uomo approvava con la testa; in ultimo dovette fare qualche osservazione perché qualche riga fu aggiunta a quelle già scritte, poi il quaderno passò in mani mie. Lessi con calma: mi pareva non si trattasse più di me.

«Si tratta di una cosa grave, ed io non credevo che tu potessi macchiarti di un delitto così vile. Hai rovinato una fanciulla innocente, laboriosa e onorata: la ragazza è fidanzata ad un suo giovane cugino che fortunatamente non la vede spesso, perché sta in Romagna.

Essa dice che troverà il modo di rompere questa promessa di matrimonio, perché non vuole ingannare il giovane: però di te non vuole saperne. Ti odia. Le hai destato tanto terrore che, dopo il tuo delitto, è rimasta parecchio tempo malata. Non ha però rivelato nulla alla sua famiglia finché i segni della sua sciagura non si sono palesati. Per fortuna aveva il tuo biglietto per difendersi, altrimenti il padre l'avrebbe uccisa.

Adesso si tratta di questo: d'incaricarci noi della creatura, quando nascerà. La famiglia della ragazza farà di tutto per occultarne la disgrazia: ma alle conseguenze dobbiamo pensare noi.

Io sono povera, lo sai: fintanto che si trattava di aiutare te solo, mi riusciva facile; ma adesso non saprei come fare e declino ogni responsabilità».

Io scrissi sotto le parole della zia:

«Non inquietatevi. Mi incaricherò io della creatura».

La zia lesse e mi guardò, di sotto in su, senza più nascondere una vaga espressione di compatimento e di derisione; ma dovette scorgere sul mio viso qualche cosa di mutato, di grave, perché anche lei si rifece seria; e porse all'uomo il quaderno, con una certa soddisfazione, come se la promessa che era sgorgata spontanea dalla mia coscienza me l'avesse strappata lei con le sue parole.

E l'uomo lesse, senza mutare aspetto, poi lestamente strappò il foglio dal quaderno, lo piegò in quattro e lo mise in tasca.

L'atto fu così rapido e naturale che non mi diede tempo d'impedirlo e neppure di protestare.

Del resto io non avevo intenzione di ingannare nessuno: e stetti fermo a guardare quei due, che riprendevano a parlare. La zia ogni tanto tendeva la mano verso di me e pareva ripetesse la sua ultima frase scritta; ma l'ometto oramai era sicuro che, giunto il momento ella mi avrebbe aiutato. Finalmente egli si alzò, appoggiando forte le mani al bastone.

Allora mi accorsi che era quasi un nano; ma con le mani e i piedi così grandi che non sembravano suoi. E su quei grossi piedi egli si teneva come su un piedestallo, mentre in quelle sue mani ossute, pietrose, doveva concentrare una forza enorme: ed io pensavo che il progetto di liberarsi della creatura, senza noie, doveva essere tutto suo: forse Fiora non voleva, non doveva volere; ma egli la costringeva a tanto: forse Fiora non mi odiava, com'egli diceva, forse era una vittima più sua che mia.

Decisi subito di andare a cercarla; dopo tutto ne avevo il diritto: ma mi guardai bene di farlo sapere. Mi sentivo anch'io furbo: forse perché pensavo che la zia e l'ometto lo erano tanto.

Anche la zia si alzò, rimise a posto la sua sedia, accompagnò l'uomo fino alla porta: e nell'andarsene egli mi salutò con un solo cenno del capo; ma il suo sguardo fu così vivo e penetrante che mi si cacciò fin dentro l'anima: sguardo d'odio e tuttavia di fiducia in me.

Alla mia volta io pensavo di vincerli tutti e due; con l'astuzia, ma vincerli.

Intanto rimanevo fermo al mio posto.

– Vattene, gnomo, – gli dicevo con gli occhi, – vattene, immagine viva della mia disgrazia; torna nella notte donde sei venuto: io ti porterò via la creatura, ma ti porterò via anche tua figlia; sono mie tutte e due, e voglio averle e le avrò: non so come, ma le avrò, a dispetto tuo e della mia disgrazia. Domani...

Il riavvicinarsi della zia mi ruppe in mente i propositi per il domani. Cauta, come se l'ometto fosse ancora lì, si chinò sul tavolino e scrisse sul quaderno:

«Hai fatto bene a promettere: ma come manterrai? E se non manterrai ti metteranno in carcere. L'unico rimedio è di andartene in America: io ti aiuterò».

Mi fece leggere; poi a imitazione dell'ometto ridusse a pezzi il foglio.

Io non risposi, e forse ella credette che prendessi tempo a pensare, ad accettare la sua proposta.

Io non risposi, perché non avevo nulla da cambiare alla risposta già data.

Però quando sollevai gli occhi a guardare in viso la zia, essa mi sembrò brutta e deforme; più dello gnomo che se n'era andato.

Perché non voleva ch'io facessi il mio dovere, che era anche il mio piacere? Era una cosa tanto semplice, il farlo! Anche se io non riuscivo a trovare da lavorare e guadagnare, si poteva prendere con noi la creatura. Che cosa costava? Coi denari che ella voleva darmi per fuggire in America, si poteva allevarla. E perché mai la zia, che amava le sue bestie, che aveva preso me in pura perdita, non voleva la mia povera creatura?

Ma ella forse voleva combattere d'astuzia con l'ometto; e voleva anche vincerlo.

Bisognava dunque più che mai procurarmi un posto; non lontano, però; anzi lì vicino, il più vicino possibile.

Il domani mattina andai dal droghiere, per le solite spese. Era presto; lungo la strada ancora deserta s'allineavano le casse delle immondezze; eppure l'aria odorava di fiori, di mare, di resina.

Mi sentivo felice, come ci si sente nei primi giorni tiepidi dopo il raggrinzamento invernale.

Mi sentivo capace di chiedere lavoro al primo che incontravo per la strada, e per dimostrare la mia forza fisica pronto a svellere le cancellate di ferro dei giardinetti, e le pietre dei muri.

Ecco il mare in fondo alla strada: mi sembra uno specchio che riflette la luce inquieta dei miei occhi e con essa la mia fede e la mia speranza.

Attraverso le due porte d'angolo della drogheria si vedevano alcune donne davanti al banco servite da un uomo secco, nero, col labbro inferiore della bocca beffarda e dolorosa penzolante.

Era il droghiere in persona. Si chiamava di nome e di cognome Tobia, e doveva aver sangue ebreo nelle vene; stava sempre lui al banco, sebbene fosse ricco: possedeva una fila di case mobiliate che affittava ai bagnanti, e barche da pesca e uno stabilimento balneare dove era sorvegliante il suocero.

Ed ecco la prima persona che, prima d'entrare nella drogheria, vedo nella strada, è appunto questo sorvegliante, antico marinaio; ma più che di marinaio, ha l'aria d'un pescatore, alto, pesante, scalzo, con pantaloni turchini rimboccati sulle gambe possenti e una maglia gialliccia che gli disegna il petto grasso e il ventre prominente.

Ha sulle spalle una rete, gonfia come una vela, e in mano una specie di tridente: un cappellone di paglia copre i suoi capelli bianchi e arruffati come un'onda di spuma. Se ne va calmo, forte sui suoi piedi d'elefante e tuttavia con un'andatura un poco ondeggiante che pare imiti il movimento d'una barca.

Spinto da un'idea confusa io gli vado appresso finché gli sono alle spalle e lo costringo a voltarsi, a vedermi. Gli stavo così addosso ch'egli sulle prime credette che l'avessi fatto per sbadataggine. Ma io lo abbracciai: allora il suo viso d'un rosso scuro, tutto rugoso, si coprì come di una patina lucente: sorrideva.

Aveva tutti i denti intatti, di vecchio lupo, e gli occhi del colore del mare. E cominciò a farmi dei cenni con la testa domandandomi dove andavo e che cosa volevo.

Gli accennai che cercavo di lui. Di lui? Si fermò, fermandomi per il braccio.

Trassi il taccuino e scrissi:

«Ho bisogno di lavorare».

Ma egli non sapeva leggere; e me lo fece sapere in modo grottesco, chiudendo gli occhi e battendo il dito sul taccuino per indicarmi che non vedeva la scrittura.

Allora io feci atto di chi conta monete e mi battei la mano sul petto per significargli che avevo bisogno di guadagnare.

Egli si fece pensieroso, poi mi guardò con sorpresa, infine con una cert'aria di derisione, che però sfumò subito: si rifece pensieroso: forse vedeva l'ombra di tristezza che passava nei miei occhi nell'accorgermi che anche lui mi credeva incapace di lavorare.

Riprese a camminare ed io gli andai a fianco: egli aveva rivoltato la fiocina e la ficcava per terra; e scuoteva la testa: che lavoro poteva darmi? Se fosse stato in lui mi avrebbe subito nominato capitano di porto o qualche cosa di simile: ma egli non poteva niente ed era difficile darmi un posto, con la mia disgrazia!

D'un tratto si volse, tornò indietro accennandomi di seguirlo: e mi condusse dal droghiere.

Il droghiere stava sempre al banco a servire le donne, col suo solito modo di prendere e pesar la roba con evidente dispiacere: poiché amava di vendere, ma avrebbe voluto pigliare i quattrini e non far diminuire la merce negli scaffali.

Nel vederci entrare guardò il suocero con inquietudine, pauroso che qualche cosa d'insolito fosse accaduto nello stabilimento: il vecchio stava vicino a me, in atto di protezione: appena disse quello che io desideravo le donne si volsero a guardarmi, qualcuna con pietà, qualche altra con curiosità e anche con benevola derisione.

Forse pensavano che la zia mi avesse cacciato di casa: mi fece dispiacere quel modo di trattare i miei affari, ma in fondo ero disposto a tutto, pur di trovare lavoro.

Il droghiere aveva ripreso a servire le donne e a segnare i conti su pezzi di carta straccia: io già provavo un senso di umiliazione credendo ch'egli neppure desse risposta alla raccomandazione del suocero, quando uno di quei brani di cartaccia gialla fu dato anche a me come un conto: c'era scritto: «Torna da me verso la una».

Verso la una ero davanti alla drogheria deserta, accecato dal sole della strada, dal barbaglio del mare che pareva uno specchio mosso, e dai miei folli sogni per l'avvenire.

Il vento gonfiava la tenda sopra la porta; un odore di pepe e di caffè usciva dal negozio come da una scatola di droghe.

Guardo dalla porta; non c'è nessuno; certo, son venuto troppo presto; ma il vento apre anche una tendina rossa in fondo alla drogheria e lascia vedere un giardinetto verde pieno di fiori gialli e rossi.

Tobia era lì; in maniche di camicia, abbandonato su una sedia con la spalliera inclinata verso il muro; e dormiva, stanco.

Chiunque avrebbe potuto saccheggiargli il negozio: egli dormiva, stanco di aver venduto a caro prezzo la sua roba diletta.

Ma appena io misi piede nel negozio si svegliò di soprassalto e mi venne incontro quasi spaventato. Dapprima parve non ricordarsi, poi si mise al banco come per vendere, e io davanti come per comprare: e mi interrogò coi piccoli occhi porcini, di solito sfuggenti allo sguardo che li cercava. Io avevo preparato una specie di breve memoriale dove raccontavo quello che avevo imparato nell'Istituto, e come non volendo più vivere alle spalle della zia desideravo ardentemente di lavorare e di guadagnare.

L'ebreo lesse attentamente, anzi con una certa curiosità; poi mi restituì il foglio. E così fece in seguito per tutti i foglietti sui quali io gli scrivevo qualche cosa.

Al contrario del padre di Fiora, non amava far raccolta di documenti e scritture a meno che non fossero di un valore serio e indiscutibile!

Ecco dunque la conversazione scritta fra me e lui:

Tobia: «Tutto questo va bene; ma, caro, è difficile trovare un posto d'agronomo, nelle tue condizioni».

Io: «Ma io posso accettare di lavorare anche come contadino».

Tobia: «Non ti conviene, caro, dimmi, piuttosto, perché non pensi a coltivare il tuo terreno?».

Io: «Ci penso, sì, ma non ho denari».

Tobia: «Quanto ti occorrerebbe?».

Io: «Per adesso duemila lire».

Tobia: «Il tuo terreno quanto vale?».

Io: «Cinque o sei mila lire, com'è adesso».

Tobia: «Se qualcuno ti offre le duemila lire in prestito, saresti tu disposto a firmare una cambiale ed a lasciar accendere un'ipoteca sul tuo terreno?».

Io ero disposto a tutto, anche a lasciare accendere un'ipoteca dal diavolo sull'anima mia.

Il droghiere Tobia mi significò essere lui medesimo in persona che dava i denari: prima però doveva informarsi se davvero il mio terreno era coltivabile, e volle sapere da me come intendevo disporre di quelle prime due mila lire.

Io avevo fatto tante volte i miei conti; mi bastava in principio una capanna, degli strumenti per dissodare la terra, e piante e sementi. L'acqua c'era: bastava incanalarla.

Tobia leggeva i miei foglietti e mano mano me li restituiva, pensieroso. Pareva studiasse sul serio il modo di aiutarmi, senza però farsene merito: infine, siccome qualcuno entrava nella drogheria, mi accennò di andarmene. Quando mi ritrovai nel sole della strada, lo splendore del mare mi parve dentro l'anima mia. La vita si spalancava davanti a me luminosa.

L'istinto non m'ingannava, circa Tobia: sentivo ch'egli mi dava i denari a usura, con la sicurezza di riaverli, ma più sicuro ero io, di restituirglieli.

Ed egli mi diede i denari e io firmai la cambiale.

Questa, sì, egli la mise ben dentro il suo portafoglio, come il contadino aveva messo il mio biglietto disperato a Fiora.

Solo che invece di duemila lire, togliendone gl'interessi anticipati e le spese per l'inscrizione ipotecaria, mi diede millesettecento lire: e la cambiale era a sei mesi di scadenza.

Che importa? Che importa? Anche Dio spesso ci dà la felicità a usura: tutto è a usura nella vita: basta sapere anche noi sfruttare bene l'anima e le forze nostre, per poter pagare gl'interessi e profittare anche noi.

Io penso così adesso. Allora non pensavo che a godermi la mia felicità, fatta di speranza, di sogno, di amore: ricetta della vera felicità.

Con quei denari in tasca amavo tutti, anche Tobia, anche il padre di Fiora, anche la zia.

A questa, però, non dicevo ancora nulla. E anche Tobia si guardava bene dal dir nulla del nostro affare.

La vita in casa, continuava come prima: la zia non accennava mai alla cosa che era in fondo a tutti i nostri pensieri, e io pure non mi confidavo con lei: ma la vedevo più seria del solito, preoccupata, e avevo rimorso di darle dispiacere: mi faceva pena, ma non potevo confidarmi con lei. Avevo l'impressione che di noi due la sordomuta fosse lei.

Un giorno le feci sapere che andavo di nuovo a visitare il terreno perché intendevo di mettermi a coltivarlo. Ella si scosse tutta, e mi sembrò sulle prime si rallegrasse all'idea di liberarsi di me: poi le vidi gli occhi pieni di lagrime. In quel momento mi accorsi che mi voleva bene: come alle sue bestiole, forse, ma insomma mi voleva bene.

Mi preparò il cestino per il viaggio, come l'altra volta, e mi offrì del denaro: presi il primo, ma non accettai altro. Più tardi la zia mi disse che aveva sempre creduto che viaggiassi a piedi.

Ed eccomi di nuovo sulla strada dritta interminabile che all'orizzonte pare si ficchi nel cielo: ma adesso è tutta d'un bianco che fa male a guardarlo, e le macchie e i cespugli da una parte e dall'altra sembrano coperti d'un nevischio sporco, tanto son polverosi.

Una tristezza e un'arsura da deserto: e in tanta desolazione la casa e i campi di Fiora appaiono davvero come un'oasi.

Io passo a testa bassa, rasentando i muri e le siepi per non farmi vedere, avviato dritto al mio terreno; i portoni della casa sono aperti e con la coda dell'occhio vedo gente: una donna che scopa, un ragazzo che gioca con un cane. Sfuggo alla loro attenzione, ma più in là incontro dei mietitori con falci in mano, e anche nei campi vedo uomini che lavorano.

Gran parte del campo era mietuto: i covoni del grano stavano al sole, e i mucchi del fieno al confine del prato parevano, sull'azzurro dello sfondo, piramidi dorate. Fra tutto quel giallo la vigna spiccava più verde, ed in alcuni filari le viti piegate ad arco s'inseguivano l'una intrecciata all'altra come una pianta sola: e i grappoli pendevano gravi, con gli acini già tinti di viola.

Per la prima volta pensai che Fiora era ricca; eppure lei stessa me lo aveva fatto ben capire, quel giorno! Mi feci triste, vergognoso; una specie di timor panico mi prese: avevo paura che il nano mi vedesse e mi rincorresse come un ladro: tanto che andai oltre, fino al bosco.

Lassù tutto era ancora frescura e solitudine. Mi gettai sull'erba, all'ombra ridente dei pioppi; il venticello del pomeriggio cominciò a scaturire di lassù, dalle cime argentee, come per farmi piacere, e andò nel prato di Fiora: ritornò con l'odore del fieno, mi avvolse, mi confortò.

Questa volta sentii che proprio ero nato per vivere all'aperto, foglia tra le foglie, granellino di terra nella terra. Perché aver paura degli uomini? Il terreno mio era mio, e nessuno poteva proibirmi di entrarvi e di restarci. Se mi facevano del male peggio per loro: male più male di quello che mi facevano col destarmi paura non poteva essere.

Il vento mi diceva tutte queste cose, col suo alito e il suo profumo: e quando mi fui ben riposato e rifocillato (questa volta però non bevetti) tornai indietro sicuro ed entrai nel mio terreno.

Eppure il cuore mi batteva, nell'avvicinarmi al punto dove avevo preso Fiora; il cuore mi batteva, e il desiderio di rivedere la ragazza, il rimorso, la stessa vergogna di aver peccato bestialmente mentre tutto in me era sogno e bisogno di elevazione, mi facevano di nuovo vedere rosso.

Di nuovo sono a terra: la rabbia della mia impotenza mi riprende, e con essa la vergogna di aver paura di tutto e di tutti.

Mi pareva che il cielo sopra di me s'iniettasse di sangue, come un grande mite occhio azzurro d'un tratto divenuto feroce. Quando mi alzai mi parve di essere alto, sempre più alto, sino a dominare ogni cosa intorno a me, dall'altura del mio terreno, come dalla cima di una montagna.

Il sole tramontava: nel campo gli uomini lavoravano ancora, curvi, piccoli piccoli: anche la casa colonica coi suoi vetri scintillanti mi pareva una casetta di cartone e di perline: mi sentivo così alto e forte da stritolare ogni cosa sotto il mio piede.

In questo stato di furore tornai nella casa di Fiora: ma invece di passare per l'aia come l'altra volta entrai dal portone laterale che metteva nella stalla.

Grandi vacche grigiastre e un bel toro ricciuto vi sonnecchiavano, immobili come idoli di pietra: la donna che avevo notato nel passare poco prima buttava secchie d'acqua per terra; nel vedermi sulla soglia mi venne incontro domandandomi qualche cosa: era piccola coi capelli grigi e gli occhi azzurri; doveva essere la madre di Fiora. E poiché io non le rispondevo si fece a un tratto pallidissima e spalancò gli occhi spaventati: mi riconosceva.

La sua paura fece cadere la mia rabbia; non solo, ma accrebbe in me il senso della vergogna e del rimorso: feci quasi per inginocchiarmi sulla soglia, domandando perdono alla madre per il male che avevo fatto alla figlia; ma dall'aia rientrava il ragazzetto col cane e mi irrigidii. Anche la donna stava immobile come le sue vacche, impietrita dallo spavento e dalla sorpresa. Le porsi un foglietto dove avevo scritto: «Desidero parlare con Fiora». Anche lei non sapeva leggere: guardò il foglietto da una parte e dall'altra, poi lo diede al ragazzo; e questo lo decifrò, mentre il cane gli si rizzava addosso come volesse leggere anche lui.

Poi vi fu una lunga spiegazione fra la donna e il ragazzo: infine questi mi tolse il lapis che avevo fra le dita, si piegò, e appoggiò il foglietto sul dorso del cane. Non dimentico questa scena. Il cane, un tozzo e terroso cane da guardia, stava fermo, quasi compiacendosi dell'uso che si faceva di lui, ma mi guardava di sottecchi, con uno sguardo malizioso e buono, fisso e attento: pareva volesse dirmi: sappiamo chi sei e adesso ti serviremo noi a dovere.

Infatti quando il foglietto tornò in mie mani lessi a stento queste parole: «Fiora è andata con la sua mamma dagli zii in Maremma».

Dunque la donnetta non era la mamma? No, era la nonna, e il ragazzetto era figlio di uno dei mietitori che lavoravano nel campo. Tutto questo mi fu spiegato a cenni e con qualche parola scritta: ma di Fiora non mi riusciva di saper altro tranne che era in Maremma.

La Maremma è grande, ed io guardavo l'orizzonte attraverso la finestra come cercando il punto ignoto dove Fiora stava nascosta. Allora mi tornò la rabbia; non potevo però sfogarmi con la povera donnina e col ragazzo: mi venne un'idea; scrissi: «Io sono il proprietario del terreno qui accanto e sono venuto perché voglio coltivarlo e stabilirmi qui. Desidero parlare con vostro figlio».

Nel trarre e riporre il taccuino ebbi cura di tirar fuori anche il portafoglio e di aprirlo, in modo che quei due videro i denari dentro riposti.

E subito alla vecchia brillarono gli occhi; a misura che le veniva spiegato lo scritto mi si avvicinava e mi faceva dei cenni di sì, di sì, con la testa: anche il cane addosso al ragazzo stava ad ascoltare curioso, movendo lentamente la coda.

Tutto si metteva bene. La donna mi accennò di seguirla: mi fece entrare nella stanza da pranzo, dove, mi ricordo, c'era solo una grande tavola di noce circondata di sedie e sulla parete un quadro ad olio col ritratto a vivi colori del padre di Fiora. Sul viso del ritratto, rosso e lucido come una mela, gli occhietti azzurri parvero guardarmi dall'alto con un sorriso beffardo; ma quando la vecchietta mi lasciò solo, io sedetti di faccia a lui e lo fissai sfidandolo.

Ed ecco l'originale del ritratto venir rapido dalla parte dell'aia, in maniche di camicia, con una roncola in mano: ma non era rosso in viso, no; anzi era pallido; e non sorrideva come nel ritratto; anzi vedendomi ed accertandosi ch'ero proprio io, e che il mio aspetto non era del tutto rassicurante, mi guardò diffidente, poi si avvicinò a me esitando, e come io mi ero alzato in piedi mi accennò di rimettermi a sedere.

La donna lo seguiva; egli le disse qualche cosa ed ella si avvicinò alla finestra che dava sull'orto e chiamò qualcuno: ebbi l'impressione ch'essi avessero paura di me: tanto meglio.

L'uomo intanto si era seduto dall'altro lato della tavola, senza abbandonare la sua roncola. Allora io trassi il taccuino e ne strappai alcuni foglietti bianchi. Sul primo scrissi:

«Sono venuto a chiedervi la mano di Fiora. Voglio coltivare il mio terreno, e fabbricarci una casa».

Spinsi il foglietto attraverso la tavola: l'uomo lesse; parve rassicurarsi; sollevò il viso e mi guardò. Ah, adesso, sì, i suoi occhi rassomigliavano a quelli del ritratto. Egli si rideva di me. Ma io tornai ad alzarmi, come sull'altura del mio terreno, e il mio aspetto e i miei occhi avevano certo qualche cosa di minaccioso perché l'uomo ripiegò tosto il capo e rilesse il foglietto. Io feci il giro della tavola, mi misi accanto a lui, dominandolo con la mia persona; gli posi il lapis davanti. Egli ne bagnò la punta con la saliva, scrisse:

«Fiora è fidanzata: lei sola deve scegliere il suo stato».

Io mi chinai e scrissi:

«Voglio sapere subito dov'è».

E con mia gioia e sorpresa l'uomo mi diede l'indirizzo di lei.

Potevo dunque cercarla, scriverle, dirle tutta la mia pena e le mie speranze, farmi intendere da lei. Fu tanto il mio sollievo, che non mi impressionò il vedere d'un tratto alcune figure d'uomini aggrapparsi alla finestra alla quale si era affacciata la vecchia. C'era anche il ragazzo col cane: e tutti mi guardavano attraverso le sbarre dell'inferriata come una bestia rara e pericolosa in gabbia. Lo stesso cane aveva una diversa disposizione verso di me: abbaiava, e il ragazzo doveva tenerlo fermo per impedirgli di entrare nella casa.

Io non avevo più paura di nulla, di nessuno: mi sentivo la forza di lottare anche coi cani arrabbiati. Misi il foglietto con l'indirizzo nel portafoglio e anche questa volta lasciai intravedere il denaro che avevo là dentro. Vidi il ragazzetto che si volgeva agli uomini come per dire: vedete che non sono stato bugiardo, e subito mi pentii del mio atto. I mietitori erano tutti dei poveri diavoli, tristi, bruciati dal sole e dalla fatica: mi pareva di averli insultati col far loro vedere il mio denaro e la mia speranza. Se ci fosse stata un'osteria lì accanto, li avrei invitati a bere: non potevo domandare del vino a quell'uomo che non cessava di tenermi d'occhio, con la sua roncola in mano: però mi venne una delle solite idee: salutai, e nell'andarmene feci segno al ragazzetto che mi venisse incontro nella strada. Ci arrivò lui prima di me. E io gli diedi una moneta, accennandogli di comprare del vino e distribuirlo a mio nome ai mietitori.

Avevo fatto qualche centinaio di passi quando due di essi mi raggiunsero e mi si misero uno per fianco, cercando subito di farmi intendere qualche cosa: mi proponevano, a quanto ho potuto capire, di farli lavorare nel mio terreno. Erano tutti e due scalzi, coi piedi enormi di vagabondi, coi capelli rossicci e il petto nudo che pareva scorticato. Al tramonto le loro ombre si allungavano come due pali davanti a me ai fianchi della mia ombra tozza; e le loro falci scintillavano. Mi destarono dapprima un senso di diffidenza: mi sembrava, guardando le nostre tre ombre sul bianco della strada, di essere Cristo fra i due ladroni. Ma gli occhi dei due uomini erano buoni, dolci, e mi rassicuravano.

Si arrivò al paese che era già sera. Il mio treno partiva alle dieci e io mi fermai per mangiare qualche cosa in una piccola trattoria popolare vicina alla stazione, ove di solito cenavano i ferrovieri, gli operai, i carrettieri e i facchini.

Anche i miei due compagni entrarono poco dopo di me e presero posto a una tavola accanto alla mia. Ma ordinarono solo del vino. Avevano con loro del pane e pomidoro; ed uno di essi mi accennò scherzosamente se volevo partecipare al loro pasto.

Il locale costruito in legno, cucina e sala da mangiare assieme, era rischiarato da lumi ad acetilene che spandevano un odore soffocante e una luce cruda velata dal fumo dei fornelli. Uomini in camiciotto azzurro, soldati e ferrovieri entravano ed uscivano. Non si vedeva una donna, tranne quelle che stavano nella cucina.

Io ordinai uova e frutta e del vino bianco che subito mi diede una leggera ubriachezza. Alcuni soldati vennero a sedersi alla mia tavola; erano giovani allegri e si urtavano ridendo e offrendosi il vino con tale insistenza che se lo versavano addosso. Mi venivano in mente i miei compagni d'Istituto, i giuochi e gli spintoni con loro.

Una grave tenerezza mi vinceva: quel movimento, quelle luci attorno, mi davano un piacevole capogiro; pensavo di prendere il treno, ma di non fermarmi presso la zia: potevo proseguire in cerca di Fiora: consultai l'orario: quando sollevai gli occhi non vidi più i due mietitori. Il locale era pieno di gente; il padrone con tre bottiglie e tre piatti per mano non faceva a tempo a servire tutti.

Suonai più volte perché mi portasse il conto: egli sembrava più sordo di me. Stanco di aspettare, mi alzo e vado in fondo, verso la cucina: urto contro qualcuno; finalmente riesco a farmi capire: ma quando cerco i denari per pagare mi accorgo che non ho più il portafoglio.

Conservo un ricordo confuso come quello che si ha dei sogni, di quanto avvenne dopo. Mi colse una forte vertigine, tanto che dovettero sostenermi e farmi sedere: tutti mi si affollarono attorno. Quando riuscii a riprendermi e a far intendere di che si trattava, vidi qualcuno sorridere come se io facessi per finzione.

Poi fui condotto dal Commissario di polizia.

Camminavo come un ubriaco: sebbene convinto che il portafoglio mi era stato rubato dai mietitori, non osavo affermarlo neppure a me stesso. E se mi ingannavo? Avevo un rispetto della giustizia così forte, per la stessa ingiustizia che mi perseguitava, che non volevo accusare nessuno.

Eppoi, passato il primo stordimento, a misura che camminavo in quella strada di paese sconosciuto, accompagnato da una guardia come fossi io il colpevole, provavo un senso di rimorso, ed anche un oscuro timore di cose peggiori: sentivo che con la perdita del denaro non mio, con quell'umiliazione e quel danno, scontavo anch'io qualche cosa.

E il lungo e comico peregrinare mio e della guardia prima di ritrovar giustizia mi richiamò a me stesso. In questura il Commissario non c'era, e neppure nella trattoria dove di solito mangiava, e neppure al caffè.

Finalmente lo si trovò che passeggiava solitario con le mani intrecciate sulla schiena, lungo la stessa strada che conduceva al mio terreno. Mio? Non più mio perché il droghiere me lo avrebbe preso. A questo pensiero l'angoscia mi serrò forte il cuore: e il mio aspetto doveva rivelare tutto il mio avvilimento, perché il Commissario ascoltava la guardia che gli raccontava il fatto ma fissava su di me i suoi occhi lucenti alla luna. Era giovane, distratto: doveva essere innamorato. Eppure quegli occhi m'impaurivano: mi pareva che egli indovinasse già tutto il mio dramma; il segreto che di cosa in cosa triste mi aveva condotto fino a lui.

Allora decisi di dire che nel portafoglio avevo solo qualche diecina di lire, e di tacere della mia visita alla casa colonica e del viaggio coi mietitori; non accusavo nessuno: forse avevo perduto il portafoglio.

Fermi al chiaro di luna in quella strada bianca che conduceva al luogo del mio sogno e del mio dolore, il Commissario ed io gesticolavamo parlando secondo il metodo che m'avevano insegnato nell'Istituto e che egli conosceva benissimo: e le nostre ombre ripetevano i nostri gesti come monelli che si beffassero di noi.

Così non riebbi il denaro. Forse se dicevo la verità si ricercavano i mietitori o l'uomo che mi aveva urtato nell'osteria, e i denari si ritrovavano. Ma io avevo dentro di me il mio segreto e questo di giorno in giorno si faceva più grave e mi tirava giù e mi atterrava. V'erano dei giorni in cui veramente mi sembrava di non potermi più sollevare di terra. Me ne andavo sulla riva del mare, poiché in casa della zia soffocavo, e stavo giornate intere buttato sulla sabbia, istupidito dal sole e dalla disperazione.

Non avevo neppure scritto a Fiora: che cosa dovevo scriverle? Non avevo più nulla da offrirle.

Non avevo neppure parlato del furto al mio creditore: che gliene importava? Egli mi avrebbe preso il terreno, con grande suo vantaggio.

Non volevo più pensare all'avvenire: accada quel che vuole accadere: facciano di me quel che vogliono: mi prendano tutto, mi mettano in carcere. Adesso sono davvero sordomuto, sono il vagabondo errante lungo la riva del mare; festuca fra le festuche rigettate dalle onde.

La spiaggia a volte si pienava di gente. I bambini s'affollavano intorno a me come intorno ad un annegato: io restavo indifferente. Chiudevo gli occhi, li riaprivo: ero di nuovo solo, accanto a una barca capovolta coperta da un drappo, che mi dava l'idea di una barca morta: un'altra, più in là, verde e rossa, sembrava un grande frutto strano caduto sulla sabbia.

Se chiudo gli occhi mi sembra di essere ancora là.

I bambini si sono tutti buttati in mare come una torma di diavoletti di tutti i colori: l'onda spumosa si precipita contro di essi e pare voglia travolgerli, poi a misura che si avvicina si placa, s'insinua fra le loro gambe con furia bonaria e pare solo un po' annoiata della loro lieve resistenza e della libertà ch'essi si prendono di scherzare con lei.

La folla dei bagnanti ripassa: sembra una interminabile mascherata, una festa in riva al mare. Donne coi capelli sciolti, seminude o vestite di veli svolazzanti sull'azzurro: bambini rossi che sembrano di corallo, uomini in maglia con tutte le loro brutte forme in mostra, bei giovanetti agili che volano fra cielo e mare.

La processione continua ore ed ore, dalla mattina alla sera, accompagnata dall'andare e venire dell'acqua luminosa.

Al tramonto la spiaggia si spopolava: allora vedevo il sole cadere davanti a me, rosso sul cielo rosso; e avevo l'impressione che si schiacciasse contro la lastra metallica del mare. Le paranze tornavano dalla pesca, a due a due, bianche come colombe: nulla mi commoveva.

Solo una volta mentre me ne tornavo a casa disfatto, uscii dalla mia apatia. Un bambino di pochi mesi, nudo, con una cuffietta rossa, mi si era aggrappato alle gambe, sfuggendo alle mani di una giovane donna.

Io mi fermai di botto come preso da un laccio: e qualcosa di misterioso, un flutto di gioia e di angoscia, mi salì dal profondo delle viscere. Pensavo alla creatura mia che doveva nascere.

Allora scrissi a Fiora: ma dopo qualche giorno la lettera mi fu respinta: "Destinataria sconosciuta al portalettere". L'indirizzo che il nano mi aveva dato era falso.

Passavano i giorni, le settimane. In fondo io li contavo, come a volte meccanicamente si contano i passi che ci conducono al termine di una strada. Eravamo già alla fine di ottobre; quattro mesi ancora, e qualche cosa di nuovo, d'inevitabile, doveva accadere. Sarei andato io a prendere la creatura o ce l'avrebbero portata? E la zia che pensava? La zia non aveva più riparlato del nostro triste segreto, ma era sempre pensierosa, preoccupata. Un giorno rientrando sul tardi a casa, la vidi seduta nel cortiletto senza far niente, cosa che non le accadeva mai. Aveva le mani in grembo, la testa bassa: e quelle mani scarne e stanche di vecchia zitella, e quei capelli grigi e tristi mi turbarono. I gatti e i piccioni la circondavano, le si posavano sulle falde del vestito, sull'omero, sul ginocchio: ella non se ne accorgeva.

Al mio avvicinarsi trasalì; e le bestiole volarono e scapparono via da lei come da un nido.

Le sedetti accanto e la guardai: e anch'essa mi guardò: e ci si sentì finalmente un po' vicini, nella penombra della nostra tristezza e del cortiletto coperchiato dalla lastra vitrea del cielo crepuscolare.

Sentivo ch'ella doveva sapere qualche cosa del mio debito e se ne affliggeva. Dovevo ormai rappresentare per lei qualche cosa di mostruoso; uno di quei degenerati che sono il martirio delle famiglie: eppure non mi scacciava, non mi rimproverava neppure: perché? Mi venne in mente il dubbio ch'ella avesse paura di me: e infatti, sì, qualche volta avevo avuto impeti di odio e male idee contro di lei. Un brivido mi fece tremare l'anima al pensiero che forse ero capace davvero di farle del male.

Ancora una volta mi vergognai di vivere a carico suo, di non riuscire a procurarmi neppure il pane. E volevo gravarla anche del peso della mia creatura?

Una disperazione ardente mi morse, ma a fondo questa volta: non più la disperazione vile di quelle settimane d'inerzia, ma un desiderio vivo di finir di soffrire e di far soffrire.

Morire.

Poiché non avevo la capacità di saper vivere, non mi restava che morire.

Ed ecco che me ne torno sulla spiaggia, adesso completamente deserta. Come è bella, la spiaggia, in questi giorni di ottobre dolci e colorati! Al tramonto il cielo dà l'impressione di un fiore che si sfoglia, con le sue nuvole rosse e gialle che cadono sul mare e dietro i monti; e la sabbia levigata, appianata dal vento, sembra il limite di un deserto, con appena qualche orma umana.

E dentro il mare arde un incendio: le fiamme, che sembrano vere, tentano di arrivare a terra, ma le onde le travolgono, a poco a poco le smorzano: il sole tramonta prima di raggiungere il mare, ingoiato da una montagna di vapori violetti. Le paranze passano su questo sfondo misterioso, con le vele nere, come di ritorno da un incendio che le ha bruciate.

Io guardo su e giù per la spiaggia; nessuno. Sono solo nel mondo. Mi spoglio; ho indosso i vestiti comprati dalla zia, e non voglio portar via con me nulla di non mio: il mio corpo solo, nudo, corpo caldo e forte, ben fatto e odoroso di giovinezza, eppure già da tanto tempo cadavere.

Adesso però, ricordandomi, mi pare che anche nel gettarmi in acqua, e nell'avanzare e nel vedere le mie membra deformarsi e come sciogliersi nella trasparenza tremula delle onde, non avessi l'angoscia della morte.

Dentro di me speravo ancora. Pensavo d'aver sentito dire che gli annegati in punto di morte ricordano d'un tratto tutte le cose più belle e angosciose della loro vita: e io ricordavo il giardino e il tempietto dove avevo veduto i due amanti baciarsi, e gli occhi di Fiora, e la vigna illuminata dalle lucciole e quando Tobia mi aveva dato i denari, e infine il momento in cui mi accorsi d'esser derubato; ma non mi commovevo troppo; mi pareva di fare semplicemente un bagno; mi attardavo, cercavo ancora di toccar la sabbia coi piedi. Poi mi prese un senso di rabbia contro la mia incertezza: mi avanzo, sento l'acqua penetrarmi nelle orecchie, negli occhi, nelle narici; mi abbandono e apro la bocca e bevo come se bevessi del veleno.

L'istinto mi portava su; sentivo le mie membra agitarsi tutte, e bevevo e gemevo; finché mi sembrò che tutto l'interno del mio corpo si riempisse di un liquido nero e amaro, e un'ombra mostruosa mi travolse.

Mi svegliai sulla sabbia: sopra di me il cielo era tutto cremisi, e una figura che mi pareva sospesa su questo sfondo come una nuvola dalle strane forme umane, mi guardava dall'alto, con gli occhi azzurri lagrimanti d'acqua.

Era il suocero del mio creditore.

Confesso che nel ritrovarmi salvo la mia prima impressione fu di gioia: però sentivo ancora tutto il corpo pesante e non potevo muovermi.

L'uomo mi fregava con un panno: e ogni tanto mi guardava scuotendo la testa come per dirmi: l'hai scampata bella!

Io lo sentivo sopra di me con tutto il peso del suo corpo umido e grasso; mi pareva che il suo calore, il suo ansito, il suo sudore e sopratutto la sua volontà di lottare contro la morte, mi penetrassero fino al cuore e me lo ravvivassero.

A poco a poco mi riebbi completamente. Era già quasi sera; una sera rossa, luminosa: l'uomo mi tirò su e mi trovai sulla spiaggia nudo come appena nato.

Egli mi dava dei colpi con la mano aperta; io mi misi a ridere.

Egli mi aiutò a rivestirmi; poi mi condusse nel suo casotto, in cima a una fila di capanne di legno per bagnanti, e mi diede da bere del rum che finì di rianimarmi; allora riebbi il senso della triste realtà della mia vita.

– Perché, vecchio marinaio, mi hai salvato? Ecco la seconda volta che credi di aiutarmi e mi rovini – pensavo: ma non osavo dirglielo.

Mentre stavo accasciato sulla panca accanto al tavolino ch'era l'unico mobile del casotto, lo vedevo levarsi la maglia bagnata, tirandosela sulla testa come una pelle che si staccava intera dal suo corpo rossastro; ed era tranquillo come se invece di un uomo avesse pescato un pesce. Per cambiarsi anche i calzoni mi volse semplicemente le spalle, poi tornò verso di me legandoseli con una cordicella; e dovette accorgersi della mia tristezza perché mi guardò fisso, sospettoso.

Anch'io lo guardavo; gli feci cenno ch'era stato lui la causa prima della mia disgrazia; egli intese, non del tutto, però. Doveva sospettare del mio debito ma non sapere completamente come stavano le cose: aprì sul tavolino un avanzo di registro dove venivano segnati gli abbonamenti alle capanne dei bagnanti, e mi accennò di scrivere.

E io mi misi a scrivere, sotto il chiarore esasperato di un lume ad acetilene che mi ricordava il luogo orribile dove mi ero accorto del furto.

Dissi come il droghiere mi aveva prestato i denari, a usura, e come mi erano stati rubati. E accennavo, senza spiegarmi bene, all'altra mia disgrazia, e al mio dolore di vivere a carico della zia e di non essere buono a nulla, di non aver aiuto da nessuno. Per questo volevo morire.

Era una specie di atto d'accusa che facevo contro gli uomini. Il vecchio mi guardava, aspettando che finissi di scrivere.

Quando ebbi finito strappò il foglio dal registro, lo piegò e se lo mise sul petto sotto la maglia: allora ricordai che egli non sapeva leggere.

Mi ricondusse a casa e si mise a discorrere con la zia: l'aspetto tranquillo di lei mi assicurava ch'egli non le diceva nulla del mio triste tentativo.

Si cenò come le altre sere, come se io tornassi dal mio solito vagabondare: la zia mi riempiva il piatto, mi accennava sempre se ne volevo dell'altro: io mangiavo, ma sempre più avvilito; avevo vergogna di tutto, oramai, vergogna di non aver neppure saputo morire.

E il mio rancore si riversava adesso tutto contro la zia. Perché la zia non mi scacciava di casa? Se mi scacciava, forse riuscivo a trovare da vivere o da morire sul serio.

E quello che più mi agitava, in fondo, era l'accorgermi che i suoi sentimenti a mio riguardo erano mutati: i suoi occhi mi guardavano con un'espressione nuova, furtivi, inquieti, d'un'inquietudine che ella però cercava di nascondere: solo gli occhi di una madre possono guardare così.

E io sentivo quell'atmosfera gelida che prima gravava su di me sciogliersi, intiepidirsi come l'aria a primavera.

La zia aveva pietà di me. Pietà, luce dell'anima nostra: la vita sarebbe così dolce e facile se gli uomini fossero disposti a riceverne tanta quanto son capaci di darne.

Ma no: la pietà della zia, per esempio, m'irritava, mentre io stesso, in fondo, ne sentivo tanta per lei.

Quando si finì di mangiare, quella sera, ella si alzò e andò in cucina, ma ogni tanto rientrava e mi si aggirava attorno, cercando sempre di non attirare la mia attenzione. Io leggevo, coi gomiti sulla tavola sparecchiata, ma pensavo anche ai casi miei. Pensavo che forse il vecchio marinaio aveva avvertito la zia di vigilarmi: lei mi vigilava: io mi nascondevo sotto le mie palpebre abbassate, ma lei doveva finalmente vedere tutto il mio dolore: ed io mi vergognavo come se lei mi vedesse nudo.

Come mi dava noia! Dio, Dio, perché non moriva, la zia? Sarei rimasto solo nella casetta umida e scura, solo come la fiera nella sua tana: a suo tempo mi avrei portato là dentro la mia creatura, l'avrei allevata io, senza l'aiuto di nessuno; io, io solo con lei nel mondo come in un'isola deserta.

Ed ecco d'un tratto la zia, finite le sue faccende, si mette a sedere davanti a me, col calamaio e il suo quaderno dei conti. Era destino che la mia sorte venisse sempre segnata fra conti di piccole spese giornaliere.

La zia apre il quaderno alla rovescia e scrive: poi me lo fa leggere. È una cosa grande quella che leggo, eppure mi lascia freddo, anzi con un senso di ironia nel cuore: «Penso di andare a trovare Fiora, per vedere come sta e prendere gli accordi per la creatura che porteremo e alleveremo qui: diremo che è l'orfana di una nostra parente. Che ne pensi, tu?».

Risposi:

«È meglio non andare. A suo tempo penserò e provvederò io a tutto».

Che sguardo mi rivolse la zia! Di rimprovero e di compassione, sdegnato e beffardo assieme. Come provvederai tu, povero idiota, buono neppure a procurarti un bicchier d'acqua?

Ella teneva il quaderno fra le dita che le tremavano un poco: frenava il suo sdegno: scrisse poi qualche cosa, poi la cancellò.

Io la fissavo, e mi sentivo duro come un macigno. – Troppo tardi, – le dicevo con gli occhi: – se tu non avessi giocato la creatura col nano, buttandovela l'uno con l'altra come una palla, adesso non ti umilierei così. Adesso è tardi: se soffri peggio per te.

Anche lei mi rispondeva con lo sguardo: – Va bene: ne riparleremo.

Il fatto è che quel mio bagno straordinario aveva peggiorato le condizioni dell'anima mia. E non mi sentivo neppure capace di ricominciare. Una tristezza infinita mi avvolgeva: adesso sì, ero davvero sordo e muto anche dentro. Poi, a tratti, balzavo con furore, come una fiamma sospinta dal vento, e pensavo di andare a cercare Fiora, ma per odio adesso, e d'incendiare la casa colonica, di ammazzare il nano; di fare insomma qualche cosa che mi portasse fuori da quella mia arida disperazione.

Poi non ne facevo niente.

Eccomi di nuovo in riva al mare, sdraiato come un cane sulla sabbia umida.

Nel mattino vaporoso cielo e mare si confondono sotto un velo latteo che fa apparire verdi le vele bianche e rosse le vele gialle; più in qua il mare ha strisce verdi che sembrano prati, e nell'insieme dà l'idea di una regione coltivata, con campi di lino in fiore, vigne, e quei prati e laghi vaporosi: poi col salire del sole si rischiara, si fa tutto lucido, così lucido e fermo che le paranzelle ferme anch'esse qua e là a pescare sembrano insetti sopra uno specchio.

Ed ecco il vecchio marinaio che di ritorno dalla pesca alla fiocina, con un cestino sgocciolante argento, lascia le sue orme di elefante sulla sabbia molle, e mi sorveglia.

La sua figura davanti al mare ha qualche cosa di maestoso, di enorme: il mare stesso non è che una strisciolina verdastra ai suoi piedi: la sua testa arriva a coprire e oscurare il sole: se stende la mano può pigliare ad una ad una come farfalle le paranze ferme a pescare.

La sua figura mi destava un senso di soggezione: ma null'altro. Non amavo più nessuno, non potevo più amare, più confidarmi con nessuno: anzi provavo rabbia se qualcuno mi dimostrava premura.

Un giorno, poiché il vecchio mi si aggirava intorno, gli feci cenno di restituirmi quel foglio sul quale avevo versato le mie pene.

Egli non l'aveva più.

Gli domandai, sempre con cenni che rivelavano il mio dispetto, se l'aveva dato da leggere a qualcuno. Sì, egli l'aveva dato da leggere a qualcuno.

Vibrai di collera; egli restava calmo, con le mani possenti posate sulle braccia nude.

E la cosa pareva finita lì, quando sul tardi, nel tornarmene a casa, m'accorsi ch'egli mi seguiva. Aveva la fiocina, il cestino e la rete, come quella malaugurata mattina in cui mi ero rivolto a lui per aiuto.

Mi raggiunse davanti alla drogheria e mi prese per il braccio: e prima che avessi capito che cosa voleva, mi fece entrare: non nella drogheria, però, ma in uno strettissimo corridoio che conduceva al giardinetto della casa: un giardinetto che sembrava un cestino di fiori, tutto fronde lievi intrecciate a reticolati di canne.

Sotto il pergolato ancora carico d'uva stava una tavola di marmo sulla quale si disegnavano le ombre delle foglie e dei grappoli; e accanto si sedeva, lavorando a maglia una sciarpa di lana, una donna bionda grassoccia, con gli occhi grigi sognanti; vestiva un camice turchino scollato in quadratura che le dava un'aria di Madonna un po' anziana ma ancora piacente.

Ma quello che più mi sorprese fu il vedere che anche là dentro c'erano gatti, conigli, piccioni. La donna però non se ne curava; né pareva curarsi d'altro.

Vedendomi entrare seguìto e quasi spinto dal vecchio, mi fissò coi suoi occhi un po' vaghi; poi subito parve ricordarsi di qualche cosa e riconoscermi: il suo bel viso in colore di pesca si illuminò di un sorriso che subito si spense.

Il vecchio me la presentò; era sua figlia, la moglie del droghiere.

Io non l'avevo mai veduta, né fuori per strada né nella bottega; non usciva mai anche lei, doveva avere qualche guaio.

Infatti vidi il vecchio che per dirle qualche cosa le faceva dei cenni e le gridava le parole all'orecchio.

Era sorda anche lei!

Mentre il vecchio andava a rimettere i suoi arnesi, ella mi accennò di sedermi. Sedetti. Non so perché provavo d'un tratto una sensazione di pace, di dolcezza, come se mi addormentassi.

Intorno alla donna quieta, che subito immaginai dovesse passare la sua vita intera seduta a quel posto, tutto era placido, pulito, ordinato. Il giardino pareva grande perché confinava con altri giardini; si aveva l'illusione che il vialetto che s'insinuava nell'ombra, fra arbusti e canne d'India, conducesse ad un bosco.

La porta della cucina e quella della drogheria erano coperte di tende rosse: da quella della cucina usciva un odore di pesce arrostito, di frutta cotte: odore di benessere che si mischiava al profumo di poesia del giardino.

I piccioni violacei si posavano sul marmo della tavola, battendovi il becco quasi volessero piluccare i grappoli d'ombra: ricordo tutti i particolari di quella mia visita involontaria che doveva tanto influire sulla mia sorte.

Il vecchio tornò verso di noi, ma non sedette. Con le dita calcate sulle braccia incrociate, riprese a parlare con la figliuola, finché questa tirò a sé il paniere da lavoro che stava sopra la tavola, vi frugò un poco e da un miscuglio di cartoline illustrate e di altre carte trasse il mio foglio.

Lo riconobbi subito e vibrai di nuovo; non più per rabbia, adesso, ma per vergogna.

Vergogna di averlo richiesto con ingratitudine al vecchio: vergogna sopratutto di apparire alla donna quello che non ero: un ingrato.

Ma lei non pareva molto sorpresa; si assicurò che il foglio era veramente quello, poi me lo offrì.

Io feci cenno di no: no, non lo volevo. Ella guardò il padre; il padre prese il foglio, lo aprì, parve leggerlo: doveva saperne a mente tutte le parole, perché scuoteva la testa, con cenni di rimprovero e di sdegno: infine se lo rimise in seno e accennò alla figlia che mi dicesse qualche cosa di lei.

E lei arrotolò lentamente, accuratamente, la maglia intorno ai ferri, ficcò questi nel gomitolo e ripose tutto nel paniere.

Poi si volse, colle braccia sulla tavola, e mi guardò: e subito i suoi occhi mi sembrarono diversi.

Di sognanti s'erano fatti acuti, trasparenti; con dentro tanto verde e tanto azzurro come il mare in quelle mattine di autunno.

Anche la bocca era, dirò così, luminosa; le labbra strette e grasse, d'un rosso lucido di ciliegia, non lasciavano vedere i denti.

Nell'insieme ella rassomigliava a una bella gatta, con un fondo di passione sotto la sua aria placida.

Tentò di parlarmi: forse credeva che io arrivassi a sentire qualche parola come lei: ma il padre le accennò che bisognava scrivere. E io trassi il taccuino e il lapis. Ero come sotto un fascino: facevo tutto quello che mi si chiedeva di fare. Così porsi alla donna il mio libretto: ella poteva anche leggervi quello che c'era scritto: non avrei protestato: ella lo aprì, e sulla prima paginetta bianca che capitò scrisse qualche parola, rapidamente, con una scrittura chiara.

«Mi dispiace di quanto ti è accaduto. Ma se tu permetti parlerò io con mio marito e aggiusteremo le cose alla meglio».

Mentre io leggevo, ella ripeteva le parole al padre, che approvava con la testa.

Io leggevo e rileggevo con un profondo turbamento.

Mai nessuno mi aveva parlato così, o almeno mi pareva che mai nessuno mi avesse parlato così. E non potevo, non potevo rispondere. Un tumulto di passione s'alzava, dentro di me, come un turbine improvviso: qualcosa si scioglieva, dentro di me; il groppo di odio, di rancore, di disperazione e d'amore che mi teneva da tanto tempo infermo: si scioglieva, eppure non mi permetteva di piangere, di sollevarmi, di rispondere.

Finché sentii la mano pesante del vecchio posarsi sulla mia testa: mi parve di svegliarmi da un sogno: guardai stordito e davanti a me vidi il viso della donna che s'era fatto pallido e i suoi occhi, divenuti quasi neri, che mi guardavano attraverso un velo di lagrime.

Ma il vecchio mi batteva la mano sulla spalla come si fa coi bambini ingozzati; e ciò riprese a irritarmi. Scrissi su un foglietto: «Io spero di pagare il mio debito: ad ogni modo c'è l'ipoteca sul terreno. Vi ringrazio. Ne riparleremo».

Quei due non insistettero. E io mi alzai per andarmene. In quel momento si affacciò dietro la tenda rossa il viso un po' diabolico del droghiere; mi accorsi che la moglie nascondeva cautamente sotto la mano il mio foglietto, e giudicai prudente di salutare e di andarmene.

Ma ero un altro uomo oramai; non che sperassi davvero di pagare il debito, o avessi altre speranze concrete, ma perché la speranza in sé stessa era rinata in me. Sentivo che bastava domandare aiuto per ottenerlo: e qualche altra cosa di più profondo, di più misterioso, che ancora non confessavo a me stesso, mi faceva camminare agile e dritto e rivedere chiaro intorno a me.

Tornato a casa, mi metto naturalmente a scrivere subito una lettera alla moglie del mio creditore; la ringrazio e le domando scusa se ho risposto quasi male alla sua offerta.

Le confesso che no, non ho speranza di pagare il mio debito, ma che il marito può tenere o vendere il mio terreno, se crede, senza farmi il torto e l'onta di metterlo all'asta. Io avrei lavorato: qualunque mestiere, fosse anche quello del calzolaio o del pescatore, era buono per me, oramai; e volevo lavorare perché volevo vivere. E tante altre cose.

Andai io stesso a portare la lettera: intravidi la drogheria piena di donne che compravano il pane e passai oltre. Il mio pensiero era di consegnare la lettera al vecchio: ma d'un tratto mi fermo turbato; la porticina del corridoio è aperta e in fondo appare il quadro del giardino, un po' arrossato dal tramonto.

Entro, sfiorando la parete come per appoggiarmi, tanto sono turbato: ed ecco la donna è lì, al suo posto, con la sua sciarpa che s'è allungata di qualche palmo: pareva avesse fretta di terminarla prima di notte. Nella luce quieta, rosea, senz'ombre, mi sembrò meno grassa; il collo liscio e tornito usciva dalla squadratura dell'abito turchino con una linea giovanile.

Non si accorse di me se non quando le fui davanti; allora sollevò gli occhi e parve rallegrarsi della mia presenza. Le misi davanti la lettera e mossi per andarmene. Ma a un suo cenno sedetti all'altro lato della tavola, mentre lei apriva la lettera e la leggeva!

Così cominciai a frequentare la casa del mio creditore.

Del resto non ero io solo a sedere intorno alla tavola di marmo che formava come un altare davanti alla bella padrona di casa: per lo più erano uomini, ma uomini piuttosto invalidi, vecchi parenti, un capitano di porto a riposo, un prete, un uomo con una gamba di legno.

Li vedevo parlare, agitarsi, ridere, e capivo tutte le cose che dicevano; cose semplici perfettamente inutili. La padrona di casa sorrideva sempre e faceva cenno di sì, per significare che, sì, aveva capito; ma a volte mi guardava d'improvviso, con uno sguardo serio, come per dirmi qualche cosa che gli altri non potevano sentire; e quello sguardo mi rimescolava tutto. Era come se noi due fossimo complici in qualche impresa oscura e c'intendessimo col solo guardarci: complici d'una cosa che non si poteva esprimere a parole.

E quasi ogni volta che andavo da lei le portavo una lettera e gliela deponevo di nascosto nel paniere da lavoro; e lei non mi rispondeva, ma non leggeva più le mie confidenze davanti a me. Erano lettere innocenti, dove le raccontavo la mia pena, senza rivelargliene la vera causa: mai più in vita mia proverò la gioia e il conforto che mi dava lo scrivere quei fogli, nella melanconica casa della zia; mi pareva di scrivere lettere d'amore e come tali le portavo alla donna, e come tali essa pareva riceverle.

Non si parlava più del debito, del modo di sistemare la mia vita; io mi lasciavo portare così, dall'onda dei giorni, pensando sempre a un domani che mi sfuggiva nel seguente domani appena diventava oggi.

Si era intanto di novembre, cominciava a piovere, a far freddo: acquazzoni furibondi si abbattevano sul paese con una rabbia distruggitrice, come se volessero punirlo di aver troppo goduto del bel tempo: il nostro cortiletto diventava una vera cisterna; una fiumana di fango giallo allagava la strada. Rabbrividisco ancora al ricordo.

Bimbi ricoperti di sacchi, scalzi, passano diguazzando nell'acqua fangosa, come piccoli selvaggi venuti dal bosco; topi morti galleggiano qua e là, e la donna col carrettino del pesce torna indietro urlando per la paura: la sola nota comica è il carro con la botte per l'innaffiamento delle strade; la botte verdissima e fresca come un gran frutto acerbo si dondola un po' sul carro, a pancia in su, e pare si compiaccia di tutta quell'abbondanza d'acqua per terra come l'abbia sparsa lei.

Io scrivo, nella mia triste cameretta: è così buia che devo avvicinare il tavolino alla finestra.

Scrivo, scrivo: una vera pioggia di parole, anche la mia, dall'anima torbida alla carta bianca; ma dopo che ho finito sento che neppure questo sfogo oramai mi basta più. Ci vuol altro! Mi riprende la smania di uscire, di andarmene lungo il mare, di mescolare il mio al suo tormento: esco, attraverso la strada alla-gata, vado giù verso il mare accompagnato dai rigagnoli del-l'acqua sporca che pare voglia anch'essa tornare al suo luogo d'origine dopo il suo triste viaggio per cielo e per terra.

Il mare è più grande del solito, oggi, coi suoi cavalloni verdi lanciati di furia contro la spiaggia; finalmente la figura del vec-chio marinaio che guarda dalla riva come un padrone guarda il suo podere, è piccola in quello sfondo tumultuoso, sotto il cielo ancora nero in alto, ma già chiaro all'orizzonte, dove il sole lotta con un drago di nuvole nere dalle cento lingue di fuoco.

Io scendo lungo l'arenile, affondando i piedi nella sabbia bagnata; e mi pare di avere un peso addosso che non mi per-mette di camminare svelto: la lettera.

Allora mi viene l'idea di darla al vecchio: gliela consegno, poi mi allontano lasciandolo un po' sorpreso a guardare la busta.

E vado, vado, osservando i giuochi dell'acqua sulla rena; in alcuni punti l'onda si slancia lontana e subito ritorna verso il mare descrivendo dei cerchi perfetti, tremuli di uno scintillìo argenteo: sembrano grandi pesci che si ritorcono su sé stessi, con le scaglie brillanti al sole.

Ed è strano il divertirsi delle onde a riva, mentre pare che il mare le mandi gonfie e feroci per divorarsi la terra.

– Così – pensavo – finiscono le nostre passioni! Ecco che io, in quella lettera, avevo raccontato alla moglie del droghiere la mia avventura con Fiora, senza nominare la fanciulla, e l'impe-gno che m'ero preso di ritirare la creatura; e mi pareva che la mia disgrazia e le sue conseguenze non solo non mi facessero più soffrire, dopo avermi condotto fino alla morte, ma mi procu-rassero la soddisfazione di avere anch'io qualche cosa da dire, di rendermi interessante presso una persona che m'interessava.

Così camminando e pensando mi distraggo anch'io, finché si fa quasi sera. Il sole è andato giù senza riuscire a vincere il drago, il quale però, lasciato solo, si divora e si sbrana da sé stes-so; il cielo pallido è sparso di code, di zanne, di piume che pia-no piano se ne vanno anch'esse. E ad un tratto pare che qualcu-no accenda un lume: le ultime nuvolette si tingono d'oro, la spuma le imita: e il vento di tramontana ricaccia di là dal mare il libeccio e abbatte i cavalloni verdi. È il sorgere della luna.

D'un tratto fui preso da una grande timidezza. Non osavo più tornare dalla moglie del mio creditore, e ne davo la colpa al mio orgoglio, alla paura che ella mi giudicasse male per il male che avevo fatto, e credesse che io le confidavo le mie pene per farmi rimettere il debito, mentre in fondo sentivo che era ben altra la mia passione.

Me ne stavo di nuovo a casa, di nuovo con un senso misterioso d'attesa: solo la mattina presto andavo a far le spese per la zia, ma adesso sgusciavo di qua dalla strada per non passare neppure davanti alla drogheria. Non senza un gusto ironico tradivo il mio creditore anche col togliergli il guadagno delle nostre piccole compere; ma osservavo che la roba era più buona e a buon patto negli altri posti, e d'altronde la zia pareva contenta ch'io facessi così.

Non era certo lei a incoraggiarmi ad uscire e a mantenere le mie relazioni!

Dopo quel tentativo di avvicinamento, mi aveva di nuovo abbandonato a me stesso, senza trascurare nulla per il mio benessere materiale. Mi aveva comprato maglie e vestiti nuovi, e caricato il letto di coperte di lana; accendeva il fuoco per me nella tetra stanzetta da pranzo che s'illuminava tutta e diventava quasi allegra.

Fuori imperversava il mal tempo: io andavo dalla porta di strada alla porta sul cortiletto, entravo in cucina, entravo nella stanzetta da pranzo, tornavo nell'ingresso: ma non uscivo: la noia e la tristezza mi divoravano.

Ed ecco finalmente venne a trovarmi il vecchio marinaio: aveva un enorme ombrello verde che lasciò a sgocciolare sullo scalino esterno della porta. Io non mi sorpresi della sua venuta; l'aspettavo; non mi sorpresi, eppure il cuore mi batteva come quando avevo veduto il padre di Fiora in casa nostra.

Il vecchio veniva a domandare come stavo: credeva fossi malato.

Lo si invitò a sedere accanto al camino, ma egli volle andare di là, in cucina. Non aveva freddo, lui: dalla sua bocca usciva un abbondante vapore; e si passò la mano sulla fronte perché sudava. Con meraviglia vidi che aveva le scarpe; due scarponi che sembravano barche.

Mentre discorreva con la zia, che lo ascoltava un po' diffidente, un gattino gli si arrampicò sulla gamba: egli lo prese e lo tenne dentro il suo pugno, se lo accostò al viso quasi volesse baciarlo, e per tutto il tempo che stette da noi non finì di accarezzarlo: intanto però doveva domandare alla zia qualche cosa di molto grave e serio perché lei si faceva sempre più scura in viso; finalmente gli rispose accennando me con la testa: e io intesi benissimo il senso delle sue parole: – Tocca a lui decidere.

Subito il vecchio mi invitò ad andare con lui: ma non era solo questo che dovevo decidere: qualche altra cosa ben più grave e profonda dovevo decidere, o era già decisa per me dal destino.

Esitavo quindi a muovermi: d'altronde il restare ancora lì dentro mi soffocava.

Mi lasciai portare via, sotto l'ombrello che pareva un pino: ma quando si fu davanti alla drogheria afferrai il braccio del vecchio per tirarlo verso il mare; egli mi guardò; io arrossii e ripresi a seguirlo docilmente.

Nel mio turbamento immaginavo di trovare ancora la donna sotto il pergolato, e mi sorpresi nel vederla accanto a un alto braciere di ottone, in una stanza le cui pareti erano tutte ricoperte di quadri e di fotografie in cornice. E anche qui, come nella casa colonica, dominava dalla parete il ritratto ad olio del padrone di casa: pareva anzi fatto dallo stesso pittore, perché aveva le medesime tinte accese: solo che era di profilo, e aveva una curiosa rassomiglianza coi ritratti di Dante quali si vedono nelle illustrazioni dei libri di scuola.

La stanza era piuttosto tetra, quasi come la nostra; dalla finestra penetrava l'acqua, che la serva asciugava con uno straccio: e anche la donna era immelanconita, con uno scialletto nero che le nascondeva il bel collo e la invecchiava.

Ma d'un tratto ecco che mi ritrovo solo con lei, perché la serva s'è ritirata chiudendo dietro di sé l'uscio di cucina e il vecchio è anch'esso sparito quasi furtivamente: ella solleva la testa dal lavoro e mi guarda: mi guarda arrossendo e poi reclina di nuovo il viso.

Quello sguardo chiaro, vivo, quel rossore, mi penetrano l'anima, ne illuminano gli angoli più neri, come lampi in una notte oscura. Mi sento tutto bruciare, dentro: e la verità mi percuote finalmente il cuore.

Sentivo che desideravo la donna: e che le piacevo: che bastava stendere solo la mano per prenderla, se io volevo.

Ma io non volevo. Ero un uomo adesso, maturato dal dolore: tutto potevo fare, ma non commettere più una colpa d'amore. Eppure mi arrabbiavo contro me stesso per questa mia onestà: e la rabbia aumentava il mio desiderio, ma la mia volontà lo vinceva.

Eppoi, perché mi avevano lasciato solo con lei? Il pensiero che il vecchio fosse lontanamente complice della figlia, mi rimescolò il sangue. Feci per alzarmi ed andarmene; ma la donna sollevò di nuovo gli occhi e accorgendosi della mia aria cattiva mi domandò se il padre non mi aveva detto nulla.

Non mi aveva detto nulla, il padre: ma ripensai al discorso suo con la zia. Che cosa volevano da me? Allora la donna mi diede una lettera: l'ho ancora qui.

«Ti ringrazio tanto, caro ragazzo mio, di esserti confidato con me come con tua madre stessa: tu devi sentire che io ti voglio sinceramente bene e che la nostra comune disgrazia ci unisce come una parentela. Io vivevo qui e mi pareva di essere già morta quando mio padre mi diede da leggere quel tuo foglio: m'è parso allora di sentire una voce lontana che mi chiamasse, e dissi a me stessa: voglio far del bene a questo ragazzo così solo nella vita. Allora ho creduto di rivivere. Poi tu sei venuto: ho imparato a conoscerti, ad apprezzarti, e adesso sono felice della tua amicizia.

Ma perché dopo la tua ultima lettera tu non ti sei fatto più vivo?

Sei malato e ti sei pentito della tua confidenza? Manderò mio padre a prendere tue notizie; anche lui ti vuol bene e approva il mio desiderio di aiutarti.

Ascoltami, caro ragazzo; ti chiamo così perché posso esserti madre, e tu dunque ascoltami attento. Anch'io non sono una donna felice come sembro all'apparenza: e non è la mia infermità che mi tormenta, perché oramai ci sono abituata; ho tutto, ma mi manca la miglior cosa. Mio padre, poveretto, è buono, è come un fanciullo, ma la sua compagnia non mi può bastare; eppoi lui ha anche il bisogno di stare molto all'aperto, sta poco in casa, ed è vecchio: morto lui sarò completamente sola. Questa è la confidenza che volevo farti: mi sento sola, ho paura della vecchiaia. Mio marito non è cattivo; ma anche lui ha bisogno di una vita che lo separa tutto il giorno da me: vuol fare i suoi affari; vuol guadagnare molto, – per chi poi non lo so, – perché infine non abbiamo che dei parenti vecchi, tutti benestanti, grazie a Dio, che non hanno bisogno del nostro. Ma mio marito è fatto così: non che sia interessato, in fondo: ha preso me, che ero povera, e non mi ha lasciato mai mancar nulla: anzi ti confiderò una cosa, che egli consegna a me tutti i suoi denari, e se gli chiedo un favore me lo concede subito. Ma è un uomo melanconico, non l'ho mai veduto ridere, e parla poco: la sua compagnia non è un conforto, per me: è come se lui in casa non ci fosse.

Il mio sogno è stato sempre quello di avere un figlio: il Signore non ha voluto; e sia fatta la sua volontà. Tante volte ho pensato di adottarne uno, e mio marito non disapprova la mia idea; ma non è facile prendere un bambino altrui: ci sono tanti pericoli; se è un trovatello possono un giorno farsi avanti i genitori e riprenderselo; se è un bambino legittimo c'è sempre la noia dei parenti: e poi è anche difficile ottenerlo.

In questi giorni ho pensato tanto a quello che mi hai confidato: ebbene ti prego di concedermi la creatura che deve nascere: le daremo il nostro nome, le nostre sostanze: sarò la madre più appassionata che sia mai stata al mondo.

Ma io non posso proseguire: il sogno mi sembra tanto bello che mi spaventa e mi gonfia il cuore. Le lagrime mi offuscano gli occhi... Caro ragazzo mio...».

Anch'io non ci vedevo più. Quando intravidi fra le lagrime le ultime parole "caro ragazzo mio", mi sembrò che la donna si fosse alzata e mi accarezzasse i capelli, mi baciasse come si bacia il proprio sposo.

Un tremito mi agitava tanto da far tremare anche la lettera fra le mie dita: ella se ne accorse; piano piano si tolse lo scialle, come un velo nero: piano piano si alzò, mi venne davanti: e mi pareva alta, sempre più alta, come il padre suo davanti al mare: dominava, nascondeva tutto il mondo davanti a me; e i suoi occhi chiari, alti, come il cielo, attiravano i miei, bevevano l'anima mia.

Mi fu davanti, mi accarezzò i capelli, mi baciò come si bacia il proprio sposo: io le dicevo col mio gemito, affondando il viso sul suo collo dolce e caldo: – Prendimi pure tutto: prenditi pure quello che non è mio, l'anima mia, la mia creatura.

Ancora non sono certo di non aver sognato. So che d'un tratto gli usci si riaprirono: riapparve il vecchio, che s'era tolto le scarpe per non sporcare il pavimento; apparve la figura arcigna del marito. La donna sedeva al suo posto, accanto al braciere, di nuovo con lo scialle chiuso sul collo voluttuoso.

E i suoi occhi erano tanto innocenti nel guardare il padre e il marito, e nel far loro segno che io acconsentivo!

Sì, io acconsentivo. A che cosa? A cedere la mia creatura? A diventare l'amante di quella donna? Acconsentivo a tutto, ma solo alla superficie: in fondo già la coscienza mi tumultuava e qualche cosa ghignava in me, di faccia al mio creditore: eppure sentivo pietà di lui.

Fui invitato a colazione. Accettai: accettavo tutto, quel giorno. Il pasto era buono: c'era un grosso pesce dalla polpa lievemente rosea che sembrava carne, e il vecchio me lo additò, poi si toccò il petto, per accennarmi che lo aveva pescato lui: eppure il padrone di casa mi offriva il piatto, ritirandolo un po' a sé istintivamente, come faceva nel vendere la sua merce: come fosse cosa esclusivamente sua.

Il vecchio non ne mangiò: non mangiava mai pesce. E stava un po' discosto dalla tavola, come fosse anche lui un invitato, ma un invitato per forza. Infatti mi accorsi, dopo, ch'egli usava mangiare in cucina, quando il tempo cattivo lo costringeva a stare a casa.

Del resto io mi sentivo felice, sollevato di un gran peso all'idea che l'avvenire della mia creatura era assicurato: e mi piaceva, anche, di vendicarmi così di tutti quelli che non avevano voluto né saputo amarmi: di Fiora, della sua famiglia, della zia. Il giorno della vendetta era dunque giunto per me.

E mi vendicavo anche del mio creditore, della sua astuzia e della sua usura: mangiando alla sua tavola il pane del tradimento.

Ma in fondo la coscienza mi tumultuava. E bevevo per farla tacere: un vino bianco frizzante, dolce e amarognolo assieme che dava allegria al solo guardarlo.

Al solo guardare attraverso il bicchiere pieno pare che i vetri della finestra siano gialli di sole, e tutte le cose intorno dorate. La donna seduta di fronte a me è bella su quello sfondo, dolce e succosa come un frutto maturo: e basta che io la tocchi con la punta del piede per farla tremare tutta e farmi promettere dai suoi occhi tutto quello che invano fino a questo momento ho chiesto alla vita: amore, protezione, denaro…

Ma vuotato il bicchiere tutto riappare grigio: e mi ritorna in mente l'attimo di ebbrezza – oh, come diverso! – nella vigna in fiore. Chi è che picchia alla porta del mio cuore? La donna che mi disprezza, la donna che non mi vuole; che mi odia anche nel figliol suo.

Lei sola è giusta: perché io sono indegno di amare: lei sola è quella che mi fa del bene, perché mi richiama a me stesso.

Così cominciò per me una lotta profonda.

Riamavo Fiora solo perché l'altra mi tentava. E il vero peccato mi sembrava questo: mi sembrava che Fiora fosse mia moglie, incinta di un nostro figlio legittimo, e che io la tradissi.

Ma appunto per questo il peccato mi attirava di più.

Bisogna dire però che la moglie del mio creditore non faceva nulla per favorire la nostra passione. Era una donna timida, casta e buona. Mi voleva perché ero giovane e disgraziato, perché il marito la trascurava o le ripugnava: o forse anche per distrazione, nella noia senza riparo della sua vita.

Io andavo tutti i giorni a trovarla: mi mettevo a sedere in un canto e stavo lì, fermo, quieto come il gatto sullo spigolo della tavola. A volte mi veniva anche a me da dormire.

La stanza era di passaggio, dalla cucina al corridoio, e al salotto che dava sulla strada: passava di continuo la serva, con due lievi ciabatte che parevano la pelle che le si staccasse dai calcagni: passava e ogni volta mi sorrideva con gli occhi, con pietà non priva di malizia: passava il vecchio, scalzo per non sporcare il pavimento, e mi batteva la mano sulla spalla: passava il marito triste e arcigno, e pareva non accorgersi di me, tutto chiuso in una interna speculazione: passavano donne che portavano qualche cosa in cucina, e mi guardavano con curiosità benevola; infine la mia presenza era accettata e sopportata da tutti come quella di un essere perfettamente innocuo.

E io stavo fermo, quieto, come stava ferma e quieta a lavorare le sue maglie la donna presso il braciere. A volte la sua figura si disegnava così immobile sullo sfondo della finestra che pareva dipinta sui vetri. Solo le punte dei ferri del suo lavoro avevano uno scintillìo come di insetti luminosi volteggianti intorno alle sue dita.

Io stavo fermo, quieto; simile all'animale da preda in agguato: aspettavo sempre: uno sguardo di lei ed ero felice; ma aspettavo di meglio; di trovarci soli, finalmente.

Eppure non mi disperavo se questo momento non veniva mai: perché in fondo avevo paura, di questo momento: sentivo tanta poesia, tanta bellezza nella lotta per vincere il peccato, e mi piaceva che la donna fosse così, come un sogno lì vivo a me davanti, vivo ma inafferrabile, e che non si umiliasse né si avvilisse davanti a me.

Eppoi un calcolo era fitto tra i miei vari pensieri:

– Se la nostra passione ci travolgesse e noi avessimo un figlio, lei non vorrebbe più l'altro.

Eppure non ero ancora persuaso a darglielo, quest'altro.

Una domenica mattina, ai primi di febbraio, mi svegliai con l'impressione che quel giorno qualche cosa di nuovo doveva accadere.

Sapevo che nel pomeriggio c'era probabilità di trovarci soli. La serva aveva libertà, il droghiere chiudeva bottega e andava al paese vicino a trovare certi suoi parenti.

Un senso di gioia mi prese tutto, nel riaprire gli occhi, come nelle mattine di festa nell'Istituto quando non c'era scuola e si doveva andare a fare qualche gita in piena campagna.

È che oltre a quella torbida speranza di peccato, sentivo intorno a me un'aria nuova; un filo di sole penetrava per la prima volta dopo mesi e mesi nella mia cameretta e attraversava il mio letto.

M'alzai e corsi subito fuori, col desiderio di lasciare il paese, di andare pei campi, laggiù, verso la casa di Fiora. Ma il cielo si copriva di nuvole, si ricopriva e scopriva, tornava ad annuvolarsi; pareva si divertisse a dare e poi subito a togliere la speranza d'una bella giornata. Tornai a casa e cominciai a contare le ore che mi separavano dalla visita alla mia amica.

La zia preparava la colazione: nel vedere che io mi indugiavo a casa mi rivolse qualche sguardo inquieto. Io avevo il dubbio ch'ella sapesse tutto, che accettasse la mia amicizia con la famiglia Tobia ed anzi s'inquietasse perché quest'amicizia minacciava di rompersi: invece d'un tratto mi si avvicinò e mi diede un biglietto, allontanandosi subito senza aspettare la risposta.

E nel biglietto mi domandava perché non profittavo della bella giornata per andare a prendere notizie *laggiù*.

Mi alzai, un po' smarrito; non era una voce misteriosa che mi ordinava di andare *laggiù*?

Troppo tardi, però. La speranza torbida del peccato mi annebbiava la mente: ed era davvero come una nebbia, che saliva dalla profondità del mio cuore e mi avvolgeva tutto: e non vedevo che un punto solo, in questa caligine, e verso il quale andavo ciecamente.

Ed ecco il tempo che sembrava interminabile passa: è un'ora, due ore: il sole è scomparso dalla nostra casa e sembra già cada la sera da quel cielo tristemente lucido di febbraio: i gatti rabbrividiscono di freddo e vengono ad aggrupparsi tutti gli uni sugli altri sulla pietra del focolare: anche i piccioni stanno sui mattoni tiepidi dei fornelli; la zia è nella sua camera a leggere, con gli occhiali, un libro di orazioni: io apro quasi furtivo la porta: è l'ora in cui le donne cominciano a uscire a spasso, cercando la parte soleggiata della strada: arriva di lontano già un odore di erba, di violette, di amore…

Mentre stavo per varcare la soglia ecco un'ombra mi si spezzò ai piedi, parve ricacciarmi dentro.

Ricordai la notte in cui avevo trovato il nano seduto davanti al tavolino del nostro salotto.

Adesso era il mio creditore che veniva a farci visita.

Non l'avevo mai veduto in casa nostra. E neppure per un momento sperai nulla di buono dalla sua visita. Anzi i miei timori andavano oltre... Ecco, pensavo, viene per impormi di non frequentare più la sua casa.

Lo feci sedere presso il tavolino, al posto dove s'era seduto il nano.

Era tutto vestito di nero, con la cravatta rossa, ed ebbe cura di tirarsi su i pantaloni sulle ginocchia, lasciando vedere le calze gialle sugli scarpini gialli bene annodati.

Lo guardai bene in viso; era quasi un bell'uomo: arcigno e nero, ma quasi bello: sì, di profilo, col suo gran labbro sdegnoso rassomigliava a Dante.

Non so perché mi venne da ridere: non so perché; dopo il primo impulso di terrore, l'uomo mi destava un senso di allegria.

Egli se ne accorse; non si sdegnò; lo era già tanto! Però mi parve che dentro i suoi occhi foschi passasse come il riflesso ridente dei miei: e mi tornò in mente il proverbio: ride bene chi ride l'ultimo.

Intanto al rumore dei passi era venuta fuori la zia; pareva si fosse preparata per questa visita, aggiustata com'era, come del resto si aggiustava nei giorni di festa, sebbene non uscisse fuori di casa, coi capelli lisciati e le scarpette lucide.

Fece cenno all'uomo di star comodo, poiché egli si alzava per salutarla, e sedette all'opposto lato del tavolino: proprio come l'altra volta col nano.

E il Tobia si mise a parlare con lei, rigido sulla sedia, rigido in viso: mi faceva l'effetto di un uomo di legno, montato pezzo per pezzo: e che non fosse in sua facoltà lo smontarsi.

La zia lo ascoltava e mi guardava: quando quello finì, stette pensierosa, infine a cenni e per iscritto mi fece sapere che qualcuno voleva comprare il mio terreno e che il Tobia era incaricato della mediazione.

Domandai subito quanto offrivano.

Allora la zia si fece rossa di sorpresa e di dolore: mi domandò:
– Ma perché? Lo vorresti vendere?

Giudicai giunto il momento di dirle tutto: momento più opportuno non si poteva trovare. In fondo era sempre un desiderio di vendetta che mi spingeva contro di lei che con la sua grettezza d'animo mi aveva condotto a quel punto; e contro l'usuraio che aveva profittato del mio cuore semplice.

Ripresi i miei foglietti: porsi il suo quaderno alla zia. Tornavano così in campo le carte; e mi pareva infatti un giuoco, quello, come tanti altri della vita. Scrissi:

«È necessario che io venda il terreno perché sono debitore qui al signor Tobia di lire duemila; la cambiale che gli ho rilasciato scade a giorni e non ho la possibilità di pagare».

La zia mi guardò come l'altra volta quando il nano le aveva rivelato la mia colpa: ma c'era meno sorpresa nei suoi occhi, adesso: ebbi l'impressione ch'ella fosse preparata a ricevere da me i maggiori dispiaceri: ma per quanto si sia preparati si soffre lo stesso.

Senza rispondermi ella si rivolse al Tobia e lo interrogò: l'uomo di legno non si smuoveva. Gli fece leggere il mio foglietto, ed egli allora sporse un po' di più il labbro come per dirmi:

– Giacché sei tu a volerlo, parlo.

Forse era venuto con quella sola intenzione, ma voleva salvare le apparenze, conservare intatta la sua compostezza.

Parlò, ma brevemente. Oramai capivo quel che diceva: stavo a guardare come l'altra volta, come si trattasse di cosa non mia.

Ed era forse mio, il terreno? No, non era più mio. La zia lo difendeva, l'altro lo voleva, o, per essere più giusti, voleva i suoi denari, nonostante ciò che s'era stabilito con la moglie a proposito dell'adozione della mia creatura.

Voleva i suoi denari perché infine erano suoi, e poiché se ne presentava l'occasione.

E l'occasione era questa: che realmente qualcuno, sapendo dell'ipoteca che egli aveva preso sul mio terreno, s'era rivolto a lui per la mediazione. L'offerta era superiore al valore del terreno: perché non accettarla?

Messo al corrente di tutto, io scrissi queste parole al mio creditore:

«Perché, giacché vale tanto, non si tiene lei il terreno? A me basta il riavere la cambiale».

Egli mi guardò fisso, in fondo agli occhi: uno sguardo che mi rimescolò tutto: e mi rispose brevemente:

«Sono un uomo onesto».

Quel colloquio mi faceva più male di quello col nano. Cominciai a umiliarmi, a irritarmi. E sopratutto m'irritava la zia: perché s'immischiava nei fatti miei? Perché si opponeva alla vendita del terreno? E perché non mi domandava neppure la ragione per la quale avevo preso i danari dall'usuraio e come li avevo sciupati?

Sapeva tutto, o non voleva saper niente? Perché voleva proteggermi? No, io non volevo la sua protezione: ch'ella mi desse da mangiare e da dormire, ma non pensasse ad altro. Per sfogare tutto il mio malanimo pensai di farle sapere subito ogni cosa.

Le feci dunque sapere che avevo deciso di cedere la mia creatura ai Tobia: ecco perché volevo loro cedere, che la tenessero o la vendessero, anche la mia miserabile proprietà.

Poi mi rivolsi all'uomo e gli domandai se non era vero ch'egli acconsentiva a prendere la mia creatura.

Ed egli parve ricordarsi di qualche cosa che aveva dimenticato: qualche cosa di buono, di bello, che poteva persino raddolcire il cruccio inguaribile della sua anima. Sorrise e fece cenno di sì.

Sì; egli acconsentiva.

Allora fu la zia a farsi cattiva. Il suo viso parve seccarsi d'un tratto, diventare tutto punte, col mento aguzzo, il naso sottile, gli zigomi sporgenti. Io leggevo il suo pensiero nei suoi occhi che a stento trattenevano le lagrime e volevano parere freddi, indifferenti.

Più tardi ella mi disse che aveva sognato tanto, in quei tempi, di aver la mia creatura; le preparava di nascosto il corredino, aveva pronta la balia, contava i giorni. Ed ecco che io gliela prendevo e la buttavo fuori di casa, in casa dei vicini, come un oggetto di cui ci si vuole sbarazzare.

E la mia piccola proprietà, ella la difendeva per lei. Adesso riprese a difenderla per rancore, per vendetta. Mi disse:

– Sai chi è che vuole comprare il tuo terreno, a qualunque costo? Il padre di Fiora.

L'uomo guardò il suo grosso orologio d'oro: poi s'alzò tutto d'un pezzo.

Aveva fretta di partire: e io adesso sapevo il perché della sua insolita gita al paese vicino; non era per visitare i parenti ch'egli andava, ma per conferire col nano; forse per dargli la mia risposta affermativa.

Mi alzai anch'io e feci cenno di no. No, il terreno io non lo vendevo più; mi sarei venduto l'anima, se occorreva, ma il terreno no.

La zia non aveva cessato un momento di guardarmi; il suo viso ritornava triste e calmo a misura che io mi agitavo per far meglio intendere la mia decisione al mio creditore. E mentre questi stava davanti a me perplesso, stringendo nel pugno l'orologio quasi per fermarne l'ora, i più diabolici progetti passavano nella mia mente. Sarei andato a rubare, sarei andato a chiedere i denari alla moglie di lui: tutto, fuorché lasciar entrare il nano nella mia terra.

D'un tratto vidi la zia alzarsi anche lei, composta, con le povere mani strette l'una con l'altra come per aiutarsi e promettersi qualche cosa a vicenda: sollevò il viso verso l'uomo; gli disse poche parole guardandolo di sotto le palpebre che le si sbattevano rapide come due alette spaurite.

Il viso dell'uomo si illuminò: ed io intesi tutto. La zia assumeva il mio debito.

Dopo non so bene cosa accadde. So che passai due volte davanti alla porta del mio creditore. La rabbia, o qualche cosa di più cieco della rabbia mi portava. La prima volta vidi la porticina aperta e in fondo al corridoio il quadro verde del giardino; e quel passaggio stretto, con quella luminosità in fondo mi attirava come una gola di montagna.

La seconda volta vidi la donna stessa che si affacciava a quello sfondo e pareva in una lontananza di sogno.

Ebbi l'impressione che mi aspettasse. Allora fuggii, andai verso la spiaggia, e mi buttai per terra e morsicai la rena: il cuore mi rombava, dentro, come se contenesse tutto il mare, ma non era disperazione; no, era anzi un senso di potenza, un eccesso di forza che mi turbinava dentro poiché non poteva risolversi di fuori. A poco a poco mi calmai, mi stesi in faccia al mare. Ero stanco come dopo una lotta: vincitore e vinto nel medesimo tempo.

In quei giorni la zia cadde malata.

Era una semplice pleurite, la sua, ma io mi misi in mente che ella fosse malata di crepacuore per i dispiaceri che io le davo. Mi pare di vederla ancora nella sua cameretta semplice e stretta come una cella, sul suo lettuccio duro, con la sua camicia lunga e accollata e un fazzoletto bianco intorno alla testa. Tutto era bianco e duro e freddo intorno: tutto puro e ghiacciato.

Cominciai ad assisterla, dapprima per un rigido sentimento di dovere, di sacrifizio, poi perché mi pareva ch'ella si abbandonasse al suo male con un nascosto desiderio di morte. In fondo ero contento della sua malattia, che m'impediva di tornare in casa del nostro creditore: un odio sordo mi vinceva per quella gente, compresa la donna: mi pareva avessero tutti fatto lega contro di me, la famiglia del nano con la famiglia del gigante, per togliermi quanto avevo, proprietà, onore, sangue.

«Zia, – scrissi un giorno in cui ella mi pareva un po' sollevata, – s'avvicina il tempo… Ho sognato stanotte ch'era venuto il nano con un involto. Ho pensato bene, e vorrei che la creatura si allevasse da noi».

La zia lesse, poi volse la testa sul guanciale, con un atto stanco indifferente.

Bastò questo per farmi risovvenire di tante cose, e soprattutto della mia incapacità a provvedere a me stesso nonché ad altri. Ma quell'indifferenza della zia ricominciò ad irritarmi, poi mi impensierì sul serio, perché oramai si stendeva a tutte le cose. Nei primi giorni della malattia ella si preoccupava ancora per la casa, per gli animali, e si faceva venire in camera i gatti e i piccioni: adesso non si curava più di nulla. Mi aveva dato la chiave del cassetto dove teneva i denari ed io prendevo e spendevo: è vero che prendevo e spendevo con un certo timore, senza neppure osare di contare quanti denari ci fossero ancora, ma avrei potuto prendere e spendere tutto senza ch'ella se ne curasse.

E intanto vivevo in un'attesa che di giorno in giorno si faceva più ansiosa e impaziente: qualche cosa doveva pur arrivare: una lettera, una chiamata, una visita: andavo sempre ad aprire la porta come se là fuori mi aspettasse un essere misterioso che portasse un messaggio al destino.

E un giorno, finalmente, mentre la zia stava peggio del solito, vedo davanti alla nostra porta una donna di campagna, secca, nera come un'araba, con una gonna larghissima, un grosso nodo di capelli neri sulla nuca e due grandi cerchi d'oro alle orecchie. Teneva in mano una lettera e guardava il numero della nostra casa. Vedendomi domandò qualche cosa, e non ottenendo risposta non si sorprese: doveva essere bene avvertita di tutto.

La feci entrare e lessi la lettera ch'ella mi porgeva. Era del nano: mi diceva che in seguito alla mia necessità di procurarmi una balia forte e sana mi mandava quella. Aggiungeva le condizioni: tanto al mese, buon trattamento, regali e mancie. Infine avvertiva che potevo trattenerla, se credevo, perché la bambina mi verrebbe portata verso sera.

Una bambina! Era dunque una bambina. Era già nata!

Di tutto il messaggio non capivo che questo.

Stetti a lungo con gli occhi fissi sul foglietto, come sprofondato in un sogno. Quando li sollevai vidi lì davanti a me la donna, con un viso avido, con gli occhi scuri che guardavano attorno fissando ogni oggetto come per impossessarsene.

Come dire alla zia tutto questo?

Avevo paura di aggravare il suo male: ma in fondo la mia incertezza aveva un'altra causa.

Feci capire alla donna che c'era in casa una persona malata: che avesse quindi pazienza di aspettare un poco prima di avere la risposta: e l'introdussi nella cucina.

Rientrai dalla zia: aveva la febbre, era un po' agitata: pareva sentisse che qualche cosa di nuovo, d'inquietante accadeva. Per tre, quattro volte, andai da una camera all'altra, dall'ingresso alla cucina: mi pareva di cercare qualche oggetto che non riuscivo a trovare. La balia stava in cucina, col suo fagotto per terra, seduta con la gonna tesa e gonfia come un pallone, coi lunghi orecchini che le pendevano fin sul petto, le mani incrociate sul grembo come chi è deciso a non far niente, né durante quella giornata né poi.

Pensai che bisognava offrirle da mangiare: c'era del latte preparato per la zia, un po' di pane e d'altro per me. Le indicai di prendersi, di prepararsi un po' di caffè e latte, e tornai di là in camera: quando rientro in cucina mi accorgo con terrore che la balia s'è bevuto tutto il latte, e mangiato tutto il resto. E non aveva neppure rimesso a posto le tazze!

Fuggii disperato: avevo l'impressione che quel castigo di donna ingombrasse tutta la casa, che fosse lì pronta a divorarsi tutto. E noi avevamo lo stretto necessario: i denari del cassetto della zia diminuivano di giorno in giorno, e c'era da pagare il medico, le medicine. Senza contare una cosa che cercavo sempre di dimenticare ma che più scacciavo più tornava insistente al mio pensiero: il debito...

Però non potevo, non volevo rimandare la balia. Finché più tardi venne, come usava spesso, a domandare notizie della zia, il vecchio marinaio.

Mi parve d'essere nuovamente salvato da lui.

Lo feci entrare dov'era la donna e vidi che parlavano, ch'ella gli raccontava il perché della sua presenza. Egli si mise a ridere; l'unica volta che l'ho veduto ridere senza freno; un riso che pareva spandersi a tutta la sua persona e faceva financo vibrare i suoi piedi di bronzo.

E quando riuscii a capirne il perché, risi anch'io, sebbene così triste e inquieto: la balia credeva fosse la donna giacente nella camera attigua, a partorire.

Poi il vecchio si rifece grave; mi si mise davanti con le braccia incrociate e mi interrogò con gli occhi.

Sì, io intendevo: egli mi ricordava la promessa.

E io tenni la promessa.

Mandai col vecchio la lettera del nano alla moglie del mio creditore e ricevetti subito la risposta: la balia andasse pure in casa di Tobia, ad aspettare l'arrivo della bambina: mi si pregava però di non farmi poi veder io, con la bambina: potevo consegnarla al vecchio.

E il vecchio condusse via la balia col suo fagotto. Eppure mi venne da piangere quando vidi la casa sgombra e vuota.

Sentivo di commettere un'ignominia, di mostrarmi vile davanti alla vita: vile come tutti gli altri, come la madre e i parenti della bambina, come la zia che pure avevo tanto condannato. E andai nella camera di lei per soffocare il mio rimorso: ma ogni mia cura riusciva inutile: ella aveva la febbre sempre più alta ed era agitata, con gli occhi lucidi e fissi: s'era tolto il fazzoletto e coi capelli grigi scarmigliati e quella espressione inquietante degli occhi mi destava paura.

Sentivo ch'ella si accorgeva di tutto e non voleva parlare per lasciarmi arbitro delle mie azioni: o era un'illusione anche questa? Ad ogni modo anch'io non volevo, non potevo farle sapere nulla; e il nostro silenzio accresceva la nostra pena.

La sera intanto scendeva, con un crepuscolo verdognolo, triste, che mi ricordava le sere d'autunno in riva al mare. E pensavo al piccolo bambino nudo che mi si era aggrappato alle gambe, un giorno, e aveva destato il mio amore paterno. Oh, avere la mia bambina nuda così fra le braccia come un fiore, come l'immagine stessa della vita! Questo desiderio fisico, come quello delle madri, un po' morboso, accresceva la mia vera angoscia, che era, in fondo, la coscienza di mancare al mio dovere.

La sera scendeva, e io avevo l'impressione che l'ombra veramente si addensasse, si ammucchiasse intorno a me, fino ad accecarmi, a soffocarmi.

Perché, infine, avevo riconfermato la mia promessa, ma non ero deciso in cuor mio a mantenerla.

Ecco, nei momenti in cui la zia mi sembrava assopita, mi scuotevo da quel cumulo d'ombra che mi stringeva, uscivo in punta di piedi fuor della porta e guardavo in fondo alla strada.

La strada era già deserta, con le case nere, con su una striscia di cielo ancora verdastro; solo il crocevia era illuminato da un fanale giallo che sotto di sé faceva ombra come un albero. E in quest'ombra vedo un uomo che sembra anche lui spiare e aspettare qualche cosa.

È il vecchio Tobia: ed io mi ritraggo, poi balzo fuori in mezzo alla strada con un senso di rabbia come quello che mi prese nel trovare il varco nella siepe del mio terreno. È lo stesso istinto di proprietà, la stessa ira di vedermi menomato in un mio sacrosanto diritto.

E corro verso il vecchio, ma la mia collera si placa a misura che cammino, come quella delle onde contro la spiaggia.

– Infine, – pensavo, – la creatura sarà consegnata solo a me, e se io non voglio, nessuno me la prende.

Il guaio era che il vecchio esercitava su di me una specie di fascino: appena mi trovavo accanto a lui mi sentivo più calmo, come protetto dalla sua bontà, dalla sua rettitudine. Ricordo che quella notte, mentre mi avvicinavo a lui, vedevo la mia ombra, deforme come quella di un essere mostruoso, e pensavo che dentro di me io ero veramente così, d'animo contorto e malfatto, che pagavo male per bene e non conoscevo che il sentimento dell'ingratitudine.

Il vecchio mi guardò negli occhi e bastò questo per placarmi del tutto. Si stette qualche momento ad aspettare insieme, poi io tornai verso la mia porta.

La notte si faceva nebbiosa: un vapore biancastro veniva dal mare, dai campi, e la luce del fanale non riusciva che a spandere un'aureola dorata intorno al crocevia.

Andai a vedere la zia: era assopita, ma nella camera gravava un'atmosfera calda e odorante di febbre.

Tornai sulla porta; non avevo pace. La nebbia si addensava; le case da una parte e dall'altra della strada mi sembravano dei muri, con un fiume di vapori in mezzo: solo punto chiaro il fanale che adesso pareva una stella giallastra bassa sulla terra.

Fu in quell'atmosfera di sogno che qualcuno arrivò. Di dove veniva? Era un uomo o una donna o un essere fantastico?

Io mi ero seduto, stanco di aspettare, sullo scalino della porta, e avevo l'impressione che quella notte, quell'attesa, non dovessero finir mai. D'un tratto vidi una massa nera rompere l'aureola gialla sotto il fanale e venire verso di me: dapprima credetti fosse il vecchio, anche lui stanco di spiare: poi mi alzai, con un brivido nella schiena. Era qualche cosa di misterioso che si avanzava verso di me: un essere tutto nero, più largo che alto, con la testa a punta; un po' più grande e fermo sarebbe parso una capanna. In fondo lo riconoscevo bene e sapevo che era il nano, avvolto in un mantello sotto il quale nascondeva la bambina; ma ero come ubriaco e mi compiacevo ad esagerare la fantasticheria dell'avventura.

Ho detto "come ubriaco", ma ero anche peggio, con la mente sconvolta, invaso da una crisi di pazzia ragionante. Così e non in altro modo si spiega tutto quello che avvenne da quel momento in poi.

Il nano si fermò per un attimo in mezzo alla strada, forse per assicurarsi meglio, attraverso la nebbia, che ero proprio io ad aspettarlo davanti alla mia porta: sì; ero proprio io; e palpitavo di sincera commozione al pensiero che dentro quell'involucro misterioso mi veniva portata la mia creatura.

Eppure ecco che un desiderio grottesco mi vince: balzo indietro dentro casa e chiudo la porta. – Se io non apro – penso – il nano è ben costretto a riprendersi la bambina: e se la lascia lì io posso con testimonianze accusarlo del suo abbandono: quindi se la riprenderà.

Ma fu un momento: riaprii subito: però non feci entrare l'uomo.

Mentre riaccostavo dal di fuori la porta gli accennai di tacere, di seguirmi; egli stava incerto; io lo presi per un lembo del mantello e lo trassi con me fino alla porta del mio creditore.

Il vecchio marinaio non faceva più la guardia sotto il fanale; all'avvicinarsi dell'uomo s'era ritirato, forse per avvertire in casa che la creatura arrivava.

Infatti la porticina del corridoio era aperta, con un barlume di luce in fondo: io picchiai, senza abbandonare il mantello dell'uomo, che sembrava un po' impaurito ma non cercava di allontanarsi; e subito riapparve il vecchio: ci venne incontro, disse qualche cosa.

Qualche cosa che doveva essere molto rassicurante perché il nano non esitò ad aprire il suo mantello e a dare al vecchio un involto bianco...

Mi ritrovai solo nella strada, appoggiato al muro della casa del mio creditore.

Mi pare che piangessi. Non so, ero tutto agitato; mi pareva di dovermi spaccare e cadere a pezzi per terra.

Ecco, dunque, che avevo dato via la mia bambina, senza neppure vederla, senza neppure toccarla.

Il nano era sparito fra la nebbia, il vecchio aveva chiuso la porticina: io ero solo e maledetto in mezzo al mondo.

Poi fui riassalito dalla rabbia: ecco che adesso ricominciavo a invertire le parti, a credermi vittima e non colpevole. Me l'avevano presa, la bimba, come mi avevano preso i denari, come mi avrebbero preso il terreno, come volevano prendermi l'onore. E io stavo lì a piangere contro il muro come un bambino a cui sia stata strappata una cosa dal pugno.

Ma una fiamma mi illuminava già la mente: un'idea che appena nata diventò fissa: riprendermi la bambina, a qualunque costo.

Volevo battere alla porticina, farmela riaprire, entrare e portar via l'involto bianco: se non mi lasciavano fare rompevo ogni cosa intorno: ma un filo di ragione mi guidava ancora. – Adesso rientro in casa e dico tutto alla zia, – pensavo, – provvediamo assieme, ci riprendiamo senza violenze la creatura.

E rientrai; la zia era ancora immersa nel suo sopore ardente, col viso grigio fra i capelli grigi, gli occhi che si aprivano e chiudevano con un moto incosciente, come quelli di un neonato: e io non osai farle sapere nulla.

E non osai neppure l'indomani e neppure nei giorni seguenti, sebbene ella andasse migliorando e di tanto in tanto m'interrogasse con gli occhi.

Doveva aver fatto i suoi calcoli, lei, e sapere che la creatura a quell'ora era nata: e mi spiava in viso i segni della verità, ma non mi diceva nulla: forse anche lei non osava o non aveva la forza di parlare; o aspettava per orgoglio che ricorressi io a lei per aiuto. O forse erano tutte illusioni mie: chi sa mai niente di vero dei pensieri altrui?

Se non sappiamo mai nulla di preciso neppure dei nostri!

Il fatto è che io continuavo ad assisterla con pazienza, col desiderio che guarisse presto, e nello stesso tempo le auguravo la morte. Adesso mi sembrava d'essere legato a lei e di non potermi più muovere per riguardo suo: o almeno alla superficie la incolpavo di questo, mentre veramente desideravo ch'ella morisse per restar solo nella casa e prendermi la bambina. Null'altro oramai esisteva per me: non pensavo più alle donne, all'amore, al mio avvenire: volevo la bambina perché era mia, perché era giustizia che l'avessi. Il pensiero di riprenderla non mi abbandonava un momento.

Un giorno andai a vederla. Entrai senza picchiare, avanzandomi fino all'uscio della stanza che ben conoscevo. E dapprima mi parve di sognare, o di aver sognato, perché nulla era mutato in quella stanza: la moglie del mio creditore lavorava seduta accanto al braciere, la sua fisionomia era la solita, e solo si alterò al vedermi, ma di un turbamento che mi parve più di sdegno che di affetto. Subito però si dominò, mi accennò di avanzare.

Al rumore dei miei passi l'uscio della cucina si socchiuse e subito intravidi la balia con una grande scodella in mano: mi guardò con l'avidità con cui mangiava: avidità di sapere perché ero lì.

La padrona la chiamò, le disse di farmi vedere la bambina, poi si volse a me accennandomi di seguire la balia: si entrò nel salotto attiguo, e la prima cosa che distinsi, nella penombra, fu la porta-finestra difesa da una semplice persiana che dava sulla strada.

Tante volte passando di fuori avevo veduto quella persiana socchiusa e l'interno del salotto, col solito arredamento paesano: tavola rotonda in mezzo con un mazzo di fiori finti, uno specchio pur esso ornato di fiori a smalto, divano e sedili ricoperti di goffi merletti. Adesso c'era anche una grande culla di vimini: la balia sollevò un lembo della stoffa che la copriva, e non ostante la penombra e sebbene guardassi rigido dall'alto senza troppo avvicinarmi né chinarmi vidi distintamente il piccolo viso, non più grande di una grande rosa, ma già vivo, balzante verso di me da una profondità che era quella dell'anima mia stessa. Gli occhi erano aperti, placidi, nuotanti come in un velo di piacere, le labbra strette succhiavano l'aria.

Subito mi preoccupai perché la balia la ricoprì tutta: non poteva soffocarsi, così?

E rientrando di là vidi che la donna continuava a lavorare la sua maglia, in fretta, come per riacquistare il minuto perduto. Ma perché aveva voluto la bambina se era per continuare la sua vita inerte? Io invece mi sentivo tutto sconvolto solo per averne intraveduto il viso. Accennai ad andarmene. Volevo portarmi via intatta quell'impressione indefinibile che non era di gioia, né di dolore perché trascendeva l'una e l'altro; ma la donna mi guardò rapida col suo sguardo glauco, supplicandomi di restare.

E io restai: anche perché la balia mi osservava; e i suoi occhi così lucidi che non lasciavano distinguerne il colore, mi ricordavano quelli di una biscia che avevo veduto una volta fra l'erba.

Poi tornai altre volte.

La zia non aveva più febbre, ma era così debole che non poteva reggersi in piedi: per la debolezza sonnecchiava sempre, e la sua atonia diventava sempre più grave: mangiava se gliene davo, non si lamentava di nulla ma non chiedeva mai nulla.

Il medico che la curava non venne più; ed io, che in fatto di piccoli debiti ero orgoglioso e volevo non se ne avesse, feci notare alla zia che bisognava pagargli le visite: ella non rispose, ma quando rientrai un'altra volta nella camera mi diede una busta con dentro del denaro.

E io andai dal dottore.

Il dottore abitava piuttosto lontano da noi in un villino fra la spiaggia e la pineta a metà strada dal paese vicino: per arrivare più presto attraversai la pineta: ed ero quasi felice quel giorno, non so perché; forse perché pensavo che la zia doveva avere dei denari nascosti e quindi non eravamo così bisognosi come credevo, forse perché lei era quasi guarita ed io mi toglievo da quell'oscuro dubbio che fossi io con le mie pazzie e i miei errori a farle del male, o forse era semplicemente il bel tempo, con quell'aria tiepida, con la solitudine della pineta a farmi correre e respirare con gioia.

Là sotto era primavera: i tronchi dei pini tutti piegati verso nord, con le radici a fior di terra simili a grandi artigli, pareva corressero anch'essi, attraversandomi il passo, sul terreno molle tutto violaceo di foglie secche, o in qualche punto già ricoperto d'erba così fina che si aveva timore a passarci sopra, come sopra un tappeto nuovo. E che toni di verde giallino luminoso nelle chiome dei pini e in certi ciuffi di cespugli contorti che avevano appena cessato di combattere col vento marino e si abbandonavano ad una dolcezza stanca di convalescenti!

Nuvole bianche e dure come grandi uova si posavano qua e là sulle cime dei pini: così basse che pareva bastasse arrampicarsi sugli alberi per toccarle e tirarle giù; mentre il cielo invece era alto e d'un azzurro brillante che quasi non si lasciava fissare. Ricordo tutto, di quel giorno, come di tanti altri giorni della mia vita: giorni che sono come i quadri meglio riusciti nella lunga monotona serie dei quadri dei nostri giorni, quando la nostra figura si stacca gigantesca sul paesaggio che la circonda, per dominarlo meglio e immedesimarlo nel suo dramma.

Ed ecco che mentre sto per arrivare alla casa del dottore vedo una donna, una contadina piccola ma forte: ha in braccio una bimba di circa tre anni che pare morta, tanto s'abbandona, con le manine gialle pendenti e la testolina bionda scarmigliata, sull'omero della madre.

La raggiungo, nel sentiero sabbioso che va allargandosi sempre più, e mi metto a camminare con lei. La donna era a testa nuda coi capelli neri corti e con un aspetto quasi di zingara.

Cominciò subito a guardarmi con diffidenza, poiché io le facevo dei cenni per domandarle che male aveva la bambina, poi accortasi della mia infermità s'illuminò d'un tratto in viso quasi avesse ritrovato un fratello, e toccò la testa e la nuca della bimba per indicarmi che il male era lì: in ultimo mi accennò col capo la casa del dottore. Si proseguì dunque assieme, e si continuò, dirò così, a parlare. Sì, a parlare, perché la donna mi capiva dal solo moto delle labbra, ed io capivo lei, come fossimo stati educati assieme. I suoi occhi brillavano di una certa intelligenza, il suo viso esprimeva con straordinaria mobilità i più intimi moti del suo animo, e sopratutto la sua curiosità e la sua pietà per me.

La casa del dottore non era distante da noi più di un centinaio di metri, e già prima di arrivare alla porta io avevo fatto sapere alla donna che ero padre anch'io di una bambina orfana di madre, e di lei sapevo che era la moglie del guardiano della pineta: abitava in una casa laggiù in fondo verso il fiume; e oltre la bimba malata ne aveva una più piccola che stava a svezzare.

Particolari piccoli che pure mi interessavano come quelli di un dramma. La mia serenità precedente s'era oscurata: un pensiero per poco dimenticato mi tornava più vivo di prima nella mente, mi faceva battere il cuore.

Perché palpo nella mia tasca la busta col denaro e la sento riscaldarsi al contatto delle mie dita palpitanti? Perché mi sembra l'esaudimento di un mio oscuro desiderio, che il dottore non sia in casa?

La donna voleva aspettarlo: la serva dapprima parve contrariata, disse che il padrone tornava tardi, poi si lasciò intenerire per la bambina e ci fece entrare e sedere nell'ingresso arioso.

Per qualche tempo stetti immobile come mi avessero inchiodato sul sedile, con quel pensiero che mi si attortigliava per ogni vena. No, non era il dottore che aspettavo per consegnarli il denaro: era quel pensiero che mi fermava.

Passano i minuti, passano i quarti d'ora. La donna andava su e giù con la sua creatura febbricitante sempre buttata sulla spalla: d'un tratto balzo anch'io e mi rimetto al suo fianco: della donna: avevo preso la mia decisione! Le domando se vuol prendere a balia la mia bambina, le propongo di darle i denari anticipati. Ella stava incerta, ma tentata fortemente. I tempi sono così difficili per tutti e specialmente per i poveri!

Piano piano traggo dalla busta, senza levarla dalla tasca, uno dei biglietti; e glielo faccio vedere; se vuole posso darglielo subito.

Ella guardava il denaro quasi con meraviglia, come non ne avesse mai veduto. Il denaro è una grande forza: col denaro si può far venire anche il medico a casa quando i bambini sono malati, invece di trarseli così, peso ardente come un castigo, in cerca della loro salute.

Ella mi accennò di sì: accettava: e mi promise anche, con la luce appassionata degli occhi, che avrebbe trattato bene l'orfana, e infine, per rassicurarmi del tutto, trasse dalla camicetta una mammella bruna e violacea come un fico maturo e ne fece con due dita schizzare il latte.

Andai via, naturalmente senza aspettare il ritorno del dottore e senza lasciare i denari. Questi bisognavano a me, adesso, per ogni occorrenza, e non volevo rubarne alla zia. – Quando tutto sarà sistemato, – pensavo, – quando sarò riuscito a portar via la bimba da quella casa e metterla a balia per conto mio, le dirò ogni cosa, alla zia, e lei sarà contenta.

Intanto ero contento anch'io, d'una contentezza strana, grottesca, da folle: oltre alla liberazione della mia coscienza da quel peso che me la schiacciava notte e giorno, di aver venduto la mia creatura, pensavo alla rabbia, alla sorpresa, al dispetto dei miei creditori nel vedersi derubati della bimba, ch'essi avevano già adottato con tutti i mezzi legali. Mi veniva da ridere.

Adesso bisognava però saperla davvero portar via, senza lasciar traccia: la cosa non mi sembrava difficile; solo che non volevo esser veduto, volevo operare di sera, e questo mi dava da pensare.

Cammino, cammino nella pineta: bisogna dire che io non ero molto pratico del luogo perché avevo sempre preferito passare le mie giornate in riva al mare. La pineta è grande, in qualche punto ridotta, per poca cura, allo stato selvaggio, con folte macchie di tamerici, di rovi, di ontani: una rete di piccoli sentieri l'attraversa in tutti i lati; ma sono tutti eguali, questi sentieri, e la stessa uniformità del paesaggio, coi pini regolari inclinati, a file come un esercito un po' stanco in marcia, con l'orizzonte sempre il medesimo, con quell'atmosfera che appunto per effetto di quella pioggia monotona di tronchi pare un po' nebbiosa, rende difficile l'orizzontarsi.

Infine, mi accorsi che, forse anche per effetto dei pensieri che mi distraevano, andavo verso i monti invece che tornare a casa. E dapprima credetti di far, senza saperlo, bene, e di ritrovarmi vicino al corso d'acqua del quale mi aveva parlato la donna, e di assicurarmi così del punto preciso dov'era la sua casa; ma poi, per quanto mi avanzassi e guardassi, non vidi che le lontananze di una pianura coltivata: il grano cominciava a spuntare, le vigne arate circondavano piccole case rosse i cui vetri brillavano come fiamme al tramonto.

Torno indietro, seguo un sentiero, mi ritrovo davanti alla casa del dottore! Il sole è basso sul mare, una luminosità come di ceri penetra nella pineta, accende i tronchi, dà al luogo una pace religiosa.

Mi passa in mente un pensiero superstizioso. Se entrassi ancora e consegnassi i denari, e poi tornassi dalla zia che forse mi aspetta già inquieta? Se lasciassi che il destino compia la sua opera? Mi torna al fianco la figura della donna incontrata per caso, con la sua bimba malata sulla spalla, con la sua mammella nera e tutto il suo aspetto di zingara. Chi sa chi è?

E se è una zingara davvero? Chi sa com'è povero e sporco il suo tugurio! Tratterà bene la mia creatura? E se la malattia della sua bambina è contagiosa? Perché togliere la mia creatura dal suo nido caldo e pulito, al suo avvenire di benessere, e buttarla come uno straccio in una capanna, fra gente sconosciuta? Tutto questo per una mia idea folle, per la mia disposizione alle cose cattive, colpevoli.

Forse Dio mi ha ricondotto sui miei passi per farmi ravvedere: ma intanto faccio il giro della casa del dottore, e arrivato alla parte del mare seguo la strada lungo la spiaggia per arrivare con più sicurezza al paese, prima di sera.

Il diavolo mi aiutava e mi spingeva. Passando davanti alla casa di Tobia vidi che la persiana e la porta a vetri del salottino erano socchiuse.

Era una sera tiepida, quasi estiva, con un cielo glauco ove già qualche stella appariva, lontana, come attraverso un velo d'acqua: nella strada deserta, oltre il chiarore del fanale si spandeva la luce dei lumi della drogheria ancora aperta.

Mi fermai, deciso a fare il colpo subito. Aprii metà della persiana, spinsi metà della porta; ma subito richiusi e andai oltre. La bambina non c'era.

Ma conoscevo bene le abitudini della casa. La balia dava il latte alla bambina a quell'ora, poi cenava alla tavola coi padroni, e infine riprendeva la bimba dal salotto e la portava con sé a letto in una camera al piano superiore.

Io camminavo guardando davanti a me senza vedere nulla: pensavo che rimettendo la bimba nella culla la balia avrebbe chiuso la persiana... Non mi restava che nascondermi dentro il salotto: ma questo mi ripugnava. Eppoi potevo venire scoperto. Arrivato all'angolo della strada tornai indietro, tirai le imposte della porta-finestra, accostai le persiane: tutto pareva chiuso. Bisognava però che la balia non ci badasse molto.

Ma il diavolo mi aiutava, e mi spingeva, quella sera.

La zia s'era già messa a letto, quando rientrai. Era pallida

pallida, e spalancò gli occhi come svegliandosi da un sogno, sebbene non dormisse.

Io avevo il lume in mano. Vidi la fiammella riflettersi in quei grandi occhi vitrei ed ebbi un senso misterioso di paura.

Mi sembrò che la zia stesse male: forse s'era inquietata nel non vedermi tornare, forse sentiva quello che io facevo, quello che pensavo di fare… Ma no! Sono sempre illusioni della mia coscienza, vani scrupoli del mio cuore.

La zia ha richiuso gli occhi e sta tranquilla nel suo lettuccio, nella sua cameretta bianca e umida come una tomba.

Tornai di là, contento ch'ella non mi avesse chiesto nulla della mia gita: così ero sempre a tempo a dirle la verità.

– Domani mattina… – pensavo, tornando nell'ingresso e cercando di uscire senza far rumore. – Tutto sarà chiaro finalmente: entreremo nella verità, in una vita che sarà tutta limpida, fino alla morte.

Intanto era notte e non abbastanza scura per me che invocavo tanta luce. Il cielo s'incupiva, ma le stelle s'avvicinavano alla terra, e laggiù, in fondo alla strada, una pareva sorgere dal mare.

La drogheria era deserta, con le sue scatole rosse, i cestini vuoti, i sacchi che parevano addormentati pesantemente: io ero calmo, o almeno mi pareva: tanto calmo che vedevo e notavo ogni cosa; così vidi che anche la porticina del corridoio era aperta; e nel quadrato di luce, in fondo, si movevano delle ombre.

Forse i Tobia non erano ancora a tavola: bisognava aspettare qualche momento. E io ebbi il coraggio, la calma di aspettare, lì davanti alla loro porta, finché il movimento delle ombre cessò. Dopo tutto non andavo a fare nessun male: perché aver paura?

Eppure perché desideravo che la persiana fosse stata chiusa? All'ultimo momento mi tornavano in mente tutte le difficoltà a cui andavo incontro con l'incaricarmi della bambina: avevo anche paura di farle del male, avevo l'impressione che ella dovesse pesarmi… Ero stanco per la corsa già fatta: nulla avevo mangiato da tante ore; ero attirato laggiù verso il mare dalla frescura notturna, dall'occhio smeraldino della stella… Andar laggiù… Buttarmi sulla rena; dormire, lasciar dormire… Tutte cose superficiali, pensieri inutili, ombre vane; qualche cosa di più forte mi tiene, in fondo: il proposito di riuscire nel mio intento.

E faccio alcuni passi: rasento il muro: tocco la persiana: la persiana cede, viene a me; ho l'impressione che abbia tenuto il segreto, che voglia aiutarmi: spingo l'imposta, l'imposta cede, va in là, come scostandosi per farmi largo: e i vetri hanno un vago bagliore misterioso: riflettono la mia ombra, hanno qualche cosa di vivo, come occhi che vedono ma capiscono il perché delle cose e compatiscono; il diavolo mi aiuta e mi spinge: la stanza è chiusa, illuminata solo dal chiarore della strada, dal biancore della culla. Io ho un'ultima esitazione; mi chino, sento l'odore tiepido del latte, delle piume calde; mi viene da piangere, ho paura di rompere la bambina col solo toccarla...

Poi la presi quasi con violenza, strappando con lei la coperta e avvolgendola rapidamente perché non sentissero se si metteva a piangere. E fuggii.

Ebbi subito l'impressione di essere inseguito. Forse non lo ero ancora, ma bastò l'impressione per farmi camminare più rapido stringendo a me il misterioso fagotto: e mi pareva sempre che la bambina piangesse: sentivo i suoi lamenti dentro di me, ed erano invece i gridi del mio cuore, i battiti del mio sangue sconvolto.

Seguivo senza voltarmi la strada verso la pineta: una strada polverosa fiancheggiata di casette già a quell'ora chiuse e scure; ma da ogni finestra mi pareva uscisse una testa per spiarmi; la luce del fanale del crocevia e poi di un altro più in là mi accompagnava; io però desideravo il buio, ed ecco raggiunsi il buio, mi ci buttai dentro come in un luogo ormai sicuro... La pineta m'accoglieva. Mi pareva di esser salvo, come il bandito nel bosco.

Guardo finalmente indietro: non uno, ma cento uomini m'inseguono, più alti di me, tutti piegati a cercarmi. Niente paura, sono i tronchi dei pini, e uno è tanto vicino a me che posso appoggiarmi ad esso per riprendere respiro.

E finalmente oso svolgere la bambina, lasciare che si agiti, se vuole. Può anche piangere, se vuole: il suo grido adesso può confondersi con le altre voci della notte, col mormorio degli alberi, con tutti i lamenti e i canti che salgono dalla profondità della mia anima; ma a dire il vero la bambina non si agitava né piangeva; era tutta dura dentro la fascia, con le manine in dentro, tutta tiepida e un po' umida come un fiore notturno, nell'involucro della coperta; e abbandonava la testina in avanti, profondamente addormentata. Le passai timidamente un dito sul visetto, sulle palpebre chiuse, sulla bocca dalla quale colava il latte: poi la ricoprii e ripresi a camminare.

Ed ecco di nuovo sentii, dentro di me, l'eco di un passo che mi seguiva: ma questa volta mi volsi, per togliermi più che altro dall'incertezza. E realmente vidi una forma avanzarsi nell'ombra. Non c'era che aspettarla e assicurarsi che non cercava me; il guaio fu che, nonostante l'oscurità, mi parve di ravvisare il vecchio Tobia: e quasi d'istinto ripresi a correre, ma invece di andar dritto credetti bene di allontanarmi trasversalmente per fargli perdere le mie traccie.

Andavo alla cieca: davanti a me però vedevo uno sfondo meno scuro, grigiastro, e credetti fosse il mare; quindi dopo un certo tratto ripresi a correre nella direzione di prima.

Mi ero abituato al buio e distinguevo le strisce dei sentieri, i cespugli, le macchie: all'ombra nera di una di queste tornai a fermarmi. Ero di nuovo solo, con la mia creatura; il cuore mi batteva, e mi pareva fosse il suo, agitato per la corsa e il vano spavento.

– Ma non sono pazzo? – mi domandavo. – Perché corro così, senza neppure essere certo di essere inseguito? E se davvero lo sono, e se è il vecchio che m'insegue, che può farmi? Neppure Dio può ormai togliermi la mia bambina dalle braccia.

Piuttosto cominciai a impensierirmi per l'immobilità, per l'abbandono di lei: ma che poteva fare, lei povera creatura, povero uccellino nudo appena nato e tolto dal nido? Se piangeva non la sentivo; agitarsi non poteva. La scoprii di nuovo; non la distinguevo bene, nell'ombra, ma tornai a palparla; era tiepida, col visetto molle tutto bagnato di latte, con gli occhi chiusi. Aveva un sonno ben profondo!

L'aggiustai meglio, cercando di metterla in quella posizione che le donne usano dare ai bambini quando li allattano, e le lasciai il viso scoperto. Faceva quasi caldo, o almeno mi sembrava così per il calore che io stesso sentivo: potevo lasciarla respirare: avevo paura di soffocarla: una paura strana che m'era venuta ad un tratto, che saliva da un angolo oscuro del mio essere e m'inseguiva come poco prima la forma minacciosa balzata dall'ombra della pineta.

Ma perché questa paura, incalzante, insistente, se la bambina era tranquilla, e scoperta, adesso?

Vado, vado, non penso più neppure all'uomo che m'insegue; non penso che ad arrivare in fondo alla pineta, nella casa del guardiano; di trovare la balia e farle dare il latte alla bambina.

D'improvviso mi sentivo di nuovo calmo, sicuro di me; mi pentivo e mi vergognavo d'essere fuggito; e anche di aver rubato la bimba, quando con la forza e il mio diritto avrei potuto prendermela un giorno e portarla dove volevo. Ma adesso il fatto è fatto; non pensiamoci più; pensiamo piuttosto a orientarci meglio, ad arrivare alla mèta.

Piuttosto... Ecco una nuova paura mi assale, mentre volgo addirittura le spalle a quello sfondo grigio che mi accompagna di fianco, e cerco di andare verso il fiume. Luci vaghe, lontane, appaiono tra il fitto degli alberi; sono forse i riflessi dei lumi delle casette della collina; la strada che seguo è dunque buona.

Piuttosto... Sì, pensavo che la bambina, una volta abbandonata da me a quella gente sconosciuta, potesse venir di nuovo rubata, o tolta loro con inganno dai miei creditori. – No, no, – dicevo a me stesso, – io veglierò; starò in giro intorno alla casetta, o farò venire la donna in casa. La zia acconsentirà: la zia ha denari, adesso ne sono convinto.

E tutto mi sembrava facile, nella fantasia; ma in fondo sentivo bene che tutto era un sogno: sogno anche la calma e la fiducia che credevo di avere: in fondo un'angoscia mortale mi premeva, mi spingeva, e sempre quella paura strana, insistente, che la bambina fosse morta.

Ah, ecco, l'orribile verità l'ho detta.

Quei lumi si avvicinavano, o per meglio dire io andavo verso di loro senza badare ad altro: mi sembrava di sentir l'aria rinfrescarsi; forse ero vicino al fiume. Una casa, infatti, nereggiava dietro i pini, su uno sfondo grigio tempestato di stelle; due finestre erano illuminate e il loro chiarore penetrava fin dentro la pineta.

Io ricordavo la tragica sera in cui m'ero aggirato intorno alla casa di Fiora, col peso del mio amore che invano offrivo a lei, alla vita. Quel peso adesso l'avevo sulle braccia, fatto carne e spirito; ma adesso lo difendevo, lo volevo tutto per me, lo contendevo alla sorte.

Poco prima avevo sfidato lo stesso Dio a togliermelo: adesso andavo verso quel chiarore di casa abitata, per guardar bene in viso la mia creatura; e qualche cosa in fondo a me ghignava. Ma possibile che Dio grande infinito avesse raccolto la sfida dell'ultimo degli uomini qual ero io? Egli che aveva da badare a tanti astri, a tante foreste, a tanti oceani, s'era accorto di me che andavo nell'ombra come un insetto notturno?

Non è vero, non è vero, la bambina non è morta; non l'ho soffocata con la violenza del mio inutile amore; come potevo soffocarla, io che volevo salvarla? È ancora una illusione della mia fantasia; tutto è illusione in me.

Intanto arrivo davanti alla casa; mi sembra di riconoscere il luogo, lo spiazzo sabbioso, gli scalini della porta. È la casa del dottore!

Sulle prime mi assale un senso quasi di gioia, di viva speranza: è Dio che mi ha condotto qui; posso picchiare, far guardare la bimba dal dottore, farla tornare in vita: si può, credo: il vecchio marinaio non mi ha ridato il respiro, la volta che mi sono annegato?

Ma tosto ritorno nell'ombra, e mi ritraggo per non essere veduto. Se la bimba è morta l'ho uccisa io, e non devo farla vedere a nessuno. Ma è morta davvero?

Torno in avanti e vado dove c'è il chiarore diretto della finestra...

Ricordavo sempre la notte tragica, la luce della finestra di Fiora, il sasso col biglietto.

Qui la luce era meno chiara perché i vetri erano chiusi: ma abbastanza per lasciarmi scorgere distintamente il viso della bambina. E quel viso era scuro, come coperto di un velo violaceo: dalla piccola bocca continuava ad uscire del latte; gli occhi socchiusi erano duri; bianchicci, come anch'essi annegati nel latte.

Mi sembrò che il cuore mi si sciogliesse in sangue e quel sangue mi riempisse la gola e volesse sgorgarmi dalla bocca come il latte dalla bocca della bambina; e un grido infatti mi uscì: un grido che mi parve la voce di Dio e mi fece fuggire.

Quanto tempo errai nella pineta cercando l'ombra più fitta come per dileguarmi per fondermi, ombra anch'io, nelle tenebre, non so. So che quest'ombra completa non riuscivo a trovarla: una luce, mille luci tremolavano nell'anima mia smarrita, come le stelle nel firmamento scuro. E quell'impressione di aver sentita la voce di Dio nella mia voce stessa non mi abbandonava.

E avevo paura di ritentar la prova. Ma tutto adesso parlava: sentivo il rumore dei miei passi, il fruscìo delle foglie, e un suono lontano che dapprima mi sembrò fosse dentro di me: il mormorio del mare.

Poi d'un tratto mi fermai, pronunziando parole vaghe, confuse, come quelle dei bambini che cominciano a parlare.

La gioia era tale che vinceva il dolore. Per alcuni momenti dimenticai di aver la bambina morta fra le braccia. Eppure ripresi a camminare: e andavo o credevo di andare ancora verso le colline, verso il fiume, in cerca della casa della balia!

Ecco di nuovo infatti l'orizzonte schiarirsi: il cielo si faceva azzurro, le chiome dei pini vi si disegnavano nere come nuvole basse che pur lasciavano trasparire un chiarore sempre più vivo: finché d'un tratto la pineta cessò con una sola fila di pini che pareva si fossero fermati lì protesi a salutare un essere invisibile che passava nella strada bianca illuminata.

Quella strada, quel chiarore, mi fecero paura e nello stesso tempo mi richiamarono alla realtà.

Qualcuno poteva vedermi e fermarmi: d'altronde che cosa cercavo da quella parte? Case non se ne vedevano se non in lontananza fra le vigne: e anche avessi trovato quella che cercavo a che mi serviva?

Rientrai nella pineta: il chiarore della luna si faceva sempre più vivo, illuminava i sentieri, i cespugli, illuminava, a tratti, quando io ci capitavo sotto, l'involto bianco che tenevo con me! E mi gelava tutto, come fosse un getto di ghiaccio, mi penetrava fino al cuore e smorzava la mia gioia.

Non tentavo neppur più di parlare: il suono della mia voce accresceva la mia paura. Tuttavia speravo ancora di essermi ingannato; forse la bimba era viva ancora, forse si poteva ancora salvare. Bisognava portarla dal dottore: ed ecco mi dirigo ancora alla casa del dottore: adesso mi orientavo bene, nella pineta, capivo finalmente dov'era il mare dove il paese, dove il fiume.

Vado di nuovo verso il mare: lo sfondo grigio s'è fatto azzurro; sotto la luna piena sempre più alta e chiara, tutto il paesaggio si colorisce di azzurro e di argento, tutto diventa fresco, lieve, irreale.

Ed anch'io nonostante la stanchezza, l'angoscia, il terrore, ho l'impressione di essere diventato lieve, di camminare rapido, senza sfiorare la terra. Mi sembrava che l'aria attraversasse il mio corpo come la tela d'una vela e mi spingesse.

Ma dove, dove andavo? In casa del dottore no, non volevo più andare: e non più per paura ma perché sentivo ch'era inutile andarci, che la bimba era morta e nessuna forza umana, neppure quella del mio dolore, poteva rianimarla.

Eppure andavo: dove? Non sapevo: arrivato al confine della pineta tornavo indietro. Credo di aver fatto in tutti i sensi, quella notte, tutti i sentieri della pineta; e ancora mi pare adesso ogni notte nell'addormentarmi di essere là e di vagare, col mio carico, col desiderio e la paura di deporlo e di uscire libero da quel labirinto, come si vaga nei sentieri della vita, col carico delle nostre passioni e con un desiderio di liberazione...

Finalmente ebbi l'idea di uscirmene davvero, da questa vita, con la mia creatura in braccio. Non c'era più posto per me nella vita. E andai di nuovo verso il mare...

Ma appena fuori della pineta, attraversando l'arenile tutto bianco di luna, mi sembrò di svegliarmi da un incubo.

Respiravo meglio: ero già libero della parte più gravosa della mia angoscia: della paura.

Deposi l'involto sulla sabbia e mi sdraiai accanto. Così piccolo, quell'involto, fra me e il mare sembrava una montagna candida che mi chiudesse l'orizzonte e m'impedisse il passo verso la morte.

No, non volevo più morire: non volevo e non potevo: il dolore stesso cantava in me, adesso, con una voce potente che mi richiamava alla vita. Lagrime ardenti mi cadevano dagli occhi fino alla rena e le vedevo luccicare alla luna come perle. Perché non devo confessarlo? La morte stessa della bambina mi aiutava nella speranza di vivere. Dio me l'aveva tolta per misericordia, non per vendetta, e mi aveva ridonato la voce per difendermi davanti agli uomini: da lui ero già assolto e ri-benedetto.

Così mi trovarono: mi presero e mi condannarono, nonostante la mia difesa, come avessi ucciso io la mia bambina.

In quel frattempo anche la zia morì: aveva pagato il mio debito e mi lasciava erede del terreno, della sua casa e di un fascio di titoli di rendita ch'erano depositati presso un notaio.

IL FLAUTO NEL BOSCO

POVERI

Vivevano in una grotta, come la Sacra Famiglia, padre madre bambino.

Solo che il padre era così infermo da non potersi muovere e il bambino idiota camminava carponi, brucava l'erba, mangiava la terra; e la madre provvedeva ai bisogni di tutti cogliendo erbe che parte servivano per cibo, parte per impiastri o beveraggi al marito.

Tutto questo avveniva nell'anno che corre, sull'orlo dello strascico verde di Roma ricamato dalle greche di granito dei marciapiedi che disegnano le nuove grandi strade cittadine.

Quando il padre stava un po' meglio e poteva badare al bambino, la donna veniva in città a vendere l'erba: e pareva venisse dalle praterie selvagge di un mondo ancora disabitato, talmente era timida, scarmigliata, coperta di stracci forse raccattati nei mucchi di immondezze che decorano gli angoli dei quartieri in costruzione.

Non conosceva i denari, e per dare il resto porgeva nel cavo della mano le monete spicciole che possedeva, affidandosi all'onestà di chi comprava. Fiducia spesso tradita, sia pure per un vile soldo.

Tutti del resto le volevano momentaneamente bene, per il suo viso fine di martire senza età, per la pacatezza con cui parlava della sua sorte accettandola come le erbe massacrate e vendute da lei accettavano la loro.

E tornava alla sua tana col cestino pieno di vestiti vecchi, di pezzi di pane duro, di scarpe logore: un giorno tornò con in testa un grande cappello piumato e il marito rise, con la sua bocca di cane malato; riso non di beffe ma di compiacenza, e anche il bambino rise tendendo le manine verso quel meraviglioso uccello ch'era divenuta la testa della madre.

Perché sul cumulo di miseria che seppelliva la loro umanità il fiore del bene che si volevano tremolava come sui concimai lo stelo del paleino odoroso.

La notte della befana la vecchia strega dopo il suo volo su Roma si scosse le vesti nel vento che imperversava potente e lasciò cadere sulla grotta la polvere della pestilenza che infieriva nella città.

L'uomo morì la sera dopo, sbadigliando per il gran sonno che finalmente placava il dolore delle sue ossa: e il bambino gli montò sopra, a cavallo, ridendo.

La madre non aveva neppur la forza di far cessare il triste gioco: accucciata presso le due creature parlava a entrambe sullo stesso tono, finché il bambino non le rotolò in grembo piangendo.

Lei non piangeva: pensava che si doveva seppellire il morto e non sapeva come fare, e quella preoccupazione superava ogni altra. Finché la sollevò l'idea di seppellirlo lei.

Due giorni e due notti rimase così a meditare. Il terzo si decise, poiché il cadavere cominciava già a decomporsi. Uscì e raccolse le erbe, seguita dal bambino che pareva un cagnolino terroso.

No, non le era possibile scavare la sepoltura: le mancavano gli strumenti e la forza: eppoi c'era pericolo di una contravvenzione.

Col davanti della sottana gonfio d'erba, prese il bambino in braccio e s'avviò alla città.

Incontrò un carrettiere e gli annunciò la morte del marito, forse con l'istintiva speranza che l'uomo potesse caricare sul suo carretto il cadavere e portarlo al cimitero: ma l'uomo la scansò con la frusta come una mosca e le disse di andare in questura.

La sola parola questura le diede un senso di mistero e di terrore più che la morte.

Allora batté alla prima porta che le capitò e che d'altronde conosceva bene. Era la porta di un piccolo villino dove abitava un filosofo vegetariano con la moglie laboriosa. Fu questa ad aprire, con la scopa in mano. La donna le lasciò cadere ai piedi sulla soglia il mucchio d'erbe arricciate ancora fredde di brina.

– Che modo è questo? – gridò la signora; ma i suoi occhi pietosi avevano già veduto l'aspetto stravolto della donna e la testa penzoloni del bambino. – Perché te lo porti appresso?

– Lui è morto da tre giorni. Non potevo lasciarlo con lui.

Quando la signora seppe tutto diede un grido e anche la scopa parve cadere svenuta.

Al grido venne il marito in pantofole e avvolto in una coperta fiorata come un mago d'oriente: ascoltò tranquillo la storia, poi disse alla moglie, che voleva mandarlo in giro per sistemare la faccenda:

– Fa una cosa; ci vai tu; io resto a casa e trattengo la donna.

E quando la moglie fu andata sollevò e mise a posto la scopa poi disse alla donna:

– Giacché siete qui pulite l'erba e mettetela a cuocere.

E lui se ne tornò a studiare.

La moglie sistemò il morto e i vivi: il bambino fu raccolto in un istituto per deficienti, la madre in un palazzo che ella non sapeva rassomigliare a quello delle fate perché nel crepuscolo della sua infanzia solo le caverne e i sotterranei misteriosi e il gatto mammone avevano riempito il labirinto della sua fantasia.

Questo palazzo dove si svegliò dopo lunghi viaggi confusi in tram e attraverso folle che parevano di maschere, era in realtà più bello di quello delle fate, con due ali di palme che s'aprivano sul cielo azzurro e una coda di viale dorato guizzante in un giardino fiorito: l'odore degli allori ricordava però il cimitero.

Alla donna fu assegnata una camera al secondo piano: al terzo stavano i signori, al primo ella non seppe mai cosa accadesse; e neppure del terzo sapeva niente sebbene tutte le mattine vi lucidasse i pavimenti.

Ella ci si moveva carponi come il suo bambino nel prato; e pensava sempre a lui col desiderio di riaverlo, di baciarlo sulla bocca e su tutto il piccolo corpo grassotto e tiepido.

Così, separata da lui, si sentiva sperduta nel nulla, naufraga nel luccicore di quei pavimenti gelati: non pensava che glielo avrebbero raddrizzato: l'avvenire non esisteva per lei se non fino alla domenica seguente quando l'avrebbe visitato nell'Istituto.

Vederlo! Vederlo almeno. Questo desiderio e questa certezza le davano una forza ebbra: allora lucidava e lucidava i pavimenti fino a vederci il suo viso; e nel suo viso rivedeva ancora
la sua creatura e si chinava a baciarla.

La domenica però non le permisero di vederlo: aveva preso
una malattia infettiva che già da tempo decimava i bambini del-
l'Istituto e lei dovette tornarsene a casa. Non parlò più, non mangiò più. Nel pomeriggio i servi andarono fuori. Solo il gran servo, il
capo dei servi, vestito come un corvo e che del corvo aveva la faccia, passò nella solitudine del secondo piano ispezionando le vaste
e grigie stanze dove di solito lavoravano gli operai che erano i visceri del palazzo e lo tenevano sano e sempre nuovo, e le cucine, i
bagni, i corridoi, le sale misteriose chiuse come quella cento e una
della casa dell'orco che chi l'apre ne vede il mistero e muore.

Vide da un uscio spalancato la donna seduta sul suo lettuccio, piegata su uno straccio che teneva in grembo, e le domandò se stava male.

– Voglio andar via – ella disse cercando di nascondere lo
straccio che pareva una pelle di lepre.

Egli le si avvicinò allarmato.

– Perché? Che ti hanno fatto?

– Nulla. Voglio andar via.

A tutte le domande rispondeva così. All'uomo non garbava
ch'ella se ne andasse: era lì per un tenue compenso e neppure
un'intera agenzia per lucidare pavimenti poteva rendere come
rendeva lei.

Tentò di pigliarla con le buone; le cinse le spalle, le carezzò
i capelli.

– Buona, su! Se ti fanno dei torti devi dirlo a me e vedrai
che tutto andrà bene. Vuoi dirmelo? – le mormorò sul viso
freddo. – Vuoi darmi un bacio?

Il suo alito era caldo, la sua bocca odorava di tabacco e di
carne viva: una sensualità animale sollevò le viscere della donna chiuse dalla lunga astinenza, eppure ella respinse l'uomo
con tutte le sue forze servendosi dello straccio per scudo.

– Vattene via, animale, e vattene.

Allora egli tentò un altro verso.

– Forse perché il tuo bambino è malato? Guarirà. La signora andrà a vederlo, e tutto l'Istituto non avrà cura che di lui. La signora s'interessa molto al tuo bambino, e lei non ne ha. Chi sa che non lo prenda qui in casa, un giorno.

Allora la donna si drizzò sulla schiena, con gli occhi feroci.

– E non me lo ha preso già, vada a morire ammazzata lei e tutti i mortacci suoi?

E aspettò ch'egli la cacciasse via subito: egli invece se ne andò senza replicare; e lei tornò a piegarsi col viso sullo straccio ch'era un vestito del suo bambino.

Poi tentò di evadere.

Da una stanza all'altra, cautamente, lungo i corridoi grigi, per le scalette di servizio, cercò una via d'uscita. Nulla, tutto era chiuso a chiave, silenzioso, misterioso più che i sotterranei delle favole; ed ella si sbatteva contro le vetrate come la mosca prigioniera.

Forse avrebbe potuto, più tardi al ritorno dei servi; ma più tardi si accorse di essere sorvegliata e non si mosse più.

La notte fu sinistra: ella non dormiva e l'anima le rotolava dentro, su e giù, dalla testa alle ginocchia, dalle ginocchia alle viscere, al cuore, alla nuca, tentando anch'essa una via d'uscita che non trovava.

E lei sapeva il perché di tanta angoscia: il bambino moriva. Neppure il bianco sorriso dell'alba rischiarò di speranza la sua pena; neppure i rintocchi delle campane che recingevano di collane d'argento il giorno nascente. Ella non sapeva pregare e anche Dio era morto per lei.

Il gran servo non le disse che il bambino era morto, per lasciarle prima lucidare i pavimenti; poi la introdusse dalla grande padrona.

Era a letto, la grande padrona, dolce e bianca come un agnello fra l'erba e le margherite. E i profumi dei prati a primavera erano in quella camera con gli orizzonti chiari; e tutto era lucente e morbido; eppure la donna si avanzò come inciampando sui sassi, paurosa anche dei gattini di porcellana bianca, fatti di luce, che posavano maliziosi sugli spigoli del caminetto e le parevano fantasmi di gattini.

La grande padrona aveva però anche lei un aspetto strano, e stava sui guanciali di neve come fosse caduta e non potesse più sollevarsi.

– Siedi – disse alla donna che obbedì sbalordita e con l'impressione di quando si sogna ma si sa di sognare e la bellezza del sogno vela ancor più di tenebre l'angoscia della realtà.

Così la voce dolce e turbata della signora che le annunziava la morte del bambino oscurò ancora di più la sua disperazione: e i suoi occhi lo esprimevano tanto che la grande padrona si spaventò e pensò che cosa poteva offrirle.

– Senti, – le disse piano, in segreto, come ad una sua pari, – non sei tu sola a soffrire, nel mondo. Anch'io questa notte ho così sofferto per un mio dolore che mi sono dimagrita e i miei capelli sono imbiancati. Vedi, guarda, – disse piegando la testa e aprendo una via fra i capelli, – e dammi quella coppa lì, quella con gli anelli. Guarda.

Se li mise, poi scosse la mano; e infatti gli anelli con le pietre di susina, di ciliegia, di uva, cadevano dalle sue dita come frutti dal ramo.

Ma la donna non si placò.

Che le importava di tutto questo? Il suo dolore la cingeva di una corteccia così dura che neppure la gioia per il dolore altrui poteva scalfirla. Profittò piuttosto della debolezza della grande padrona per chiederle di farla uscire. E uscì facendo in modo di non essere veduta dal maledetto corvo.

Libera! Libera, con la sua infinita miseria che la trasportava quasi con un vento di gioia.

Andò subito a sbattere contro l'Istituto, vi si aggirò attorno strofinandosi ai muri, respirando l'alito che usciva da ogni fessura: quando riuscì ad entrare le dissero che il bambino era già stato portato via.

Dove cercarlo? Per un momento stette smarrita entro di sé, poi s'avviò. Sapeva bene dove cercarlo.

E si ritrovò nei prati, verso la caverna, col terrore che qualcuno all'infuori di *loro* l'avesse occupata.

La trovò intatta, ancora coi loro stracci, col giaciglio purificato dal gelo di quei giorni; ancora l'uccello grottesco del cappello di piume stava appollaiato su un buco del tufo.

Ella toccava ogni cosa: quando toccò una scarpetta scartocciata e terrea finalmente pianse; un pianto dapprima secco, con ululi sempre più forti che si sbattevano contro le pietre come il vento nelle notti d'inverno, poi di lagrime abbondanti sempre più silenziose che le scaldavano il viso e le si riversavano in bocca destandole un senso di voluttà. Poi uscì e cercò le erbe per andare a venderle.

Arcipelaghi di neve scintillavano e si scioglievano lentamente sui prati verdicci e il cielo li rifletteva con le sue nuvole già primaverili.

Ella uccideva le erbe col suo coltellino e di tanto in tanto per levarsi un po' d'arsura e di fame mangiava la neve che aveva il sapore e l'odore delle viole.

Gl'invitati maschi erano due; un grande artista povero e uno di quelli che un tempo si chiamavano contadini poi pescicani e adesso semplicemente agrari.

Il primo ad arrivare fu quest'ultimo, pochi minuti prima dell'ora fissata per il pranzo; e non per osservanza al galateo ma perché la puntualità era la sua natura. Era in giacca, con la camicia di colore e una doppia catena d'oro con due medaglie che sulle prime destavano un senso di diffidenza ma a guardarle bene ritorcevano verso chi le guardava senza fede questo senso di diffidenza: poiché erano due medaglie al valore di guerra.

Il suo viso fece scialbi quelli delle signore invitate, tanto era roseo e fresco, rallegrato da due occhi di gatto.

La padrona di casa si alzò per riceverlo e presentarlo alle sue amiche; egli non badò neppure a questo supremo segno di deferenza e dopo essersi guardato in giro domandò dov'erano i bambini.

– Sono già a letto.

– Come? E non vengono a tavola con noi? Che allegria c'è allora?

Le signore sorrisero, ingenue e perverse; egli le guardò dall'alto, grande e maestoso come un principe, e bastò questo sguardo glauco un po' venato di rosso, per farle tornare serie e gentili.

– E che si aspetta? – domandò, alcuni minuti dopo, guardando il suo orologio.

La signora arrossì, un po' per lui ma anche perché veramente l'ora per il pranzo era passata: e si alzò e gli prese il braccio.

Attraversarono il salone, poi un altro salotto in fondo al quale la cornice dell'uscio spalancato inquadrava in una luce di santuario lo sfondo della sala da pranzo: la tavola era coperta di rose, moltiplicate fantasticamente dal riflesso dei cristalli e delle argenterie: tanto che l'uomo in giacca disse:

– Sembra un altarino.

E mentre le signore complimentavano la padrona di casa per tanta bellezza egli sedette, ancora prima di loro, si mise una rosa all'occhiello, la odorò, si cacciò il lembo della salvietta nel davanti del colletto e sorrise a qualche cosa di lontano che lui solo vedeva.

Anche gli altri, al principio del pranzo, pareva pensassero un po' melanconici ai fatti loro: un senso di freddo e quasi di tristezza ondulava nell'aria.

Nel vedere che il posto a sinistra della signora restava vuoto, l'uomo domandò:

– Se il suo puttino maggiore non dorme ancora perché non lo fa alzare e venire a tavola? Si starebbe più allegri.

Allora si parlò dell'artista invano atteso.

– Chi sa se si ricorda neppure, di venire: è così distratto.

– Verrà – disse un po' rigida la signora. – Il guaio è che questa sera non corrono i tram e lui, che sta fuori di porta, dovrà venire a piedi, poveraccio.

Il rombo di un'automobile le rispose; e subito dopo l'invitato apparve, pallido alto e sottile nel suo inappuntabile frak, con una sinistra orchidea all'occhiello.

Baciò un po' ansando la mano alla signora, domandò scusa, e preso posto, mentre si volgeva verso il vassoio che la cameriera gli offriva, disse con calma:

– Ho fatto tardi perché mi è occorsa un'avventura straordinaria.

E d'un subito tutti i volti, già rischiarati dall'arrivo di lui, s'illuminarono di curiosità, di gioia, quasi di passione.

– Sentiamo quest'avventura – disse il contadino, senza lasciargli tempo di mangiare.

Ma l'artista non si sgomentò, e neppure la padrona di casa che lo guardava di sottecchi e lo vedeva con orgoglio e piacere adoperare le posate toccandole appena con la punta delle dita pallide e fini, e mangiare con la lenta voluttà del gatto affamato, silenziosamente, odorando a volta a volta senza parerlo il cibo e le rose e il calice a metà colmo di vino dorato. Il cibo spariva dal piatto di lui come si volatizzasse, e fra un boccone e l'altro egli parlava con voce calma, lenta e musicale, quasi che invece di mangiare egli sognasse.

Nulla d'altronde di più naturale e semplice di quella voce che pareva la voce stessa della verità: eppure l'avventura da lui raccontata faceva strabiliare gl'invitati e la stessa padrona di casa che conosceva l'artista come conosceva i suoi fantasiosi bambini.

– S'immagini, signora, che ho corso rischio di morte e, peggio ancora, di essere rapito o di rapire la mia prima fidanzata adesso moglie e madre. Ma questo è nulla: adesso racconterò con ordine.

Esco dunque di casa alle sette e mezza: penso: prendo un'automobile qui sotto in piazza e in dieci minuti sono dalla mia bella e amabilissima signora. (Grazie, sussurrò lei, ironica e lusingata). Arrivo in piazza e vedo una sola automobile ferma come uno scoglio in mezzo al vento. Il conduttore dorme: io apro lo sportello e sto lì come se avessi spalancato la porta dei sogni. Una donna tutta mascherata di pelliccie è rannicchiata nell'angolo: al mio urto solleva il viso e in quel viso bianco, in quei grandi occhi scuri ravviso tutto il fantasma del mio passato. È la donna che ho sempre amato e odiato, e che non rivedo da cinque lunghi anni: è lei, Vita: io la chiamavo così perché veramente per me rappresentava la vita. Cos'è infine quella che noi chiamiamo vita? Sarebbe il nulla, senza le creature che destano in noi la passione, l'esaltazione, il desiderio di divenire grandi e immortali per attrarre loro nella nostra orbita e possederle in questa e nella vita dell'infinito. Io ho amato questa che chiamo Vita con la prima percezione della mia vita stessa. Il più lontano dei miei ricordi risale a lei: forse io avevo un anno e lei anche: giocavamo su un tappeto ed io le strappai una collanina con un anello d'osso ch'ella teneva al collo: subito si gettò furibonda su di me e ci avvoltolammo avvinti, piangendo e ridendo, come sempre di poi nella vita. Poi non la rividi per molti anni. I suoi genitori erano morti e lei viveva coi nonni, ricchissimi, che solo a grandi intervalli venivano a rivedere una loro terra accanto alla nostra. Io ero un ragazzo studioso, equilibrato; non pensavo alle donne, ma a volte pensavo a Vita: la rividi, dunque, che aveva sette anni, poi dieci, poi quindici, infine diciotto: e qui comincia l'idillio tragico: un amore dapprima fantastico, con incontri notturni, gite misteriose nei boschi, cavalcate e viaggi in barca lungo il fiume e fino al mare. Lei era bellissima, appassionata, naturalmente più precoce ed esperta di me. Mi amava, ma spesso mi tormentava fino alla crudeltà. Scoperti, lei fu allontanata di nuovo, ma tanto fece che i nonni le permisero di corrispondere con me. Io continuai a studiare, a scavarmi dentro, per sollevarmi fino a lei: e quando mi feci un posto e un nome nel mondo e tutto era pronto per le nostre nozze, ebbene, lei fuggì con un altro. Uno che, naturalmente, le fece presto scontare il suo tradimento: poiché questa è la legge della vita. Infelicissima, lei mi richiama, fa di me quello che vuole, mi solleva fino a Dio, mi butta giù fino al vizio e al delitto, e in ultimo mi getta via come uno straccio nella strada. Io mi sollevo e cammino; se qualche cosa ho fatto l'ho fatto per sollevarmi dal dolore e dall'umiliazione. E non l'ho mai dimenticata, neppure nell'odio alla vita stessa. Ed ecco la rivedo questa sera, un'ora fa, come una fiera in gabbia. «Che fai qui?» le domando. Dopo la prima sorpresa lei si mette a ridere, felice dell'avventura e mi dice con semplicità che aspetta un uomo col quale deve partire; e paurosa che sopraggiunga il marito si protende ansiosa ad ascoltare. Un passo. Chi è? Il marito o l'amante? «Vieni su, vieni, – lei dice smarrita, – conducimi via».

«Alla stazione» ordino al conduttore, che intanto s'è svegliato, e chiudo, e stringo a me la donna. «Chiunque egli sia, – le dico in delirio, – fuggiamo; vieni con me. È tempo, è tempo».

L'automobile si è appena mossa che l'uomo sopraggiunto ci insegue a colpi di rivoltella.

«È lui, è l'odio – ella geme stringendosi a me. – Sì, sì, fuggiamo assieme».

«Chi è? Tuo marito?».

«No, è l'altro, che odio e mi odia. Ascolta, – dice poi, riprendendosi, – riconducimi a casa: c'è la *nostra* bambina che non sta bene. Domani ti scriverò, ti dirò tutto».

Ed io l'ho ricondotta alla sua casa: poi sono corso qui.

Egli era diventato pallidissimo, con gli occhi infossati, invecchiato da un'angoscia che solo quel suo viso di spettro poteva esprimere. Eppure continuava a mangiare tranquillo, col brillante al dito come una goccia di rugiada.

Tutti partecipavano a quella sua pena, all'ansia del suo domani: anche la signora che pure lo conosceva da molti anni e mai aveva avuto da lui le confidenze adesso distribuite a stranieri: qualche osservazione la fece però l'uomo dei campi.

– Tutto questo non accadrebbe se si facesse una vita più regolare, pratica, senza viaggi nelle nuvole. Divertito mi sono anch'io: ma che sia accaduto mai nulla di simile a me? Fino ai diciotto, che dico? fino ai ventotto anni anch'io non ho badato alle donne, veh, intendiamoci nel senso di sposare; ma non c'è sala da ballo, delle nostre parti, che non conosca la suola delle mie scarpe, né mano di donna che non conosca la mia. Ma, dico, lavorare sempre e fare gli affari come vanno fatti: poi servire la patria: anch'io ho veduto il rosso del sangue; eccolo cambiato nell'argento di queste medaglie. E sistemata la patria abbiamo pensato a sistemarci noi. I poderi che avevamo in affitto son diventati nostri; abbiamo settecento biolche di terra coltivata, duecento mucche, cavalli, macchine, trecento polli, sette maiali.

Ai polli attende mia madre, in un salone riscaldato che, non faccio per dire, è bello quanto quello della nostra qui amabilissima signora. (Grazie, lei esclamò, ironica e lusingata). E mentre attende a loro, mia madre legge: tutto è buono per lei, romanzi, giornali, almanacchi. Anch'io, veh, amo leggere, ma la notte. Smorza, dice mia moglie, smorza. Ma lasciami leggere, dico io, volgiti verso il muro. Smorza, lei insiste, il *pissnin* si può svegliare. Perché abbiamo un piccolino, di tre mesi, che già ride, bello e buono come un panino di burro. Io me lo prendo tutto nudo a letto, la mattina, e piango per la contentezza di toccarlo. L'ho chiamato Ivan perché è un bel nome.

– Lo farete studiare? – domandò la signora, col suo accento ambiguo fra la beffa e la tenerezza.

– Grazie – disse l'uomo, grato dell'attenzione di lei. – Non so, l'avvenire è in mani di Dio.

E quando furono alzati i calici la padrona di casa disse:

– All'avvenire di Ivan.

– Dei figli vostri – rispose il contadino tendendo il calice verso quello di lei.

Si alzò il padrone di casa e destò un applauso:

– Alla grandezza della nostra patria.

Ma il vero brivido di esaltazione tornò a destarlo l'artista quando si alzò, lentamente, di nuovo ringiovanito in viso, col calice d'oro ove la spuma si scioglieva come un'ostia:

– Alla poesia della vita.

IL FLAUTO NEL BOSCO

Per sfuggire, o tentare almeno di sfuggire ad una infelicità che la sorte le aveva mandato gratis, la giovine donna se ne procurò un'altra al prezzo di lire sei mila.

Sei mila lire per due mesi d'affitto di una villa in una stazione climatica di lusso non è molto: il guaio è che la stazione climatica era lontana tre chilometri, e la villa si riduceva ad una casetta bella di fuori con la sua brava torre merlata e la loggia di marmo, e dentro una topaia senza luce, senza acqua, col nido della civetta nella terrazza, le pareti schizzate di zanzare morte, e una temperatura da fornace.

Ma la donna era orgogliosa e non tornò indietro; e a tutte le sue conoscenze mandò la cartolina illustrata dove si vedeva questa sua villa che rassomigliava a lei; bella ed elegante di fuori, e dentro piena di topi e di pipistrelli.

Per compenso, per andare allo stabilimento di cura c'era un viale di castagni e di abeti, la cui fresca e solitaria bellezza dava conforto. Di tratto in tratto non mancava modo di potersi riposare: una panchina, un paracarri, il parapetto basso di un ponticello.

Ella amava sedersi su questo muricciolo, davanti e dietro il quale fra due frangie di giunchi e gli sfondi verdi del bosco chiazzati dell'azzurro del cielo, si torceva un serpente d'acqua verdognola.

I merli, gli usignoli e le gazze vi davano concerto.

E un giorno, verso la fine di luglio, ai canti degli uccelli si unì d'improvviso, anzi li fece tacere, il suono di un flauto.

Ella sollevò la testa perché le parve che venisse dall'alto, non sapeva se da destra o sinistra, ma certo dall'alto, come il canto dell'usignuolo dalla cima degli abeti e dei castagni del bosco.

Ed era un motivo breve, variato, ma poi sempre ripetuto, e dolce appunto come il canto dell'usignolo; e a lungo andare, in quel silenzio, in quella solitudine, dava l'impressione che fosse davvero il canto di un uccello misterioso, fantastico, come quello delle fiabe; un uccello che forse un giorno era stato un uomo e che un incanto malefico aveva tramutato in bestia.

E raccontava, con la sua musica, la sua storia.

– La mia storia è apparentemente eguale a tutte le storie, eppure come diversa! Come non c'è foglia eguale ad altra foglia, e onda eguale ad altra onda, così non c'è una storia d'uomo eguale ad altra storia d'uomo. La mia è questa: sono stato anch'io fanciullo e felice; eppure perché piangevo così spesso? Sono stato giovine e felice; e non piangevo più; eppure questa era la mia pena; non poter più piangere come da bambino. Allora, per sfogarmi, cantavo; ma né la parola né la musica potevano dire ciò che veramente mi stava nel cuore, la passione, il desiderio, l'ansia verso una gioia che non sapevo dove e come fosse, ma senza la quale credevo di non poter vivere. Solo quando cominciai ad amare, intravidi un po' questa gioia, ma sempre come la luna fra le nuvole, lontana fuggente. Ed io la volevo, come il bambino vuole la luna, e tentavo di volare per afferrarla. Cadevo e mi sollevavo; soffrivo e amavo di soffrire; e credevo di essere il più infelice degli uomini, smarrito sulla terra mentre avrei voluto essere un astro fra gli astri dell'infinito.

Finché un giorno in una foresta nell'ascoltare il canto dell'usignolo mi venne da piangere: così trovai un po' di bene. Ma volli andare a veder l'uccello meraviglioso; e una fata malefica che s'aggirava nel bosco tramutò anche me in uccello.

Così canto la mia storia che è apparentemente eguale a tante altre storie, eppure così diversa.

E la donna, poiché quel suono era come l'eco del suo soffrire, si mise anche lei a piangere: anche lei ritrovò nel pianto un po' di bene.

Ma un fischio sonoro la richiamò in sé. Era un monello scalzo che correva nel viale e fischiava contro la musica misteriosa, e, a lei parve, anche contro il suo intenerimento.

Tuttavia si alzò confortata ed ebbe pietà del mendicante cieco che si lamentava nel crocevia del viale, e al quale prima non dava mai l'obolo. Questa volta, invece, gettò nel vaso del vecchio cappellaccio rovesciato, un pugno di monete.

Il fatto si ripete nei giorni seguenti. E non è lei sola a godere e soffrire; anche i passeggeri romantici, le coppie furtive, le vecchie signore straniere con un libro od una macchinetta per fotografie in mano, tutti insomma quelli che attraversano il viale, sono affascinati dal suono misterioso.

Qualcuno interroga il mendicante: il mendicante non sa nulla, anzi non ha neppure una lontana idea della cosa perché oltre all'esser cieco è anche quasi completamente sordo.

La donna, che avrebbe voluto godere da sola l'incantevole musica, si irritava per la curiosità e le ricerche altrui: ma a poco a poco curiosità e ricerche cessarono; ella osservò tuttavia che il viale era sempre più frequentato.

Un giorno vide presso il mendicante il ragazzo sbilenco e straccione che aveva fischiato la musica del flauto e il dolore e l'intenerimento di lei: gli diceva qualche cosa all'orecchio, ma invece di gridare parlava sottovoce. Respinto dall'altro, gli si attaccava di più, come una mosca autunnale; finché non ottenne qualche moneta. Allora se ne andò di corsa, fischiando, e la donna lo vide sparire nel bosco come un animale selvatico.

Pensò che egli sapesse qualche cosa del suonatore misterioso e attese di rivederlo per interrogarlo: egli però non ricompariva. D'altronde che le importava di conoscere il suonatore? Poteva essere uno stravagante nascosto tra i cespugli del bosco e magari appollaiato su un albero.

– Che t'importa di conoscermi? – le diceva il suono del flauto. – La mia storia è, in fondo, come la tua; e perché vuoi darmi la caccia come io all'usignuolo? Sta attenta che la fata del bosco, irritata, non ti faccia pentire. La mia storia, in fondo, è come la tua.

Eppure anche lei era curiosa. Tutto in noi è curiosità; e si dimentica il danno di un furto per l'investigazione del come i ladri l'hanno compiuto; e si ricercano le cause di una malattia quasi che il conoscerle possa farci guarire.

La curiosità di sapere chi suonava il flauto guastava alla donna il piacere di ascoltarne la musica. Forse era anche un senso di diffidenza, ma forse era anche il principio di un sogno.

Ed ecco un giorno il ragazzo sbilenco si presentò proprio alla villa: aveva da vendere un coniglio, certamente rubato, e del quale d'altronde chiedeva un prezzo tre volte superiore al giusto.

La cuoca stava per scacciarlo indignata, quando sopraggiunse la signora pronta per andare allo stabilimento.

– Va bene, – disse, – compreremo il coniglio, purché tu mi dica chi è che suona il flauto nel bosco.

Il ragazzo la fissò coi suoi occhi verdi sfrontati e non rispose.

– Prendi il coniglio, – disse la signora alla cuoca, – e tu, ragazzo vieni con me. Egli volle i denari, prima di consegnare la bestia, poi andò con la signora: per farlo parlare occorse però la lusinga di un biglietto da cinque lire, che la donna si passava da una mano all'altra e ripiegava e spiegava.

– Venite con me – disse infine precedendola: e con un dito le accennò di seguirlo.

S'internarono in uno dei tanti piccoli sentieri che s'intrecciano come vene fra i cespugli del bosco: e di passo in passo questo diventava così fitto, scuro e spinoso, che la donna aveva quasi paura a proseguire.

D'un tratto qualcuno la incoraggiò, anzi parve chiamarla e attirarla; il suono del flauto spandeva la sua chiara melodia nel silenzio, e rischiarava l'ombra sinistra del bosco coi suoi raggi d'argento. E come al chiaro di luna le cose prendevano un aspetto di sogno; i sentieri si allargavano, i cespugli dei rovi parevano i rosai di un giardino incantato.

Ma il suonatore aveva un udito finissimo: si fermò, una prima volta, quando il ragazzo disse sottovoce alla donna:

– Andate fino a quell'albero mozzo e guardate in su verso l'abete accanto: io non posso venire oltre perché quello se mi vede mi ammazza.

E al fruscio dei passi e delle vesti di lei il suono cessò del tutto: ella riuscì solo a vedere, fra le grandi piume spioventi dell'abete una specie di scimmiotto che la fissava dall'alto con gli occhi verdi come quelli del ragazzo.

– Tu ti burli di me – ella disse alla sua guida, che l'aspettava nascosto e voleva le cinque lire.

– Vi giuro che no. È mio cugino, diavolo! Suona per conto del mendicante che gli dà mezza lira al giorno; è per attirare gente nel viale.

UN DRAMMA

Il triste avvenimento, del quale il giovine studente aveva avuto tante volte paura, sebbene sfidandone e deridendone la minaccia, e anzi cinicamente augurandoselo, era pur troppo finalmente accaduto.

La mamma se n'era andata via di casa.

– Ecco, leggi – disse il padre, entrando in camera e svegliandolo. E anche il padre se n'era andato all'ufficio, come se nulla fosse, poiché c'era il *foglio di presenza*, e per nessun avvenimento ove non c'entrasse la morte o qualche cosa di simile egli avrebbe tradito i suoi doveri e la sua dignità di impiegato.

Il figlio era rimasto col foglietto in mano, nel suo letto caldo e pulito, nella sua camera luminosa in disordine, con un'angoscia di brutto sogno che lo irrigidiva tutto.

La mamma avvertiva, con poche parole secche, su quel foglietto, che come per la millesima volta aveva minacciato la sera prima, se ne andava.

Era stanca. Stanca di lavorare inutilmente, di combattere contro tutte le piccole divoranti avversità dei giorni attuali, senza riuscir mai a rendere, se non contenti e ammirati, almeno tranquilli, il marito e il figlio. Specialmente col figlio, – perché il marito brontolava, sì, continuamente ma senza alzar la voce, – era un perpetuo dissidio; per le camicie stirate male, per il mangiare, per le calze rammendate, per la persecuzione di esser fatto alzare la mattina prima delle dieci, per la scarsezza dello spillatico, per le mancanze della serva scontate sempre dalla padrona.

Egli le diceva e non c'era cosa che a lei dispiacesse di più:

– Tutte le cose vanno male, qui, perché tu non sai comandare la serva.

E va bene: adesso la avrebbe comandata lui, la serva. L'angoscia, intanto, cresceva. Dove era andata la mamma? Certo, al suo podere, dove minacciava appunto di ritirarsi, quando non ne poteva più: e meno male che la giornata era bella: e meno male che la sera prima ella aveva già dato l'ordine per la spesa del domani, e la serva era già uscita presto senza accorgersi della fuga della padrona.

Perché lo scandalo, anche, spaventava lo studente; lui che era fiero, in fondo, di aver una mamma così, giovane ancora e intelligente e che pure viveva solo per la casa e la famiglia.

L'angoscia cresceva: tuttavia il diavolo vi soffiava sotto un alito di gioia.

Quando la mamma minacciava di andarsene era questo stesso diavolo che suggeriva al giovine di gridare:

– Magari! Così saremo liberi della tua tirannia.

Libero! Libero, lui, di che? Di alzarsi tardi la mattina, di sgridare la serva e farle rilucidare le scarpe già lucidate; libero di tornare all'ora che gli piaceva per la colazione (sì, ma adesso il padre si rassegnerà a mangiare solo, e avrà la pazienza di serbargli calde, e sicure dall'avidità della serva, le sue porzioni?), libero…

Intanto una scampanellata alla porta lo fece alzare, e con un battito d'ansia al cuore. Fossero notizie della mamma? Era presto, per queste notizie; eppure egli s'accorse di aspettarle già.

E si sentì rabbiosamente disilluso nel vedere nel vano della porta la figura storta e tuttavia con pretese d'eleganza della piccola serva. La serva aveva perduto la chiave ed egli dovette sopportare anche i lamenti e le storie di lei.

– Ma la signora dov'è?

– È arrivato un telegramma che il nonno muore, e lei è dovuta partire immediatamente.

– Il padre del padrone?

– Bestia! Allora sarebbe partito il babbo. Be', sbrigati, perché oggi e forse anche domani l'hai da fare con me. Lucida di nuovo, subito, le scarpe; e sia l'ultima volta che te lo dico, e impara a farmele trovare come le voglio io.

– Ih, signorino! Non è molto in pena per l'agonia del nonno.

Egli non trovò subito da rispondere anche perché una nuova scampanellata gli agitò di nuovo il cuore.

Miseria delle miserie, era la lavandaia. Di solito la signora le faceva trovare i panni pronti, e pronta la nota di essi. La serva non sapeva neppure dove andare a prenderli.

– E dille che torni – disse il signorino, preoccupato solo per le sue scarpe.

Subito, signorino! Come si vede che lei è lontano dal concepire la grandezza e la dignità di una lavandaia: alla proposta di ritornare, di ripassare, la nobile lavoratrice si irritò e si offese, e minacciò di non prendere più i panni.

E la serva assicurò il signorino che se quella non tornava non era possibile trovarne un'altra.

Ed egli si vide con la camicia sporca per tutta la vita.

Andata finalmente via la lavandaia col fagotto dei panni, un po' di pace parve regnare nella casa in disordine. In mezzo a questo disordine, che almeno non gli dava fastidio, egli mangiò, si vestì, fu per uscire, come gli altri giorni: ma la serva lo trattenne per il conto della spesa, e fu un lungo contare e ricontare, per parte di lei: per consolarsi egli si fece dare il resto.

Ma Gesù mio, che cosa avviene in cucina? Un rumore violento d'acqua, e in pari tempo una puzza d'incendio. La serva strilla, il signorino scappa: ella lo richiama dalla scala per qualche cosa di misterioso e terribile che succede in cucina; ma egli non risponde, egli fugge. Aria, aria, libertà, vita d'uomo e non di donnicciuola stritolata dall'ingranaggio della casa.

La meravigliosa giornata di ottobre inebriava la città. Eppure egli non respirava bene: e gli sembrava che anche alla città fosse scappata di casa la mamma.

Prima di mezzogiorno era a casa; e mentre per il passato si sentiva infelice perché non si mangiava alle tredici o magari più tardi, adesso s'arrabbiò perché non c'era neppure la lontana speranza di veder la tavola apparecchiata.

– Ma, capirà, signorino, devo fare tutto io, adesso; eppoi c'è guasto nei fornelli a gas e Lei non è voluto tornar su a guardare:

e ho dovuto accendere il carbone.

Egli non s'intendeva di fornelli; eppure dovette guardare, e trovò che uno non funzionava bene perché la rotella centrale era spostata, e dall'altro fuggiva allegramente il gas: solo un miracolo aveva impedito una disgrazia tale da non fargli ritrovare la casa in piedi.

Ma basta con queste miserie: se ne potrebbero contare cento, in tutta quella triste giornata.

Il pasto non fu cattivo perché i due disgraziati non se ne accorsero. Il babbo credeva, in fondo, che la moglie fosse andata a farsi una passeggiata, e pentita della sua leggerezza si facesse già ritrovare in casa al ritorno di lui dall'ufficio.

Quindi taceva, disilluso.

La tavola, senza di lei, era come il mondo senza sole; e, quando il ragazzo tentò di parlare di *quella cosa*, piano perché non sentisse la serva, il padre gl'impose di tacere.

– Oramai è fatta.

Il figlio volle protestare; dire che infine il peso della casa era adesso tutto sopra di lui; e che era un peso insopportabile; ma gli parve di sentire, nella sua voce, la voce della mamma, e anzi di esser diventato la mamma stessa; ed ebbe paura dei brontoli del babbo, e pensò anche lui di fuggire.

Nel pomeriggio vi furono ore apparentemente quiete. La serva s'era ritirata nella sua camera a lavorare per conto suo, e anche lui nella sua, a studiare, a scrivere.

Scriveva un dramma.

Quel giorno però non gli riusciva di scrivere una sola parola, sebbene la scena e il dramma stesso fossero al loro punto culminante. Egli non poteva condurli più su, la scena e il dramma, e neppure più giù.

Non poteva: anzi gli pareva di svegliarsi dall'ubriachezza che fino al giorno avanti il suo lavoro gli aveva dato, e di questo vedeva tutta la falsità. I veri drammi della vita sono quelli che rassomigliano al suo di oggi, senza parole, quasi senza personaggi.

Ma chi può scriverli? E anche a scriverli e rappresentarli bene, desterebbero gli sbadigli e il disprezzo della gente che pure ne conosce tutta l'oscura e sotterranea potenza.

Quell'impotenza della fantasia parve a poco a poco vincere anche i suoi sensi. Fu preso da un languore, da una impossibilità a muoversi, anche a pensare. In fondo era un'ansia di attesa che lo teneva immobile davanti al suo scrittoio, con la testa fra le mani.

Che cosa aspettava?

Aspettava una lettera, un telegramma, una scampanellata; notizie di lei, insomma. Sapeva però che l'attesa era vana.

E le ombre cadevano, e gli pareva che anche la sua anima si spegnesse.

Ricordi e ricordi passavano, moltiplicati, ingranditi dalle ombre: a quell'ora la mamma tornava a casa, quando usciva, e quasi sempre con pacchetti di cose buone per lui. Tornava, e la luce non cessava, nella casa, neppure nelle sere più buie.

Egli mise la mano sugli occhi, ed ebbe un desiderio intenso.

– Mamma, ritorna.

E d'improvviso la *vide*, pallida e piccola, triste anche lei nella solitudine del podere. Pensò che forse bastava andare a prenderla, per farla tornare; e d'un tratto riaprì gli occhi, e gli parve che la luce della sua speranza riaccendesse l'orizzonte. Era la luna che sorgeva.

Allora poté muoversi; andò a vedere cosa faceva la serva. La serva faceva il comodo suo; era uscita e non tornava.

Quando tornò, egli cominciò a sgridarla: ella non s'inquietò; aveva capito il mistero della padrona, e ricordava che il babbo di questa era già morto; e pensava alla fortuna di stare ormai al servizio di due uomini soli. E la sua voce aveva la morbidezza della corda del boia quando disse al signorino:

– Signorino, poiché non la contento più, bisogna che lei si provveda di un'altra donna.

Egli ricordò che la madre era andata in dieci agenzie e presso venti portinaie, per riuscire ad avere quella donna di servizio, e si sentì tutto in un bagno di sudore.

– Babbo, – disse al padre mentre si aspettava che la serva finisse di friggere, – bisognerebbe andare al podere e farle smettere la sua idea.

Il padre era stanco e serio, come del resto sempre dopo le sue interminabili ore d'ufficio.

– Ma sei sicuro che sia al podere? – disse.

– E dove vuoi che sia? A Parigi?

– Tutto può darsi.

Era ironico o tragico, il padre?

Neppure il figlio riusciva a saperlo; ad ogni modo sorrise, ma con un vago terrore dell'ignoto in cuore.

– Ad ogni modo, babbo, tu domani dovresti andare al podere.

– Io? Ho l'ufficio. Sai che c'è il foglio di presenza, adesso.

– Allora ci andrò io, ma vedrai che non mi ascolterà, vedrai. È necessario che ci vai tu.

– Ti dico che non posso.

– Ma questo accidente di ufficio...

La discussione si animava quando fu suonato il campanello della porta: e il cuore dei due uomini vi fece eco.

Finalmente! Era certo un telegramma, un segno di vita. Corsero tutti alla porta, anche il padre, anche la serva con la forchetta in mano.

E dietro la porta c'era lei; e per maggior conforto portava un cestino d'uva.

I BENI DELLA TERRA

Quello che dapprima per scherzo, poi per abitudine, e alcuni infine con convinzione chiamavano l'Apostolo, se ne stava a fumare la Favorita, la pipa dei giorni buoni, nel suo magnifico giardino, quando il giardiniere venne a dirgli che una Commissione di persone di servizio domandava udienza.

– Cosa sono, maschi o femmine? – egli domandò, levandosi la pipa di bocca e sputando su una rosa lì accanto.

– Servaccie – rispose con dispetto il vecchio giardiniere che non amava si mancasse così di riguardo ai suoi fiori. – E se fosse in me non le riceverei, perché ritengo vogliano venire qui dentro solo per curiosità, del giardino – aggiunse subito, poiché vedeva il grande viso barbuto del padrone e i suoi occhi celesti colorarsi di sangue.

– Fa subito passare. Via!

E il vecchio se ne andò come cacciato da un colpo di scopa, pensando ancora una volta che il padrone, se era l'apostolo di tutti i mascalzoni dei dintorni, per lui che da trenta anni lo serviva fedele e schiavo, era l'anticristo in persona.

La Commissione, composta di quattro donne, una vecchia, la seconda anziana, la terza giovane e l'ultima infine quasi ancora bambina, si avanza in fila, sullo sfondo chiaro del viale delle rose. Tre delle donne sono vestite di nero, l'adolescente di rosso, con le lunghe gambe che sembrano nude, capelli neri corti di qua e di là dei lunghi occhi bistrati.

L'apostolo tornò a farsi rosso, nel vedere quest'ultima: si tolse di nuovo la pipa di bocca e di nuovo sputò sulla rosa come avrebbe voluto farlo su quella promettente fanciullezza.

– Sedetevi – disse burbero alle donne, accennando la panchina accanto al tavolino di marmo dove su un vassoio stava la sua collezione di pipe.

– Si tratta – cominciarono a una voce le tre più vecchie.

– Una per volta!

Allora fu solo la più vecchia a parlare.

Si trattava di organizzare le donne di servizio, che mentre in tutto il mondo dettavano legge, qui venivano ancora mal pagate e trattate come bestie.

Egli fu per gridare: perché lo siete; ma si frenò. Fu anche per dire che se la paga loro non bastava era perché si vestivano e si calzavano come quella piccola sgualdrina lì; ma si frenò. Era un uomo prudente, e solo per questo, forse, era considerato come un grande uomo saggio.

– Vostra Signoria ha messo a posto tutti i disgraziati del circondario; persino gl'imbianchini e gli accalappiacani devono la loro fortuna a lei. Perché non deve provvedere anche alla nostra classe?

– Sarà un'opera altamente morale e sociale – disse l'anziana con enfasi.

La giovine scoppiò a ridere: e fu come lo spaccarsi di una melagrana: risero tutte, in coro, e l'apostolo vide che gli occhi della piccola erano verdebruni come l'agata, e i suoi dentini bianchi e intatti la cosa più pura del mondo.

In breve tempo egli dunque organizzò e rese potente e rispettata la classe delle serve. Le radunò a comizio nel suo giardino, le esortò una per una ad essere solidali e consapevoli dei loro diritti e della loro forza. Così si procurò l'odio e la maldicenza della rispettabile ma disorganizzata classe delle padrone di casa.

Però quando i suoi servi, il giardiniere, la cuoca e la cameriera che lo servivano da secoli, domandarono anch'essi l'aumento della mercede e i giorni di libertà accordati agli altri, rispose che se non erano contenti se ne andassero; ed essi naturalmente rimasero.

Un giorno venne solo la piccola serva, a portare una lettera. Questa volta egli stava nel suo grande studio con le vetrate aperte sul giardino che in quel mattino di giugno pareva, così fitto di rami tremolanti sull'azzurro, di rampicanti, di fiori di corallo, il fondo del mare.

Fatta entrare la ragazza, la squadrò da capo a piedi con disprezzo iroso, poi le domandò:

– Ma sei proprio al servizio tu? E non ti vergogni, allora, di andare vestita così, come una donna perduta?

– È la mia signora che mi regala i suoi vestiti vecchi, – ella rispose umilmente, – perché lo stipendio lo devo dare tutto a mia mamma vedova…

– Basta, basta, sappiamo la storia. E di' alla tua signora, da parte mia, di farsi i vestiti più scuri e più lunghi.

– Sissignore.

– E intanto che scrivo la risposta, va un po' in giardino a prendermi la pipa.

Ella uscì, inciampando sul tappeto; si smarrì nelle stanze attigue, ma non si diede per vinta; saltò da una finestra e corse nel giardino finché trovò il vassoio con le pipe: quale prendere, però? Ricordò che quella da lui adoperata quel giorno della Commissione aveva un piccolo teschio d'argento sulla coppa bruna: la trovò e la prese fra due dita, con un fulgore di gioia negli occhi perversi, come quando si prende una farfalla.

Qualche tempo dopo entrò al servizio in casa dell'apostolo. Disimpegnava ottimamente le sue mansioni di cameriera, svelta, pronta, silenziosa; eppure nessuno si fidava di lei. Il giardiniere specialmente la teneva d'occhio; apriva e chiudeva lui il cancello quando lei usciva, e la frugava con gli occhi fin sotto le vesti.

Il padrone la maltrattava.

– Forse credi di essere entrata nel regno dei cieli? – le diceva. – I beni della terra son tutti radunati qui, sì, ma non fanno per te.

Lei taceva.

Un giorno rovesciò il vassoio con le pipe; egli le si gettò addosso, con una mano le afferrò il ciuffo dei capelli tirandole indietro la testa, con l'altra la schiaffeggiò.

Ella balzò curva qua e là stringendosi fra le palme le guancie come avesse male ai denti, poi andò a fare il suo fagotto, e la cuoca la sentì brontolare:

– L'apostolo! Ammazzalo! Te lo darò io, però, l'apostolato: aspetta, aspetta…

Ma quando fu per andarsene, il giardiniere le disse che aveva ordine dal padrone di non aprire il cancello.

E di saltare i muri non c'era speranza perché altissimi: e sopra vi marciava l'esercito di alabarde della cancellata.

Sette anni ella stette in quella prigione, preparando giorno per giorno la sua conquista. Giorno per giorno prendeva possesso degli oggetti, se non delle persone, e strofinava i mobili con la cura, a volte dispettosa, con cui si ripuliscono i propri figli; e quando rimetteva a posto una sedia diceva: «sta lì», con l'impressione che quella rimanesse ferma al suo posto solo per obbedire a lei.

Il padrone adesso la trattava meglio e le concedeva qualche ora di libertà; ma quando ella rientrava le girava intorno come per sentire l'odore di dove era stata, con una gelosia animale.

S'era molto invecchiato in quegli ultimi anni, il padrone; invecchiava e si annoiava, perché nessuno aveva più bisogno di lui. La gente era tutta felice: tutti guadagnavano e si divertivano; i beni della terra, com'egli diceva, erano alla portata di tutti.

In fondo egli non si curava del prossimo. Divideva l'umanità in costellazioni: stelle fisse, pianeti, poi la via lattea delle folle inferiori. E i grandi astri fermi e felici non sono i re, né i potenti della terra, né i ricchi o i meschini gaudenti: sono gli uomini solitari che non escono di casa e la cui vita si aggira intorno a sé stessa nell'infinito spazio del suo essere.

Egli si credeva uno di questi.

Eppure quando la ragazza che gli preparava il bagno e gli stirava le camicie, gli annunziò che doveva sposarsi, provò un senso di smarrimento. Dove trovarne un'altra come lei, fidata, sottomessa anche alle botte, forte e silenziosa?

Eppoi non era solo questo: era una rabbia gelosa al pensiero che l'ultimo dei servi poteva godersi quella giovinezza in fiore, quel bene della terra, mentre lui, che doveva appena stendere la mano per coglierlo come un frutto del suo giardino, se lo lasciava portar via idiotamente.

Allora furono proposte e controproposte: offerte di denaro e d'altro. Ella non cedeva. Il suo bene non era da cedersi così, per poco. Più lei resisteva, più il vecchio s'infuriava; finché le propose di sposarla lui.

E fu così che il vecchio giardiniere assisté un giorno ad una scena straordinaria.

Il padrone stava seduto a fumare la pipa allo stesso posto dove un giorno aveva ricevuto la Commissione delle serve. Fumava, ma non più la Favorita dal teschio d'argento; non più da qualche tempo la Favorita: le provava tutte, le sue pipe, e di tutte sembrava scontento.

Ed ecco apparire in fondo al viale e avanzarsi rapida e concitata la giovane moglie. Anche lei era sempre concitata, dacché stringeva in pugno la fortuna: non lavorava più, ma neppure godeva come prima le ore di libertà, e il giardiniere aveva ordine dal padrone di tener più che mai chiuso il cancello.

Passando ella lo guardò coi suoi occhi verdastri annegati in una tristezza velenosa, ed egli ammiccò alle sue forbici da potare.

– Ben ti sta, ben ti sta: hai tessuta la tua ragnatela per sette anni, e lo stupido moscone vi è caduto dentro: goditelo, adesso, con la sua puzza di pipa e di vecchiume; goditelo bene, coi suoi denti neri che cadono quando ti bacia, e con tutto il resto.

Ella sente, si fa rossa di stizza, e va dritta verso il vecchio sposo dicendogli qualche cosa sottovoce. Che cosa gli chiede? Forse di mandar via il giardiniere, o d'impedirgli almeno di pensare come pensa.

L'uomo non risponde; continua a fumare rassegnato, prudente. Anche lei non grida, ma si agita convulsa, e d'un tratto sporge le mani con le unghie adunche, come il gatto infuriato: ed egli, che s'è già tolto la pipa di bocca nascondendola in tasca per salvarla da un pericolo imminente, si ritrae un po' smarrito guardandosi intorno non per paura di sé, ma che qualcuno veda.

Il giardiniere infatti accorreva, istintivamente, non sapeva se per spirito di solidarietà o di avversione, se per difendere o deridere il padrone.

La sua presenza non fece che inasprire la donna. Con una mano afferrò sulla nuca i capelli del marito, con l'altra lo schiaffeggiò sulla guancia sinistra. Poi, dritta e possente, aspettò che il suo nemico si avvicinasse, per fare altrettanto con lui.

IL TORO

L'appuntamento era alle sei, ma fin dalle cinque la donna, avida e impaziente come sono le donne, era pronta per uscire. Uscì, poi tornò indietro per indossare la sua giacca a maglia di seta rossa che però lasciò molto aperta sul petto nudo velato dalla patina bronzina che dà il sole marino.

L'aria s'era improvvisamente rinfrescata, e lei amava molto la sua salute e la sua persona: quando fu nel viale tutto brividi e luccichi, si pentì di non aver preso anche la sciarpa per velarsi la testa; ma le pareva di aver già fatto tardi, aveva paura d'incontrare qualcuno che le facesse perdere altro tempo e andò avanti. Il vento passava di sopra i grandi platani, e non la molestò finché il viale non si restrinse in una strada campestre che pareva un argine, alta fra le vigne che scendono al mare. Lassù il vento giocava a suo piacere coi giovani pioppi radi e con l'avena che cresceva lungo i solchi della strada: d'un tratto parve accorgersi della donna e la investì, le scompigliò i capelli: cosa che cominciò a irritarla e farla ragionare. Sapeva benissimo dove andava e perché andava: ed ecco che d'improvviso, come se l'aria fresca e il vento dispettoso le schiarissero meglio le idee, si sentì quasi offesa di tutte quelle precauzioni prese più dall'uomo che da lei, di incontrarsi in un punto lontano, di passare per diverse strade, loro che cento volte erano andati assieme, con la libertà che concede la vita all'aperto dei villeggianti, soli per quelle medesime strade, senza preoccuparsi di nessuno, arrivando felicemente a quello stesso punto e più oltre ancora, e tornando non meno felicemente indietro.

Ma è che allora non si fermavano; mentre adesso l'intesa tacita di entrambi era di fermarsi.

Forse però anche lui a quell'ora risaliva la strada sabbiosa che dal mare va su tra le vigne e s'incrocia con quella che lei percorreva in compagnia del vento molesto. Questa speranza le fece allungare il passo: e il vento allora la perseguitò di più, come credendosi sfuggito da lei; le gonfiò le vesti di velo sino a farne una iridata bolla di sapone, e sopratutto le rovinò l'edifizio dei capelli lasciando intravedere ciò che vi era di falso e scoprendo i fili d'argento nascosti come raggi di luna fra le nuvole di notte.

Ella arrivò quasi a fatica al crocicchio: guardò a destra, guardò a sinistra; a sinistra sfavillava il mare, a destra si stende- va un'altra strada erbosa e alberata, quieta tra vigne e campi so- litari. Nessuno. Il rumore del vento fra gli alberi rispondeva solo al mormorio del mare e al battito del cuore di lei.

Ella volse a destra, passando dalla parte soleggiata della strada perché aveva quasi freddo. Il vento adesso la lasciava in pace, di nuovo occupato con le fitte chiome delle robinie che riparavano la strada: ed essa camminava piano, un po' umiliata di non aver trovato l'uomo ad incontrarla e di arrivare la prima al convegno.

In fondo sentiva che il suo stato d'animo non corrisponde- va a quell'impeto cieco di passione che avrebbe dovuto so- spingerla e farla felice della sua impazienza, della sua umiltà, dei piccoli contrasti che attraversava: e questo l'umiliava di più.

Ogni tanto si volgeva indietro: sedette sul parapetto del ponte sul fosso e aspettò. Passavano donne in bicicletta, rapi- de, sfiorando l'erba come rondini; passarono carretti guidati da donne che frustavano i cavalli e li aizzavano con voce virile: una fumava la pipa. Pareva un paese abitato da sole donne che pensavano a tutto fuor che all'amore.

L'uomo non si vedeva. E se era già al posto del convegno? Ella balzò, riprese subito la strada, arrivò un quarto d'ora prima al posto del convegno. Il luogo era solitario: pittoresco ma soli- tario. Era un boschetto di pioppi in fondo a un prato, dove le vigne terminavano e cominciava la landa coi suoi pascoli magri e l'orizzonte segnato dalle rughe tristi delle risaie.

Fra le colonne dei pioppi si vedevano nel prato i cavalli e le vacche al pascolo; e l'erba era così fina che invitava, a toccarla.

Ma l'uomo non si vedeva. Ella tornò indietro fino alla stra- da, e si fermò sull'angolo fra questa e il prato. Il sole la illumi- nava, dava un bagliore infocato alla sua giacca.

E d'un tratto ella si accorse con terrore che un toro grande e pesante, d'un biancore roseo di carne umana, veniva verso di lei a testa bassa, senza guardarla, abbagliato dal colore della sua veste.

Finché lei stette tranquilla anche lui si avanzò tranquillo: pareva più che altro spinto dalla curiosità; ma fu un attimo; ella si mise a correre e la bestia muggì potentemente, di corsa dietro di lei.

Risposero altri muggiti, rauchi, profondi. Ella ebbe l'impressione di esser inseguita da tutta la mandria; vide rosso anche lei, e invece di correre per la strada, dove avrebbe potuto salvarsi dietro qualche cancello, andò verso il boschetto. Forse sperava istintivamente che l'uomo, laggiù, l'aiutasse: non sapeva; non aveva neppure la forza di gridare: solo, sentiva alle spalle la bestia, coi suoi boati di mostro marino, e le sembrava di nuotare, di perder forza, di annegare.

Ecco, è nel boschetto; inciampa in un ramo, cade, si rialza di volo e riprende la corsa: ma la bestia ha guadagnato terreno, e adesso lei ne sente davvero a poca distanza il galoppo pesante e il soffio feroce: e i fianchi e le viscere le tremano come già penetrati dalle corna del mostro.

Allora cominciò a urlare: ma chi poteva sentirla?

– Dio, Dio!

Dio forse la sentì. All'estremità del pioppeto, dove questo era stato diradato, ella andò a sbattersi, quasi senza vederla, nella baracca dei taglialegna: la porticina s'aprì in fretta, con pietà e con terrore; ella fu dentro, annaspò, riuscì a chiudere. Era tempo. La bestia era là, dietro la porticina che ne sosteneva eroicamente l'urto ma ne tremava tutta. Legno e donna erano un solo tremito e si stringevano l'uno all'altra per combinare un po' di resistenza; ma la donna sentiva ch'era questione di poco se Dio non l'aiutava.

Ella credeva in Dio.

– Dio mio, Dio mio, eppure mi sono dimenticata di tutto; e sono venuta qui per peccare, per tradire, spinta solo dall'ozio e da questa miserabile carne...

Fuori il toro spingeva e muggiva. La porticina, come disingannata dalla confessione cruda della donna, cadeva, stanca. La fragile serratura si schiodò...

La donna ricominciò a urlare, chiedendo aiuto; ma si sentiva andare a fondo come l'annegato.

Uno sparo scoppiò di fuori, e la palla arrivò fischiando, sicura del fatto suo. La bestia cadde pesantemente come sgarrettata: e anche la donna si lasciò andar giù, senza sensi.

L'uomo dovette anche pagare un forte indennizzo al mandriano accorso poco dopo; tuttavia la sua amica non andò più a spasso con lui.

LA MADONNINA DEGLI INVOLTI

Era una bella notte di luna dell'agosto scorso. Stavo seduta sulla banchina in cima al molo, in colloquio col mare, e mi annoiavo. A lungo andare anche col mare ci si è detto tutto, e viene un momento in cui la voce di un uomo sembra più potente e tumultuosa di quella delle onde agitate.

Cosa non parve poi a me la voce di due giovani che vennero a sedersi sull'estremità della banchina, poco distante da me, e cominciarono a parlare il mio dialetto?

Eppure la Sardegna è di là del mare, lontana quanto i due uomini che parlano la nostra lingua sono lontani dall'immaginarsi che la signora seduta accanto a loro possa capire quello che essi dicono.

Erano due umili guardie di finanza, ma per me in quel momento rappresentavano due ragguardevoli personaggi; e cominciai ad ascoltarli come dalla platea di un teatro si ascoltano due grandi attori in una scena importante.

A dire il vero sul principio la loro conversazione non offrì gran che d'interessante: uno di essi, il più giovane, doveva essere stato fuori perché domandava se nulla di nuovo era accaduto in caserma in tutti quei giorni; l'altro raccontava di un conflitto tra fascisti e comunisti, avvenuto nella piazza del paese, e al quale in mancanza di altra forza erano intervenute le guardie di finanza: la cosa però non interessava nessuno dei due: nessuno dei due si scaldava per la politica, né per i fatti locali; erano come estranei, lontani, e il più vecchio, quello che aveva assistito ai tumulti, ne parlava con indifferenza.

Poi raccontò con più vivacità una caccia al delfino: tre di questi spensierati animali s'erano spinti giocando fino alla palizzata del molo e uno rimase colpito dalla palla di una guardia di finanza. Ma neppure quest'avventura interessava il giovine che fischiettava e pareva tutto raccolto in un suo meditare piacevole. D'un tratto si alzò e si mise a ridere, piano, come fosse solo e ricordasse qualche cosa di molto allegro: una barca senza vele, con dentro alcune figure nere, attraversava la zona luminosa dove il riflesso della luna metteva un subbuglio d'argento, e quando si fu allontanata egli rise più forte e imprecò, poi si rimise a sedere, sempre col fucile abbracciato, e disse, con la sua voce bassa, un po' sorda, lenta e sarcastica:

– La vedi quella barca? Mi fa ridere, e ridere più che altro di me stesso, perché mi ricorda un'avventura che mi è capitata giorni fa. Veramente giorni fa è stato l'epilogo; la storia risale allo scorso anno. Lo scorso anno, tu ancora non eri qui, io guardavo la serva del maresciallo; e lei ci stava, e come ci stava, *balla chi l'isconchet*, e ancora ci starebbe, se non fossi io lo scottato. Ma, disgraziati noi, che per amore della divisa dobbiamo conservare la nostra castità come i cavalieri di Malta. Ebbene, il maresciallo mi avverte che il regolamento vieta alle guardie di finanza di fare all'amore, almeno in pubblico. La verità è che lui aveva paura di perdere la serva e di non trovarne un'altra. Bene, dico io, obbedisco; ma la ragazza mi veniva appresso lei; finché il maresciallo mi avverte una seconda, una terza volta; alla quarta mi manda alla caserma di disciplina a Porto Molle. Porto Molle? Maledetto chi l'ha inventato, porto duro, dico io: non c'è che la caserma, laggiù, e pietre e scogli per terra e per mare. Nella caserma siamo in quattro uomini e un gatto, abbandonati da Dio e dal prossimo, e non c'è altro da fare che sbadigliare, perché se un tempo il luogo era preferito dai contrabbandieri, adesso che si sa della rigorosa sorveglianza, la tranquillità è perfetta.

Noi guardie si passeggia su e giù tutto il giorno per la spiaggia come impiegati in pensione, e il brigadiere ci permette, quando non siamo di servizio, di giocare alle carte e di bere. Le bottiglie, anzi, le fornisce lui, che le fa pagare tre volte il costo; ma insomma sono sempre gradite, e noi gliene facciamo anche parte.

Ed ecco a rompere la monotonia della situazione si presenta una donna. Accidenti alle donne. Chi è, Sant'Agostino? che dice: dove non c'è il diavolo lo sostituisce la donna. Questa, in fede mia, sembrava una santa. Veniva con la scusa di venderci del pesce, e non sollevava neppure gli occhi a guardarci. Era alta, scalza, bruna come la Madonna; e noi non osavamo neppure scherzare con lei, sebbene il brigadiere ogni volta che la vedeva arrivare gonfiasse le guance e si arricciasse i baffoni sogghignando… Un giorno la vedo lungo la spiaggia, con un involto in mano: cammina rapida come una cerbiatta, in modo che stento a raggiungerla. Sulle prime cerca di sfuggirmi e non risponde neppure alle mie domande; poi comincia a parlare e non la smette più: mi racconta una storia tragica del padre e di un fratello di lui che avevano una barca in comune e non andavano d'accordo e una notte partirono per la pesca e né la barca né il padre ritornarono più; e che lei, adesso, vive sola col nonno, un vecchio pescatore che manda lei a vendere il pesce per ricavare più soldi, e guai a lei se non lo vende bene. E sospira e sospira, ma continua a camminare rapida come spinta dal vento, finché arriviamo a un punto della spiaggia in direzione al quale, in mezzo a una distesa di tamerici, c'è una capanna che tante volte io ho veduto ed esplorato senza mai trovarci niente. La ragazza mi dice che la capanna appartiene al nonno, e vi si dirige, e io, mammalucco, la seguo: e stiamo lì ancora un po' seduti a chiacchierare, finché mi accorgo che è quasi sera e mi scuoto trasognato.

Che cos'abbia questa ragazza io non so; è come si beva un filtro, quando si sta con lei: sento che se lei volesse mi farebbe disertare.

E non si lascia dare neppure un bacio, ma promette di tornare il giorno dopo e appresso.

E il giorno dopo e appresso sono sempre dietro di lei come un cagnolino, e non mi dò riguardo, tanto in disciplina per amore ci sono già. Il guaio è che a gironzare intorno alla capanna non sono io solo; vedo dei ragazzacci scalzi e anche qualche giovanotto; ma lei giura che non li conosce neppure, che vuol bene solo a me, ed io le credo ciecamente. Per un mese abbiamo fatto all'amore, or sulla spiaggia come gabbiani, or nella capanna come lepri; io ero disposto a sposarla, a ritirarmi dal servizio, e lei prometteva sempre di condurmi dal nonno per la domanda di matrimonio; ma aveva paura, diceva lei, perché il vecchio si serviva di lei come di una schiava e la mandava persino a raccattar legna e a portare grossi pacchi di roba a un suo fratello che stava giù dopo il fiume: infatti la vedevo sempre, quando però non veniva in caserma per il pesce, con involti e involtini, preoccupata e ansante, e, oltre all'amore, provavo pietà di lei. Le ho fatto molti regali, anche di valore, l'ho vestita da capo a piedi come una mendicante che era.

Un giorno mancò all'appuntamento: aspetta, aspetta, non viene più. Ho paura che sia malata e la vado a cercare: il nonno, un gran vecchio selvatico, mala fata lo porti, mi accoglie col bastone alzato, urlando che la nipote l'ho fatta fuggire io: accorre gente e per poco non mi ammazzano a colpi di pietra. Il mio dolore, sì, proprio dolore, è tale che i miei compagni non osano beffarsi di me e il brigadiere mi raccomanda al maresciallo perché mi richiami dalla disciplina.

E il maresciallo non ha da pentirsi della sua clemenza perché io la sua serva, in fede mia, né altre donne cristiane né ebree né turche guardo più in faccia. Anzi denunzio apertamente i compagni quando so che vanno appresso a qualche maledetta gonnella.

E divento così serio e attaccato al mio servizio che il maresciallo mi onora di tutta la sua fiducia, tanto che due settimane or sono mi manda in ispezione alla stessa caserma dove sono stato in disciplina.

Nella caserma le cose non vanno più come prima: il brigadiere beve e trascura il servizio, per farsi trasferire, dice lui; figurati se gli altri seguono il suo esempio! La costa è perfettamente abbandonata; e la sera stessa del mio arrivo riesco a prendere un piccolo contrabbandiere con un sacco di paglia con dentro tante bottiglie di spirito.

Naturalmente ero curioso di sapere qualche cosa della ragazza; ma in caserma non era più riapparsa e nessuno ne sapeva niente. Una sera però, sabato scorso, mentre io e un compagno eravamo di servizio lungo la spiaggia, ecco che vedo una barca in mare, in piena luna, come quella che abbiamo veduto poco fa.

I miei occhi, per quanto buoni, m'ingannano, o la capigliatura a torre di una donna seduta a prua è quella della mia sirena stracciona?

Istintivamente tiro indietro il compagno e ci nascondiamo dietro la capanna abbandonata: anche di là vedo benissimo la barca, che tende ad avvicinarsi a riva. È una barca da passeggio, con dentro alcuni uomini, oltre la donna, che suonano il mandolino e ridono e cantano: e dopo un poco si avvicina a una specie di banchina costrutta fra le pietre, e la donna e un giovine scendono.

Scendono e vengono proprio verso di noi, ridendo, parlando ad alta voce e scherzando. Se ti dicessi che il cuore mi stava fermo direi cosa non giusta; mi batteva, ma di rabbia e per un subito pensiero di vendetta: perché è proprio lei, la madonnina degli involti, vestita bene, con le calze di seta e le scarpine scollate: ed è incinta grossa.

S'è sposata? È il marito o l'amante il mammalucco che la segue? Non so niente: so che voglio pigliarmi un gusto, spaventarla e svergognarla.

Tiro su il compagno, ci alziamo come banditi dalla macchia, col fucile spianato, e fermiamo la coppia. A dire il vero nel riconoscermi la ragazza rimase male.

– Signori – dico io – mi spiace ma dobbiamo perquisirli.

– Perché? – strillano.

– Perché è nostro dovere.

– Mi perquisiscano pure finché vogliono – dice il mammalucco; – ma la signorina non deve essere toccata; o se mai dev'essere perquisita da una donna.

– La signorina mi conosce: non è la prima volta che la perquisisco – dico io con calma. – E basta con le chiacchiere. Del resto nessuno vi tocca: spogliatevi da voi.

L'uomo si spogliò, rovesciò le tasche, si scosse la camicia: cercava di farci ridere, ma senza riuscirci.

– E lei? – dico alla ragazza che rimaneva ferma e pensierosa.

E d'un tratto ella mi guardò negli occhi e sghignazzò:

– Non mi hai perquisito bene, le altre volte – disse slacciandosi la veste. E intorno ai suoi piedi cadde una muraglia di pacchi e pacchettini: tutta roba di contrabbando.

VERTICE

Appena arrivati al paesetto alpestre, i due stranieri non più giovani ma ancora vigorosi, che dovevano essere marito e moglie, o forse anche fratello e sorella poiché si rassomigliavano, chiesero se si poteva fare subito la salita alla cima della montagna.

La guida era sempre lì pronta, con quanto occorreva; si partì dunque subito: dieci ore di salita, ed ecco al riparo dell'immenso macigno che è come il cappuccio del monte, il Rifugio dove i viaggiatori entrarono con piacere perché già cominciava a soffiare il vento.

Nulla manca nella solida cameretta che resiste alla persecuzione folle del vento e alle intemperie invernali; i letti addossati alle pareti, l'uno sopra l'altro come nelle cabine dei piroscafi; le panche, la tavola, le stoviglie; e come l'altare nella chiesa, il camino profondo nella cui canna il vento già suona appunto una grave musica d'organo.

Sebbene di piena estate faceva freddo. La guida però aveva portato due buone coperte di lana, e la signora ammise che erano più utili del vasetto per fiori che lei teneva, assieme con una corda, nella sua borsa: tanto più che i fiori si lasciavano sognare, e non c'era pericolo di arrischiare la vita con l'andare a raccoglierli sulle cime.

Le cime erano tutte nude, di roccia nera, ma del nero brillantato dello schisto che al riflesso ultimo del tramonto prendeva il cupo tono rosato della brage che lentamente si carbonizza: solo qualche felce agitava le sue grandi mani verdi nei nascondigli dove il vento non riusciva a divorare la terra.

Eppure, senza fiori, senza erba, senz'alberi, si aveva l'impressione di una ineffabile primavera: quella primavera di febbraio, nuda, nuova, piena di promesse. La neve si scioglieva nei burroni, e se ne sentiva l'odore. La guida accese il fuoco nel camino e arrostì la coscia di capretto portata dal paese; c'era anche il vino, e i viaggiatori si ristorarono completamente. Ma il vento cresceva, sempre più incessante, come rabbiosamente destato e irritato dalla presenza degli uomini nel suo dominio;

e il freddo, anche, si faceva intenso; non c'era dunque che d'andarsene a letto e aspettare l'alba.

– Di solito all'alba il vento cessa e vien su una bellissima giornata – disse la guida chiudendo la porta col catenaccio.

– C'è pericolo dei ladri? – domandò la signora, che parlava poco e non rideva mai.

– Non se n'è mai visti; la montagna è completamente disabitata e la salita, come abbiamo veduto, non è facile: ad ogni modo per stanotte certo non verranno.

– Eppoi anche se vengono! – esclamò l'uomo, con un sorriso ironico, toccandosi le saccoccie; ma a un rapido sguardo della donna aggiunse gravemente: – Ci sapremo anche difendere.

E trasse la rivoltella, che depose sulla tavola. Ed ecco subito qualcuno batté alla porta.

La donna trasalì.

– Niente paura – esclamò la guida. So ben io di che si tratta.

E riaprì la porta bestemmiando. Non c'era davvero da intimorirsi; un ragazzino pallido vestito di stracci e con un gran berretto a visiera forse perduto da qualche escursionista, stava davanti alla porta, e guardò la guida con due occhi scuri, fissi, che imploravano ma non speravano. Infatti, gli fu subito minacciosamente indicato di andarsene. Invece di obbedire, egli volse agli stranieri, che s'erano avvicinati curiosi, i suoi tristi occhi di animale addomesticato, e, poiché la guida accennava a chiuder la porta, mise la sua manina giallognola e adunca sul legno dello stipite, deciso a farsela schiacciare; e tremava tutto, di freddo, di paura, ma esagerando.

– Chi è? – domandò la donna.

– Ma è la mia croce, signora! È un idiota, sordo muto, che viene sempre appresso quando si fa qualche gita, per chiedere l'elemosina.

– E fatelo entrare – disse l'uomo.

– Mai più. È pieno di pidocchi, e se si attacca non lascia più in pace. Vattene! – urlò, strappandogli la mano dallo stipite.

– Non permetterò mai una crudeltà simile, – disse l'uomo con forza, – lasciatelo entrare; la notte è troppo brutta per scacciare così una creatura di Dio.

– Ma non dubiti, ci ha il suo covo, più riparato di questo

rifugio: sa tutti i buchi della montagna. Adesso gli dò un pezzo di pane, e basta.

Mentre però egli andava verso la tavola per prendere il pane, lo straniero fece cenno al ragazzo di entrare e richiuse la porta. La guida non nascose la sua contrarietà: ma non osò insistere; gettò il pezzo del pane al ragazzo come ad un cane e come ad un cane gli accennò di accucciarsi nell'angolo dietro la porta, e di non muoversi più. Il ragazzo però si sentiva protetto; scivolava con le spalle contro la parete tentando di avvicinarsi al camino, e morsicando il pane non cessava di fissare gli occhi dello straniero. Ed erano occhi quali egli non ne aveva veduto mai: di un azzurro luminoso, dolci e pietosi come quelli di Gesù.

La donna, invece, dopo il primo impeto di curiosità più che d'altro, pareva anche lei un poco ostile: e anche i suoi occhi erano azzurri, ma freddi e tristi come il cielo di quella notte lassù.

– Domani mi pagherai tutto – disse la guida con gesti minacciosi, mentre lo straniero gli si metteva davanti in modo che il ragazzo raggiunse il suo intento, ch'era quello di accucciarsi nell'angolo del camino: una volta lì non si mosse più; rosicchiava il pane, e adesso i suoi occhi fissavano il fuoco, e pareva che di null'altro al mondo gl'importasse.

Tutta la notte il vento soffiò con ira implacabile, sbattendosi come uno spirito maligno contro le pietre del rifugio: pareva volesse a tutti i costi scovare gli uomini lì nascosti e buttarli giù nei burroni della montagna.

Mentre la guida russava come fosse a casa sua, lo straniero non poteva chiuder occhio; di tanto in tanto sollevava la testa e guardava se il ragazzo era lì: era lì, raggomitolato nel cerchio della sua ombra, e dormiva profondamente. E lo straniero lo invidiava. Poi il fuoco si spense, e il sonno, unico bene della terra che non inganna, scese anche sul rifugio tormentato.

Allo svegliarsi, fu uno stupore profondo, quasi l'illusione di un sogno. Il vento era completamente cessato: il sole illuminava le pareti del rifugio con un chiarore iridescente, e il cielo era vicino, lì sulla porta, d'un azzurro vivo, netto, che pareva non avesse mai conosciuto la macchia delle nuvole.

Affacciandosi alla porta si vedevano le valli e le falde della montagna allagate di nebbia chiara e ondulante, talché pareva di essere in un'isola deserta; e il silenzio infinito, e la purezza dell'aria davano un senso di leggerezza, di libertà.

Gli stranieri si mostrarono talmente presi dalla bellezza del luogo, che espressero il desiderio di restarci qualche giorno. Mancavano però i viveri: allora fu proposto alla guida di ritornare al paesetto e risalire con altre provviste: sarebbero ridiscesi poi tutti assieme; per persuaderlo gli fu offerta l'anticipazione del compenso e di quanto altro occorreva; e sebbene protestando egli finì con l'accettare.

Il ragazzo, intanto, era scivolato fuori del rifugio, e aspettava, addossato al muro, senza mai perdere d'occhio lo straniero. E lo straniero a sua volta badava a che la guida non mantenesse le minacce della sera prima: però cominciava a infastidirsi anche lui: trasse un pugno di monetine dalla tasca dei pantaloni e accennò al ragazzo di avvicinarsi, anzi gli andò incontro e gliele diede ma indicandogli bonariamente di andarsene.

E quello obbedì subito, balzando di roccia in roccia coi suoi stracci all'aria come le piume selvagge di un nibbiotto.

Rimasti soli, i due sedettero sulla panchina di pietra accanto alla porta del rifugio, e l'uomo prese la mano della donna.

Ella trasalì, come quando aveva sentito bussare alla porta, e la sua vibrazione si comunicò all'uomo; tremarono entrambi, per un attimo, come gli anelli d'una stessa catena, poi l'uno cercò di nascondere il proprio turbamento all'altro, e la vibrazione cessò.

Non si guardavano; non pronunziarono una parola.

La nebbia si diradava ai loro piedi e il panorama si denudava, con le sue vaste ondulazioni grigie e verdi, fino al limite argenteo del mare; ma essi non guardavano più nulla: e anche il viso dell'uomo, privo del suo sorriso, aveva qualche cosa di freddo, di rigido, come quello di un morto.

D'un tratto egli si alzò e andò in fondo al breve spazio davanti al rifugio; guardò in su, cercando il passaggio che portava all'estremo vertice del monte, poi tornò verso la compagna.

Anche lei si alzò: prese la corda che aveva deposto sulla panchina, e seguì l'uomo che la precedeva a testa bassa.

Camminavano senza affrettarsi, badando bene dove posavano i piedi. La salita era ripida ma non difficile: lo schisto brillava e mandava odore di metallo.

D'un tratto, dove il sentiero spariva per lasciare ai viaggiatori il rischio di arrampicarsi su una specie di scaletta naturale, l'uomo si fermò per lasciar passare la donna avanti. Ella sollevò lievemente le spalle; non le importava del pericolo, tuttavia passò avanti e continuò la salita senza mai piegarsi né avanti né indietro.

Una piccola piattaforma circolare formava il vertice della cima; la pietra sembrava levigata dal vento e dava quasi un senso di paura a guardarla; bisognava guardare lontano, per non perdere l'equilibrio, l'attaccamento alla terra che sostiene in piedi.

Una parete a picco, spaventosamente profonda scivolava giù a nord, dentro un abisso dal quale saliva un alito gelido che sembrava il respiro stesso della morte; e fu appunto verso questo limite che i due s'avvicinarono.

La donna svolse lentamente la corda e se la passò intorno alla vita, poi mentre con una mano ne teneva ferma un'estremità porse l'altra all'uomo; egli fece un cenno vago, per significare forse che tutto era inutile, oramai, che erano bene uniti per l'eternità anche se i loro corpi andavano dispersi lontano l'uno dall'altro; tuttavia prese la corda e se la passò anche lui intorno alla vita.

La donna la riprese, ma mentre stava per annodarla trasalì una terza volta.

Due zampe come d'aquila, prima l'una poi l'altra, si ficcarono sull'orlo ad ovest della piattaforma; poi apparve il berretto, poi la testa del ragazzo: e d'un balzo egli fu accanto ai viaggiatori, sicuro e dritto come nella piazza del paesetto.

Non si preoccupò nel vederli legati: di solito i viaggiatori paurosi facevano altrettanto: solo si guardò attorno per assicurarsi che non c'era la guida.

Allora accennò all'uomo di seguirlo, e alla donna di star lì ad aspettare; e come nessuno dei due gli dava retta, trasse di tasca una pietra sfaccettata, brillante e pesante, e la porse all'uomo.

L'uomo la guardò e i suoi occhi parvero rifletterne le scintille.

– Questo è argento; dove l'hai preso?

Il ragazzo accennò ancora di seguirlo; e la donna disse:

– Va, ti aspetterò qui.

Quanto tempo aspettò non seppe mai. S'era accucciata per terra, come il ragazzo davanti al fuoco, e si sentiva circondata di tutto l'azzurro dei sogni della fanciullezza.

Finalmente l'uomo riapparve, si buttò accanto a lei un po' anelante.

– Si tratta proprio di un giacimento argentifero, di metallo allo stato quasi puro – disse. – Il ragazzo afferma che nessuno lo sa, che non c'è proprietario; che posso essere io il padrone. In tutti i modi, capisci sarebbe la salvezza dalla nostra rovina, dal disonore... dalla morte... – aggiunse senza voce.

– Tu lo meritavi – ella disse con semplicità.

DIO E IL DIAVOLO

Il paese è povero perché i suoi abitanti sono tutti sognatori e solitari, o gli abitanti sono solitari e sognatori perché il paese è povero?

Bisogna dire che questo paese giace – è la parola adatta – in fondo a una valle arida e nuda, come un bambino rachitico nella sua culla.

D'inverno l'ombra, d'estate un sole terribile a picco; e d'estate e d'inverno un'aria ferma, afosa, un cielo basso attaccato come un velo ai culmini rocciosi della valle, lo coprono d'incubi.

Il vento lo si ode solamente di lontano, in alto, come sopra una fitta foresta, ed è questo mormorio quasi misterioso, questa voce che pare quella del mondo sconosciuto, che fa sopratutto sognare, come l'organo in chiesa.

E in chiesa vanno volentieri questi poveri valligiani che credono in Dio; e specialmente ci vanno le donne, che al solito sono l'esagerazione dei maschi e se questi sognano e amano star soli, esse sono fantastiche e ipocondriache, pure conservando nella vita di ogni ora uno spirito pratico e minuzioso che le porta ad industriarsi in tanti modi e ad accumulare denari più che gli uomini.

A differenza degli altri paesetti solitari dove il canto in chiesa è una specie di sfogo, un lamento, una richiesta e uno slancio della comunità verso Dio, qui la preghiera è silenziosa: ciascuno domanda per conto suo; e tutti ascoltano l'organo come la voce lontana del vento, come la promessa di un mondo migliore.

Le donne piangono in silenzio, gli uomini si sentono come ubriachi quando tutto loro pare chiaro e facile e la verità galleggia sopra la menzogna.

Appunto nell'ascoltare l'organo che accompagnava il *Te Deum*, l'ultima sera dell'anno, il figlio della fattucchiera si sentì d'un tratto diverso di quello ch'era stato finora. Finora era stato un ragazzo incosciente e disgraziato; bastardo, figlio di quella madre, incapace di un lavoro serio e continuo.

Aveva tentato tutti i mestieri o meglio era stato apprendista presso tutti i *maestri*, dal maestro di carri al maestro di muri, da quello di ferro a quello di legno, senza fermarsi da nessuno e senza concludere niente.

Adesso si sentiva d'un tratto capace di fare tutte quelle cose assieme, fuori del paese però, in un luogo aperto dove si potesse respirare e dove nessuno conoscesse il suo vero nome e il mestiere di sua madre.

In fondo egli non disprezzava sua madre: dopo tutto ella sfruttava in buona fede la credulità del prossimo per campare, lei e il figlio, ed era sempre malaticcia, spesso assalita da convulsioni durante le quali diceva parole strane; cosa che appunto le aveva procurato i primi consulti e i primi successi di veggente: e anche lei non si vergognava del suo mestiere.

Il guaio è che era la gente a vergognarsi di consultarla: tutti la consultavano e avevano bisogno di lei come dell'acqua, ma nessuno la riceveva in casa propria, e se l'avessero veduta in chiesa l'avrebbero cacciata via a colpi di pietra.

Anche il figlio era guardato in cagnesco, e anche lui a volte sentiva la voglia di mordere i clienti di sua madre.

Quella sera no: quella sera il popolo cantava insolitamente in coro, ringraziando Dio per aver passato bene o male l'anno.

Bene o male, finché si è vivi tutto ancora è bello.

E anche lui cantava, e d'improvviso, si sentiva alto, sano, con una misteriosa gioia in cuore: sentiva i piedi forti entro le scarpe nuove che la madre gli aveva comprato il giorno avanti, e le gambe agili, e le ginocchia come ruote unte: e una smania di andare, di salire la valle, di trovare il vento.

I suoi capelli folti e lunghi avevano bisogno del vento, la sua bocca grande e i denti forti volevano masticare qualche cosa che non fosse il pane della fattucchiera, e finalmente le sue pupille nere circondate d'oro e d'azzurro avevano bisogno di vedere l'orizzonte che vede l'aquila dal vertice dei monti.

E anche lui ringraziava Dio che gli slacciava il cuore da troppo tempo stretto dal dolore.

– Mamma, – disse appena rientrato a casa, – io parto.
– Parti? E dove vai?
– Vado in cerca di fortuna.

Ella preparava la cena, nella piccola cucina ordinata e pulita che non ricordava per nulla la casa della strega o l'antro della Sibilla. E anche lei era una donnina pulita che di dietro, per il gran nodo di capelli neri e l'esile nuca pareva una fanciulla, e davanti per i capelli grigi e il viso emaciato una vecchia sofferente.

Non rispose subito alle parole del figlio: ed egli non si preoccupò per l'indifferenza di lei. Di solito erano di poche parole tutti e due, e non si confidavano mai l'uno con l'altro: se egli però in quel momento avesse potuto intendere il pensiero di lei si sarebbe forse turbato.

Ella sapeva che cosa vuol dire andare in cerca di fortuna, per uno che come suo figlio non era mai uscito dal paese e non aveva un mestiere fisso e denari in saccoccia e, quel che più vale, nessuna esperienza del mondo: voleva dire perdersi, abbandonarsi al vento come la foglia che si stacca dal ramo.

E lei non voleva, no. Lei s'era data alle pratiche del diavolo per far vivere bene il figlio; e il diavolo adesso, quasi non gli bastasse l'anima di lei, glielo voleva prendere vivo. Ma si poteva venire a patti, col diavolo; ella farebbe quello che aveva giurato a sé stessa di non far mai, né in bene né in male, per il figlio: una *fattura* che gl'impedisse di partire.

Ecco perché taceva: era una donna che non sapeva fingere, ma aveva la terribile forza del silenzio; e dall'accento del giovine e specialmente dall'espressione mutata del suo viso capiva che era inutile combattere con le parole.

– Vai in cerca di fortuna, – disse infine, apparecchiando la piccola tavola di cucina; – e dove vai?

Egli cominciò a parlare; e non si accorgeva che intanto la madre lo ingozzava più del solito, e dava tutto a lui, che ne era ghiotto, il fegato di maiale, regalo di una sua cliente; e tutto a lui il formaggio cotto, e il vino che piaceva anche a lei.

Ma a sua volta, con tutta la sua esperienza umana e sovrumana, ella non si accorgeva che più il ragazzo era soddisfatto, più i suoi progetti avventurosi prendevano forza.

Fra le altre cose, per convincerla a lasciarlo partire, egli portava ad esempio il solo uomo del paese che s'era arricchito perché aveva il coraggio di muoversi: era un negoziante di bestiame, uno che dal nulla s'era fatto signore e sposava le figlie a nobili e impiegati.

E i lobi delle orecchie gli si facevano rossi come ciliegie, parlando di quest'uomo, perché pensava alla sua figlia più giovane, con un sentimento che non osava neppure esaminare.

La madre lo ascoltava con pazienza, ma sogghignava fra di sé: perché lei sola sapeva chi era e da che cosa proveniva la fortuna di quell'uomo.

Quando si convinse che il figlio era deciso a partire, a derubarla e andarsene di nascosto se lei si opponeva, anche lei provvide a far la *fattura*.

Bisognava anzi tutto ottenere un po' di lievito da una sposa che facesse la prima volta il pane nella casa maritale; e poi qualche goccia di vino di quello che serviva per la santa messa. Queste goccie di vino le fu facile ottenerle la sera stessa della *fattura* dal sagrista che spesso la *serviva* di cose di chiesa: per il lievito aveva faticato un po' di più, perché, come si è detto, tutti la sfuggivano e la sposa capiva che si trattava di faccende equivoche.

– Ti giuro che è per le frittelle di pasta che voglio fare al mio ragazzo – ella aveva detto con accento grave: e finalmente ecco ottenuto il lievito.

Infatti fece fermentare la pasta per le frittelle con l'anice che piacevano tanto al ragazzo: e il vino della santa messa fu mescolato al vino che egli usava bere.

Poi ella fece lo scongiuro. Questo era più complicato. Bisognava recitare il Credo alla rovescia, cioè sostituire ai santi nomi di Dio e di Gesù, quelli di Lucifero e di Lusbé che è il diavolo maggiore; indi fare una specie di seduta spiritica.

Ella sedette, al buio, davanti alla piccola tavola di cucina e vi mise su le mani con le dita aperte, i pollici che si toccavano:

recitò il credo nefando, poi domandò con voce turbata:

– Ci sei?

Il piede della tavola si sollevò subito e batté un colpo che parve una zampata di bestia.

– Ah, lo sapevo che saresti venuto subito questa volta – ella pensò con rancore: e si sentì tutta fredda in viso e alle spalle, sebbene sudasse.

Era veramente il diavolo quello che le rispondeva? In fondo ella non ci credeva; ma il fatto è che la tavola si moveva, e i colpi avevano qualche cosa di vivo, di bestiale, e impressionavano più che se avesse risposto una voce.

Dopo un momento di esitazione ansiosa ella riprese:

– Tu sai perché ti chiamo? No? Non vuoi rispondere, adesso? Eppure devi saperlo. Rispondi. Lo sai o no?

Fu risposto di no.

– Ebbene, mio figlio vuole partire. Sei tu che lo hai sobillato? Se sei tu smettila. Lasciamelo in casa. Non ti basta l'anima mia? Lo lasci?

La tavola si alzò come un cavallo infuriato sulle sue zampe posteriori, si riabbassò, cominciò a picchiare colpi nervosi e forti: pareva cercasse i piedi della donna per schiacciarli. Ed ella la teneva appunto come un cavallo a freno, ma tremava tutta e sentiva venire le convulsioni; perché protestava così lo spirito maligno? Ella cercò di placarlo.

– Ebbene, se non sei tu che lo sobilli, tanto meglio. Ma sii buono, aiutami a tenerlo in casa. Mi aiuti? Ti aiuterò anch'io.

Com'ella avrebbe potuto aiutare il diavolo non sapeva, o meglio lo sapeva confusamente: aiutando qualcuno a fare il male.

Ad ogni modo la tavola si calmò: il diavolo promise di aiutarla. Ed ella ritirò le mani e col corpo tutto umido di sudore gelato si piegò di qua e di là della sedia finché cadde a terra svenuta.

Nella notte il giovine che aveva mangiato un mucchio di frittelle e bevuto tutto il vino della bottiglia, si sentì male: gli vennero forti dolori di corpo, e vomiti violenti seguiti da singulti e singhiozzi incessanti.

Un sudore freddo, simile a quello della madre quando evocava il diavolo, lo bagnava tutto; il viso era violaceo, le estremità gelate.

– Mi avete dato il veleno – singhiozzò alfine, e pareva piangesse. – Perché, mamma, perché, perché?

Piena di terrore e di angoscia ella fu per confessargli ogni cosa; non lo fece per non aggravarlo di più: a buon conto gli diede un beveraggio contro i veleni. E mentre gli asciugava il sudore e lo aiutava a sollevarsi e rimettersi giù, pregava.

Era una preghiera terribile, la sua, un atto di accusa della sua coscienza in tumulto, un grido che sebbene senza voce doveva risonare fino alle stelle, fino al trono di Dio.

– Tu hai ragione di togliermelo, Signore; io ho chiesto a Satana di farmelo restare in casa, e forse Satana non può nulla contro di te, e me lo fa morire per mantenere in qualche modo la sua parola. Così, così me lo fate restare e partire, tutti e due assieme, tutti e due sempre in lotta e sempre d'intesa per il nostro dolore. Sia però fatta la tua volontà, o Signore, solo la tua volontà.

– Chiamatemi il prete, – disse il figlio; – mi sento morire.

Ella corse, nell'alba fredda e chiara, e batté alla porta del Dottore, poi a quella del prete.

Il Dottore, sebbene avvertito che si trattava di un caso urgentissimo, si fece aspettare; il prete venne subito. Era un uomo anziano ma forte ancora, violento; un fanatico che se occorreva frustava gli infedeli; e nel paese quindi era temuto più che amato; qualcuno anzi lo odiava, con quella passione silenziosa e inesorabile ch'era la caratteristica degli abitanti.

Dopo che il giovine si fu confessato e alquanto calmato egli disse alla donna:

– Dovresti confessarti anche tu, strega. Caccia via di casa tua il diavolo e ritorna a Dio che è il solo padrone del mondo.

Ella approvava con la testa, ma era a cagione di un tremito nervoso che le rimase poi lungo tempo.

– Sì, – confessò, – gli ho fatto la fattura perché non partisse.

Non disse però del vino santo mescolato a quello di lui, per non far danno al povero sagrista.

– E perché volevo che non partisse? – proseguì fredda, quasi crudele. – Dicevo a me stessa che era a scopo di bene per salvarlo dai pericoli, ma invece era perché dispiaceva a me vederlo andarsene, e restare sola come una fiera, senza sostegno, senza nessuno che mi volesse bene in questo covo di serpi fredde. E così forse andavo contro la volontà del Signore che voleva che il mio ragazzo se ne andasse lontano da questa madre che non ha saputo allevarlo bene, che non lo ha amato se non per mezzo di bocconi e di bicchieri di vino; che gl'ingrassava il corpo e non gli coltivava l'anima.

– Basta, basta, – gridò il prete, tuttavia commosso, – questo non dovete saperlo voi. Non bisogna giudicare Dio: basta servirlo e adorarlo; allora tutto va bene.

Ed egli morì un'ora dopo, avvelenato col vino della santa messa. Il giovine invece si salvò.

L'AGNELLO PASQUALE

Il ragazzo stava seduto a studiare, ma tendeva l'orecchio per sentire se il padre tornava, perché al padre, terrazziere alla giornata spesso disoccupato avevano finalmente promesso un posto fisso, e da questo dipendeva forse l'avvenire del figlio.

Ci si erano messi di mezzo i preti, perché il terrazziere era un uomo religioso fino alla semplicità; e dunque si sperava in bene.

Infatti l'uomo tornò a casa con un viso beato: aveva ottenuto.

Aveva ottenuto un posto di aiutante interramorti con lo stipendio fisso di lire cinquecento al mese, oltre le mance.

La moglie lo guardava con ammirazione incredula, tanto la cosa, cioè lo stipendio fisso, le pareva straordinaria e bella: il resto non la riguardava.

Il ragazzo, invece, voltosi sulla sedia ad ascoltare, s'era fatto rosso su una guancia e pallido sull'altra. Il sangue gli andava su e giù su e giù come l'acqua entro la bottiglia che la madre sciacquava: perché infine egli avrebbe preferito esser figlio di boia piuttosto che di becchino.

Come si fa, d'altronde, a vivere? Vivere bisogna, e dalle beffe dei compagni ci si salva coi pugni e i sassi ben tirati.

Questo proposito non lo sollevò: il sangue continuava a ribollirgli in corpo, a tingere di rosso le pagine del libro.

Con un calcio mandò indietro la sedia; trasse di tasca il fazzoletto tirandolo quanto era lungo e se lo legò intorno alla fronte come quando la testa gli doleva per il troppo studiare; poi si affacciò alla finestra.

Giù la strada nuova appena fornita di ghiaia gli offrì per confortarlo quanti sassi voleva; e duri turchini aguzzi come scheggie di metallo: si poteva con essi abbattere tutto un esercito nemico. Ma non era questo che più lo preoccupava: in fondo non gl'importava nulla dell'opinione dei suoi compagni, i quali, del resto, avevano anch'essi le loro magagne, e chi era figlio di scopino di strada e chi di lavandaia: uno aveva il padre in carcere, un altro la madre donna perduta. Con un sasso e una parolaccia si mettevano a posto; ma quello che più lo disprezzava non si poteva far tacere, no, perché quello era lui in persona.

Un avvenimento giù sotto la finestra lo distrasse.

Di là della strada appena finita si stendevano ancora i prati col gregge al pascolo, sebbene si fosse al confine della città. Il tramonto di marzo, con rosse nuvole dietro i mandorli fioriti, coloriva le cose. Faceva caldo, e nell'aria e nei prati c'era un senso di febbre come quella che nei fanciulli viene chiamata febbre di crescenza.

Il ragazzo dunque vide un piccolo agnello nero con le gambe ancora storte sbucare dalla siepe e aggirarsi smarrito nella strada rispondendo coi suoi belati infantili ai grossi belati del gregge: e dapprima agitò il fazzoletto che s'era strappato dalla testa, poi si sporse fischiando, infine scese di corsa nella strada.

Qualche cosa d'insolito accadeva nel prato. Il piccolo pecoraio, montato sull'asino che serviva di guida al gregge, correva di qua e di là da una siepe all'altra, destando uno smarrimento di follia nelle pecore che cercavano di seguirlo e tornavano indietro e si cozzavano e si urtavano con un subbuglio di onde in tempesta.

I ragli dell'asino e gli urli del pecoraio impazzito risonavano fra il belare disperato delle povere bestie che si chiamavano fra di loro e chiamavano i figli dispersi: un'ondata di polvere e di cattivo odore arrivava fino alla strada.

– È primavera – disse il ragazzo all'agnellino nero, rincorrendolo lungo la siepe. E quando l'ebbe preso lo sollevò e se lo portò a casa.

Questa casa era un antico cascinale di contadini che una impresa per costruzioni aveva cominciato a demolire sospendendo poi i lavori e lo sfratto intimato al terrazziere.

Il ragazzo portò dunque l'agnellino in quella che un tempo era la stalla, lo depose entro la mangiatoia e chiuse la porta perché non se ne sentissero i belati. E non sapeva perché facesse tutto questo: forse per svagarsi da quel pensiero del padre; forse spinto dall'istinto di compiere una cattiva azione per far dispetto al padre scrupoloso fino a non volere che si cogliesse neppure l'erba nei campi altrui e quindi restava un miserabile, un becchino.

L'agnello continuava a piangere, a chiamare la madre.

Aveva messo le zampette anteriori sull'orlo della mangiatoia e sporgeva la testa ricciuta, ma non osava e non poteva saltare giù. Il ragazzo lo guardava con cattiveria e con tenerezza:

– Mi sembri un predicatore sul pulpito – disse accarezzandolo sul dorso. – E metti giù le zampe e sta zitto, figlio di un cane. Adesso ti porto un po' d'erba; poi, se stai buono più tardi ti riconduco da tua madre. E se non la smetti ti strozzo.

Tirò fuori di nuovo il fazzoletto e lo attortigliò in lungo formandone una specie di corda: poi lo rimise in tasca e andò a cercare l'erba avendo cura di lasciare la stalla aperta onde far credere, se si scopriva l'agnello, che vi era entrato da sé.

Dalla strada ascoltò se si sentivano i belati: si sentivano, ma confusi con quelli del gregge che s'era tutto accostato alla siepe come una nuvola che scende all'orizzonte.

Il pecoraio restava però in fondo al prato e parlava con una donna che stendeva grandi lenzuola candide lungo la siepe opposta; e l'asino, lasciato libero, si avvoltolava per terra, di qua e di là, di qua e di là, con la pancia grigia all'aria, ragliando forte.

E il ragazzo, con un ciuffo d'erba in mano, si mise a imitare quell'urlo rauco e fischiante che irrideva la tristezza smarrita delle pecore, la storditaggine del pecoraio e la letizia del tramonto primaverile.

L'agnello rifiutò l'erba, rifiutò il latte che il ragazzo andò a prendere di nascosto della madre e gli porse in un piattino come si usa coi gatti piccoli. Non voleva nulla, l'agnellino nero; voleva la madre, e tendeva l'orecchio al lontano belare del gregge sbattendo le corte palpebre sugli occhi velati di terrore.

Il ragazzo lo riprese fra le braccia, cullandolo alquanto,

sfiorò la guancia sul vello morbido che odorava di caglio, e pensò di riportarlo fuori: poi lo ripose nella mangiatoia. Aveva paura che il pecoraio lo vedesse. – Più tardi, eh? – promise sottovoce, chinandosi sulla mangiatoia.

E con sorpresa vide che l'agnello si piegava sulle zampe e s'accovacciava, rassicurato dalla promessa. Allora tornò su in casa lasciando la stalla aperta.

Più tardi il padre e la madre uscirono. Andavano a prendere possesso dell'importante ministero di lui. Il ragazzo promise di stare a casa, a studiare: e da studiare ce n'aveva, poiché erano gli ultimi giorni delle vacanze di Pasqua; ma non gli riusciva più di riaprire il libro.

Si affacciò di nuovo alla finestra, e vide quei due che se ne andavano per la strada turchina, lui piccolo come un ragazzo, vestito in colore della terra, un po' curvo e con le mani giunte come un fraticello; lei alta con le vesti che le cadevano giù per la magrezza e i capelli grigi sbiaditi più che dall'età dalla miseria e dalla debolezza: anche di lontano si sentiva la sua tosse.

Egli voleva bene alla madre, e quella tosse lo perseguitava giorno e notte. E sapeva ch'ella aveva bisogno d'aria di mare, e non d'aria di cimitero. E anche lui aveva bisogno d'aria di mare: invece quando quei due tornerebbero a casa puzzerebbero di morti.

Con chi pigliarsela, d'altronde? – Viva Lenin – gridò dalla finestra. E il belare delle pecore gli rispose.

La sua rabbia era tale che sentì il bisogno di stringersi di nuovo la testa col fazzoletto ancora attorcigliato, poi dalla fronte se lo calò alla bocca, e infine se lo strinse al collo in modo da farsi venire un urto di vomito.

Gli pareva d'impazzire, come il pecoraio, l'asino, le pecore stordite; come tutte le erbe e le foglie che adesso si agitavano al vento.

Più tardi vide il pecoraio che mandava avanti l'asino giù per il varco della siepe e aizzava poi le pecore a seguirlo.

Ma solo quando il cane si alzò sbadigliando dal posto dove aveva creduto bene di sonnecchiare tutta la giornata, e un po' intontito andò appresso all'asino, una pecora si decise a passare il varco: allora come tirate da un filo invisibile una dopo l'altra o a due a due uscirono le altre, sempre col muso a terra, con le faccie una diversa dall'altra ma tutte trasognate e buone.

In mezzo andava il montone, belando grosso; in ultimo seguivano gli agnellini zoppicanti, come le nuvolette che si sperdono dietro le nuvole grandi.

Una nebbia di polvere camminava con loro, e il pecoraio fischiava trascinando il bastone e inciampando, senza avvedersi che qualcuno mancava dal gregge.

Ma dovette accorgersene il padrone perché la mattina dopo un altro ragazzo venne con le pecore e stette sempre in mezzo a loro guardandosi torvo intorno.

Anche il figlio dell'ex-terrazziere guardava dalla finestra, con gli occhi stralunati. La madre era andata a fare un po' di spesa, il padre laggiù per quel bel mestiere.

Egli guardava i prati bianchi di rugiada, la macchia del gregge al sole, il pecoraio e l'asino neri di contro all'azzurro chiaro dell'orizzonte.

Tutto era tranquillo, adesso; i mandorli coperti di migliaia di farfalle bianche, ognuna con due perle di rugiada sulle ali, le pecore che pascolavano in silenzio, l'agnellino giù nella mangiatoia.

Quanto tempo era passato dalla sera avanti? Molto, molto tempo: tutta una vasta notte nera che aveva completamente cambiato l'aspetto delle cose versandosi sul mondo come una macchia d'inchiostro sulla pagina bianca del quaderno.

Dalla finestra il ragazzo sentì la tosse della madre: si ritirò e si mise a studiare.

Quando ella entrò col suo fazzoletto della spesa, egli sentì un cattivo odore, un odore di baccalà guasto, e pensò al padre e gli venne da vomitare come quando s'era stretto il fazzoletto al collo.

Si alzò di scatto e prese la posizione di quando il professore lo interrogava.

– Mamma, devo dirti una cosa: ieri, mentre eravate fuori, un agnellino qui del gregge è entrato nella stalla; io mi ci sono messo a giocare, l'ho preso fra le braccia e si vede che l'ho stretto assai perché è morto. Vieni a vedere; è giù.

– Tu sei pazzo – gridò la madre, poi fu presa da un colpo di tosse che le impedì di continuare; tuttavia seguì il ragazzo, e tirò su lei l'agnello già un po' rigido e con gli occhi spalancati di vetro nero.

– Come si fa, adesso; è un bell'impiccio – disse finalmente, guardandolo da tutte le parti. – Tuo padre, poi!

– Io direi di scorticarlo, mamma. A papà si dice che l'hai comprato, per Pasqua. Adesso si può comprare qualche cosa, accidenti! Siamo così miserabili perché viviamo sempre d'erba come le pecore. E papà adesso ha diritto a mangiar bene.

Era arrabbiato, il ragazzo, e la madre non protestò; pensava piuttosto da chi far scorticare l'agnello, poiché lei non era buona.

E il giorno di Pasqua il padre, che già portava a casa le mancie, ed era stato a comunicarsi, approvò la moglie di aver comprato l'agnello. Da tanto tempo non se ne mangiava: e lo mangiò quasi tutto lui, perché la moglie a causa della tosse non aveva mai appetito, e il ragazzo non ne volle. Era un po' stralunato, il ragazzo, forse perché studiava troppo: nel vedere che il padre rosicchiava le ossa con voluttà ferina si mise però a ridere.

– E perché ridi adesso?

Egli non lo disse, anzi ricadde nel suo fantasticare. Pensava ai preti che proteggevano il padre per la sua devozione. Se avessero saputo!

Eppure anche lui, nel caos che turbinava nella sua coscienza, ritrovava confusamente un senso di mistero religioso. Aveva piacere che il padre godesse: che l'agnello fosse sacrificato a lui come al padre dei cieli.

L'ANELLO CHE RENDE INVISIBILI

Da bambina aveva sentito raccontare di un anello che messo al dito rende invisibili. E un altro bambino suo amico, figlio di un pescatore, affermava che quest'anello era lo stesso che tutti gli anni il giorno dell'Ascensione il vescovo della diocesi venuto apposta nel piccolo villaggio gittava in mare da una barca infiorata per celebrare le nozze e quindi la pace fra la terra e l'oceano.

Quest'anello col diamante veniva sempre ripescato dai ragazzi figli dei marinai e dei pescatori che abitavano il villaggio; ripescato e rivenduto allo stesso segretario del vescovo, che era poi l'arciprete e serbava l'anello per la cerimonia dell'anno venturo.

E il fortunato che lo ripescava non osava metterlo al dito, perché a metterlo al dito, rendeva sì, invisibili, ma perdeva il diamante e quindi il valore.

È vero che, rendendosi invisibili, si potevano acquistare ben altri valori: ma, insomma, è meglio un uovo oggi che una gallina domani, e i ragazzi poi erano tutti religiosi, e ci tenevano a rendere l'anello al segretario del vescovo.

Avveniva che il mare defraudato dell'anello, quasi tradito e sbeffeggiato dalla terra per mezzo dei suoi abitanti il giorno stesso delle nozze, facesse poi il comodo suo, continuando a esser calmo solo quando gli piaceva e ingoiando barche e uomini nei suoi giorni di nervi.

Ma questo non c'entra. La bambina sognava dunque di avere l'anello e poiché sapeva anche lei nuotare sopra e sott'acqua a occhi aperti avrebbe voluto e potuto ripescarlo; ma le era proibito. Era figlia di pescivendoli che guadagnavano molto e la facevano studiare: e il giorno dell'Ascensione prendeva parte alla festa con le altre bambine della scuola, vestita di bianco e con una ghirlanda di rose in testa: eppoi una volta un bambino che cercava sott'acqua con gli altri fu preso da male e si annegò.

Poi gli anni passarono ed ella diventò la maestra del villaggio: gli anni passarono ed ella cessò di credere alle leggende e ai sogni; e tanti ne passarono, di anni, che una volta ella, che aveva velleità poetiche, scrisse in un suo libriccino di pensieri: «M'è venuta l'idea di scrivere dei versi sotto il titolo "ho ucciso i sogni", ma a pensarci bene in mia coscienza mi avvedo che i miei sogni sono morti tutti da sé, di morte naturale».

Eppure in fondo era rimasta la bambina che desiderava l'anello magico; e adesso vecchia e malaticcia, nei giorni che doveva starsene a letto nella sua piccola camera il davanzale della cui finestra sembrava la riva del mare, mentre sonnecchiava pensava ancora a quel sogno.

Potersi rendere invisibili! Viaggiare senza pagare, entrare nella casa e nei giardini, avvicinarsi alle persone che sono più inaccessibili del re!

Un giorno d'inverno, che una lieve febbre le faceva parer caldo come un giorno di giugno, venne a trovarla un vecchio capitano di lungo corso che dopo aver sguazzato per tutti i mari del mondo se ne tornava con un carico di denari al villaggio; ed era giusto quel bambino che un tempo le raccontava dell'anello.

– Ne ho comprato uno nelle Indie, – le disse con semplicità, – ed è più buono di quello del vescovo perché non ha il diamante e quindi non corre il rischio di perdere la sua virtù.

Ella spalancò gli occhi e si scosse tutta per assicurarsi che non vaneggiava: poi ricordò che gli uomini di mare amano raccontare cose un po' fantastiche.

– Tu non mi credi? – egli disse come quando giocavano sulla spiaggia. – Ebbene, se vuoi posso non solo farti vedere l'anello, ma prestartelo, purché tu mi dia la parola che lo terrai solo fino a doman l'altro a quest'ora.

Ella chiuse gli occhi stordita. Pensò che se partiva subito faceva in tempo a prendere il treno per la capitale, starvi un giorno e ritornare. Dopo tutto non si sentiva molto male, e il muoversi forse le avrebbe giovato.

– Parola – mormorò.

E l'uomo senz'altro trasse l'anello dal taschino e glielo infilò nel dito.

E subito ella vide sé stessa abbandonata sul lettuccio e l'uomo che se ne andava in punta di piedi come per non svegliarla.

Non c'era tempo da perdere: chiuse la casetta dove viveva sola e mise la chiave sotto la porta come quando andava alla scuola. E via, lieve, lungo la riva del mare, senza lasciar orme neppure sulla sabbia: arrivò in tempo alla stazione e naturalmente salì in prima classe.

La mattina all'alba era nella capitale.

Non si sentiva stanca né aveva voglia di mangiare. Conosceva già la città perché c'era stata una volta in pellegrinaggio e un'altra volta per un congresso.

Durante il viaggio aveva stabilito bene il suo itinerario. E andò anzitutto in casa del re: ma qui l'aspettava la prima delusione: belle scale, belle sale, bei tappeti, e ufficiali e gente ben vestita: ma il re era alla guerra e la regina malata, stesa anche lei tranquilla e sofferente su un piccolo letto come la maestra del villaggio: solo che la finestra era chiusa e non si vedeva il mare.

Vediamo allora i giardini; bellissimi, pieni di sole e di fiori come a primavera: ma un vecchio giardiniere piangeva, col gomito appoggiato sul manico del rastrello, e dava melanconia al luogo.

Ella vagò qua e là pensando che infine la pineta in riva al suo mare dove tutti potevano entrare e starci a fare anche merenda non era da meno di quel luogo; poi se ne andò. L'ora passava e bisognava sbrigarsi. Andò dunque nella casa di una donna ch'ella aveva lungamente ammirato e invidiato; una poetessa celebre della quale conservava come un tesoro un aureo autografo.

Che farà a casa sua, nella sua intimità, l'eccelsa donna? Seduta al suo scrittoio adorno di fiori, aspetterà forse guardando in alto l'ispirazione per i suoi versi letti e riletti da migliaia di persone che l'amano come una innamorata; o sdraiata sui cuscini del suo studio fumerà una sigaretta orientale, o si abbiglierà per recarsi a colazione presso qualcuno dei potenti della terra.

Ebbene, l'eccelsa donna, con un fazzoletto bianco stretto intorno ai capelli, scopava: e di tanto in tanto sollevava, sì, il viso serio e accigliato per vedere se c'era qualche ragnatela negli angoli, e tendeva l'orecchio per sentire se la serva finalmente si degnava di tornare dalla spesa.

Ella fuggì inorridita. E per confortarsi, finalmente, andò in un luogo dove certo non poteva esser delusa: nella casa appunto di uno di quei potenti della terra ch'ella credeva capaci di offrire, oltre che laute colazioni alle persone di talento, bene e felicità a tutti i piccoli mortali.

Era un uomo davvero potente, portato ad esempio per la sua forza di volontà e di azione: non più giovane, ma neppure vecchio; uno di quelli che "guidano i destini della patria". Ed ella voleva vederlo non veduta, perché per lunghi anni quest'uomo in altri tempi, era stato il segreto pensiero, il fuoco della sua vita scolorita: perché anche lui era nato nel villaggio, donde aveva spiccato il volo come gli aquilotti delle roccie costiere.

Ella entra dunque trepidando nella casa di lui, e la casa è bella, più calda, più intima della casa del re; ma solo i servi l'abitano; la moglie del grand'uomo è in giro, e lui è nel suo ministero. Ella però non vuol tornarsene al villaggio senza vederlo: va al ministero e passa avanti a file e file di persone che nella sala d'aspetto pazientemente sperano di essere ricevute da lui. Altre sale sono piene di uomini e donne che scrivono o vanno e vengono tutti affaccendati per il bene della patria. Che farà, lui? Ella trema, nel volgere silenziosa la maniglia dell'uscio sacro vigilato da un usciere coi galloni d'oro. Ma anche il "gabinetto" grande e decorato come un salone è vuoto: ella si guarda attorno, e sente nella stanza attigua un ronfare profondo, sonoro. Guarda dall'uscio: l'uomo è là, grasso, pallido, addormentato su un sedile come un vecchio operaio sulle panchine pubbliche: la bocca aperta lascia vedere i denti d'oro: d'oro, ma non più denti.

Dopo questa visita, sebbene altre ed altre ce ne fossero nel suo programma, ella decise di tornarsene al villaggio. Il villaggio era tutto come in festa: i bambini e le bambine delle scuole marciavano in fila lungo le strade soleggiate, i marinai e i pescatori, insolitamente calzati, venivano su dal porto.

Anche la sua casa, che qualcuno s'era permesso di aprire, rigurgitava di gente: e il corpo di lei, sempre disteso sul lettuccio, era coperto di fiori, con un crocifisso in mano.

Allora intese la verità: l'avevano creduta morta. E il suo primo desiderio fu di lasciar le cose come stavano, ma poi pensò che è meglio vivere e sognare che esser morti e veder la sola verità: s'avvicinò quindi al vecchio capitano lì presente e gli rese l'anello.

Il suo corpo si rianimò subito, e i funerali furono naturalmente sospesi; ma ella non poteva muoversi per la gran debolezza, ed era contenta che tutti affermassero di non aver mai veduto il vecchio capitano, per convincersi di aver sognato e così continuare a sognare.

TREGUA

L'uomo uscì verso sera, come di solito usava.

Di solito usava uscire a quell'ora per andare a procurarsi del cibo: poiché egli viveva nella grande città come il lupo nei boschi, lupo fra i lupi; meno ingordo degli altri, però, anzi afflitto da un male che, dati i tempi, sarebbe stato per molti altri una fortuna, ma che per lui, non più giovane, non bisognoso, era proprio un male: la disappetenza.

Così usciva verso sera per camminare e farsi venir fame e poi andar a pranzo dove sapeva di trovare cibi onesti, o procurarseli da sé e mangiare in casa.

La sua casa era piccola e bella; e fredda come può essere la casa di un uomo solo; a lui piaceva; solo lo infastidiva il dover attraversare, per uscire, una grande terrazza sulla quale davano le camere sue e quelle della famiglia che gli aveva affittato metà del proprio appartamento.

Meno male era d'inverno e le porte-finestre [erano] chiuse; tuttavia attraverso i vetri di quella del salotto da pranzo dei suoi padroni vide le donne piegate in cerchio intorno a un braciere giallo, come i petali d'un fiore intorno al pistillo; e un bambino vestito di azzurro che scriveva sulla tavola, sotto la luce di una piccola lampada rosa: il luogo dava l'impressione di un piccolo giardino chiuso; eppure egli passò rapido, con un senso di freddo; penetrò in una specie di torre che era la scala, scese quasi a tastoni e uscì.

La sera di dicembre è tiepida ma nebbiosa; egli se ne va lungo la strada larga, poco illuminata: solo una luce strana, bassa, che pare esca di sotterra, imbianca i marciapiedi umidi e una parte delle case, lasciando scuri i piani superiori che sfumano nella nebbia e sembrano costruzioni non finite.

Egli ricorda d'un tratto che c'è sciopero di elettricisti; la gente va tutta a piedi, affannata e arcigna, con qualche cosa di bieco e di nemico negli occhi: le persone che s'incrociano con le ombre, le faccie illuminate di scorcio, angolose e bianche e nere, dànno ragione ai più sinistri pittori futuristi.

Eppure l'uomo le guarda quasi con piacere; perché in fondo, a volte, è questo, che egli vuole; veder gli uomini esasperati e deformi, resi nemici dal loro vano affanno, e trarne ragione a vivere con calma, se non con allegria.

Lui camminava piano, tranquillo: persone frettolose lo urtavano e proseguivano, come onde contro un pilastro: una donna vestita di rosso lo investì e lo maledisse: ed egli sentì un'impressione di cattivo calore, un riflesso di lei, e ricordò le sue inutili passioni d'amore.

Si ritrasse verso il muro, come un animale timido, e andò avanti. La gente non gli faceva paura; ma quando era urtato si ritraeva sempre, istintivamente, e gli sembrava di appartenere a un'altra razza, forse inferiore, forse superiore, forse più triste e oppressa di questa, ma infinitamente più viva.

Cammina cammina finalmente si trovò solo; la strada era la stessa, anzi più larga, con le case più belle e circondate di giardini; ma la luce terminava lì, e la gente, come gl'insetti, accorre solo intorno ai lumi.

Egli andò oltre, con un senso di benessere, di padronanza; i suoi occhi anziani vedevano meglio in quella penombra dove la nebbia sembrava più chiara e dava quasi luce. Così si accorse di non esser più solo, come credeva. Coppie di amanti passavano dove l'ombra era più fitta; quasi tutti però questionavano. Egli non li invidiava; ma avrebbe preferito non incontrarli.

D'un tratto la strada si restringeva e svoltava, in salita e poi in discesa; un semicerchio sempre più stretto e più buio, chiuso da alti muri di giardini: pareva un androne, ma egli poteva percorrerlo anche ad occhi chiusi perché era la strada che faceva quasi ogni sera per andare in una piccola trattoria dove si mangiava bene. La trattoria era giù dopo la svolta; se ne vedranno bene i lumi, come della taverna nel bosco. Cammina cammina, la strada diventa davvero simile a un sentiero di bosco, fra i due muri di sopra dei quali grandi alberi coperti di nebbia stendono una volta opaca senza stelle; si sente odore di musco, di muffa e di viole; ma i lumi non si vedono, tutto è solitudine e tenebre; e lontano un rumore imita bene quello della foresta.

Allora egli ricorda che le trattorie sono chiuse; è la notte del ventiquattro dicembre.

Se ne tornò indietro alquanto indispettito: non c'era neppure speranza di andare nel grande Emporio di commestibili e di piccole truffe dove a volte egli aveva il coraggio di penetrare come in una gabbia di galline, – e del pollaio c'era anche l'odore, – ad ammucchiarsi con le signore dai cappellini storti sbattuti dal vento della necessità, e coi padri di famiglia che sembravano, con la loro aria dignitosamente afflitta, tanti nobili decaduti; e neppure nella lucida pizzicheria dove almeno la truffa dava un senso di vanità aristocratica, e la sottile pizzicagnola gli sorrideva quasi amorosa, tutta bionda fra i suoi rosei salumi e le aringhe dorate con le quali aveva una strana rassomiglianza.

Tutto era chiuso; e il più chiuso di tutti, per lui, il cuore del suo prossimo; per cui non c'era neppure da sperare in un invito a pranzo.

Rifece la strada dei villini, si scontrò ancora con le coppie d'amanti litigiosi, e s'irritò. Perché s'irritava, se l'amore non lo interessava più? E perché s'irritava di non aver trovato da mangiare se non aveva appetito? Perché è nella natura dell'uomo di irritarsi per nulla; o fingere a sé stesso di irritarsi per nulla.

In fondo era irritato perché non sapeva dove andare. Camminare no, poiché lo scopo è fallito: meglio imitare ancora una volta i grandi, gl'infelici tedeschi durante la guerra; andare a letto per impedire alla fame di impadronirsi del nostro corpo: ma è presto detto andare a dormire alle otto di sera; c'è negli angoli della camera uno spettro ben più terribile di quello della fame; lo spettro dell'insonnia.

Del resto qualche cosa nello stipo del salotto egli ce l'ha sempre: chiuso, lo stipo pareva una libreria, con una fila di bei libri dietro i cristalli del piano superiore; aperto lasciava vedere, nel piano inferiore, una costruzione di scatole di leccornie, con ai due lati come le torri delle facciate delle chiese due bottiglie di liquori.

Egli provò, al ripensarci, un senso di nausea come avesse una forte indigestione.

Si ritrovò nella strada davanti a casa sua: la gente è scomparsa; rimangono solo pochi viandanti randagi come lui, che si guardano con occhi miti, quasi con umanità; vien voglia di salutarsi come esuli in terra straniera. E ad accrescere conforto, d'un tratto le lampade si accendono, misteriosamente, come per volere di Dio.

Ed è certo il volere di Dio che impone agli elettricisti di dare una tregua per quella notte.

L'avvenimento gli fece sperare di passare inosservato nella portineria invasa di serve che gridavano di meraviglia per il ritorno della luce; tuttavia egli vide gli occhi di tigre della portinaia fissarlo, mentr'ella pur lo salutava con deferenza, e appena fu passato la sentì che diceva:

– È quel pazzo avaro che sta dai giudii.

Allora si ricordò che ancora non le aveva dato la mancia, e anche se gliela avesse già data ella avrebbe parlato lo stesso.

Del resto è vero che i suoi padroni di casa sono ebrei: ecco perché se ne stanno quieti nella loro tana; quieti e un po' melanconici, anch'essi esiliati lontani dalle loro terre di sole.

Nell'attraversare la terrazza rivide le donne piegate intorno al braciere; una di esse però, la più alta e la più bruna, s'era alzata e apparecchiava la tavola; e la tovaglia era di un bianco luminoso sotto la lampada grande tutta accesa sotto il suo volante di merletto.

Il bambino stava presso la porta-finestra, coi suoi grandi occhi azzurri di gattino in agguato. Nel veder l'inquilino trasalì e cominciò a picchiar le unghie sui vetri, chiamandolo a nome.

Egli si volse: la donna che apparecchiava la tavola si volse anche lei. Era bella come un'ebrea della Bibbia, sebbene pallida e accigliata e quasi minacciosa.

Era l'unica persona della quale l'inquilino avesse realmente paura: poiché era la sua padrona di casa e poiché gli piaceva. Per paura si fermò, ai gridi del bambino che continuava a chiamarlo: per paura si scostò, quando la donna aprì la vetrata e gli domandò scusa.

Ma il bambino non lasciava sentire le parole di lei, tanto gridava sollevandosi sulla punta dei piedi e tirandole la veste.

– Diglielo dunque, mamma; e diglielo, e diglielo, e diglielo...

L'uomo aveva paura che qualche guasto fosse avvenuto nel suo appartamento. La donna s'era fatta rossa, mentre le altre s'alzavano tutte intorno al braciere. Ma d'un tratto egli vide un fenomeno simile a quello del ritorno improvviso della luce: la sua padrona di casa gli sorrideva. E quando riuscì a far tacere il bambino gli disse, turbata come se gli facesse una dichiarazione d'amore:

– Si voleva pregarla di pranzare con noi.

DOMANI

Abitavamo, quest'autunno scorso, in una casa di ricchi contadini, fra la landa e il bel mare di Romagna.

Fuori, la casa aveva pretese di villa, con scalinata davanti alla porta, loggia e veranda, viale di carpini che andava dritto al cancello vigilato da due pioppi sempre ridenti, come bambini, di tutte le cose che vedevano: ma dentro conservava il suo antico stato, nella semplicità complicata di cattivo gusto dei mobili, dei quadri, delle tende, e persino degli usci e della balaustrata della scala.

La padrona, che abitava il piano terreno, le rassomigliava: vestiva da signora e lavorava col contadino: coi capelli troppo neri e i denti troppo bianchi per essere autentici, e gli occhi – su questi non si poteva malignare – nerissimi, grandi e freschi, sembrava giovane e intelligente.

– Intelligente sì, ma giovane poi no – disse un giorno, sorridendo in modo da far vedere fino alle gengive i denti che avevano qualche cosa di animalesco; poi sollevò una mano e spiegò le dita ad una ad una; e fino a cinquant'anni non c'era da protestare: sollevò l'altra e drizzò il pollice; – Come, già sessant'anni, signora Palmina? – drizzò l'indice, drizzò il medio. – Ottant'anni? No, settantasette e qualche mese.

– Lei scherza, signora Palmina.

– Dio volesse. È che proprio gli anni ci sono: il segreto è che ho vissuto sempre qui, nella mia casa e nel mio podere, come le donne della Bibbia, secondo la legge di Dio, sempre lavorando oggi per domani e prevedendo ogni cosa. Ho preveduto sempre quello che doveva succedere, facendo di tutto per scongiurare i malanni; e se questi venivano lo stesso, li accolsi come ospiti, sgraditi ma sempre ospiti. Così non ho sofferto troppo: o se ho sofferto, poiché non sono di pietra, ho sempre detto a me stessa: Palmina, qui si tratta di credere che sei una donna di fegato, e di superare te stessa: e mi sono superata. Così, a sedici anni mi hanno fatto sposare un uomo anziano, che non mi piaceva ma era ricco. Io dico a me stessa: Palmina, hai sedici anni e lui quarantotto: morrà bene trent'anni prima di te, e tu potrai riprendere marito; uno che ti piaccia e abbia la tua età o magari qualche annetto di meno... Mio marito è morto vecchio, però, grazie a Dio, vecchio come Matusalemme: aveva novantasei anni. Capirà, mia signora, io non ero più in età di maritarmi: ma chi ci pensava più, del resto? Ed ho pianto mio marito, perché mi ero abituata, sfido, dopo tanti anni, a volergli bene.

– E figli?

– Ne ho avuti due: due maschi, perché, le femmine non mi vanno: troppo incerto è il loro avvenire; possono venir sedotte, o abbandonate dal fidanzato o maltrattate dal marito. Due maschi, che ho allattato io, perché i figli non si affezionano se non succhiano il latte materno; e li ho tirati su bene, sempre con loro addosso come la mia stessa carne: tutti i pensieri a loro, tutte le previdenze per loro. Uno ha studiato, l'altro, com'era nostro desiderio, accudiva in casa e al podere. Era un bel ragazzo, forte, docile. E non trova la serva che lo ammalia, che si fa fare un figlio da lui e pretende poi di essere sposata e far lei da padrona? La caccio via a bastonate, e mai più piede sudicio di serva è entrato in casa mia; ma il ragazzo non l'abbandona, e un brutto giorno parte con lei per l'estero. Dopo, l'ha sposata. Da tempo non so più nulla di loro, e lui non s'è fatto vivo neppure per reclamare l'eredità del padre: so però che ha fatto fortuna, e questo mi consola.

– E l'altro?

Un'ombra appannò la lucida serenità del suo viso di lacca: un'ombra di sdegno più che di dolore, come se dentro ella protestasse contro quest'altro non preveduto inganno del destino.

– È morto in guerra.

E forse per far tacere le voci interne e le parole di inutile conforto che le si potevano porgere, riprese subito:

– È morto da valoroso, e il Duca stesso lo afferma in una lettera che mi scrisse personalmente. Lei, dice, può sentirsi orgogliosa di essergli madre. E orgogliosa mi sento; ma oramai non mi resta che di andarmene anch'io: ci rivedremo tutti nell'altro mondo, e questo è un calcolo che non falla. Solo, voglio morire tranquilla, in casa mia, nel mio letto. Non mi verrà certo un accidente per strada perché non esco mai. Mi dispiacerebbe solo se avessi una lunga infermità perché non voglio nessuno intorno a me: eppoi il mio letto è troppo grande e sarebbe difficile, a chi mi assisterebbe, di voltarmi e rivoltarmi. Ma ho pensato di dividerlo, il letto, che è fatto di due gemelli: mi dispiace, perché ci dormo da sessant'anni, ma in un altro non voglio morire: mi metterò dalla parte dov'è morto mio marito. Anzi, adesso che ci penso, voglio farla presto, questa faccenda.

E infatti lo stesso giorno si sentì nelle camere abitate da lei un andirivieni rumoroso, un cigolìo di mobili smossi e di rotelle sul pavimento: ella faceva tutto da sé, e sul tardi fu veduta anche a lavorare col contadino fra le piante cariche di frutti del suo bel podere: ed era serena e rossa come se nulla più oramai la preoccupasse per l'avvenire.

Eppure nei giorni seguenti si turbò vivamente nel sentirsi male: anche perché era un male strano, uno sconvolgimento di viscere, una voglia continua di vomitare come nelle donne al principio della gravidanza.

Fece chiamare il dottore: e il dottore dichiarò che si trattava di un'ernia buscata nello sforzo di smuovere il letto. Era una cosa da nulla, ma bisognava fare l'operazione per evitare gravi conseguenze.

– Facciamo l'operazione – ella disse rassicurata: ma di nuovo si turbò quando il dottore rispose che bisognava farla in una clinica.

– Non morrà, stia tranquilla; se vuol campare a lungo e morire nel suo letto si decida subito: è cosa da nulla, creda a me.

A chi credere se non a lui? Era un medico di sua fiducia e si offrì di accompagnarla e raccomandarla al celebre chirurgo che doveva operarla.

Ella si decise subito: consegnò a noi le chiavi della casa, il podere al contadino.

– Vado tranquilla perché ho preveduto tutto. Arrivederci.

Morì il giorno dopo in una clinica di Bologna, in seguito all'operazione.

GIUSTIZIA DIVINA

– A questo fatto straordinario ho proprio assistito io – raccontò un vecchio a noi donne sedute all'ombra della capanna
da bagno e ad una raggiera di ragazzi e giovani seminudi
sdraiati intorno, pancia a terra, col corpo nel sole e la testa nel-
l'ombra. – Da giovane mi divertivo ad assistere ai dibattimenti
nella Corte d'assise.

Non c'è luogo al mondo dove la vita si conosca meglio, in
tutta la sua miseria e la sua passione e, a volte, anche nella sua
grandiosità. Vi racconterò, adesso che abbiamo tempo, alcune
di queste storie: e oggi voglio cominciare con una che ancora,
alla distanza di mezzo secolo, mi turba e m'impressiona, e della quale mi sono ricordato in molte circostanze.

Al banco degli accusati, dunque, sedeva un uomo anziano,
vestito di nero. Dopo le solite formalità, fu invitato a parlare. Si
alzò lentamente; era alto, scuro nel viso così scarno che le guancie pareva si toccassero dentro la bocca; e su gli occhi, dei quali
solo di sfuggita si vedeva il colore celeste, le palpebre ricadeva-
no stanche come per un gran sonno.

– Il fatto è questo, – disse con voce calma e triste, senza
guardare nessuno; – io ero allora impiegato alla Dogana e gua-
dagnavo abbastanza: si viveva tranquilli, io e mia moglie, quando essa si ammalò. Occorse un'operazione, poi un'altra; poi
lei non guariva mai; io accettai un lavoro straordinario, per
guadagnare di più, e alla sera tornavo così stanco e disfatto
che mia moglie stessa mi pregava di uscire a prendere un po'
d'aria, a bere un bicchiere di vino. Così una sera incontrai
quella disgraziata; l'avevo conosciuta, era stata serva in casa di
un mio parente e tutti si scherzava con lei, già avviata per la
sua cattiva strada. Così mi condusse a casa sua. Ci sono stato
solo tre volte. La seconda volta vi trovai un uomo che questio-
nava con lei ed era così stravolto che non badò neppure a me.
E quando se ne fu andato, ella mi disse che aveva paura di lui,
paura che una volta o l'altra l'accoppasse, non per gelosia od

altro, ma semplicemente perché la odiava. Non mi disse chi era. La terza volta…

Qui l'accusato tacque un momento, come cercando di ricordare qualche cosa: poi proseguì, sottovoce, quasi parlando a sé stesso:

– Sono cristiano e credente e spero fermamente in Dio e nella sua giustizia. Sul santo nome del Signore giuro che quello che racconto è la verità. La terza volta – riprese parlando più forte – mi trattenni poco dalla donna. Avevo un forte mal di testa per aver troppo lavorato, o, forse, perché era una sera afosa e burrascosa. Nell'uscire da quella casa vidi che ci andava l'uomo di cui la donna aveva paura. Io feci una breve passeggiata lungo il fiume, poi tornai a casa, perché, ricordo, soffiava un gran vento e cominciava a piovere. Il giorno dopo fui arrestato, sotto l'accusa di aver strangolato la donna. Nei primi interrogatori mi difesi accanitamente, accusando l'uomo che io credo il vero colpevole. Ma non mi era possibile identificarlo meglio. Io non lo conoscevo: credo, anzi son certo, sia di un altro paese. Ma nessuno mi dava ascolto. Le vicine di casa della disgraziata mi avevano veduto entrare, ed essendosi di poi ritirate per il tempo minaccioso, non avevano veduto uscir me ed entrare l'altro. Dopo qualche tempo mia moglie morì, di crepacuore e di vergogna.

Questa nuova sciagura mi spezzò: mi ripiegai su di me, sotto il castigo di Dio, ma pure pregando ed aspettando la sua divina giustizia.

Poi il dibattimento cominciò, un po' monotono e scialbo. I testimoni d'accusa erano appunto i vicini di casa della "disgraziata". Tutti affermarono di aver veduto entrare, la sera dell'assassinio, l'uomo che adesso sedeva al banco degli accusati e aver notato il suo aspetto equivoco, stravolto, e il modo di avvicinarsi furtivo. Una donna magra, dispettosa, forse isterica, sostenne di aver sentito, poco dopo l'arrivo dell'uomo, la disgraziata gridare, dibattendosi certamente contro l'assalto di lui; altri testimoni, compagni di carcere dell'accusato, deposero sulla strana condotta di lui che dimostrava di essere un mattoide.

Egli ascoltava, senza mai più aprire bocca, con la testa bassa come esposta ai colpi di tutti: non aveva mai sollevato gli occhi, dopo che era entrato nella gabbia, e a volte pareva assente, o che il dibattimento non lo riguardasse.

Ma uno dei giurati gli rivolse alcune domande: egli si alzò, lentamente, come la prima volta, e poiché le domande erano molto intime parve sdegnarsi; il suo viso si animò, i suoi occhi, per la prima volta, si fissarono spauriti sui suoi giudici. E d'un tratto fu preso da un tremito nervoso e cadde svenuto. Fu sospesa per un momento l'udienza; poi egli rinvenne e tornò ad alzarsi: e pareva un morto risuscitato.

– Supplico la Corte di ascoltarmi ancora – disse. – Il colpevole è qui, in mezzo a noi; Dio mi ha permesso di riconoscerlo; Dio mi rende giustizia. Anche lui, il colpevole, s'è accorto che l'ho riconosciuto, e vorrebbe ma non può fuggire.

Seguì un momento di silenzio profondo: tutti stavano immobili come ridotti a statue di sale; poi cominciarono a guardarsi l'un l'altro e alcuni sorrisero, altri sogghignarono.

Infine il presidente disse all'accusato di indicare l'uomo.

– È uno dei giurati.

Questo colpo fu più forte del primo: i giurati si mossero tutti, sdegnati, e tutti gli occhi furono sopra di loro.

Il presidente domandò di sospendere l'udienza, ma l'accusato supplicò di lasciarlo parlare ancora.

– Non indicherò nessuno, per il momento: solo mi rivolgo all'uomo che credo colpevole e gli dico: fa tu in modo che risulti la mia innocenza, sia pure col fuggire, ed io non ti indicherò. Ho finora accettato il mio soffrire ed ero disposto ad accettare anche la pena, per scontare i miei peccati: il peccato di adulterio, il peccato di aver fatto morire di dolore mia moglie; ma poiché Dio mi ti ha posto davanti è segno che egli vuole sia fatta giustizia.

Egli guardava verso l'ala destra dei giurati, e a dire il vero questi, dopo il primo impeto di protesta, avevano preso un aspetto di diffidenza gli uni verso gli altri; ma gli occhi dell'accusato avevano una fissità di follia, e nessuno, in fondo, sebbene alla superficie scosso da un brivido, credeva alle sue parole.

Egli si passò una mano sulla fronte, e mentre il presidente insisteva per chiudere l'udienza, aggiunse con voce tremante:

– Dio mio, Dio mio, è giunta l'ora della tua promessa. Non per me, ma per gli uomini ciechi, non per me, ma per quelli che non credono nella tua giustizia. Dimostra dunque che essa non comincia solo col regno della morte.

Diceva con tale fede queste parole che tutti davvero provarono un brivido. E il suo viso parve vuotarsi ancora di più, divenire quasi trasparente: e si vide il sudore cadere a goccia a goccia dalle sue dita.

Ed ecco, mentre il presidente dichiara sospesa l'udienza e si alza per andarsene, e tutti fanno altrettanto, uno dei giurati barcolla, cade addosso ad un altro che è pronto a sostenerlo; viene soccorso, ma non rinviene; condotto all'ospedale un'ora dopo è morto. Si seppe di poi, in seguito alle indagini della giustizia, che il vero colpevole era lui.

IL CANE IMPICCATO

La bambina uscì a giocare nell'orto. Era un grande orto senza alberi, coltivato solo a cavoli e carciofi; ella non ne conosceva i confini perché era paurosa; ed era paurosa perché aveva già una fantasia straordinaria e s'immaginava le cose in modo grave e misterioso; o forse più che la fantasia lavorava in lei l'istinto, acuito dall'abbandono in cui ella veniva lasciata.

Così aveva paura di andare in fondo all'orto, sebbene nessuno glielo proibisse; ma mentre giocava nel breve spiazzo arenoso davanti alla casa, fra una vecchia panchina e un fico basso, solo albero dell'orto, ogni tanto si volgeva ad ascoltare, a guardare laggiù, con gli occhi di cristallo dorato ove le cose intorno apparivano luminosamente come s'ella le avesse dentro di sé.

L'orto pareva terminasse all'orizzonte, con una linea di muro a secco, di là dalla quale, ma a distanza, perché proprio sotto il muro precipitava la valle, ondulavano profili di montagne verdi su altre montagne turchine perdute fra i globi d'argento delle nuvole.

Quella mattina, però, ella guardava e tendeva piuttosto l'orecchio verso casa; perché c'era un ospite del quale aveva paura più che dei precipizi sotto l'orto.

Molti erano gli ospiti che di tanto in tanto venivano a interrompere la monotonia di una vita sempre bella ma sempre la stessa: e tutti venivano accolti con gioia; dalla padrona di casa, sulla quale gravava la maggior fatica di bene trattarli, perché lo spirito dell'ospitalità aveva in lei qualche cosa di religioso, anzi di fanatico; dal padrone perché si mangiava meglio degli altri giorni; dalla servitù per le mance, dalla bambina perché essi portavano regali di frutta e dolci.

Ma non per questo solo era lieta, la bambina: il passo dei cavalli nella strada, il picchiare al portone, l'aprirsi di questo e l'entrare degli ospiti le davano un senso di ansia, di attesa, quasi di affanno. Il cuore le batteva. Chi arrivava? Il mondo ampio si apriva tutto, col suo mistero, all'aprirsi del portone; ed era la vita stessa che arrivava, coi suoi doni e i suoi fastidi, a volte anche coi suoi dolori.

Quando arrivava il Dottore era proprio il dolore che veniva. Il Dottore non portava mai nulla: perché dunque era il più bene accolto dalla madre, dal padre, dalle serve? Perché del padre era il più vecchio amico, e alle serve piaceva perché donnaiuolo, e la madre faceva visitare da lui la bambina, anche se la bambina non aveva che il bel fiore rosso della salute in bocca.

Una volta fu tutta denudata ed egli la volse e la rivolse rudemente, le ficcò le dita dure nelle carni, posò l'orecchio freddo e peloso sulle spalle e sui fianchi di lei, infine le fece aprire la bocca e le cacciò in gola l'arma terribile d'un manico di cucchiaino.

Ella ricordava questa visita con l'impressione di essere stata violata, ferita proditoriamente, complice la madre e tutti quelli che avrebbero dovuto salvarla.

Ed ecco che egli è lì, quella mattina, festeggiato da tutti. E fosse almeno solo. Quando il portone fu aperto dalla serva sorridente ed eccitata, col Dottore entrò un cagnolino nero, così piccolo e magro che sgattaiolò nell'orto dal buco dello scolo dell'acqua, e poi rientrò nel cortile; corse qua e là spaventando le galline, trovò un osso, e se ne impadronì con una voracità tenace e silenziosa.

Ma già le serve lo chiamavano in cucina e gli diedero da mangiare, trattando anche lui da ospite gradito. Ci fu un tentativo di protesta e poi anche di zuffa da parte della gattina; ma la gattina stessa dovette, ai gridi e alle minacce delle donne, andarsene fuori di cucina e cedere il suo posto accanto al focolare.

La bambina non cessò di confortarla finché la vide sdraiarsi beatamente sulla panchina volgendo al sole il ventre nero fiorito dei bottoncini rosa delle piccole mammelle.

La quiete però fu breve: la gattina sollevò le orecchie, balzò inarcandosi tutta, con gli occhi divenuti gialli; di volo fu di fronte al cagnolino che s'era di nuovo introdotto nell'orto e veniva avanti scodinzolando come fosse a casa sua.

Questa volta è lui che scappa e si nasconde fra i cavoli; e la gattina, che in fondo ha paura di lui, non insiste e si allontana dignitosamente, lasciando alla piccola padrona tutto lo sdegno e il dolore del dramma comune.

Appoggiata alla panchina, col vestitino tutto gonfio in avanti, ella guardava, con un sasso in mano, verso il campo dei cavoli. Molti di questi, sventrati del loro fiore granuloso, giacevano divelti e abbattuti sulle zolle smosse, in attesa di sepoltura: sembrava un campo di battaglia di cavoli, e il cagnolino vi si moveva in mezzo, cauto, avvilito.

Ma non era fatto per il dolore e l'odio, lui; piano piano tornò sullo spiazzo, tutto allegro come se nulla fosse, e s'avvicinò alla bambina scodinzolando.

Era il suo modo di esprimersi, questo; e dava allegria a vederlo così spensierato: lei però non si rallegrò: eppure il cagnolino le piaceva e avrebbe volentieri giocato con lui.

Lasciò cadere il sasso; e il cagnolino lo annusò, lo toccò con la zampa, poi guardò lei come a domandarle perché lo aveva tenuto in mano.

Ma gli occhi di lei, pieni d'ombra, non rispondevano. Una foglia secca attraversò rotolando lo spiazzo, spinta dal lieve vento d'autunno; il cagnolino le corse dietro abbaiando, con coraggio e con paura.

Allora ella rise; si mosse anche lei e diventarono amici. Era una cattiva amicizia, però, quella di lei, fatta di odio e di tradimento: amicizia come tante altre.

L'avventura col cagnolino non le faceva dimenticare il pericolo del Dottore e la paura che la madre la chiamasse.

La madre non la chiamò, e finalmente il Dottore uscì. Allora, liberata, almeno per il momento, dall'incubo, dimenticò anche il cagnolino. Sentì un violento bisogno di saltare, di correre come la foglia al vento. E dopo alcuni giri cercò la corda per i salti, che stava di solito gettata sul ramo più basso del fico.

La corda non c'era.

Guarda guarda, la vede più in là per terra, agitata come un lungo verme. Il cagnolino se n'è impossessato e la trascina, la scuote, le abbaia contro fra pauroso e minaccioso. Ella non protesta, sebbene di nuovo sdegnata fino alle lagrime: le labbra le tremano e gli occhi brillano di dolore ma anche di crudeltà.

Piano piano, come per non farsi sentire neppure dallo stesso cagnolino, fa qualche passo, si piega, prende il lembo della corda e la tira a sé.

La bestia si ferma sulle quattro zampette magre, scodinzola, guarda la bambina in viso.

– Adesso ti faccio divertire io – mormora lei, con mistero.

Il cagnolino scuote le orecchie: pare dica di sì. Ella ha tirato su tutta la corda e dapprima se l'avvolge un po' intorno ai polsi per cominciare il gioco del salto; poi d'improvviso la lancia verso il cagnolino e lo prende facilmente al collo, lo lega con un doppio nodo, lo trascina un poco; e poiché l'infelice la segue, innocente e allegro, ma non senza una certa riluttanza, ella lo incoraggia, lo rassicura, cammina indietreggiando per attirarlo meglio.

– E vieni, su, e vieni, e vieni...

La corda è lunga, sottile, forte; ella un po' la fa andare alta, un po' bassa, e anche lei si piega e si solleva e pare si diverta con la vittima come il gatto col topo.

Il cagnolino comincia ad abbaiare: s'è fatto serio, con gli occhi rossi cattivi. Ella ha una vaga paura: della bestia o di quello che improvvisamente pensa di fare? È sotto il fico; sotto il ramo basso fino al quale le sue piccole mani arrivano. E arrivano, le sue piccole mani, a gettarvi i due capi della corda, a riprenderli dall'altra parte del ramo e tirarli e tirarli.

Il cagnolino abbaia, poi ringhia, si drizza, va su per aria, rimane sospeso sotto l'albero maledetto, tutto scosso da un tremito convulso e con la lingua fuori della bocca spalancata.

Fu trovato poi, lungo disteso sotto il fico, tutto umido di bava. La corda e la bambina erano scomparse.

La madre e le serve, desolate e sconvolte per quella morte misteriosa, domandarono scusa al Dottore, e tanto fecero ch'egli uscì a vedere ed esaminò il cadavere del cagnolino.

– Qualcuno lo ha impiccato, – disse, – e ha fatto bene perché aveva i germi della rabbia.

Poi disse che la bestia non era sua.

IL TESORO

Non era nelle abitudini del nobile don Vissenti di aver compassione del prossimo, e specialmente del prossimo povero e bisognoso, tanto più che a questa categoria oramai apparteneva anche lui e poco aveva con che manifestare il generoso sentimento, eppure quando seppe che un antico servo della sua famiglia moriva solo, abbandonato come un cane, in un vecchio pagliaio, decise di andare a vederlo. E pensò anzi di portargli qualche cosa.

– Che cosa farebbe piacere a me, se mi trovassi nel suo stato? – si domandò; e scambiando alquanto lo stato in cui si trovava lui con quello del moribondo, pensò a una bottiglia di vino.

Il vecchio però, sebbene moribondo, non s'illuse un momento, tanto più che non beveva vino.

E sebbene una sete angosciosa gli attaccasse la lingua al palato e gli screpolasse le labbra amare, respinse la bottiglia che il nobile visitatore, chino su di lui gli accostava al viso.

– Acqua, acqua – rantolò.

Don Vissenti si guardò intorno: c'era una brocca, accanto al giaciglio, ma vuota, coperta di mosche assetate. La prese e andò a domandare un po' d'acqua ai più vicini di casa, rimproverandoli dello stato di abbandono in cui giaceva il vecchio.

– E *vosté* perché non se n'è curato prima? – disse una donna, la più anziana, dandogli a malincuore l'acqua di cui nel paese quell'estate c'era una terribile scarsità.

– Io l'ho saputo solo oggi – egli rimbeccò, dignitoso – e subito sono venuto e gli ho portato vino, e non acqua.

– E io è da un mese che lo assisto, e non ho fatto sapere a nessuno quello che la mia miseria mi permette di dargli.

Anche un po' per ripicchio contro questa donna alla quale poteva mancar tutto ma non la lingua, don Vissenti cominciò ad assistere il moribondo.

Del resto egli era un uomo che faceva sempre le cose sul serio, tenace, freddo, puntiglioso e pieno di dignità, come un po' lo erano tutti in quell'arido paesetto di pianura. Il padre di don Vissenti, diceva la tradizione, non aveva mai una sola volta scherzato in vita sua, tanto che quando morì e andò all'inferno e il diavolo cominciò a rivoltarlo col suo tridente, disse, offeso e dignitoso:

– Oh, piano, piano con gli scherzi.

Il moribondo però aveva ben conosciuto questo suo antico padrone e conosceva bene don Vissenti; e non si commoveva. Sapeva che qualche cosa don Vissenti voleva, altrimenti non si sarebbe degnato di venir ad assistere un mendicante; e a sua volta, istintivamente, anche perché ne aveva assoluto bisogno, profittava delle buone disposizioni dell'altro.

A dir la verità, in breve ne sentì tale giovamento che cominciò a riprendere coscienza e a turbarsi.

Egli giaceva completamente vestito di stracci, sopra un sacco di paglia, e tanto questo quanto il suo corpo puzzavano peggio che s'egli fosse morto da otto giorni.

Ebbene, don Vissenti, ch'era un uomo ancora vigoroso sebbene eccessivamente grasso, lo aveva sollevato, spogliato, pulito e rivestito d'una sola camicia, e infine trasportato su un altro sacco sul quale aveva steso alla meglio un lenzuolo ripiegato in due e deposto un guanciale. E aveva ripulito intorno, scacciando alquanto le spaventevoli mosche che si posavano sul malato come vampiri. E lo sollevava per i suoi bisogni, e sopratutto gli dava da bere.

Acqua, acqua; il vecchio non domandava altro, non aveva bisogno d'altro; e vaneggiando parlava sempre di una fontana sui monti, una sorgente d'acqua fresca intorno alla quale arrancava senza riuscire a metterci bocca.

L'acqua pesante e calda che don Vissenti gli porgeva, non faceva che accrescere l'arsura acida del suo palato; e più che per il dolore cupo che gli pesava sul ventre gonfio, egli desiderava morire per non sentir più questa sete implacabile.

Nel paese intanto s'era sparsa la voce che don Vissenti assisteva il vecchio, e un po' per il buon esempio, un po' per curiosità, qualche sfaccendato andava nel pagliaio e portava qualche elemosina.

Queste visite irritavano e ingelosivano don Vissenti.

Una sera venne anche un suo parente e portò entro un fazzoletto insanguinato una *corda*, cioè una treccia fatta con budella di agnello; era ubriaco, e non sapeva bene quel che si facesse; tuttavia don Vissenti si sdegnò furiosamente.

– E vattene – disse respingendo il dono inopportuno e con esso il donatore tentennante; – non vedi che ha bisogno del viatico più che della tua *corda* puzzolente? E impiccati con essa, se non sai altro che fare!

– O Vissenti! – esclamò l'uomo, offeso mortalmente. – Faresti meglio tu a impiccarti, che a star qui ad insultare la memoria di tuo padre.

Don Vissenti impallidì di rabbia, ma si riprese e ritornò dignitoso.

– Che intendi di dire con queste parole?

– Che lo sanno tutti, in paese, perché sei qui. E lo sa anche lui, lui, lui, quello lì. Lo sa, che non sei qui ad assisterlo per carità, ma per carpirgli il segreto... il segreto della brocca di denari seppellita da tuo padre in sua presenza... dei denari che tuo padre non volle lasciare a te perché ti odiava, e aveva ragione... aveva ragione...

Don Vissenti sogghignava, ma dentro tremava di sdegno.

– Perché non doveva lasciarli a me, i denari, mio padre? Forse dubitava quello che tu dubiti di tuo figlio, che non sia tuo?

– Vattene, vattene! – insisteva l'ubriaco. – Aveva ragione, tuo padre, di odiarti, perché lo maltrattavi, perché sei un pazzo maligno; e fece bene a mangiarsi tutto, prima di morire, e a lasciarti solo l'illusione della brocca, e l'illusione che quest'imbecille non ne abbia profittato per scrupolo, per non peccare...

– Ecco perché muore fra i pidocchi, come morrai tu. Ben gli sta – disse don Vissenti: e rideva, rideva.

Ma quando il parente se ne fu andato, col suo involto coperto di mosche, egli si fece sanguigno e nero come quell'involto.

– Sentito avete? – domandò al vecchio, sollevando il fazzoletto col quale gli riparava il viso dalle mosche; e poiché non riceveva risposta, e quel viso con gli occhi chiusi e le labbra bianche pareva quello di un morto, proseguì anelante:

– Tutti dunque lo sanno, vedete. Mio padre mi odiava, sì, ma non c'è ragione che mi odiate voi. Che male vi ho fatto? Potevo perseguitarvi, costringervi a parlare, e invece vi ho lasciato tranquillo, anche perché – aggiunse come fra sé, abbassando la voce – non avevo bisogno, ed ero superbo. Ma adesso invecchio, adesso la miseria sta per cavalcarmi... e tutti mi disprezzano perché son povero, tutti mi odiano come mi odiava lui. Sarà una mia fissazione, ma è così. E voi siete davanti a Dio, adesso, e anche lui a quest'ora mi avrà ben perdonato. Ditemi dunque dov'è la brocca. I denari, prima di morire, mio padre li aveva di certo, perché aveva venduto le terre e la casa. Dove li ha messi? Voi lo sapete, e voi dovete dirmelo.

– Mi dia da bere – gemette il vecchio; e quando ebbe bevuto, fece uno sforzo per parlare.

– Se ne vada, don Vissenti. Qui perde il suo tempo, e io l'ho trattenuto inutilmente. La brocca non esiste, e suo padre ha venduto la terra e le case per amore del prossimo, per pagare i debiti e i servi e lasciar lei povero, sì, ma onorato. Se ne vada, se ne vada – non cessò di ripetere, ricadendo sul giaciglio. E fu preso da un'agitazione nervosa che non lo abbandonò se non quando don Vissenti promise di andarsene.

E quando fu a casa, anche don Vissenti fu preso da un'agitazione nervosa simile a quella del vecchio. Anzi gli sembrava che questi gli avesse attaccato il suo male; si voltava e rivoltava nel letto, e il letto era duro come un sacco di paglia; e una sete amara gli intossicava la bocca.

Provò a bere, ma sputò l'acqua calda e piena di bollicine; poi si mise a ridere, goffamente, come dopo il battibecco col parente ubriaco.

– E tu credevi di far opera di carità dando da bere questo

veleno a quel disgraziato? – disse a voce alta, imitando il modo di parlare del parente. – Va, va all'inferno.

Si vestì ed uscì. Era una notte di luna, chiara come un bel giorno chiaro. Cammina, cammina, egli si trovò nello stradone, verso una valletta ch'era il solo luogo un po' fresco dei dintorni, e dove appunto la gente del paese andava ad attingere l'acqua a una scarsa sorgente.

Quel terreno una volta apparteneva alla sua famiglia, e laggiù appunto egli credeva che il padre avesse sepolto il tesoro.

Cammina cammina, incontrò un ragazzo scalzo con due piccole brocche d'acqua luccicanti alla luna.

– Mi dai da bere? – domandò, e fu sorpreso e intenerito dal gesto silenzioso col quale il ragazzo gli porse senz'altro una delle brocche.

L'acqua era freschissima, ed egli bevette pensando al vecchio che moriva di sete.

– Mi vendi questa brocca? – domandò, e il ragazzo fece un gesto quasi di derisione.

– E se la prenda così: non vendo acqua, io.

Rifecero la strada assieme, fino al pagliaio, dove don Vissenti rientrò lasciando la porta aperta.

Al chiaro di luna vide che il vecchio si agitava di nuovo, spasimando.

– Acqua... acqua...

Lo sollevò subito e lo fece bere dalla brocchetta. E la brocchetta tremò contro la bocca del moribondo, e pareva tremasse da sé, per qualche cosa di misterioso che accadeva in quell'attimo; per la gioia del vecchio che sentiva di essere finalmente assistito per pietà e beveva alla fontana dei suoi sogni, ma sopratutto per la gioia di don Vissenti che sentiva di aver ritrovato il tesoro sepolto dal padre.

I DUE

Viaggiavano a piedi, su e giù per le valli rocciose della Gallura, due uomini senza bisaccia e senza mantello, che discorrevano sempre e col discutere pareva si dimenticassero della fatica del viaggio.

E il più vecchio finiva sempre col dare ragione al più giovane: anzi sembrava, com'è giusto, voler imparare da lui; e spesso gli domandava spiegazione di quello che non riusciva a capire.

Così avvenne che arrivarono a uno *stazzo*, abitazione campestre di un povero pastore di pecore. Lo stazzo era, più che povero, primitivo, composto di una casupola di pietra grezza, un recinto di siepe per il bestiame e una tettoia di frasche che serviva a più usi.

Nel momento in cui arrivavano i due sconosciuti, la giovine moglie del pastore lavava, sotto questa tettoia, i suoi due bambini gemelli, nudi, grassocci e allegri come due angioletti autentici. Il cane scherzava intorno a loro, e un agnellino di pochi giorni che ancora non si reggeva bene sulle gambe stava presso la donna come un suo terzo figliuolo e col suo belato pareva la chiamasse mamma.

Il quadro era così bello, con lo sfondo del prato fiorito di asfodeli e di nuvole rosa all'orizzonte, che il più vecchio dei due uomini si mise a piangere: tanto più che tutte quelle buone creature, compreso il pastore che venne fuori dallo stabbio, accolsero con gioia, come fossero vecchi amici, i sopraggiunti.

– Dateci da bere – disse il più giovane.

E il pastore diede loro del latte appena munto, e li invitò a riposarsi: poi, sentito che andavano lontano e sprovvisti di tutto, li invitò anche a desinare e a passar la notte nello stazzo, se volevano: non solo, ma ammazzò una pecora, per far loro onore, e le carni che avanzarono dal banchetto le diede a loro, per il resto del viaggio, avvolte nella pelle della bestia uccisa.

Infine, sentito che andavano verso i monti raccomandò loro di recarsi presso un suo parente ricco, il quale possedeva molti terreni, molto bestiame, molti servi, e uno stazzo grande come nessun altro nei dintorni.

– Egli vi offrirà ospitalità più gradevole della mia – disse; ma la moglie che era una donna fina, aggiunse:

– Se sarà di buon umore!

Verso il tramonto i due partirono, lasciando con rimpianto quel luogo di pace. Da lontano il più vecchio si volse e vide il pastore che giocava coi suoi bambini e col cane e con l'agnellino, felici tutti come gli uccelli che svolazzavano fra le macchie. E il sole che cadeva sul mare pareva allungasse i suoi raggi fino a loro per prendere parte alla loro felicità.

– Signore, – mormorò, – io ti ringrazio poiché mi hai fatto vedere che la gioia esiste ancora sulla terra.

Cammina cammina essi arrivarono prima che fosse notte alta allo stazzo del ricco proprietario. Più che stazzo poteva dirsi quasi un piccolo castello, con le sue facciate di granito, le sue inferriate, i muri alti dei suoi cortili e dei suoi stabbi. La luna lo illuminava, e al suo chiarore la chiostra dei monti sovrastanti pareva tutta una fortificazione ciclopica, una cinta di torri e di spalti messi lì a difesa della casa del ricco.

I cani abbaiavano; e attraverso il loro urlo assordante si sentiva una voce d'uomo che gridava improperi contro qualcuno. Poi si sentì un grido di donna e pianti di bambini. Qualcuno buttò da una finestra una stoviglia che si fracassò contro una pietra: e il rumore fu così stridente, e vibrò così a lungo, così in lontananza, che parve tutto il passaggio s'incrinasse.

Il vecchio fu del parere di andar oltre e passare la notte all'aperto piuttosto che chiedere ospitalità in una casa tanto agitata.

Ma il più giovane batté alla porta.

Tosto il chiasso dentro si calmò: una serva aprì, diede uno sguardo ai due e nel vederli così malvestiti s'irrigidì.

– Se il padrone non vi conosce non potrà darvi ospitalità – disse. – Sarebbe bella che in una casa come questa si accogliessero tutti i vagabondi che passano. Ad ogni modo vado a vedere.

Chiuse loro la porta in faccia e andò a vedere. Ma non tornava mai. Dentro ricominciarono le voci, i pianti, gli strilli. Il più giovane dei due uomini tornò a picchiare.

– Picchiate e vi sarà aperto – diceva.

Questa volta venne un servo: aveva un aspetto più benevolo di quello della serva, ma anche un po' sarcastico.

– Proprio stanotte! – esclamò. – Stanotte che ci sono tutti i diavoli in casa. Il padrone ha bastonato la padrona, e la padrona se la prende coi bambini e coi servi. Sempre così, del resto, sempre questioni d'interessi, sempre inquietudini e malumori.

– Va a vedere se il tuo padrone ci dà ospitalità – disse il più giovane.

Il servo andò a vedere; e non tornava mai.

Il più giovane picchiò una terza volta.

E questa volta venne il padrone in persona, rosso in viso per la collera, con un bastone in mano e un cane appresso.

– Se non smettete di picchiare – disse – voi assaggerete il sapore del legno, e questo cane saprà il sapore dei vostri polpacci sporchi.

E chiuse bestemmiando.

Il più vecchio s'era prudentemente tirato da parte e faceva il segno della croce: il più giovane non disse parola, ma nel passare davanti a uno stabbio vuoto vi buttò dentro le ossa della pecora che il pastore povero aveva ammazzato per festeggiare i due ospiti.

E d'improvviso da quelle ossa seminate sul terreno nudo sorse un gran numero di pecore grasse e pregne; tante che lo stabbio ne fu colmo. I due andarono oltre.

– Perché hai fatto questo? – domandò il più vecchio. – Tu non hai dato niente al povero che ci ha ospitato e accresci la ricchezza di questo maledetto?

– La ricchezza è la sua maledizione e la sua maledizione crescerà con la sua ricchezza. Beati i poveri di spirito, poiché in essi è il regno dei cieli anche sulla terra – disse Gesù. Poiché il più giovane era Lui e il più vecchio era il suo servo Pietro; e tutti e due se ne andavano in giro per il mondo in cerca di uomini di buona volontà.

LA LETTERA

La nonna tenne un po' in mano la lettera azzurra chiusa con un sigillo dorato, orgogliosa che il giovane nipote, al quale era diretta, oltre che del modesto cognome paterno si giovasse di quello materno, ch'era quello di lei: cognome di nobiltà, antica quanto oramai povera, del quale il ragazzo si fregiava come di una medaglia al valore o, forse meglio, come di un'orchidea all'occhiello.

Poi mise la lettera sulla tavola ancora apparecchiata per lui e tornò a sedersi davanti alla finestra.

Un rettangolo di sole entrava dalla finestra e saliva ad accarezzar le mani, poi le ginocchia, poi il petto della piccola signora: e quel tepore accresceva la gioia di lei, le sue speranze per l'avvenire. Ella sognava, come aveva sempre sognato nella sua vita: poiché la lettera, ella lo sapeva benissimo, era della ricca signorina che da molto tempo piaceva al nipote; e una signorina che scrive così una lettera voluminosa, sigillata in quel modo, non può che essere innamorata e consenziente. Un rifiuto è scarno, sdegnoso di segreto, e tutt'al più si nasconde per cortesia e non usa sigilli dorati. – Ella lo vuole. Finalmente lo vuole, Dio sia ringraziato – pensa la nonna, piegando la testa: e il sole le accarezza anche la testa di argento e pare proseguire il pensiero di lei: – Sì, nonna, ella lo vuole; e tu puoi alfine riposarti, metterlo nelle sue braccia come tu lo hai ricevuto dalla tua figlia morente: puoi alfine dormire e stare sempre al sole laggiù.

Laggiù, si vedeva dalla finestra, era la cittadella bianca di quelli che non aspettano più; coi suoi verdi merli di cipressi, su uno sfondo di monti così azzurri che sembravano i monti del paradiso.

Ella cominciava a sonnecchiare, quasi prendendosi un acconto del grande riposo; ma d'un tratto l'orologio a pendolo, che palpitava incessante nella quiete della piccola sala da pranzo, suonò rapido le ore, e a lei parve di sentirsi battere sulle spalle con una verga di metallo. Trasalì e fu ripresa da tutte le inquietudini della realtà.

Il ragazzo tardava. Non era la prima volta che tardava; ma non per questo l'inquietudine di lei s'illudeva. Erano tutti e due soli nella grande città; e nella grande città i pericoli di morte sono più facili che nel deserto.

Tanto più ch'egli era distratto, se non spensierato; anzi molto serio e pensieroso ma indifferente ai pericoli e come lontano dalle cose piccole eppure così terribili della vita.

Per esempio, avrebbe potuto avvertire, quando tardava, sapendo la nonna sola e inquieta, tanto più che avevano il telefono, solo superfluo che ella si permetteva appunto per potere stare sempre in contatto con lui, e chiedere soccorso all'umanità in caso di bisogno.

E d'improvviso ella s'alzò vibrando poiché un suono di campanello la chiamava; ma era il campanello della porta, ed ella non s'illuse un istante: una disgrazia doveva essere accaduta.

La porta dava su un pianerottolo scuro ed ella apriva sempre con una certa diffidenza, sebbene poco avesse a temere; questa volta però aprì subito e trascolorò nel vedere una guardia di città.

– Non si spaventi, – disse l'uomo sinistro, – suo nipote è stato investito da una bicicletta e ha un piede ferito: io stesso l'ho accompagnato all'ospedale. È cosa da nulla.

– Non è vero – ella esclamò. – Se la cosa non fosse grave egli si sarebbe fatto accompagnare a casa. Ditemi la verità.

– Io non dico che la verità – l'altro affermò severamente. – Suo nipote la prega di andarlo a vedere.

Ella corse dentro. Dove correva? Non le importava di mettersi il cappello ed il cappotto: correva per qualche altra cosa. Rientrò nella saletta da pranzo e provò una indicibile angoscia nel rivedere la tavola ancora apparecchiata per lui che forse non sarebbe rientrato mai più: prese la lettera e tornò alla porta.

– Andiamo.

Andarono. Le scale non finivano mai. Erano buie e gente misteriosa saliva e scendeva e a volte impediva il passo alla nonna e al suo sinistro compagno.

Finalmente uscirono nella strada, ed ella prese una vettura per arrivare più presto: ma neppure a farlo apposta il cavallo sdrucciolava sul selciato fangoso, e il vetturino, pure frustando-lo e imprecando, lo faceva camminare piano.

– Io lo sapevo, – ella diceva alla guardia che non parlava più, – lo sapevo che una disgrazia doveva succedere. Era trop-po buono e bello, il mio bambino; e adesso, dopo tante disgra-zie, dopo la morte della sua mamma e poi del padre e di tanti altri parenti, eravamo quasi felici: lui studiava, ed io ero venuta in città per assisterlo, perché non avevo altri che lui. Non sia-mo più ricchi, come un tempo, anzi siamo poveri; ma tante speranze fiorivano nel margine della nostra vita. Anche oggi, poco fa, è arrivata una lettera, una bella lettera celeste, col si-gillo d'oro, che portava certamente la fortuna.

A queste parole la guardia parve sogghignare; il suo viso pallido e gonfio, con gli occhi bistrati e la bocca livida, aveva davvero qualche cosa di lugubre.

– Sarà la lettera di qualche ragazza della quale suo nipote è invaghito.

– Che ne sapete voi? – disse la nonna.

E un dubbio rese più intollerabile la sua angoscia; sì, il ra-gazzo era molto innamorato della donna del sigillo d'oro: e aveva attraversato periodi di grande tristezza per lei che non lo voleva. Non si confidava con la nonna; ma la nonna sapeva tutto, e il dubbio che egli avesse tentato di morire per amore rendeva più intollerabile la sua angoscia.

La vettura continuava il suo triste viaggio. Adesso percorre-va un viottolo stretto fra due siepi; e la nonna si meravigliava che l'ospedale fosse così lontano.

D'un tratto il cavallo inciampò di nuovo, ed ella propose alla guardia di scendere e proseguire la strada a piedi.

– Lei è pazza, – disse il cattivo uomo, – non si arriverebbe neppure fra un'ora.

Mille angosciosi pensieri le oscuravano la mente; aveva paura che il vetturino sbagliasse strada, o conducesse lei e il suo compagno in qualche luogo pericoloso; e non sapeva se era giorno o notte: aveva perduto la nozione del tempo e le pa-reva di aver la testa avvolta in un velo nero. E il più terribile era che, come nei sogni, ella sentiva di non aver più la volontà di vincere la sua angoscia: mentre quando si è desti, vale a dire si è vivi, basta questa volontà a rendere sopportabile anche il più crudo dolore. Quando si sogna nel dormire, invece, e si è quindi già nel regno della morte, si sente che ogni volontà è inutile, e il dolore è completo.

E il suo affanno crebbe quando la guardia le chiese d'improvviso di far vedere la lettera; e anzi tese la mano per aprire la borsa di lei. Ella non oppose resistenza.

L'uomo trasse la lettera, la guardò da una parte e dall'altra, poi anche attraverso la luce, ma non l'aprì: infine la rimise accuratamente dentro la borsa.

– Questa gente qui bisognerebbe impiccarla, – disse con enfasi: – non pensa che a divertirsi, e chi piange piange –. E la nonna non dubitò più: il ragazzo doveva aver compiuto un delitto contro sé stesso per amore.

– Per carità, in nome di Dio, mi dica il vero, – supplicò, – sono coraggiosa; ho avuto tante disgrazie. Il ragazzo ha tentato di uccidersi?

La guardia fece cenno di sì, in modo strano, quasi sorridendo, quasi volesse dire: – E poiché lo sa, perché me lo domanda?

– È grave?

Egli accennò ancora di sì, ma senza più sorridere.

Allora lei si mise a piangere: un pianto senza lagrime, ma di una pena infinita, quale non l'aveva mai provata neppure per la morte degli altri suoi cari.

Le parve che quel viaggio misterioso la conducesse ai confini della terra; laggiù dovevano seppellirla.

E tutti i più dolci ricordi del diletto fanciullo le tornarono al cuore, e da fiori si mutarono in serpi: e il dolore ch'egli le dava, e questa prova d'ingratitudine e disamore per lei, aumentarono il suo amore per lui. Lo vedeva disteso lungo pallido sul letto dell'ospedale, con la giovine bocca e i grandi occhi tinti dalle viole della morte, e si faceva coraggio solo per far coraggio a lui, e aiutarlo nel passo ultimo come lo aveva aiutato nei suoi primi passi.

E pensava di mettergli la lettera in mano, poiché egli l'aprisse al di là e tutto il suo eterno avvenire ne fosse illuminato di gioia.

Lo squillo nervoso del telefono la svegliò dal suo cattivo sogno.

Era lui che chiamava.

– Nonna, scusami; ho tardato; sono con degli amici che mi tengono a colazione con loro. Nonna...

– M'ero addormentata; e sognavo – ella disse, con una voce lontana ancora fredda d'angoscia.

Egli non badava a lei.

– Tornerò verso le cinque; se hai da uscire esci pure, nonna.

– C'è una lettera per te.

– Una lettera? Ah sì, – egli disse dopo un attimo di silenzio, – so di chi è. Va bene. Addio.

Ella tornò nella saletta da pranzo e guardò con un senso istintivo di pietà la lettera.

Più tardi infatti, quando egli se ne andò fuori di nuovo nella sera luminosa di luna e di canti giovanili, la rivide aperta e lasciata con indifferenza sul tavolino di lui: ne lesse qualche brano; e seppe che la fanciulla dal sigillo d'oro non solo voleva il ragazzo, ma si lamentava di essere già abbandonata da lui.

AMICIZIA

Quando arrivarono i due amici l'osteria era già quasi al completo: con ciò non si vuol dire che ci fosse molta gente, perché è un locale piccolo, un'antica latteria che di questa conserva l'aria innocente, coi suoi tavolini di marmo, le sedie verdi, il banco di zinco dominato dalla figura placida della padrona coi capelli bianchi sollevati infantilmente sulla fronte.

Una luce discreta scende dall'alto, da una lampada corazzata di velo rosso contro le mosche: una luce che raddolcisce i volti degli avventori e giova alla quiete di quel composto santuario di Bacco. E gli avventori si dimostrano degni del luogo; nessuno fuma, nessuno è accompagnato da donne: sono quasi tutti coppie di amici dai cinquanta ai sessanta; e il naso ardente che la luce complice della lampada non riesce a difendere del tutto, e la pancia abbondante che la cinta dei calzoni abbraccia a stento, rivelano tanti emeriti ubriaconi.

Ma nessuno di essi trascende: tutti conoscono la scienza del bere, e bevono i vini sinceri, non badando a spesa, poiché per lo più sono commercianti che durante la giornata hanno concluso eccellenti affari; e sorridono con compatimento se fuori passa qualche comitiva di giovinastri avvinazzati che cantano e urlano trascinandosi in mezzo come una donna perduta la musica disperata di una fisarmonica.

Basta un esame a prima vista dalla porta a vetri spalancata, per far capire all'amico che condotto dall'amico ci entra per la prima volta, che si trova in un luogo d'iniziati, i quali si guardano bene dal fare la *réclame* al locale per non vedersi preso il posto, come pure sono parchi di complimenti con la padrona ancora senza malizia, per non indurla nella tentazione di battezzare il purissimo vino di Genzano ch'ella vende a metà prezzo delle altre ostesse.

– Eccolo, è seduto nell'angolo a destra della porta – disse sottovoce l'altro amico nel mettersi a sedere a un tavolino accanto al banco: poi si volse verso la padrona sorridendole e facendole cenni misteriosi con le labbra e con le dita, finché lei scese dal suo trono e portò un'anfora di vino rosso sulla cui bocca egli si piegò come sulla bocca odorosa di una fanciulla innamorata.

– Non mi fate sfigurare, sora Nina – disse sollevandosi. – Qui si tratta di un nuovo avventore che sebbene forestiero può dirsi padrone di Roma. Guardatelo bene: ha venduto oggi tant'olio da calmare il Grande Oceano in tempesta. Oh, compare, su, coraggio, all'assalto.

Il compare pareva immerso in un sogno, tutte le sue facoltà visive e intellettuali concentrate sull'avventore seduto solo al tavolino dietro la vetrata della porta che gli serviva da paravento.

Quest'avventore era anche lui un uomo anziano, ben portante, vestito completamente di nero, col viso raso tinto da quell'inesorabile riflesso che il buon bicchiere lascia sul viso dei suoi adoratori: solo lo distingueva dagli altri il brillare degli occhiali d'oro misto a quello dei vividi occhi azzurri.

Teneva davanti una bottiglia dal collo slanciato come quello di una bella donna, e di tanto in tanto la piegava lentamente con un gesto quasi di voluttà, versando il vino nel bicchiere; e il bicchiere non lo pienava mai più che a metà e lo accostava alle labbra con religione come fa il prete nella messa.

Nessuno badava a lui, tranne il nuovo avventore, ma anche questo cessò di fissarlo a un colpo che l'amico gli diede col ginocchio sul ginocchio dicendogli sottovoce:

– E bevi, Marcantonio! Così finirai col farlo andar via. E bevi.

L'altro beve, in silenzio: ma il vino gli gorgoglia in gola come quando si ha il singhiozzo. Uno, due, tre bicchieri: ricominciano i cenni misteriosi verso la padrona e l'anfora viene riempita. Quante volte viene riempita l'anfora e quante i bicchieri? I bicchieri che due veri amici bevono in compagnia, pagandoseli a vicenda, non è discrezione contarli: si deve badare solo all'effetto; e l'effetto è ottimo: la felicità siede terza al tavolino dei nostri amici e le fanno corona le migliori qualità che avvicinano l'uomo alla perfezione.

Specialmente il forestiero si sentiva in stato di grazia: ogni tanto allungava la mano per stringere quella dell'amico, e si faceva forza per non lasciar cadere qualche lagrima dentro il bicchiere.

– Ti ringrazio, oh, ti ringrazio – gli diceva sottovoce. – Eravamo amici ma adesso siamo fratelli. La mia casa è la tua, il mio letto è tuo.

– Eh, ma ci dorme anche tua moglie.

– Non fa niente. Mia moglie è una donna religiosa: e religioso sono anch'io – riprese alzando la voce e declamando sebbene le parole gli zoppicassero in bocca. – Cristiano sono, cattolico e credente, e venero la nostra santa madre Chiesa e il Sommo Pontefice e quanto lui fa. Se per esempio egli volesse uscire io sarei il primo ad approvarlo. Le cose andrebbero meglio, se lui uscisse, se si mescolasse al gregge, portando intorno la sua benedizione.

Qualcuno si volse ad ascoltarlo. L'amico si sentì un po' a disagio e ammiccava qua e là verso i suoi conoscenti per scusare il forestiero. Un ometto però, seduto lì accanto, non poté tenersi dal dire:

– Qui la benedizione ce la dà la sora Nina, e che benedizione! Mi pare che anche lei la senta.

– Lei è comunista? – domandò fieramente il provocato.

– Qui non ci sono né comunisti né fascisti. Non c'è che un comune fascio di italiani che bevono alla salute e gloria della patria.

Uno scoppio di riso discreto scosse la compagnia: anche il signore laggiù sorrise, e il nostro amico, che non lo perdeva mai d'occhio, si sentì scorrere quel sorriso nel sangue con un brivido profondo.

Invitò l'ometto al tavolino, e fu lui adesso a far cenni alla padrona come fossero d'intesa da anni; poi raccontò i suoi affari di famiglia al nuovo amico, e lo invitò al suo paese e a casa sua.

– La mia famiglia, non faccio per dire è la più onorata e ospitale del paese. Ho ancora viva la nonna, sì, proprio la nonna, l'amico qui può affermarlo. Con questo non voglio apparire giovine io: la nonna ha cento cinque anni, e vede benissimo ancora a infilare l'ago, ed ha una memoria di ferro. Si ricorda di un porco che le fu rubato la notte che nacqui io, la bellezza di sessantadue anni fa, e ancora fa ricerche del ladro: perché noi, gente religiosa siamo; se però un torto ci vien fatto non lo dimentichiamo più. E questa mia vecchia, dicevo, è ancora arzilla e svelta: prima che io partissi mi diceva: cerca di vedere il papa; poi ci verrò anch'io, a vederlo, così morrò contenta.

– Dovrebbe aspettare ancora un po', a mettersi in viaggio – sogghignò il compare, un po' geloso della nuova amicizia, e poiché l'altro continuava e adesso alzava la voce come per farsi sentire da qualcuno, gli diede di nuovo un colpo sulla gamba, invitandolo a tacere.

– Qui non si usa stancarsi la gola, per non perdere il sapore del vino.

– Tanto più che c'è chi pesca e ripone nel sacco ogni nostra parola – disse piano l'ometto, accennando con la coda dell'occhio al personaggio con gli occhiali.

Allora il nuovo amico si protese verso di lui con curiosità ansiosa; ma un ultimo colpo sotto il tavolino lo richiamò al patto di un assoluto silenzio a proposito del personaggio misterioso, e gli fece ringoiare le sue domande.

Quando furono soli, i due vecchi amici, uno di sostegno all'altro, nella strada illuminata dalla luna, dopo un silenzio grave, si ritornò sull'argomento.

– Un altro po' e mi tradivi come un cane. Era questo il patto? Il patto era che non lo avresti fissato in viso, che non avresti accennato a lui con nessuno. Ti avevo già avvertito che io solo conosco il segreto, che a te solo lo comunicavo: avvertito ti avevo o no?

– Avvertito mi avevi. L'ometto però dimostrava di sapere.

– Niente sa, lui; né lui né altri. Solo io, tu, lui e Dio. Egli capita all'osteria una o due volte la settimana; qualcuno lo crede un tedesco, qualche altro un professore, altri infine un commissario di polizia.

– Un tedesco? Un commissario di polizia? – protestò l'altro sdegnato. Poi si fermò, si piegò, parve interrogare la sua ombra.

– Ma è proprio lui? Non ti burli di me per caso?

– Se non vuoi credermi fa il comodo tuo, Marcantonio; ma io ti dico e ti affermo che quello è proprio il papa, che esce quasi tutte le notti, di nascosto; e fa bene. Ma che ti succede adesso? E vattene…

E gli diede un colpo sulle spalle, come ai bambini ingozzati. Si videro le due ombre traballare per terra, colte anch'esse da vivo turbamento e quella del forestiero trarre dalla saccoccia e accostarsi al viso un fazzoletto grande come un giornale: ma quel che può rendere interessante questo modesto perché veridico dramma fu che anche l'amico e l'ombra dell'amico trassero il loro fazzoletto e tutto il gruppo d'ombre e di amici pianse in silenzio.

Sul nero di pece delle barche ferme accanto alla banchina del molo, le vele gialle dormono attortigliate come vesti ai loro picchi rossi, mentre le reti rugginose continuano a dondolarsi per aria, da un albero all'altro, pescando le conchiglie e i pesci rossi del tramonto.

È un tramonto insolitamente calmo in questo paese di vento dove tutti gli elementi e le anime sono di continuo in moto: nell'acqua azzurra del canale le barche da pesca si riflettono nitide, coi loro colori caldi di farfalle estive; e lungo la linea della banchina opposta si vedono coppie d'innamorati passeggiare tranquillamente sopra e sotto acqua, in uno sfondo irreale come i loro sogni.

Da questa parte il braccio del molo è più deserto, anzi è deserto del tutto: non c'è che una figurina nera in fondo, e un pescatore in una barca, un bell'uomo anziano, bruno e sanguigno, vestito di quel costume caratteristico fra di marinaio e di vagabondo scalzo che distingue i lavoratori del mare. È piegato a dar da mangiare a un cagnolino bianco più piccolo del suo piede, e gli parla sottovoce, e il cagnolino deve capire le parole forse tenere di lui perché ogni tanto solleva gli occhietti rossi e smette di leccare il piatto per leccare la mano che lo accarezza.

– Quanti giorni ha? – domando io dall'alto della banchina.

L'uomo si leva il berretto e risponde, lusingato per l'attenzione che desta il suo minuscolo compagno.

– Cinquanta.

– Già tanto ed è così piccolo. Crescerà.

– No, signora, non crescerà.

– Abbaia?

– No, signora, non abbaia.

– E allora cosa lo tenete a fare?

Egli non sa dirlo.

– Per bellezza, vero?

Allora egli ride: ride di vero piacere.

Per bellezza! È il termine giusto, ed egli è felice di sapere finalmente perché tiene il cagnolino.

Intanto la figurina nera s'è avvicinata, e ingrandita: ha preso, staccandosi dallo sfondo abbagliante del mare, la forma di una vecchietta gobba col bastone: è coperta di stracci, ma tutta pulita, con un velo di capelli bianchi sulla cute rosea della testa tremolante e due bellissimi occhi azzurri sotto una fronte così spaziosa e rugosa che ricorda la spiaggia al ritirarsi dell'onda.

Anche lei si ferma e mi saluta, poi sorride al cagnolino che le restituisce il saluto scodinzolando.

– Signora – ella dice dopo un momento di esitazione: – lei forse non ricorda la promessa.

Io non la ricordo davvero; ma la ricorda bene lei, che ha una memoria più ferma della mia. Sette anni or sono, vale a dire in un tempo lontano come quello delle fate, laggiù nel lido battuto dal vento di autunno, pare che io l'abbia incontrata mentre raccoglieva fuscelli fra le alghe, e le abbia promesso il mio vestito di lana allora nuovo nuovo.

– Avete ragione. Il mio vestito di lana di quell'anno se n'è da molto andato, però: la primavera lo ha tosato come tosa le vesti delle pecore; ma non dubitate; disgraziatamente per me io uso tenere le promesse, e vi troverò qualche altra cosa.

– Di lana, mi raccomando. D'estate non abbiamo bisogno di nulla; siamo tutti ricchi e vestiti dal buon Dio; ma l'inverno è lungo, qui, signora mia; il freddo si tocca, e il vento pizzica come i ragni di mare. Allora si è davvero tutti poveri e nudi, e non ci possiamo aiutare. Non è vero, Onesto?

L'uomo pareva non ascoltare; anzi aveva abbassato il testone coperto da una spazzola di capelli neri e si guardava fra le mani la pianta di un piede come ci avesse una spina; nel sentirsi interpellato sollevò il viso e rispose pronto:

– Verissimo.

Ma la vecchia mi guardava in modo ambiguo come si beffasse di lui.

– Hai fatto buona pesca, oggi, Onesto?

– Così, così. Troppa calma.

– Non ti è rimasto nulla, in barca?

Egli sembrava molto confuso. Senza alzarsi sollevò il lembo di una stuoia e scoprì un cestino di pesciolini rigidi e brillanti come lamette di acciaio: pareva disposto a darne, ma senza scomodarsi. Allora lei attaccò un fazzoletto alla punta del suo bastone e lo calò come una rete, piegandosi fino all'orlo della banchina; e quando ebbe tirato su la sua pesca me ne offrì la metà; io naturalmente dovetti rifiutare.

Ho tenuto la promessa: ho portato io stessa alla vecchia la mia usatissima giacca di lana a maglia.

I bei giorni del cuore dell'estate se ne sono andati, e questo vasto cuore comincia a raffreddarsi come quello di un amante sazio; a giorni soffia il garbino, il più potente e odioso dei venti, che per le nuvole di sabbia che solleva dà alla spiaggia solitaria l'illusione del deserto, e fa tremare e retrocedere anche le onde più cattive.

Da qualche giorno non vedo più la vecchia e temo sia malata. So dove abita, e vado dunque a portarle la mia giacca.

Anche il paese è quasi deserto, con le lunghe file di casette che sembrano tanti torroncini; casette nuove di pescatori arricchiti: attraverso le finestre si vedono, sui cassettoni monumentali, servizi per liquori, conchiglie e colombi di marmo; e gli attaccapanni di ferro simili ad alberi che i primi freddi hanno spogliato degli innumerevoli stracci dei bagnanti.

Dopo il paese nuovo che corre al mare, il paese vecchio si raccoglie in sé con una certa fierezza; eppure è un vero nido di poveri, di gente antica che, per quanto la vecchia affermi, è misera anche d'estate: tutto vi è fermo, scuro, consumato; le pietre, le aperture, le persone: anche le ragazze hanno un viso fino, consunto, come divorato da mal sottile.

Ritrovo la mia vecchia in un cortile lungo che sembra un vicolo sul quale si aprono le porticine di abitazioni preistoriche; quella di lei è la più pulita, col suo camino, il lettuccio coperto da uno di quei drappi che si vedono nelle barche dei pescatori e sembrano tappeti: c'è anche un tavolinetto e una sedia ch'ella si affretta a spolverare per offrirmela. Del resto non sembra molto turbata per la mia visita, e quando svolgo e le porgo la mia giacca la guarda bene da una parte e dall'altra quasi si tratti di comprarla e non di accettarla per elemosina; infine l'attacca ad un chiodo assieme con altri stracci e volge il viso sorridente.

– Signora mia, la ringrazio. Ed io cosa devo darle?

– Raccontatemi qualche storia.

Ella mi guarda diffidente, rabbuiandosi in viso, quasi capisca che si tratta di una speculazione bella e buona; poi si raccoglie, si piega ancora di più sul suo bastone, sotto il gomitolo della sua gobba: pare peschi nella sua memoria come quel giorno nella barca di Onesto, e ne trae qualche cosa che mi offre appunto come quel giorno i pesciolini.

– Ricorda, signora, – dice sollevando la fronte sulla quale s'è alquanto spianata l'impronta delle onde innumerevoli dei giorni vissuti, – ricorda com'era confuso per la sua presenza il povero Onesto? Povero per modo di dire, perché è ricco, veh! Ha due barche nuove e tre ville tutte affittate: e pesca per cento e duecento lire di pesce al giorno. Ebbene, era confuso, per la sua presenza, signora, l'ha notato? Perché è un bravo uomo, le dico: a cercarmi non viene, ma se ho bisogno e glielo mando a dire mi soccorre subito, perché, signora, io da ragazza sono stata in casa sua, del suo nonno voglio dire, perché lui non era nato ancora. Il suo babbo era un ragazzo, poco più vecchio di me, e mi diede promessa di matrimonio: così si fece assieme un bambino, ma poi lui non mantenne la promessa. E Onesto si vergogna di questo.

IL NOSTRO GIARDINO

L'ALBERO SENZA NOME.

Pianta oggi, pianta domani, il nostro giardino è diventato una vera foresta.

Ho contato fino a cento qualità di piante; poi mi sono fermata, non per stanchezza ma per sbalordimento, pensando che se fosse a contarle tutte, senza comprendere quelle a cui si fa inutilmente una guerra spietata, si arriverebbe al migliaio e forse più.

Molte sono nate da sé, e sono le più belle: della bellissima fra le belle ho però cercato invano il nome nei libri di botanica, e invano domandato ad un ispettore forestale e ad un professore di agronomia.

È vero che quest'ultimo non conosceva neppure il nome delle altre piante.

Quest'albero senza nome è sempre verde, con fiorellini bianchi a primavera che cadono appena sbocciati, incessantemente, e incessantemente rinascono: anche le foglie morte, sul finire della primavera, sono subito sostituite dalle nuove. È infine una pianta sempre giovane, senza profumo, insensibile all'estate e all'inverno, fresca eppure austera, che non attira gl'insetti né gli uccelli, che pare non conosca l'amore, che non si riproduce e fa ombra solo per sé: un bellissimo esemplare di egoista vegetale.

Forse per questo è la prediletta fra tutte.

LA PIANTA MALEDETTA.

Un signore, che adesso è morto, mi aveva fatto dono, appena sistemato il nostro giardino, di una pianta ornamentale che egli coltivava religiosamente in un vaso.

Lui stesso portò il vaso nel nostro giardino, scavò una buca, ve lo mise dentro e lo spezzò: e la pianta fu della nostra terra.

Ed era, sul principio, veramente nobile e graziosa, con le sue grandi foglie ricurve, lanceolate, lucide e grasse. Solo il suo nome ricorda epopee di gloria e di bellezza e dà la visione di monumenti divini: l'acanto.

A poco a poco crebbe, mise dei lunghi fiori gigliati, duri, violetti, e poi tubi di semi che destavano voglia di farci l'olio.

Crebbe, crebbe; non aveva altra missione, adesso, che quella di svilupparsi, come eccitata dall'esempio vicino della palma. Invano le lumache, prima sconosciute nel nostro giardino, germogliarono alla sua ombra, attaccate come un vizio nascosto sul rovescio delle sue grandi foglie così belle a vedersi di fuori: invano le vespe, i maggiolini, le formiche, le cavallette, i vermi e ogni peggior sorta di animali divoratori, le furono addosso, sotto e sopra: lei cresceva, ed era lei che attirava e dava alimento a questo popolo distruggitore.

Allora abbiamo pensato di estirpare la nobile pianta. Estirpata rinacque, non solo, ma l'anno appresso, e ancora oggi nonostante i più radicali rimedi, il giardino fu ed è invaso di acanti e di tutte le maledizioni che li accompagnano.

Una persona maligna mi aveva una volta descritto il signore dell'acanto come un uomo di cattivi sentimenti che si compiaceva del male altrui: sia pace all'anima sua, ma adesso ci credo.

Il POMO.

Nei primi anni, mentre mi compiacevo dei ciglioni erbosi e dei prati ancora allo stato selvaggio che circondavano il nostro giardino, e sognavo di acquistarne qualche pezzo, odiavo la nostra proprietà che avevamo dovuto comperare per forza onde evitare un'altra casa rasente alla nostra, che ci avrebbe rubato l'unico vero bene per il quale si era sacrificato il lavoro di tutta la nostra vita: il sole.

Odiavo quel pezzo di terreno perché costava così e non produceva nulla: e il giardiniere pretendeva tanto che si doveva ancora lavorare per lui: e metteva tale disordine che quando io scendevo stanca per riposarmi all'ombra dell'unica robinia che si dondolava su le altre piccole piante come il pavone in mezzo ai pulcini, mi toccava di lavorare ancora per raccattare le canne, gli sterpi, le fronde, i sassi buttati qua e là da lui.

Ma venne la guerra, e di giardinieri non si parlò più: erano andati a farsi ammazzare, come qualche cuore crudele loro augurava; e nel dopoguerra quelli tornati felicemente sono disponibili, per le loro pretese, solo per i miliardari.

Avvenne che del giardino la giardiniera diventai io: e il luogo riprese l'aspetto dei borri circostanti: crebbero le canne, e i convolvoli selvatici si avviticchiarono ai cespugli coltivati come le donne di servizio ai loro presunti fidanzati; l'erba rinacque più folta sulla sabbia dei piccoli viali, e piante di tutte le regioni, dall'abete alla palma, dalla quercia all'olivo, nacquero spontanee come nel paradiso terrestre.

E ci nacque e crebbe e diede frutto anche il pomo: ma fu innocuo perché sul più bello, quando i frutti erano maturi, ci furono rubati.

IL DRAMMA DEL NOSTRO GIARDINO.

Questo è il dramma non da prendersi tanto in ridere, del nostro felice giardino.

Si lavora, si lavora, si spende in concime tanto che un mezzo chilo di piselli, nel colmo della stagione, viene a costare dalle otto alle dieci lire, e le ciliege sono come già conservate nello spirito: e all'ora buona i signori ladri ci risparmiano la fatica della raccolta.

E il Comune che pretende le tasse su tanta rendita? E l'ufficio del dazio che vuol conoscere rigorosamente, e su modulo stampato, il numero dei chili d'uva? L'agente è venuto a verificare di persona, proprio la mattina dopo che l'uva, ancora acerba, c'era stata rubata: dico la verità, sebbene inviperita contro i ladri, ho provato gusto a vedere la faccia dell'agente: una faccia scura, inesorabile, come fosse lui il padrone dell'uva e ci facesse colpa di averla lasciata rubare.

I ragazzi poi sono talmente abituati a entrare e strappare tutto, che quando ci vedono in giardino ci mandano a morire scannati, come se i ladri fossimo addirittura noi.

Ma i più terribili, i più spietati sono i ladri domestici.

La gente che passa si ferma a guardare e invidia con aperte parole la nostra proprietà; conta uno per uno i carciofi, le pere, le rose; ebbene, io credo nel malocchio, perché immediatamente, anche se di fuori non entra anima viva, la roba sparisce.

Dio guardi poi se un giorno che non sono in casa io, qualche gentile fanciulla che accarezzi nascostamente il sogno di diventare un giorno la fata del nostro giardino, vi mette piede in compagnia del nostro maggior erede. Non è un ladro e tanto meno l'amore quello che passa, è un irrimediabile uragano.

NERINA.

Per tutte queste contrarietà ho cominciato ad aver compassione e quindi a voler bene al nostro giardino.

E continuo a dire nostro intendendo giardino di tutti, e specialmente dei gatti del vicinato. È incredibile il numero dei gatti che vi si dà non innocente convegno e vi spadroneggia notte e giorno. Ci sono notti in cui, fra i gatti lussuriosi, l'usignolo sentimentale, i cani dei dintorni e la filosofica civetta, c'è tale un chiasso da far desiderare di essere piuttosto nel cuore di Londra.

La colpa è senza dubbio di Nerina.

Questa Nerina è un po' come il nostro giardino: la gatta di tutti.

Gatti, ragazzi, signore e anche uomini serî, amano la bellissima Nerina silenziosa e indolente che entra da per tutto sempre ornata della sua pelliccia di lontra e dei suoi grandi smeraldi di occhi coi quali ti fissa come una bambina e come una donna galante.

Per conto suo lei ama solo il gatto che le fa comodo nei giorni dell'amore, mentre altri sei o sette le corrono intorno e si azzuffano ferocemente per lei, fino ad ammazzarsi come giorni fa è accaduto: ama il gatto, il formaggio, il pesce, e anche le chiacchiere delle donne. Sta sempre in mezzo a noi, quando ci riuniamo nel giardino, e si sceglie il posto migliore, se non pretende di venire addirittura in grembo.

È la sola che rispetti la roba del giardino: cerca solo qualche filo d'erba misteriosa quando si sente male: e si sente male spesso perché è continuamente gravida.

Avrà fatto nei suoi parecchi anni di vita un centinaio di figli; eppure è sempre bella.

Ultimamente ho veduto che ha già qualche pelo bianco: e invece di sei gatti ne aveva intorno una diecina.

IL FIORE DELLA VITA.

Ma la vera padrona del giardino e il suo più bel fiore, il cuore stesso del giardino sei tu, Mirella.

E il canto dell'usignolo, l'aprirsi della rosa, il maturarsi del grappolo, il ritorno della primavera e la primavera stessa e tutto il fiorire di tutti i giardini del mondo sono pallide manifestazioni della gioia di Dio, davanti allo sbocciare della tua intelligenza e della tua bellezza nel sole del nostro giardino, Mirella.

Un seme di frumento è venuto a germogliare sotto la quercia nata pur essa da sé: la spiga raggiante, gonfia delle sue piccole cento mammelle si dondola al vento sull'alto stelo glauco, con un movimento di benedizione, inconscia del suo miracolo: forse lei sola può competere con te nella grandezza del mistero che vi muove entrambe, Mirella, nella gioia che destate solo a guardarvi, nella speranza che solo a guardarvi rilucida il nostro spirito arrugginito e gli fa riamare sé stesso, vale a dire Dio.

DICHIARAZIONI

Nella cassetta delle lettere oggi ne ho trovato una portata a mano indirizzata a una *distinta* signorina mai vista né conosciuta in via Porto Maurizio, n. 15.

Fatta una sommaria inchiesta e non avendo ritrovato questa signorina in tutta la contrada mi sono presa il diritto di aprire la lettera. Né me ne pento: perché la lettera contiene, sì, il segreto di un affare molto personale e privato; ma tale, nella sua essenza, da essere considerato pubblico e universale.

È infine una lettera di amore, che ricopio qui fedelmente con la religione e il rispetto che le si devono.

Signorina,

prima di tutto mi perdonerà se vengo a disturbarla con questa mia indiscreta lettera.

Dunque, è, non ho potuto far calmare il mio cuore in subuglio, che palpita continuamente pensando la sua cara ed affascinante visione.

Maria, io l'amo, l'amo, di un amore puro e sincero che nessuno uomo la potrà amare mai al par di me.

La mia felicità è per sempre perduta, la potrò ritrovare mediante una sua parola dove si concentra amore.

Aspetto la risposta con la testa confusa e spero in bene e anelo come le api anelano al calice profumato dei fiori.

Credo che lei non avrà a rifiutare il mio amore che va pazzo per lei. Mi scuserà il modo poco soddisfacente dello scrivere, causa...

Ricevete i più cari ed affettuosi saluti che partono da un cuore che palpita continuamente per lei suo devotissimo

N. N.
R. Guardia.

Questo è vero amore.

Io credo che nessuno di noi così detti letterati abbia mai scritto una simile pagina di passione, sebbene il nostro influsso si senta confusamente in quell'incarnarsi della Regia Guardia nell'ape anelante al calice profumato e anche saporito del fiore.

Ma dove ogni reminiscenza scolastica, se non la coscienza della propria impotenza letteraria, scompare, è in quest'altra lettera che la mia cameriera mi ha gentilmente prestato per questo mio scritto.

E me l'ha prestata forse per un po' di gelosia istintiva di quell'altra, ma anche perché non la interessa se non come numero di una voluminosa collezione del genere ch'essa possiede; e perché le speranze e le tendenze di questo suo ammiratore sono *andate in nube*.

Signorina,

Dal dì che ho avuto la combinazione di vederla solo oggi mi permetto di scriverle per la prima volta per esprimerle tutto il mio amore e l'affetto che nutro per lei.

Non potendo più trovare un minuto di riposo che le mie pupille si affissano a guardarla che me tanto cara la sua visione come un'angelo del parasido.

Nel mio ritorno in caserma mi pare di aver sognato; nessuno potrà guarire il mio cuore solo accettare la sua delicata mano che tanto l'amo. Mi dovrà perdonare che lo dichiarato il mio amore con franchezza e corregere il mio scritto.

Spero che questa mia non andrà in nube ma bensì in una risposta favorevole che mi renderà felice per tutta la vita.

Tralascio di scrivere salutandola di vero cuore suo ammiratore carabiniere

N. N.

Ebbene, queste due lettere mi inducono nella tentazione di contrapporre ad esse una terza.

Signorina,

L'ultima volta ch'io ebbi l'onore di vedervi fu segnata nel mio taccuino come giorno fasto e nefasto allo stesso tempo: fasto perché in un ambiente mistico e poco adatto per trovarmi io solo, fui punito dal desiderio intenso di vedervi davvicino, con una risatina molto graziosamente condivisa dalla vostra gentile e gaia compagna, e perché con quella risatina ebbi finalmente la gran ventura di essere giudicato da Voi, sebbene in modo poco benevolo per me; nefasto perché da quel dì, e sono trascorsi già nove giorni, vi cercai vanamente.

L'esservi poco gradita la mia figura, né corretta, né elegante, è cosa naturalissima e logica e la risatina vostra ne scaturisce come conseguenza ineluttabile; ma pure qualunque giudizio Voi facciate di me e comunque accogliate questa mia, la soave mitezza che spira dai Vostri occhi mi conforta e induce a ritenere che non Vi vorrete reputare offesa se io uso dell'ultimo diritto, dell'unico sollievo che mi resti, quello di manifestarvi la mia profonda simpatia. Amarvi è mio destino.

Questa lettera, firmata con una sola iniziale, fu proprio indirizzata a me quando avevo la divina fortuna di contare solo tre lustri.

Non ho mai saputo di chi fosse: non ho mai ricordato di aver riso dell'amore che mi passava accanto.

L'attribuivo, la lettera, a tutti i ragazzi del mio paese e non osavo per questo guardarne uno solo in viso: ed essi dicevano ch'ero scontrosa e insensibile mentre ero innamorata di tutti loro.

Così l'Ignoto non si rivelò: a meno che, letto questo mio scritto, non gli salti in mente di farlo adesso e si presenti con più coraggio, calvo grasso con gli occhiali, i denti ferrati d'oro, e col palamidone d'alto funzionario di Stato.

In fondo, però, a giudicarlo finalmente davvero dalla finezza tortuosa della sua lettera, credo fosse molto e molto più vecchio di me. Forse è già morto.

Purché il suo fantasma non si presenti a rimproverarmi il tradimento sacrilego oggi compiuto. Per placarlo gli dimostrerò che la sua è l'unica lettera d'amore che io conservo.

DISCESA DALLE NUVOLE

Confesso francamente che io non avevo mai messo a cuocere un cappone.

Gli altri anni… Ma lasciamo stare gli altri anni, sogno svanito.

La realtà presente è che io oggi, giorno di Natale, ho messo per la prima volta in vita mia a cuocere un cappone.

La donna era andata alla messa, sebbene sia miscredente, e non tornava né viva né morta: e si capisce che oggi doveva andare alla messa, perché il mercato si chiude alle nove, e lei di solito torna verso le dieci: Dio è sempre buono a qualche cosa.

Ed eccomi in cucina, di un umore tra il cattivo e il buono e con i soliti quesiti da districare.

Sono io una grande signora decaduta, per il fatto che mi trovo in cucina costretta a dar battaglia alla formidabile fila schierata delle pentole, o sono ancora una potenza rispettabile poiché davanti a me, vittima e olocausto, è la grande bestia in questi ultimi anni divenuta simbolo popolare delle nuove ricchezze?

Eccomi dunque di fronte alla grande bestia morta. È gialla, con la testa in cima al lungo collo abbandonata da un lato, le zampe ripiegate su sé stesse con abbandono e tristezza: intorno, sulla piazza del vassoio, le stanno i visceri, e dentro è vuota come una cattedrale donde sono appena usciti i fedeli.

Il compito più penoso è quello di riempire d'acqua la pentola. L'acqua delle bocchette a chiave, che a volte schizza addosso con tutta la rabbia della sua forzata prigionia, a me desta sempre un misterioso senso di paura ed anche di invincibile ripugnanza.

Io la sfuggo, come la sfugge il gatto, sebbene come il gatto io ami straordinariamente la pulizia.

Atavismo? Ricordo di luoghi dove si è vissuto con la sola acqua del cielo e delle piccole fonti vergini, affidando per necessità naturale al sole, al vento, al fuoco, la purificazione delle cose?

Certo è anche, però, che una espertissima Signora di Parigi mi disse che il segreto per tenere la carnagione fresca è di lavarsi il meno possibile. E credo che lei lo facesse davvero perché era meravigliosamente rosea e brillante come una tazza di porcellana.

Ad ogni modo, forza e coraggio, ed ecco la pentola piena a metà d'acqua.

E il cappone vi scende; ed ho l'impressione di buttare un cadavere in un pozzo: il cappone vi scende, si rannicchia in fondo, e la sua testa è più che mai rassegnata; e mai ho veduto, neppure nel mendicante vero che si chiude tutto in sé per il freddo, e neppure nel malato inguaribile che nei momenti di maggiore stanchezza cerca di riprendere la posizione che aveva nel ventre materno, la tristezza, la disperazione e l'impotenza di quelle zampe ripiegate su sé stesse.

Ne ho provato veramente una pietà materna, della quale ho subito sogghignato.

La pentola è al fuoco ed io sono contenta della mia bravura: e persino penso follemente di potermi un giorno liberare dalla schiavitù della serva.

Sogni, e sempre sogni.

Non sono passati tre minuti che una cosa spaventevole mi richiama alla realtà.

Una forza misteriosa ha sollevato e buttato fino a terra il coperchio della pentola: e due artigli gialli, protesi e feroci più di quelli che un giorno ho veduto al nibbio, salgono su dalla profondità dell'acqua calda.

Ho l'impressione che al calore del fuoco la bestia sia tornata viva.

Cerco di spingere giù col coperchio le atroci zampe e rinchiudere la bestia nella sua tomba. È come ributtare nelle onde il cadavere che il mare respinge.

Allora ho cercato un peso da mettere sul coperchio: una grossa lima che introduco nell'ansa di quello; ma la pentola sobbalza, e un vero disastro sta per accadere.

244

Poche volte in vita mia mi sono veduta così confusa.

Fortunatamente a salvarmi arriva la donna, col velo in testa e la corona in mano come una vera santa.

Con un colpo d'occhio indovina tutto ed ha un sorriso ambiguo, di pietà e di beffe. È una donna rispettosa, che forse mi ama, forse mi odia; il tipo della schiava ancora non del tutto emancipata.

Nell'accorgersi che io sto per darle la colpa di tutto, mi dice con calma:

– Sono io che dovrei arrabbiarmi. Bella figura mi fa fare, oggi, bella figura!

– Anche!

– Ma quando vossignoria ha mai veduto arrivare a tavola un cappone con le zampe? Avrà veduto il fagiano con le sue penne, il zampone con le sue unghie, ma il cappone con le zampe mai. È la verità?

È la verità, ed io non la posso discutere.

– Le zampe vanno stroncate, abbrustolite, pulite e messe dopo; e il loro troncone va ficcato nel corpo vuoto del cappone. Ha capito, vossignoria?

Ho capito, e ripeto fra di me l'insegnamento, per un'altra volta.

Ella intanto stronca con le sue dita bruciate le terribili zampe e le tira via: la bestia ha finalmente pace, va giù, si annega nel bollore dell'acqua schiumante.

– E adesso vossignoria se ne vada a scrivere, che fa molto meglio di stare qui. Qui non è il suo posto – dice la donna, con protezione e umiltà, ma anche con una certa imponenza.

Io però non mi arrendo.

– No, non ci vado, nello studio: basta. Troppo ho vissuto tra le nuvole.

Allora lei ha un sorriso fine, enigmatico.

– Dia retta a me, vossignoria; torni, torni nello studio, o fra le nuvole, come dice vossignoria: vedrà che sarà più contenta lei e gli altri.

Io non replico, ma non so perché, o forse perché da qualche tempo in qua vedo egualmente anche rasentando la terra le fantasmagorie delle nuvole, ho voglia di piangere.

CURA

Un tempo quando ero di malumore mi ripiegavo su me stessa a rosicchiarmi l'anima; adesso, e fortunatamente sempre più di rado, per caricare la macchina fino a farla scoppiare me ne vado mal vestita e con le scarpe più vecchie nei luoghi più tristi e plebei, per esempio in certe strade sempre fangose d'un fango nero e attaccaticcio di pece, che s'insinuano fra altre aristocratiche come l'intestino fra le viscere più nobili.

Nulla di più esasperante di quelle case alte che, in faccia alle ville e ai parchi di palme e cedri forse più belli dei giardini pensili di Babilonia, sventolano dalle loro finestre luride stracci e stracci che si agitano al vento con saluti di miseria insolente, di allegria ironica, quasi di beffe per l'austera compostezza dei luoghi dei ricchi.

Eppure non c'è cosa più viva ed eccitante di voi, stracci di via Nomentana verso dove via Alessandria sbocca col suo fiume di umanità inferiore, voi che comunicando il vostro brivido disperato al malumore finora opaco e duro gli ridestate l'istinto a ribellarsi, a sollevarsi, a cercare i mezzi per convertire il fango in oro e creare così una ricchezza che ci renda padroni delle ville e dei parchi di palme e di cedri.

Si ha l'impressione allora che gli stracci siano fazzoletti agitati dai finestrini dei treni in partenza; addio, addio: persone che vanno, persone che restano; addio, addio; partire è un poco morire: bisogna ricominciare la vita.

Ma ogni sentimento di ambizione e di speranza ricade col proseguire la strada. Vado in su, verso la piazza stellare del mercato vuota in quell'ora coi suoi sfondi metallici il cui riflesso fa luccicare il fango e i cavalli e gli asini dei carretti alcuni fermi in mezzo alla strada con le loro brave mangiatoie, più tranquilli che nelle loro stalle.

Mazzi di fiori di fanciulle ridono negli angoli dei marciapiedi, e nel centro misterioso di via Reggio una folla nera si stringe

246

intorno a un piccolo edificio di tela dentro il quale ci deve essere, a giudicare dall'attenzione ansiosa degli astanti, qualche cosa di fatale.

– È il teatro di Pulcinella; la fabbrica dell'appetito – mi dice
una sinistra vecchia strizzando l'occhio con confidenza e con
invito ad andare con lei a vedere.

Ma io non mi sento ancora nello stato di grazia di accompagnarla, e proseguo: però, un certo senso di allegria incosciente
mi viene comunicato dalla gente che va su e giù sguazzando
nella mota e nella miseria come nel suo elemento naturale.

Mi vedo passare povera fra i poveri nello specchio grottesco del robivecchi; saluto il mio buon carbonaio nero e bello
come l'antico spazzacamino. Dopo tutto sei tu, buon carbonaio,
nonostante il tuo peso scarso, il migliore amico mio dell'inverno che corre, tu che porti sulle tue spalle e deponi ai miei piedi
il calore necessario alla mia esistenza.

E poiché salutiamo, salutiamo anche il maestoso ventre della
vinaia che tappa la bocca violacea della sua taverna; e sopratutto
il fornaio birbante che senza farsi pregare come Iddio ci manda il
nostro pane quotidiano. All'unto norcino, poi, regalo proprio un
sorriso, perché non conosco un uomo più gentile e onesto di lui
che per mezzo della mia serva mi manda, con le salsicce e l'arrosto, anche i saluti e gli auguri. Tutto questo però, a pensarci bene, avviene con l'esasperazione tranquilla del re costretto a scendere fra il suo popolo senza il quale non sarebbe re.

Cammina cammina così a poco a poco la misura si colma:
torniamo indietro e pensiamo addosso a chi scaricarla. Al marito, no, perché sa metterci a posto con poche parole; ai figli no
perché i figli bisogna rispettarli.

Come la freccia ben tirata va dritta al suo scopo, il mio pensiero s'indirizza alla serva, tanto più che ho paura abbia lasciato
sola la casa, profittando della mia assenza, e negri fantasmi di
ladri mi assalgono già. Per far presto allora infilo la strada un
tempo popolata, verso sera, di coppie amorose che la preferivano perché chiusa da giardini sopra i muri dei quali gli alberi si
chinavano favorevoli e complici al grande mistero: e adesso

squarciata dalle nuove costruzioni, con montagne d'immondizie e di fango intorno alle quali bisogna girare come allora le coppie giravano intorno al loro peccato e al loro dolore.

Cammina cammina si fa quasi buio: un punto rosso richiama il mio sguardo: è una finestra illuminata, o una macchia di sangue? È un taccuino di pelle, caduto senza dubbio a un passante. Mi chino a guardarlo: è nuovo e grande; forse quello di una donna, perché la donna smarrisce più facilmente dell'uomo la sua proprietà.

Lo prendo? Può contenere lo schema vecchio di un romanzo, può avere fogli intatti e servire. Io ho sempre avuto più paura di un albo per autografi che dei suoi microbi. Prendo anche questo, dunque, lo apro timidamente come si apre una porta sconosciuta. E non mi pento: è veramente nuovo, un albo finalmente mio, con un solo autografo, d'un autore che non conosco ma che sulle prime giudico destinato a diventare grande: la scrittura è minutissima eppure chiara e si legge anche nel crepuscolo, incisa in nero sulla pagina bianca come su una lapide.

RIVALITÀ.

Non ho avuto paura di te finché ti sapevo giovine, bello, ricco; adesso so che tu soffri e temo che tu mi raggiunga.

Poi lascio ricadere il taccuino. Cose vecchie. Le conoscevamo già fin da bambini quando il medico di casa veniva a curare le nostre indigestioni e scriveva la ricetta sul suo taccuino staccandone poi il foglietto dentato e cattivo.

Piuttosto bisogna affrettarsi verso casa: l'ora dei ladri discende con quella dei sogni.

Mi rassicura la presenza qua e là poco distante in vista al mio cancello, di carabinieri, guardie regie e affini. Anzi un piccolo soldato è proprio di piantone rasente al cancello chiuso ed ho l'impressione, appena mi vede, che mi presenti le armi scostandosi per lasciarmi passare: il mio aspetto dev'essere per lui più formidabile di quello di Napoleone sdegnato.

E adesso capisco tutto: dietro le sbarre del cancello c'è la testa d'uccello in gabbia della mia serva, ci sono le sue labbra gonfie di sangue diciottenne, e sopratutto le gambe più potenti delle colonne di un tempio. È giusto che tutti quei gatti le stiano attorno, giusto per lei non per me, che tuttavia sento la gioia confusa del gatto che a sua volta ha trovato il topo.

L'aspetto dentro e finalmente la misura si vuota: io stessa mi meraviglio e m'impaurisco della violenza delle mie parole. Lei però ascolta beata e dura come un muro illuminato dal sole: nulla può offendere la felicità d'amore. E le mie parole mi rimbalzano contro come le palle elastiche dei fanciulli, finché le spingo a rotolare lontano e trovo anzi una scusa per mandar fuori la ragazza onde possa rintracciare il suo soldatino.

E finalmente apro la finestra per respirare. Il cattivo tempo si schiara, la luna sorge da una montagna di nuvole. La mia vicina di casa canta, e neppure lei mi dà più ai nervi: anzi l'ascolto con bontà. Il suo canto dapprima un po' greve piatto e incerto poi sempre più lieve e saltellante e infine armonioso e alato ricorda il posarsi dell'uccello a terra e il suo cercare beccando il suolo e lo svolazzare e infine l'improvviso volo e il ritorno nell'azzurro dell'aria.

CARBONE FOSSILE

Mai come quel giorno la signora poetessa s'era convinta che la schiavitù esiste ancora.

Il marito aveva ordinato una tonnellata di carbone fossile per il termosifone.

Aveva ordinato che questa montagna nera si movesse e venisse in casa perché la moglie quando soffriva il freddo era inaccessibile ad ogni sentimento d'umanità: ed anche perché le voleva bene: e passati erano i tempi quando per scaldarle le piccole mani di orientale se la stringeva al petto e raccoglieva le piccole mani indolenti nel cavo delle sue ascelle di lavoratore, riscaldandola tutta col fuoco del loro amore.

Era già d'autunno avanzato quando finalmente il carbone arrivò.

La signora era appena scesa in giardino per godersi la mattina bella e pura come la prima del mondo, quando la serva le annunziò che il carro col combustibile arrivava.

Ma il carbone non era contenuto nei sacchi come un tempo si usava, e il conduttore, carrettiere e non facchino, non poteva quindi, trasportandolo sulle sue spalle, scaricarlo in cantina: e perché il passaggio del carro non guastasse il viale d'ingresso, la signora ordinò che il veicolo entrasse dal cancello di servizio e non da quello padronale.

Di lì si poteva senza sciupare i viali arrivare alla finestra della cantina e scaricare il carbone a mano. È giusto che gli uomini non curvino più le spalle sotto il peso del benessere altrui. Si fanno pagare, è vero, più di quando curvavano le spalle, ma è giusto che sia così.

La signora, in fondo, come tutti i veri poeti, era comunista.

Per non distogliere la serva, che non chiedeva di meglio, dalle sue faccende, lei stessa andò ad aprire il cancello di servizio.

Quando fu spalancato, questo cancello lasciò vedere il quadro di un breve vicolo in pendìo, fra due muri di giardini e lo sfondo di una strada traversale.

Fra i ciottoli del selciato, argentei di brina, l'erba testarda sbucava vivida, orgogliosa di aver attraversato anche le connessure della pietra sotto cui era stata sepolta. Il carro rossastro del carbone appariva laggiù in fondo con la sua montagna nera, tirato da un cavallo scuro non molto grande ma forte e con la testa grossa e le zampe pelose: forse un incrocio di cavallo maremmano con qualche altro di razza diversa.

Le cose andarono bene fino a metà strada. L'uomo conduceva tranquillo il carro, e la signora guardava tranquilla dallo sfondo del suo giardino. La serva si affacciò a guardare dalla finestra con un piumino in mano, una mano così grossa che il piumino sembrava un fiore. Ma la padrona la ricacciò dentro con un solo cenno: perché se il poeta in lei era comunista, la padrona di casa era ferocemente fascista.

A questo punto le cose s'imbrogliano.

Il carro si ferma a metà strada, e sembra che la caparbietà dell'erba si comunichi con una potenza misteriosa alle zampe della bestia che la calpesta.

Non invano le erbe sono state sempre piene di sovrumani poteri.

In realtà la bestia non va avanti perché non può: è stanca, il carro è pesantissimo, e la strada selciata, in salita, è peggio di una strada di montagna. E di montagna è il silenzio che si fa intorno. Il carrettiere si è fermato anche lui, pensieroso, con lo sguardo smarrito entro di sé alla ricerca del come risolvere il problema.

Mai la signora, sebbene conosca i più grandi pensatori, ha veduto un uomo così.

Finalmente l'uomo si scuote dal suo raccoglimento, e dà un grido strano, gutturale e rauco, fra il nitrito del cavallo e il raglio dell'asino.

È la sua voce di richiamo alla bestia: e questa infatti si scuote: tutto intorno, il carro con le sue catene di galera, i finimenti, il carbone, il selciato stesso, tutto vibra.

Solo le zampe dell'animale non si smuovono: e i loro peli si confondono con l'erba nella comunione di un loro segreto.

Sebbene osservi tutte queste cose, la signora comincia a impazientirsi.

Contro chi? Contro il carrettiere, contro il marito, contro la guerra, contro l'inverno.

E anche contro sé stessa che, in fondo, è la causa di tutto.

Tu l'hai voluto, signora poetessa: tu che hai lasciato i paesi del sole per tuffarti in questa baraonda oceanica, dove chi non sa nuotare anche sott'acqua annega.

Ed ella già comincia a sentire i piccoli piedi della sua razza sedentaria che non conosce il mare, gelarsi come quelli del nuotatore che perde forza.

Eppure dell'erba calpestata sentiva pietà, e della povera bestia che aveva ragione a non andare avanti con quel peso superiore alle sue forze e su quella strada barbara.

Ella ha pietà delle bestie, dell'erba, di tutte le cose che non hanno voce per difendersi. Oh, per questo il suo cuore non è nido di passioni politiche, ma di semplice umanità.

La serva si riaffaccia, curiosa e ridente, scuotendo il piumino come per tirar su con quel gesto la disgraziata bestia che anche il carrettiere accarezza e tira per la briglia mormorandole all'orecchio parole di incoraggiamento e di amore.

In quel momento tutti sono buoni; la signora che vede nel carrettiere un suo simile, l'uomo che supplica la bestia, la serva che si diverte. La signora le permette persino di guardare.

Solo il signorino, che si alza dal letto in questo momento e spalanca la sua finestra accennando il motivo di *Madama Fioraliso*, veduta la scena si mette a ridere. E il suo riso di venti anni si fonde alla bella giornata, sopra quei disgraziati laggiù.

Ma la bestia non smuove neppure una zampa. Il carrettiere abbandona giù di nuovo le braccia e torna a raccogliersi, pensando.

Frutto della sua meditazione è un improvviso flusso di sangue che gl'infiamma il viso pallido e i dolci occhi celesti: anche i suoi capelli si fanno più rossi. Egli solleva la frusta e comincia a tempestare di colpi la bestia sulla schiena, sulle ginocchia, sulla faccia, rinnovando il suo grido rinforzato da una ferocia bestiale.

Così in un'antologia la signora ricorda di aver letto è il grido del leone.

La bestia scuote appena la testa per allontanare le frustate, senza dimostrare di soffrirne troppo, finché il terribile uomo non la percuote col manico della frusta sulle ginocchia e sugli occhi.

Allora sbatte un calcio contro il disotto del carro, quasi tentando di sbalzarlo in aria e liberarsene, poi finalmente ha un gemito umano.

La signora ricorda il sogno di Raskolnikoff, e grida al carrettiere:

– Andate via, andate via; non lo voglio più il vostro carbone.

L'uomo risponde, pieno d'angoscia e di sudore:

– Non è mio.

E continua a torturare la bestia.

– Bisognerebbe che passasse qualche signora della Società per la protezione degli animali.

– Bisognerebbe che passasse qualche carrettiere che mi desse una mano – risponde l'uomo.

Di nuovo si ferma poiché la bestia non si è smossa d'un passo: di nuovo medita.

Medita anche la signora. Non è vero, pensa, che la schiavitù sia scomparsa da questa terra: schiava la bestia dell'uomo, e l'uomo del suo simile più forte.

E noi gridiamo tanto, adesso, perché l'uomo che ha la forza fisica si fa pagare più di quello che ha la forza intellettuale: è giusto, o pare giusto; perché la sua schiavitù è maggiore.

Aspettò quindi pazientemente che l'uomo risolvesse il suo problema.

Problema che non si sarebbe mai risolto, poiché il carro non poteva neppure tornare indietro, se non fosse passato nella strada di sfondo un altro carrettiere.

L'uomo corse verso di lui: subito s'intesero e si misero all'opera. Uno tirava la bestia, l'altro spingeva or l'una or l'altra ruota.

Così il carro entrò nel giardino, mentre la signora si ricordava di aver letto anche questo in un libro: che solo l'uomo può essere di aiuto all'uomo quando questo dispera anche di Dio.

Qui comincia il secondo atto del dramma. La donna e l'uomo si guardarono. Egli si asciugava il sudore col dorso della mano, e anche lei si sentiva stanca di star lì dove cominciava a batter l'aria di tramontana.

– Be' – domandò spiccia e chiara. – Il carbone si scarica qui o in cantina giù per la finestra?

– Qui, qui – disse l'uomo. – Non ho tempo.

Poi chiese di vedere la finestra della cantina.

– Badate – osservò la signora, conducendolo: – qui il viale svolta ad angolo e il passaggio del carro mi sembra difficile. Guardate bene prima di decidervi: a me piacciono le cose chiare.

L'uomo guardava l'angolo dove i due viali, piuttosto stretti, s'incontravano: uno era quello percorso da loro, l'altro si stendeva sotto la facciata della casa e proseguiva diritto fino al cancello padronale.

– È difficile – disse, come parlando all'angolo, però non si decideva a dire di no.

– Be' decidetevi.

Egli calcolò. Calcolò che una buona mezz'ora se ne sarebbe andata nella faccenda: e poiché era un uomo mezzo onesto, disse che ci voleva un'ora.

– Mi darà venti lire.

– Va bene: ma sia una parola.

E la signora entrò per le sue faccende, lasciando all'uomo ogni responsabilità. Guardò l'orologio: erano le dieci.

Dopo pochi minuti sentì il grido strano dell'uomo per aizzare la bestia e capì che si trovava di nuovo davanti a un mistero.

Aprì la finestra del corridoio e vide infatti una cosa straordinaria.

Il carro era di nuovo fermo, nell'angolo fra i due viali, e la bestia, dura e rigida come le due stanghe che la imprigionavano, non si moveva più. Pareva cieca, sotto i suoi occhiali di cuoio, o peggio ancora morta.

L'uomo rinnovava tutti i suoi tentativi di dolcezza, poi di astuzia e di violenza ma non riusciva a smuoverla. E qui davvero né Dio e neppure il carrettiere potevano aiutarlo.

Allora egli pensò di scaricare lì il carbone.

Lì? Proprio nel posto che meglio si vedeva dal cancello padronale, dove si fermavano le automobili delle grandi dame che visitavano la poetessa come una loro pari?

— Se non scaricate il carbone in cantina non vi pago – ella disse all'uomo, con la fredda crudeltà dei dominatori.

L'uomo non rispose, non si rivoltò contro di lei, poiché il patto era quello; ma se la prese con la bestia.

Fu una cosa indimenticabile, indescrivibile. Egli balzava e si piegava, d'un tratto divenuto elastico e quasi incorporeo: graffiava e supplicava la bestia, chinandosi davanti a lei a mani giunte: tentava di aiutarla e la percuoteva a sangue. E bestemmie inaudite uscivano dalla sua bocca. Anche la bestia cominciò ad agitarsi dentro la sua gabbia di ferro che le indicava la via ma non le permetteva di percorrerla, e dava calci e nitriva, coi peli della criniera agitati come serpenti.

Era, fra quei due, un movimento diabolico, un grido di esasperazione non più umano.

E dapprima la donna rise, d'un riso che le riempì gli occhi di lagrime, anche perché dietro di lei la serva rifaceva il verso dell'uomo: «non ho tempo!» poi rabbrividì: il carrettiere aveva tratto il coltello; e in quella lotta che non aveva più forma, ella vedeva solo il movimento delle passioni umane e bestiali, spinte fino alla morte: e l'inferno quale lo sogna l'uomo nei suoi deliri di espiazione e di sete di giustizia.

— Scaricate pure lì – disse all'uomo.

L'uomo si fermò, esaurito. Aprì quasi inconsciamente i lati del carro, che la signora aveva creduto di legno ed erano di ferro; poi andò giù in cantina, prese una cesta e un po' per volta portò giù il carbone sulle sue spalle.

Quando finì era mezzogiorno. Egli non domandò nulla, ma la signora gli diede trenta lire e un bicchiere di vino.

E finalmente anche lei, che sentiva più che l'uomo la stanchezza di lui, pensò di riposarsi: ma al suo posto favorito, che era una vecchia cassa rovesciata nel sottoscala della loggia sul giardino, trovò la sfinge nera del suo gatto.

Il gatto aveva assistito a tutto il trambusto senza smuovere neppure gli occhi d'opale, anzi profittando dell'assenza della padrona per prenderne il posto.

E all'urto della mano di lei che lo scacciava, si restrinse verso l'estremità della cassa, come per farle posto, e le si addossò: nel mondo, e specialmente nel mondo delle visioni, c'è spazio per tutti.

La padrona si scaldò al contatto della pelliccia del gatto calda di sole e provò un senso di felicità; si smarrì nella gioia della natura: fu tutta una cosa col sole che concentrava i suoi raggi sotto la breve volta: tutta una cosa col giardino roseo e giallo, e con le foglie del convolvolo che palpitavano sulla cancellata, sospese sull'azzurro dell'orizzonte, più rosse del cuore che arde d'amore: tutta una cosa con l'arco del sottoscala, ponte poggiato sui due punti estremi del sogno e della realtà.

La riscosse il rumore d'un volo frusciante come quello di un minuscolo dirigibile.

Un uccellino iridato si abbatté accanto a lei; e il gatto già gli era balzato contro con uno slancio feroce: l'uccellino volò via prima d'essere preso, si smarrì fra i colori del giardino riflettendoli tutti nelle sue ali di velo nero.

Il gatto gli corse appresso, saltò sul muro della cancellata; lì si raccolse un momento, impotente e deluso; poi tornò presso la padrona che rideva poiché l'uccellino era una cavalletta.

Poi anche tutto il giardino si smosse. Il vento di tramontana soffiava dall'angolo ove s'era fermato il carro: e le foglie rosse si sciolsero, e caddero a mille a mille quelle della robinia. Quelle che erano già secche per terra si animarono con un movimento prima di danza poi di fuga: ed erano di un colore fra di sole e di terra, e non rassomigliavano ad altro che a foglie secche spinte dal vento, eppure avevano qualche cosa di vivo, più che sulla pianta, ma prese anche esse da una follia di dispersione, di ritorno al nulla.

Il gatto balzava di nuovo, appresso a loro, tentando di afferrarle a volo, con un gioco grazioso di animale felice; finché il vento gelato non persuase lui e la padrona a rientrare in casa.

Nel terzo atto siamo a tavola, moglie, marito e figlio, nella chiara e fredda stanza da pranzo.

Sul popolo di stoviglie e sul paesaggio della fruttiera, i due poeti della tavola, la boccia del vino e quella dell'acqua, chiudono il primo in sé ma in agguato il suo cupo fuoco e l'altro il riflesso delle cose intorno e anche del suo compagno in una deformazione luminosa di colori che riversa intorno con un'iride meravigliosa.

Siamo di nuovo in un cerchio magico di felicità: la donna sopratutto è contenta, sebbene senta freddo. Oramai il problema dell'inverno è risolto, con quella miniera in cantina, e davanti a sé ella vede un'eterna primavera anche perché ha di fronte il figlio.

E parla ridendo dell'avventura del carbone, raccontando l'avidità crudele dell'uomo e l'inaudita resistenza della bestia.

– Pareva un simbolo, quel povero cavallo.

– Ma se era un mulo, mamma!

Ella rimase male, anche perché i due uomini la canzonavano; poi reagì:

– Che importa? Io lo credevo un cavallo. Tutto sta nella sostanza, non nella forma. E quel carbone che è duro e nero e viene dalla fredda profondità della terra non è forse fuoco?

– Con la volontà dell'uomo – disse il padre.
– Con la necessità – disse il figlio.

E qui si comincia a discutere.

Problemi e problemi che di gradino in gradino conducono all'infinito. Per risolverli bisogna dimenticarli, e si dimentica solo col dormire, e neppure così poiché ritornano in sogno.

Ad ogni modo la signora pensò di coricarsi un poco come del resto faceva tutti i giorni.

Nella sua camera il letto era coperto dal drappo del sole; ella però sapeva che il sole fa male, nel dormire, e si stese al buio sotto la coperta di lana.

E ricordando le vaste solitudini della patria, e gli avi che per necessità di vita sacrificarono a loro stessi l'agnello che pure amavano, e nutriti della sua carne e riscaldati dalla sua lana per riconoscenza ne formarono la realtà di Dio; e si valsero dei cavalli selvaggi per vincere il mistero delle lontananze; e sulle alture costrussero i nidi di pietre dove traevano il fuoco dalla selce, e dormivano presso i loro morti per succhiarne nel sonno la sapienza eterna e risvegliarsi più vivi, a poco a poco si scaldò col calore del suo cuore e si addormentò.

IL CIPRESSO

Un giovane cipresso cresceva rasente al muro divisorio fra il nostro e l'orto del vicino.

Questo vicino era l'uomo più metodico e tranquillo che vivesse in tutta la contrada. Sebbene ricco era impiegato del Comune, e quattro volte al giorno lo vedevo passare, quando andava e ritornava dal suo ufficio, in modo che da lui si sapevano le ore; anche le stagioni si conoscevano dal suo vestito, nero d'inverno, grigio di primavera e d'autunno, e giallo, di tela grezza, d'estate.

Come fosse il suo viso, a dir la verità, non lo so: so che si parlava spesso di lui, in casa, con ammirazione un po' condita d'ironia e d'invidia, additandolo come l'esempio perfetto dell'uomo normale, quieto, senza vizî: per questo non mi interessava.

Mi interessava solo quando, di tanto in tanto, andava a caccia: perché era un famoso cacciatore di cinghiali mufloni e cervi.

Allora venivano a cercarlo gli altri grandi cacciatori che non erano neppure amici suoi né fra di loro, ma ogni tanto si riunivano in bande armate come per andare alla guerra.

La contrada si animava di voci, di scalpitii di cavalli, di giochi e latrati di cani, e una gioia feroce gonfiava l'aria: e a me veniva da piangere di commozione epica, col libro di scuola in mano, all'ombra mite del cipresso dell'orto.

«Quando da un poggio aereo…» poiché già il velo brillante della letteratura fluttuava fra la mia fantasia e la realtà: e anche il nostro allampanato vicino di casa, sul suo cavallo da caccia che serviva anche per tirare la macina delle olive, diventava un eroe.

Del resto a quell'età si è tutti un po' visionari; e le passioni più profonde che hanno radici in terra ma tendono verso l'infinito, si provano solo nell'adolescenza.

L'ambizione era la mia passione di quel tempo: diventare grande, conquistare il mondo. In che consistesse questa conquista non lo sapevo e ancora non lo so. E la presunta grandezza già si nutriva di dolore al solo pensiero di doversi un giorno staccare dalla solitudine e dal silenzio che rivelavano, destandolo, all'anima inquieta, il solo perché della sua esistenza: l'amore per le cose eterne.

Le ore più belle della giornata le passavo sotto il giovine cipresso che dall'oppressione del muro al quale il suo tronco era quasi incastrato, si slanciava sul cielo aperto d'oriente, leggero come un grande fuso col suo rigonfio di seta verdone dal quale io traevo un inesauribile filo di sogni.

Avevo costrutto un piccolo sedile accanto al tronco e lì stavo tranquilla: e l'albero viveva con me, fianco a fianco, respirando la stessa aria, crescendo con me. E naturalmente io amavo me stessa in lui, e le cose mie, interiori e materiali, che portavo al rifugio della sua ombra e che la sua ombra rendeva più mie. Dapprima furono i giocattoli, poi i libri di scuola, poi i lavori di ricamo che credo siano stati insegnati alla donna per frenarne le inquietudini, e queste inquietudini, e le rivelazioni prime e più grandi della vita.

Tutte le romanticherie dell'adolescenza si avvolgevano come tralci di edera all'albero amico: i primi versi furono per lui: da lui mi pareva spuntassero, nei verdi crepuscoli, la luna e le brillantissime stelle delle notti insulari; e il canto dell'usignuolo fosse il suo stesso canto.

E speravo di essere sepolta alla sua ombra; ma il pensiero della morte non offuscava quello della vita, poiché intanto quell'ombra era buona a leggervi di nascosto le prime letterine d'amore.

Gli anni però passavano e l'albero dei sogni rimaneva sterile. Le cose piccole erano come le cose eterne: non mutavano mai; e questo dava un senso di morte.

Solo il cipresso cresceva con uno slancio robusto che pareva dovesse innalzarlo fino alle stelle.

La sua ombra attraversava, nel pomeriggio, tutto l'orto del nostro vicino, e nuoceva ai suoi cavoli fiori che avevano davvero un colore cadaverico. Un'ombra funebre, del resto, pareva stendersi su tutto e su tutti: anche sul vicino di casa, sempre più allampanato e come spaurito della sua solitudine, e sulla sua casa umidiccia e silenziosa; e anche da questa parte del nostro orto che mi pareva s'impicciolisse e inselvatichisse, e sulla casa che invecchiava e su di me che vedevo sparire invano gli anni più belli della fanciullezza.

Lo stesso passare del nostro vicino rasente la mia finestra, quel passare e ripassare lento, alle stesse ore, sempre eguale come quello della lancetta sulle cifre dell'orologio, mi dava un senso di morte: e l'anima si assonnava, si ripiegava su sé stessa, pigra e rassegnata e forse anche felice del suo assopimento come il gatto attortigliato su sé stesso sopra la pietra calda del camino.

Un solo avvenimento straordinario accadde l'ultimo inverno che passai a casa mia. Una mia cugina si sposò, ed a me e a un'altra cugina toccò di accompagnarla come damigelle di onore.

Nel corteo lampeggiante di colori, di velluti e broccati, c'era anche il nostro vicino di casa: vestito di nero, alto al di sopra di tutti, mi ricordava il cipresso sopra l'orto fiorito.

Eppure fu uno dei più allegri della compagnia: suonava la chitarra e cantava, ma pareva lo facesse solo per destare il riso nelle ragazze che ascoltavano le sue canzonette d'amore.

A tavola me lo trovai vicino; e mi sarebbe rimasto come sempre indifferente se egli, senza mai volgersi a guardarmi, non avesse cominciato a parlarmi sottovoce come parlasse fra di sé.

E con terrore appresi che egli sapeva tutto di me; la mia età, le mie abitudini, i miei sogni ambiziosi, la mia disperazione rassegnata di non raggiungerli mai.

– Ma chi le ha detto tutto questo?

– Chi? Il suo amico.

– Io non ho amici.

– Lei ne ha uno del quale farebbe bene a liberarsi.

– Non capisco.

– Capisco bene io. Lei ne ha uno che le fa perdere inutilmente il tempo, e fa ombra pure a me.

– Beh! Il cipresso!

– Proprio il cipresso.

Egli si versò da bere, senza guardarmi: vidi la sua mano

bianca velata di peli aprirsi come la zampa del gatto quando afferra la preda: ghermì il bicchiere pieno, lo rimise vuoto battendolo un poco sulla tavola, con decisione rabbiosa.

– Tagli il cipresso, – mi disse senza alzare la voce, – anche a mia madre fa dispiacere vederlo; dice sempre: finché ci sarà quell'albero la vita non entrerà in casa nostra né in casa loro. Vorrei veder morire contenta mia madre: ha lavorato molto nella sua vita, e adesso è vecchia. E s'invecchia pure noi, io e lei, dico, signorina. Che si fa? Tagli il cipresso e leviamo il muro di divisione.

– Ha capito? – mi domandò dopo un momento durante il quale mi parve ch'egli stesse a spiare col suo fine udito di cacciatore i battiti del mio cuore.

Ma io non risposi se non con quei battiti: ed egli era un uomo troppo astuto per non intenderli.

E da quel momento sentii di avere al fianco un nemico.

Più che la sua cominciò a darmi pensiero l'inimicizia della madre.

La madre io la conoscevo ancora meno del figlio, sebbene un muro solo dividesse le nostre case: non usciva che due volte all'anno, per andare a compiere il precetto pasquale e per comprare, nel miglior negozio del paese, la tela, il panno, le cose necessarie per tutta l'annata: una terza volta, dicevano le serve maldicenti e beffarde, sarebbe uscita per andare a chiedere la mano di sposa per il figlio.

Ed ecco un giorno di febbraio, il primo bel giorno dopo il lungo sinistro inverno, mentre sto alla finestra a far l'amore col sole, vedo la porta dei vicini aprirsi e uscirne la vecchia.

Era alta e secca anche lei come il figlio, vestita di panno e velluto nero, con la spaccatura delle maniche e il petto gonfi della bianchezza abbagliante della camicia: e anche lei mi ricordò il cipresso in parte carico di neve.

E al suo primo passo mi domando fulmineamente dove mai va: al secondo mi rispondo che Pasqua è ancora lontana, e al terzo che è troppo presto per fare le compere: al quarto impallidisco e il cuore mi si ferma col fermarsi della vecchia alla nostra porta.

Ella veniva a chiedere la mia morte.

Poiché, infine, il figlio era un ottimo partito, e le ragazze potevano ridersi delle sue canzonette d'amore, ma non rifiutarlo per marito.

E aspetto che mi si chiami giù per ricevere la terribile vecchia: i minuti passano, nessuno mi chiama: io credo di essere stata soggetta ad un'allucinazione; ma no, l'uso è così; la ragazza non deve essere presente all'atto della domanda di matrimonio: viene interpellata dopo; poiché si deve rispondere con calma, con giudizio, anche se la domanda è ottima, per salvare le forme.

Vedo infatti andar via la vecchia, e quando scendo mi avvedo che tutti sono un po' scuri in viso, come disillusi: io non parlo, aspetto, fiutando l'aria ove mi sembra che la vecchia abbia lasciato un odore di tristezza.

Finalmente, alla sera, quando si è tutti riuniti intorno alla tavola come per un consiglio di famiglia, conosco il segreto. La vecchia è venuta per chiedere che sia tagliato il cipresso.

Si discute. Chi dà ragione ai vicini, anche per antipatia al cipresso, chi si oppone perché quello dei vicini pare un atto improvviso d'inutile prepotenza. Essi è vero, sono forti della legge che anche alle piante impone una doverosa distanza dalla proprietà del vicino; ma perché si sono ricordati adesso della legge?

Lo so io, il perché: e vado fuori a salutare il mio amico, la cui sorte e la mia sono davvero adesso unite da un invisibile filo. L'albero però sembra stranamente rallegrarsi della notizia: nella notte ancora fredda ma già solcata da un puro odore di giunchiglie, l'aureola perlata che lo circonda pare emanata dai suoi rami tutti tesi al cielo; e a poco a poco sulla sua cima brilla la fiamma della luna che lo trasforma in un meraviglioso candelabro.

Io appoggio la testa al suo tronco, per prendere forza e consiglio: e lui mi dice di tacere, di resistere e aspettare.

Anche l'uomo, di là dal muro divisorio, taceva e aspettava. Sentivo bene che aspettava, nascosto, con pazienza selvaggia come quando era in agguato fra i lentischi ad attendere la cerbiatta felice dei monti.

Ma io non ero la felice perché inconscia cerbiatta dei monti, e lui lo sapeva: e se giocava la caccia a quel modo, prendendo di mira il cipresso perché sapeva che sotto la corteccia del cipresso circolava il sangue dei miei sogni, era per orgoglio, per salvarsi da un rifiuto; per orgoglio, ed anche forse per romanticismo: e in fondo l'orgoglio non è, in certi casi, una forma di romanticismo?

Egli voleva salvare la sua posizione davanti alle altre donne, e anche davanti agli uomini e sopratutto davanti a sua madre che lo considerava come un grande uomo e pure sapendo il segreto del gioco ci si prestava con dignità e fierezza.

Ecco che dopo quindici giorni ritorna; sempre vestita di gala come appunto per ricevere la risposta a una domanda di matrimonio.

Io l'aspettavo: con terrore, con odio e coraggio. Questa volta scendo senza essere chiamata, e la ricevo io, con cortesia fredda e crudele che le fa capire subito di trovarsi con una avversaria degna di lei.

Sono io a interrogarla.

– Ma perché volete che si tagli l'albero? Che noia vi dà?

– Inumidisce l'orto; non lascia crescere la verdura.

– Ma che bisogno avete voi di due cavoli, voi che siete la più ricca del paese e avete il petto gonfio e tutti i nascondigli di casa vostra pieni di denari?

Ella sorride lusingata, palpandosi istintivamente il seno, come del resto faceva spesso, perché in realtà ci aveva nascosto un tesoro.

– Il denaro non conta nulla, figlia mia: conta il sole, l'allegria, la gente. E neppure i bambini delle mie nipoti vengono più nel mio orto perché hanno paura di raffreddarsi, con quell'ombra mortale.

– Peggio per loro: vuol dire che non sono forti e non sono intelligenti.

Capiva? Non saprei dirlo: so che mi guardava coi suoi grandi occhi ancora limpidi; mi guardava come dalla profondità di uno specchio, con una espressione ingenua di compatimento.

– I miei nipotini sono forti e intelligenti, e Dio volendo, studieranno anche loro e andranno lontano. I maschi, dico, perché le femmine devono stare a casa, a lavorare, ad amare la famiglia, a far bei figli e godersi in pace i beni che Dio ci manda. La felicità è dentro casa.

Io non replico: a che serve? Anche lei capisce che bisogna tornare sull'argomento principale.

– Quest'albero, dico il vero, mi ha sempre dato tristezza. È l'albero dei morti, infine: il suo seme deve essere volato qui dal cimitero; e porta disgrazia. Io direi di tagliarlo con le buone, di comune accordo, e farci un bel fuoco la notte di San Giovanni.

– Perché non ci avete pensato prima?

– Che vuoi? Finché non si è ben vecchi non si hanno certe ubbie e non si pensa alla morte.

– Ah, – penso io, – e adesso che avete paura di morire volete metterci me, al vostro posto, a uscire di casa tre volte l'anno, per custodire, il resto dell'interminabile tempo, il vostro inutile tesoro?

– Io sono giovane e ubbie non ne ho: e voglio vivere, e possedere il mondo – le dico con voce così alta che ella si tappa comicamente le orecchie. – Il cipresso non lo tagliamo, no, perché a me piace: a me vedete, sembra invece l'albero della fortuna, e voglio tenerlo.

– Va bene, – ella disse sottovoce: – ma tu conosci la legge?

– La legge me la faccio io.

Ella non replicò: si alzò, piano piano, come per farmi veder meglio come era alta: era alta, sì, davanti a me piccolina, e rigida e forte della sua dura vecchiaia: non le mancava che un codice in mano per rappresentare la legge.

Un mese dopo venne l'usciere con la carta bollata che domandava la morte dell'albero.

Fu la volta che tutti in casa si trovarono d'accordo a resistere alla pretesa del vicino: si cominciò dunque la lite, e dapprima gli avvocati, poi il vice pretore e i cancellieri vennero a fare il sopraluogo.

L'albero se la godeva nella primavera dolce che gonfiava e lucidava le sue foglie austere: non era mai stato così rigoglioso; e odorava di ginepro: quella che soffriva ero io e a volte m'irritavo per la sua impassibilità.

Almeno si fosse decisa presto la sua sorte! La sentenza tardava, le udienze venivano sempre rinviate.

Solo in settembre il pretore sentenziò che nel termine di giorni trenta l'albero venisse abbattuto.

Allora si presentò un falegname che offrì di comprare il legno e versò i denari anticipati.

Per non assistere al delitto presi una decisione disperata: andar via, per qualche tempo, in una città. Ed era per me come il viaggio di uno che per dimenticare una sua passione combina una pericolosissima spedizione in terre inesplorate.

Ricordo la sera dell'addio: il cielo era già d'una glauca trasparenza invernale, con fredde luminose nuvole di rame: e l'albero vi si appoggiava con un senso di misteriosa rilassatezza come di uno che dorme in piedi addossato a un muro.

Ed io vi stetti sotto, piangendo il passato morto, ma partecipando a quell'abbandono nell'infinito, come quando sotto i cipressi dei cimiteri il dolore pei nostri morti si riposa nel pensiero dell'eternità.

E fu durante quel breve viaggio, alle cui spese concorsero anche i soldi ricevuti per il cipresso, che tutti i sogni mi vennero incontro, fatti realtà: l'amore, la fama, la vita nella grande città: e tutte le strade del mondo si aprirono come una raggiera intorno a me.

IL CANE

Nel felice mattino in riva al mare ho incontrato oggi un cane.

Tre contadini sedevano sulla sabbia, con a terra l'ombrello chiuso, le sporte, le scarpe che fanno pesante il cammino.

Il cane stava davanti a loro, fermo con le zampe nell'acqua, e attraverso le sbarre della museruola fissava le lontananze del mare come un prigioniero.

Passando anch'io scalza nell'acqua lo guardai; poiché mi piace guardare negli occhi le bestie più che gli uomini che mentiscono.

Il grande cane mi guardò: aveva gli occhi verdi e dolci e una giovane faccia leale: e il dorso alto grigio macchiato di continenti bruni come una carta geografica.

Intese subito la mia disposizione di spirito, buona perché era buono il tempo e il mare calmo, e mi seguì.

Sentivo i suoi passi nell'acqua, dietro di me, come quelli di un bambino; mi raggiunse, mi toccò lievemente col muso per avvertirmi ch'era lì, e come per chiedermi il permesso di accompagnarmi.

Mi volsi e gli accarezzai la testa di velluto; e subito ho sentito che finalmente anch'io avevo nel mondo un amico.

Anche lui parve lieto di qualche cosa nuova: di pesante si fece leggero, corse davanti a me quasi danzando nell'acqua donde le sue zampe pulite emergevano fra nugoli di scintille: e di tanto in tanto si fermava ad aspettarmi, volgendosi per vedere s'ero contenta di lui.

I suoi occhi erano felici, come credo fossero i miei; avevamo entrambi dimenticato molte cose.

E il mare ci accompagnava terzo in questa bella passeggiata, anch'esso oblioso delle collere che troppo spesso, ma non più spesso che a noi, lo sollevano. E le onde giocavano coi nostri piedi.

E anche l'immagine del sole, nell'umido specchio della riva, ci precedeva ostinata a non lasciarsi raggiungere né guardare.

Due giovani alti passarono reggendo per le braccia come

un'anfora una piccola ragazza bionda: poi più nessuno.

Si andò così fino a un luogo lontano, un cimitero di conchiglie: conchiglie morte sparse come ossa in un campo di battaglia.

Pare di essere all'estremità della terra, dove l'uomo non arriva: l'orma sola degli uccelli svolge lunghi merletti serpeggianti sulla duna immacolata.

L'uomo qui non arriva; eppure si ha paura di incontrarne uno; bisogna tornare indietro, dove si è in molti, e l'uno ci guarda dal male dell'altro.

Ma il cane va ancora avanti per conto suo, anzi balza in terra e si avvoltola nella rena, gioca con un fuscello, si stende in su, col ventre nudo fremente, le zampe che pare vogliano abbrancare il cielo.

Ho l'impressione che si sia già dimenticato di me e voglia star solo con la sua folle gioia di libertà: ho come sempre giocato con la mia fantasia a crederlo d'intesa con me.

E torno indietro sola; ma ho fatto pochi passi che sento un galoppo nell'acqua: la bestia mi raggiunge, mi sorpassa, si volge e senza fermarsi mi guarda: e mai ho veduto uno sguardo più supplichevole.

– Non mi lasciare, – dice quello sguardo, – se mi vuoi vengo con te, anzi ti precedo per farti sicuro il cammino e per arrivare prima di te dove tu devi arrivare.

Questo cane dunque è mio: se non è dei contadini è certamente mio: e voglio prenderlo; gli farò custodire il giardino, e nelle ore di solitudine ce ne staremo assieme all'ombra di un albero, paghi della nostra amicizia. E gli farò custodire anche la casa.

Così penso; poiché da piccoli calcoli, come i bei fiori dai loro semi, nascono le nostre generosità.

Il cane adesso mi veniva accanto, misurando il suo passo col mio: a volte si fermava e annusava le alghe, poi guardava il mare scuotendo le orecchie: cercava senza dubbio qualche cosa, a misura che tornavamo giù. Se io però gli accarezzavo la testa sollevava gli occhi e mi prometteva fedeltà.

Arrivati dov'erano i contadini si fermò, immobile, con le zampe nell'acqua, gli occhi, attraverso le sbarre della museruola, fissi nelle lontananze del mare. Pareva un prigioniero tornato nel carcere dopo una breve fuga.

– È vostro? – domando ai contadini.

– No, signoria; credevamo fosse suo. Si vede che ha perduto il padrone.

E per quanto lo tentassi non volle più seguirmi poiché adesso non si trattava più di giocare. Lì aveva perduto il padrone, e lì rimase ad aspettarlo.

Quante cose tu mi hai insegnato oggi, o grande cane dai verdi occhi che dunque sanno mentire come quelli degli uomini!

E fra le altre m'insegni che bisogna fermarci dove ci siamo smarriti, e solo giocare con le illusioni che passano, aspettando che il nostro unico padrone, la nostra coscienza, venga a riprenderci.

IL SIGILLO D'AMORE

IL PORTAFOGLIO

Aveva appena finito di predicare, il grosso frate barbuto, e se ne tornava al convento, anzi del convento già rasentava il muro dell'orto, di sopra del quale le nuvole bianche dei peri e dei susini in fiore lasciavano cadere una silenziosa nevicata di petali sul marciapiede deserto. Sul marciapiede opposto, di là dalla strada larga dove il sole già caldo sebbene al tramonto e un venticello che sapeva ancora di neve giocavano un loro gioco malizioso e sensuale, solo una donna passava quasi di corsa, agitata, con le mani gesticolanti, le falde della giacca che si aprivano e si chiudevano come due ali nere di sopra e viola di sotto.

Rimasto indietro di qualche passo, il frate si accorse che la borsetta rotonda oscillante come un pendolo sotto il braccio della donna, apriva la bocca con uno sbadiglio smorfioso e vomitava un portafogli rossastro.

Anche lui aprì la bocca per chiamare e avvertire la donna che proseguiva rapida, ma come avesse timore di farle paura, in quel grande silenzio solitario, non riuscì ad articolare parola; poi attraversò la strada e raccolse il portafoglio; e lo sentì gonfio e tiepido nella sua mano; gonfio sebbene leggero, chiuso forte da una borchia di metallo, e con un odore fra di cuoio e di muschio che gli diede un'impressione di carne viva, quasi fosse un membro stesso della donna staccatosi da lei.

Fu per questo che il diavolo lo costrinse a farsi scivolare il portafogli entro la manica, nell'atto stesso che si sollevava? Egli pensò subito così, appena ebbe coscienza dell'atto, ma immediatamente si accorse che il suo pensiero voleva solo nascondere a sé stesso la vera bassezza della rapina: era l'interno del portafogli, il denaro altrui, che lo tentava. E si sollevò un altro uomo.

Ma appena si volse per attraversare di nuovo la strada, gli parve che la coscienza, fuggitagli via in quell'attimo, gli si affacciasse di fronte, inesorabile, col viso bianco del convento e alla finestra più alta gli occhi azzurri cerchiati di nero del Padre Superiore.

Un gelo mortale gli fece sentire tutto il suo grande corpo freddo entro la tonaca d'improvviso pesante: e gli parve di camminare nell'acqua, e andare sempre più giù: eppure non pensò di correre appresso alla donna e restituirle il suo.

A che? Il Padre lassù aveva veduto ogni cosa: e lo giudicava come Dio.

Ma arrivato sul marciapiede sotto l'orto respirò profondamente, come appunto uno scampato dai gorghi di un fiume: pensava di andar subito su dal Padre, consegnargli il portafogli, e lasciar cadere ai piedi di lui il peso del suo già infinito dolore.

Ma quando arrivò al secondo piano del convento si trovò in mezzo a un correre misterioso di frati che attraversavano i corridoi e salivano le scale con un pesante svolazzare di tonache come uccellacci molestati dal passare del nibbio: e nessuno parlava, e quel silenzio rendeva più tragica la confusione.

Anche lui continuò a salire, col cuore sempre più agitato: sul pianerottolo ultimo della scala, dove questa si restringeva per arrampicarsi alla terrazza, sotto la grande luce della finestra aperta, vide i confratelli che sollevavano di terra, leggero come fatto della sola tonaca e del viso e delle mani di cera molle pronta a sciogliersi, il Padre Superiore.

– È morto per colpa mia – pensò con terrore: terrore raddoppiato dal subito accorgersi che non andava disgiunto da un senso di sollievo: poiché col Padre gli pareva se ne andasse la sua vergogna, se non il suo peccato.

Il Padre era solamente svenuto; cosa che del resto gli succedeva qualche volta perché soffriva di asma.

– Si vede che è salito qui per respirare un po' d'aria, e l'aria stessa gli ha fatto male: forse non mi ha neppure veduto – pensa il frate affacciandosi a sua volta alla finestra, mentre i confratelli portano giù fra le braccia il Padre Superiore.

E guarda verso il punto dove ha raccolto il portafogli: è abbastanza lontano, questo punto, e difficile è il distinguervi un oggetto piccolo. Se andasse e vi mettesse appunto qualche oggetto, per fare la prova? Ma che importa? Non ha deciso di confessarsi? Una tristezza di morte lo investe e lo calpesta; e l'orto giù con la sua marea di fiori, i giardini più in là, tutti freschi e frementi, il sole e il vento in amore, la città ronzante come un alveare in maggio, il mondo e tutto infine gli sembra un cimitero, poiché sente che la sua coscienza è malata di un male mortale.

Ridiscese, e si mise accanto all'uscio del Padre Superiore, deciso a non muoversi di lì finché non gli permettevano di entrare e compiere il suo dovere. Dentro la cella il medico, pure lui frate, da poco entrato nell'ordine dopo essere stato un gaudente, adesso legato al dolore da un cilizio che portava notte e giorno, pronunziava ad alta voce qualche parola come parlasse fra sé.

Così il frate, di fuori, seppe che l'infermo andava meglio: il cuore si calmava, le forze vitali tornavano: poi si sentì un bisbiglio.

– È rinvenuto, e forse comunica all'altro la causa del suo svenimento.

Questo dubbio lo accese di sdegno: perché nella sua rigida santità, egli aveva sempre sentito disprezzo e ripugnanza per il medico convertito, e adesso questi sentimenti gli si ritorcevano contro come serpi calpestate.

Attese ancora, attaccato alla parete come un frate dipinto. Nelle finestre del corridoio il cielo si sfioriva; il vento cessava, ritirandosi poiché si ritirava il sole, ma di quel loro gioco rimaneva la dolcezza voluttuosa nell'aria; musiche lontane tremolavano coi profumi dei giardini; e la donna del portafoglio correva nelle strade della città maledicendo il ladro che aveva aperto la sua borsa. Il ladro non esisteva, eppure quella maledizione avvelenava l'aria e la soavità della sera.

Finalmente l'uscio della cella fu aperto e il lungo monaco dal viso di diavolo vi balzò fuori come da una scatola.

L'altro lo fermò, senza guardarlo in viso.

– Ho bisogno di vedere il Padre Superiore.

– Impossibile. Dorme.

Dormì placido tutta la notte, il vecchio Padre malato; quello sano e grasso invece si struggeva nel suo giaciglio in mezzo a una torma di brutti sogni che lottavano a chi più farlo soffrire, spingendolo su per le strade di montagna che a un tratto rasentavano precipizii o si stringevano in modo da imprigionarlo, o in nere paludi dove si rinnovava l'angoscia di soffocamento provata nell'attraversare la strada dopo la raccolta del portafogli. E questo era sempre lì, in cima agli incubi come uno stendardo rosso sopra una tumultuosa processione di demoni; o era lì sotto la sua testa e gli si appiccicava alla nuca come un tumore pestilenziale; si gonfiava in forme oscene o cadeva sotto il letto dove un terribile topo lo rosicchiava e lo trascinava poi intorno alla cella producendo un rumore misterioso che risvegliava tutti i frati del convento; e tutti correvano su e giù svolazzando, con un battito metallico di tonache dure, e uno di essi, il lungo diavolo convertito, trascinava per i capelli la donna del vestito nero foderato di viola: poiché era lei, con la sua furia di andare forse a un convegno peccaminoso, la radice del male.

– Infine, – pensò il paziente, scuotendosi e ribellandosi, – sono un uomo e devo vincere io. Vado alla delegazione municipale e rimetto il portafogli fra gli oggetti smarriti. E col Padre Superiore sono sempre in tempo ad aggiustarmi.

Ma era notte ancora, e contro i muri neri del buio i buoni propositi battono e svaniscono come bolle di sapone. I nani della coscienza tornavano a stringere coi loro fili taglienti l'uomo grande e grosso che si rotolava nel piccolo letto come un delfino nella rete: finché arrabbiato sul serio, egli afferrò di sotto il guanciale il portafogli caldo e odoroso di carne sudata e lo scaraventò nel buio.

Poi si alzò e lo riprese: e aspettò l'alba con l'impressione di uno che va verso un fiume per lavarsi.

Finalmente poté essere ricevuto dal Padre Superiore.

– Padre, avanti che le venisse male, ieri, lei stava alla finestra ed ha veduto quanto mi è occorso.

Il piccolo Padre lo fissava con lo stesso sguardo lontano e vago di quando era alla finestra: non rispose. Aveva veduto o no?

E la tentazione di travisare le cose, di nascondere in parte la verità riassalì il frate: egli la ricacciò subito e trasse dalla manica il portafoglio.

L'altro guardò l'oggetto, poi guardò di nuovo in viso il colpevole: i suoi occhi s'erano come avvicinati, ed esprimevano una viva curiosità.

E il frate sentì che tutte le sue pene erano state inutili; che il piccolo Padre non aveva veduto e non sospettava il vero. Poteva dunque salvarsi ancora dalla vergogna: ma come salvarsi se sopra di loro il Cristo nero con la testa sanguinante si piegava per ascoltare?

– Padre, questo portafogli lo ha perduto ieri una donna, che passava davanti a me. L'ho raccolto, e invece di avvertire la donna e restituirglielo, ebbene, me l'ho tenuto io, con l'intenzione di profittare dei denari che forse contiene.

Il Padre sorrise: un suo antico sorriso di beffa, che ai suoi tempi migliori era stato la sua arma più fina contro amici e nemici, e che punse il colpevole più che un atroce rimprovero.

– E cosa voleva farne dei denari?

– Non lo so. So che ho passato una notte infame, per il rimorso e soprattutto per la vergogna di aver compiuto l'azione sotto gli occhi di lei, Padre, di lei che vidi solo dopo. Adesso penso di andare alla delegazione municipale e depositare l'oggetto.

– Ma dentro non c'è per caso qualche indicazione della donna?

– Non so: non l'ho aperto.

– Lo apra e guardi.

E il terribile sorriso ravvivò ancora il viso di morto del piccolo Padre quando dal portafogli spalancato sgorgò solo una voluminosa lettera d'amore.

A CAVALLO

Un tempo io ero, pare impossibile, una intrepida amazzone. Ma da noi, in quel tempo, si nasceva, si può dire, a cavallo. Invece che sulle sedie i bambini s'arrampicavano sui mansueti ronzini invariabilmente legati nelle stalle dei ricchi proprietari e sotto le tettoie dei pastori poveri: a cavallo i proprietari andavano a visitare le loro terre, a cavallo si viaggiava da un paese all'altro, a cavallo le nobili dame si recavano a sciogliere qualche voto nelle belle chiese di stile pisano che arricchiscono l'isola, e le serve a portare l'acqua dalla fontana.

E a cavallo si partiva, nelle luminose albe di primavera e d'autunno, in allegre brigate, per le feste campestri: il cavallo, quindi, era per noi ragazze di buona famiglia condannate ancora a una vita orientale, chiusa e sorvegliata gelosamente dai genitori, fratelli, zii e cugini, un simbolo di libertà e di gioia.

Si diventa alti, a cavallo, e si ha l'illusione di essere, come i centauri, creature favolose agili e forti capaci di camminare, senza mai stancarsi, fino ai limiti della terra.

Dall'alto di un piccolo cavallo baio legnoso e pensieroso, simile, nelle forme arcaiche, a quelli decorativi delle cassepanche e degli antichi ricami sardi, ho viaggiato mezza Sardegna, e veduto i più bei paesaggi che la mia memoria ricordi.

Accusata di avere, nei miei racconti, sciupato troppo colore e troppa vernice per questi paesaggi, ho voluto rivederli nell'età in cui la fanciullezza non fa più belle della realtà le nostre visioni esterne colorandole del suo divino splendore interno: riveduti dalle impazienti automobili che adesso palpitano nelle vene stradali dell'isola e le riempiono di vita nuova, li ho trovati ancora più belli, nella loro immota e sacra solitudine che vive di sé stessa e pare anzi si rattristi quando viene turbata.

Ricordo sempre il misterioso suono dell'eco che rispondeva alle nostre voci quando costeggiando il monte Orthobene si scendeva al bianco villaggio d'Oliena: era una voce potente, cavernosa, che pareva scaturisse davvero dalle grandi roccie simili alle rovine enormi di una città titanica; e ripetesse sdegnata le vane parole di noi piccoli sopravvissuti ad un'epoca in cui l'uomo anche nelle sue costruzioni materiali tentava di vincere il tempo e avvicinarsi al cielo.

La gita più avventurosa ch'io ricordi si fece con una mia cugina maggiore di me di parecchi anni, e per la quale io professavo il rispetto e l'ammirazione dovuti ad un'eroina: poiché era una ragazza di una forza e un coraggio da Ercole: spezzava sul ginocchio grossi rami di legno verde e sparava il fucile senza mai fallire il colpo. Fu lei a combinare una gita arrischiatissima, al paese d'origine delle nostre famiglie, l'aquila dei paesi di Sardegna accovacciata alle falde del Gennargentu: Fonni. Questo era il mio sogno: risalire la strada donde erano scesi i nostri nonni arguti e artisti.

E si cominciò con l'astuzia, domandando ai genitori il permesso di passare due giorni e una notte nella vigna, dove ci si poteva dormire, e il guardiano, fidato e affezionato, era un nostro parente.

La vigna era nella strada per Macomer; ma noi, arrivate al trivio dopo Nuoro, nel mattino di maggio che dava tutti i colori dell'iride al meraviglioso panorama, si tirò dritto per lo stradone di Mamoiada.

La paura d'incontrare qualcuno che ci spiasse e tradisse, turbava alquanto il piacere del viaggio: per fortuna non si incontrò che una donnina di Fonni; anche lei sola e spavalda sul suo ronzino carico di bisacce di patate, ci salutò con un semplice:

– Ave Maria.

Dopo la cantoniera davanti alla quale si passò di corsa (la cugina aveva lo sprone e se ne serviva spietatamente), si cominciò a respirare; la strada, in salita, è sempre più amena, i prati più ricchi di pascoli in fiore; le quercie vibrano tutte per il canto degli usignoli; pastori di Mamoiada scendono, a cavallo, fra i loro sacchi e le bisacce istoriate, tranquilli come i pastori diretti a Betlemme: e non badano a noi: solo un vecchio, affacciato a una muriccia, ci domanda dove andiamo.

– A Fonni a portare un cero alla Basilica dei Santi Martiri – dice pronta la cugina; e gli fa vedere un bastone che tiene come un'arma sull'arcione.

Si costeggiò Mamoiada: non c'interessava visitarla, anche perché abitata da numerosi *compari di battesimo* e relativi figliocci di mio padre: arrivate al bivio la cugina esitò un momento, poi diede una bastonata al fianco del cavallo e lo aizzò con un grido selvaggio.

La bestia andò, scuotendo la testa come per salutare qualcuno e chiamarlo a testimone della sua ingiusta persecuzione: e il mio piccolo baio sornione gli tenne come sempre dietro, rigido e raccolto a pensare cose sue particolari.

Quando Mamoiada sparve nella sua piccola conca piena di sole, io espressi il desiderio di fermarci: avevo fame e cominciavo ad essere stanca.

– Tu sei pazza, – gridò la cugina piegandosi per trarre qualche cosa dalla bisaccia, – sai che il viaggio è lungo e non dobbiamo perdere un attimo di tempo. Prendi e mangia; i denti non hanno bisogno di star fermi per masticare.

E diede un pezzo di pane a me e una bastonata alla mia innocente cavalcatura. Da quel momento il nostro viaggio prese un carattere alquanto fantastico. Si saliva sempre; nel meriggio luminosissimo le grandi vallate molli di una vegetazione intensa che aveva l'ondulare lucente del lampasso, i placidi mostri addormentati delle roccie argentee, gli alberi tutti scintillanti, i prati coloriti di fiori, lo sfondo grandioso delle montagne che parevano di marmo azzurrognolo venato di rosa e di viola, prendevano una bellezza esasperante: paesaggi così, fatti di luce e dei colori liquidi delle gemme, si vedono solo in sogno o nelle vetrate istoriate.

Ed ecco siamo su un altipiano: la strada si insinua in un bosco; attraverso i tronchi dei lecci secolari, bruni ancora delle foglie vecchie, gli sfondi svaporano più chiari in uno spazio infinito: ed io comincio ad avere l'impressione che i monti del Gennargentu invece di avvicinarsi si allontanino o meglio si sciolgano in quella luminosità aerea.

L'ombra del bosco ci ridona un poco il senso della realtà e dell'orientamento: si cammina in silenzio per molto tempo: fiori bellissimi, grandi margherite d'oro, rose peonie simili a quelle coltivate nei giardini, garofani violetti il cui profumo si distingue fra gli altri come la nota del violino in un'orchestra; e rose, rose, rose di macchia, rallegrano come fuochi di notte la solitudine.

Di nuovo il bosco si spalanca; di nuovo si sale; la strada, adesso, come presa da un capriccio di avventura rasenta un precipizio che davvero ha il fascino dell'abisso; giù per una cascata di roccie granitiche scendono processioni di cespugli selvaggi che pare tendano all'acqua brillante del ruscello in fondo al vallone: di là ricomincia l'ondeggiare immenso delle chine verdi e grigie, rosee e azzurre, che risalgono verso l'orizzonte.

La strada, pentita, ritorna nel bosco, e vi si interna sempre più; ed è sempre in piano, fra prati e alberi, come il viale di un parco.

Quello che più impressiona è la solitudine assoluta del luogo: il sole declina e noi camminiamo ancora, ed io ho un vago timore che ci si sia smarrite.

Anche l'intrepida cugina è pensierosa: il suo viso lungo, un po' animalesco quando è triste, rassomiglia a quello del mio cavallo.

D'un tratto ella si rianima e si mette a cantare a voce alta: a me pare lo faccia per paura, come i ragazzi nelle stanze buie.

Il suo canto è spavaldo, nella sua desolazione.

In chenapura so nadu,
In die de tribulia:
Su coro est de preda ia,
E de attargiu temperadu[1].

Ed ecco all'echeggiare del ritornello ripetuto con forza come una sfida al pericolo e alla mala sorte, risponde l'abbaiare di un cane, e le cose intorno si svegliano di soprassalto dal loro sonno incantato.

Un uomo con una fiera barba rossa appare nell'arco verde fra due quercie, un altro, a cavallo, nella lontananza azzurra della strada; e noi ne riconosciamo con orgoglio il costume.

È il costume di Orgosolo, e noi siamo nella foresta di Morgogliai.

Così, invece che a Fonni, culla dei nostri avi poeti e vescovi, passiamo la notte ad Orgosolo, nido di uomini dei quali ancora oggi solo Dante potrebbe incidere il profilo.

---

1. In venerdì son nato, / In giorno di tribulazione: / Il cuore è di pietra viva, / E di acciaio temprato.

DEPOSIZIONE

Quest'agosto scorso – raccontò l'accusato – mi trovavo a Ghinfe, che è frazione di una piccola stazione balneare sull'Adriatico.

Nelle piccole stazioni di villeggiatura c'è, più che nelle grandi, probabilità di essere aiutati dal prossimo. La gente che le frequenta è semplice, di pochi mezzi e quindi di buon cuore.

I ricchi vanno nelle stazioni di lusso, e i ricchi non sentono compassione del povero perché non sanno cosa sia la miseria. Prima di arrivare a Ghinfe avevo tentato Rimini, dove certe signore esili, dall'aria triste e sofferente, alle quali mi ero avvicinato con la speranza di essere inteso e aiutato, mi risero in faccia con denti crudeli: la mia grande miseria parve anzi divertirle; e poiché insistevo mi diedero del mascalzone, del vagabondo, e chiamarono un bagnante per farmi allontanare. Quel giorno veramente pensai a morire: non mangiavo da quarantotto ore. Poi la rabbia e l'umiliazione mi sostennero.

Cammino: lungo la spiaggia vado su, su, fino a Viserba: ma i bagnanti, e specialmente le donne, alle quali è sempre meglio rivolgersi, hanno ancora un aspetto troppo elegante che non mi incoraggia ad avvicinarli.

Cammino: evito le guardie di dogana che si volgono a guardarmi sospettose. È doloroso come il povero emani un odore di bestia selvatica: anche i cani lo sentono e abbaiano al suo passare. Ed egli cerca di nascondersi, di fuggire. Questo è il segreto del vagabondo, e il suo tormento: la necessità di star solo, in un isolamento terribile che è gia quello della morte.

Cammino, dunque: sono abituato a camminare anche se ho fame, se ho la febbre, anche se dormo.

E mi sembra appunto di camminare e sognare quando da un sentieruolo fra le tamerici dell'arenile verso Ghinfe vedo sbucare una signorina in lutto.

Sulle prime mi sembra una bambina, tanto è piccola, coi vestiti corti, bionda e rosea sotto l'ombrellino nero che tiene rasente alla testa come un grande cappello. Cammina tranquilla, in quel perfetto deserto, come nella piazza del paese: e mi viene quasi incontro fissandomi coi grandi occhi celesti che però abbassa a misura che anch'io muovo verso di lei rispettoso e fiducioso.

– Ecco il fatto mio – penso, e col cappello in una mano e la scatoletta dei bottoni nell'altra, sinceramente turbato le dico: – Perdoni, signorina, sono gli ultimi che mi rimangono di una partita di mercerie. Non vorrebbe acquistarli?

Ella guarda attentamente la scatoletta aperta, poi solleva gli occhi ed io mi sento avvolgere tutto come da un velo azzurro. Ed ho l'impressione che oltre il mio corpo quegli occhi *vedano* l'anima mia, nella sua più profonda miseria, e che al riflesso di questa si coprano d'infinita tristezza.

Ella ha inteso chi sono. – Quanto è? – mi domanda senza toccare la scatola.

E mai ho sentito una voce più soavemente rauca. D'un colpo mi vergogno di me stesso: ho voglia di piangere, di caderle ai piedi come una foglia morta.

Ella vede e indovina tutto, riprende a camminare permettendomi di accompagnarla e anzi sollevando alto l'ombrellino quasi per fare ombra anche a me.

Io chiudo la scatoletta e vorrei offrirgliela in dono; ma mi vergogno; mi vergogno di tutto, oramai.

– Lei ha indovinato chi sono – mormoro seguendola a testa bassa come un cane umiliato. – Sono un ragazzo di buona famiglia: ho anche studiato; ma adesso mi trovo senza occupazione. Vado in cerca di lavoro e non trovo: spaccherei anche le legna, farei anche lo sguattero, eppure non trovo. La sciagura mi accompagna. Tutti mi guardano, vedono che non sono del popolo e lavoro non me ne danno. Anche lei crede che il mio vestito sia di persona civile: lo guardi bene; è tutto logoro, rammendato da me: guardi bene, non ho camicia, ma la pettina col collo rovesciato ha pretese d'eleganza. Il guaio è che non ho più la mamma e il babbo non l'ho conosciuto. Ho un fratello giudice, con la moglie malata e molti figli, e non può soccorrermi, né io lo pretendo. Ma perdoni, signorina, io l'annoio: perdoni, sono un debole. Da due giorni non riesco a procurarmi da mangiare.

La signorina ascolta, a testa bassa anche lei, anche lei umiliata nella sua più viva umanità: crede ad ogni mia parola, ma a poco a poco, pur senza ch'ella parli o muti viso, sento che il suo primo turbamento svanisce: già un senso istintivo di diffidenza rende opaca la sua pietà. Tuttavia lascia ancora che l'accompagni e cammina tranquilla accanto a me lungo la spiaggia: e il suo silenzio pensieroso di me, e sopra tutto la sua fiducia volontaria mi umiliano più che la crudeltà delle donne di Rimini.

Finalmente, con la voce di uno che ha risolto un problema, mi dice:

– Perché non va dal sindaco? Qui il Comune è socialista: potranno procurarle lavoro.

– Andrò, – rispondo io con accento di obbedienza, – ma non spero.

– Ascolti, – ella riprende dopo un momento di esitanza, – io posso far poco per lei: sono qui in pensione e i denari li ho misurati. Ma ho qui qualche oggetto d'oro, e posso darle un paio d'orecchini che non mi servono e che lei può facilmente vendere alle contadine della spiaggia. Posso anche…

Non finisce la frase, ma apre rapidamente la sua borsa e vi fruga dentro confusa e mortificata di farmi l'elemosina. Ne trae un astuccio, poi una tavoletta di cioccolata, e tutto mi porge: e tutto io prendo; si arrossisce entrambi come ci si scambiasse una promessa d'amore. Poi si cammina di nuovo in silenzio; ella ha messo la borsa sotto il braccio, e di tanto in tanto la tira su e la stringe meglio.

Il mare mormora accompagnandoci, ed io ho l'impressione di andare con lei verso una montagna azzurra. Ma questo non importa. Quello che importa è che lei d'improvviso, quasi abbia sentito il racconto che io le faccio in silenzio di tutto il mio patire, dice, piano, come per non farsi ascoltare neppure dalla rena che calpestiamo:

– Del resto si ha diritto all'esistenza. Se lei è così non è certo per sua volontà. La letteratura è piena di uomini come lei, e dunque vuol dire che molti ne esistono. Ma io dico che se la società non l'aiuta, lei ha diritto di mettersi fuori della società. Questo glielo consiglio in confidenza, s'intende.

– Non ho mai rubato – dico io: e mi sento più triste del solito.

– È peggio mendicare – ella ribatte, aspra, e cammina più rapida, quasi voglia lasciarmi indietro perché si vergogna improvvisamente di camminare con me.

Allora un cataclisma mi scoppia dentro: tutto si rovescia; ho la sensazione fisica che il mio corpo vuoto si riempia di un liquido velenoso e salato, come il corpo di uno che annega.

Ed io che volevo farle dono della mia scatoletta di bottoni, come di uno scrigno di perle, penso di rubarle la borsa: e come colpita dal mio pensiero, la borsa le scivola di sotto il braccio.

Qui c'è una lacuna sinistra nei miei ricordi: e in mia coscienza non posso affermare se ho raccolto la borsa o se veramente, come la signorina afferma, è stata la mia mano a strappargliela destramente di sotto il braccio.

E perché, allora, ella non si è subito rivoltata e non ha gridato? Ella afferma che aveva paura, che ha camminato con l'ombra della morte accanto, fino a veder gente. Allora mi ha indicato come un ladro, mentre io, già pentito, la chiamavo per restituirle la borsa.

E mi presero d'assalto, come un malfattore, e mi impedirono anche di rompere con la mia vita la mia vergogna.

Adesso però non voglio più morire: voglio espiare, piangere; nascere veramente dalla mia pena come l'uomo che nasce dalla colpa dell'uomo.

I giudici, una volta tanto, esaudirono l'accusato, condannandolo a nove mesi di carcere.

LA RIVALE

Quindici giorni precisi dopo quello delle nozze la sposina si accorse per la prima volta che il marito la tradiva.

Erano andati in montagna, forse per vedere più da vicino la famosa luna di miele; non in una delle solite pensioni dove le nuove coppie sono invidiate, spiate e spesso prese in giro, ma in casa di una vecchia paesana che era stata un tempo a servizio presso la famiglia dello sposo: tutta la casetta, in mezzo a un fitto bosco di castagni, era a loro disposizione.

Luogo più bello non poteva inventarsi per due giovani sposi innamorati come gatti: e come felini essi passavano la giornata fra i cespugli, nell'ombra odorosa di funghi, tra i fiori lisci e dorati che brillavano come ceri nella penombra del bosco e non partecipavano all'amore che li sfiorava con la mano della sposa.

La vecchia preparava i pasti che erano quasi sempre a base di funghi, squisiti ed eccitanti. A mezzogiorno gli sposi mangiavano nella cucina fumosa, che sembrava un'antica cucina fiamminga: di sera preferivano le camerette al piano superiore perché la cucina si riempiva di figure rosse e nere, di maschiacci giovani e vecchi, marito, figli e parenti della vecchia, tutti rudi boscaiuoli che tornavano dalla selva dove tutto il giorno avevano tagliato e fatto rotolare lungo il torrente grossi tronchi d'alberi, e dopo aver mangiato come lupi, bevevano, e fumavano la pipa.

L'odore della pipa, sopratutto, dispiaceva alla sposa; la raggiungeva fino alla camera nuziale e le dava nausea.

Anche lo sposo non fumava che sigarette profumate, e pochissimo del resto. Nella seconda settimana di matrimonio cominciò però a fumare un po' di più: evidentemente cominciava ad annoiarsi: e la sposa, col suo finissimo intuito di donna innamorata, se ne accorse.

La sua prima gelosia fu dunque per la sigaretta del marito, sebbene anche lei, riguardo a fumare sigarette, non scherzasse.

Inoltre il tempo si fece brutto: e allora, aspettando che il tempo tornasse bello, i due sposini, quando non avevano di meglio da fare, fumavano e fumavano. Il guaio era che nei giorni di pioggia forte gli uomini non andavano a lavorare: riempivano la cucina con le loro figure tumultuose e col fumo delle loro pipe: qualcuno saliva anche nelle camere di sopra, e allora tutta la casa tremava per quei passi di gigante ferrato. I due sposi quindi dovevano restarsene nella camera nuziale, quasi tutta occupata dal letto che pareva proprio un monumento, e il fumare e il resto non bastava a dissipare la loro noia.

Anzi avevano deciso di partire, se il tempo continuava così.

Una sera la sposa andò a letto presto. Era raffreddata e la vecchia le preparò una bevanda calda, di fiori secchi misteriosi, che realmente le diede subito un senso di benessere e di sonnolenza dolce come quello provocato dall'aspirina.

Allora lei stessa pregò lo sposo di andar fuori, nel paese, in una pensione dove si faceva della musica, o dove lui voleva.

Egli preferì scendere nella cucina della vecchia, fra quei bei tipi di montanari, alle spalle dei quali voleva divertirsi.

Tornò su tutto pregno dell'odore delle loro pipe. La sposina dormiva e sudava, e non si accorse che vagamente della cosa: sognò, cioè, che anche lei fumava la pipa.

I guai cominciarono la sera dopo, quando egli le consigliò di andarsene ancora a letto presto e di prendere la bevanda sonnifera, e lui tornò giù di sua spontanea iniziativa.

Nel suo dormiveglia ella pensava che razza di divertimento poteva procurare la compagnia di quei zoticoni puzzolenti di vino e di cattivo tabacco, dei quali, del resto, non si capiva il linguaggio ostrogoto.

Ma la mattina dopo vide, con una prima puntura di gelosia, una bellissima donna la cui presenza pareva illuminasse la nera cucina. Era vestita con un costume quasi zingaresco, rosso e viola, con catenelle, medaglie di rame, spilloni raggianti sulla torre dei capelli d'un nero verdognolo. Anche gli occhi erano verdi, nel viso bianchissimo, d'una trasparenza straordinaria. Alta e forte, sembrava infine una degna fata di quelle selve ancora primordiali, nata coi funghi e le orchidee selvatiche in mezzo ai borri muschiosi.

Era una nuora della vecchia, venuta da un paese più giù sotto la montagna.

Arrivata la sera lo sposo rinnovò alla sposa l'invito di andarsene a letto.

Ella si ribellò.

– Se tu vuoi andare vai – disse con una voce sorda che non pareva la sua. – Io sto su alzata a leggere.

Rifiutò anche la bevanda che la faceva dormire: aveva l'impressione che la vecchia e lo sposo fossero d'intesa contro di lei per un'azione malefica.

Egli rimase. Rimase, ma era di un umore tetro, col viso cattivo e gli occhi stralunati. Nel silenzio si sentiva di tanto in tanto come uno sbattere arrabbiato di ali: erano le pagine dei giornali che gli sposi leggevano.

Infine risonò anche una specie di piccolo ruggito: era l'uomo che sbadigliava.

Questa melanconia durò per qualche sera: di giorno, poi, egli trovava sempre scuse per allontanarsi dalla sposa, ed ella osservava con crescente angoscia che ciò avveniva quando la donna vestita di rosso e viola non era a casa. Un giorno, infine, si accorse con orrore che egli, al ritorno da queste gite misteriose, puzzava tutto di tabacco da pipa, odore del quale erano impregnati i capelli e le vesti della presunta rivale.

Allora ella decise di fare una prova.

Venuta la sera, richiese la bevanda e finse di andarsene a letto, accusando una recrudescenza del suo raffreddore. Poi consigliò al marito di uscire; ed egli uscì come un gatto al quale dopo una lunga reclusione in casa, viene aperta la porta su un giardino pieno di altri gatti.

Ella palpitava e sudava.

Piano piano si alzò, si rivestì, scese scalza al buio la scaletta di legno, penetrò nella cameretta terrena sulla quale dava l'uscio della cucina.

L'uscio era spalancato: e ciò ch'ella vide non lo dimenticò mai più.

I boscaiuoli avevano finito di cenare e sulla tavola si vedevano ancora le stoviglie grigie fiorite d'azzurro, con avanzi di polenta e di sugo rossiccio, e i boccali per il vino compagni alle stoviglie.

La vecchia e la nuora s'erano già alzate di tavola: in mezzo agli uomini, giovani e vecchi, rossi e neri, chi barbuto chi calvo, tutti col bicchiere in mano e la pipa in bocca, come Gesù fra gli apostoli sedeva il biondo e pallido sposo, e anche lui, con gli occhi nuotanti in un languore di voluttà, fumava una corta pipa di radica in colore delle castagne.

LA SEDIA

Un giorno del settembre scorso passavo, verso sera, in una strada popolare di Roma. La strada, come del resto tutte le altre della città, era allora completamente rotta per il rinnovamento del selciato; e nel primo velo del crepuscolo aveva l'impressione di uno di quei sogni quando si cammina lungo gli abissi o fra le gole dei monti, e arrivati a un certo punto non si può andare più avanti né tornare indietro: solo un provvido risveglio ci salva dalla morte per spavento.

Arrivata a un certo punto, come in quei sogni strani, fra uno scavo lungo e profondo e una striscia di marciapiede ingombra di cumuli di pietre livide che mi ricordavano i natìi *nuraghes*, un ostacolo fermò davvero il mio insolitamente cauto procedere: era una bella sedia nuova, bassotta, solida, coi bastoni delle gambe e dello schienale bianchi e forti come colonne, e il fondo, pure bianchiccio, alto rafforzato da liste di legno: insomma un tipo di sedia per cucina perfezionato e ingrandito. Nonostante il suo probabile peso, la sedia poteva rimuoversi per passare; il fatto è che era seguita e accompagnata da una interminabile fila di ottime consorelle, tutte appoggiate al muro di un vecchio casamento. Pareva si godessero il fresco e lo spettacolo, così sospese sull'abisso degli scavi, e nello stesso tempo si offrissero, fra benevoli e beffarde, allo smarrito e stordito passeggero.

Indispettita e stanca, pensavo di approfittare davvero dell'invito e aspettare che la provvidenza, nella quale ho profonda fiducia anche nei casi più disperati della vita, mi dimostrasse la sua bontà, quando alla porta del piccolo negozio che aveva messo fuori così imperterrito la sua merce monumentale, si affaccia la padrona e mi squadra dall'alto coi suoi occhi bovini, aumentando la mia impressione di smarrimento. È una vecchia, una di quelle terribili vecchie come se ne vedono solo nei quartieri popolari delle grandi città, alta, grassa, barbuta e con la pancia a cupola. Rossiccia ancora di capelli, vestita dello stesso colore, dava l'idea che i suoi antenati fossero una tigre e una leonessa, di quelli ammaestrati per divorarsi con appetito i cristiani nei circhi dell'antica Roma.

Quando ebbe indovinato con chi aveva da fare, mi salutò con un cenno del capo, come si usa coi dipendenti.

– Vuole?

– Vorrei passare – dico io umilmente.

– Passi, passi pure – concede lei, senza smuovere una sedia: e poiché mi vede incerta e candida, riprende con voce mutata: – Non le occorrono sedie per cucina? Sono magnifiche, guardi, (ne solleva una e la sbatte per terra). Durano eterne: e poi sono comode, provi a sedersi, provi.

Dà l'esempio lei, e a dire il vero ci si adagia così bene, col suo superbo sedere, che convince la nuova cliente ad imitarla. Provo dunque; e mai sedia al mondo, neppure quella vellutata e girevole del mio dentista, mi è parsa più comoda e fantastica: quel paesaggio di pietre smosse, di scavi, di case gialle sospese come sopra una frana, contemplato così di fronte, prende un aspetto diverso, nuovo, piacevole e riposante. Mi pare di essere come in viaggio, quando d'improvviso il treno si ferma per un guasto alla macchina, e il paesaggio dapprima fuggente, che stordiva lo sguardo, si cristallizza come dipinto sul cielo in un misterioso sfondo di silenzio.

La gratitudine per questa gradevole impressione e anche la fantastica idea che la sedia, messa sulla mia terrazza al posto della banale poltrona di vimini riesca a farmi vedere diverso il solito stucchevole orizzonte, mi convince a intavolare le trattative per un probabile acquisto.

– Quanto viene?

– Quante ne vuole? Una dozzina? – domanda la donna tutta premurosa e amabile.

Sentito che me ne occorre solo una, cambia accento e torna a squadrarmi con disdegno.

– Una le viene sulle quaranta lire.

– Spavento! Ma se ho pagato quaranta lire una poltrona di vimini?

Non lo avessi mai detto. La donna balza in piedi come una bomba pronta a scoppiare. Mi sento il dovere di alzarmi anch'io, frenando la mia paura.

– Ma quando l'ha comprata? Mezzo secolo fa? O nel paese della cuccagna? Ma lei mi porti qui cento sedie di vimini ed io gliele pago subito, a pronti contanti, cento lire l'una.

E faceva atto di contare i biglietti, buttandoli verso di me con rabbia e disprezzo. Sentivo che una sola parola poteva perdermi: una sola parola di discussione ed io andavo a finire nel fosso con tutte le sedie sopra. Ho però anch'io la mia dignità, e come sempre in simili casi penso di battere in silenziosa ritirata.

La donna mi richiama: sento che è disposta a seguirmi: ho davvero paura. Mi fermo, senza voltarmi, come la tartaruga quando si sente inseguita. Se il cacciatore ha da pigliarmi mi pigli, purché non mi ammazzi.

Così la vecchiona mi raggiunse, scavalcando le sue sedie, e me la sentii alle spalle col suo ventre di gomma.

– Senta, signora, – le dico gentilmente, tanto per salvare la dignità, – le dò trentacinque lire. Va bene?

Ella ne chiese trentasette: ed io sborsai, tirando fuori anche una carta da visita con l'indirizzo, onde la sedia mi venisse mandata a casa.

Ma la donna mi fa sapere che non ha chi mandare, e devo quindi far ritirare io l'acquisto.

Qui cominciò davvero l'avventura.

Come uno spirito sotterraneo balzò fuori dagli scavi e si arrampicò su un cumulo di ciottoli un ragazzetto nero arruffato e seminudo.

Di lassù stette ad ascoltare la nostra vicenda, e capito subito di che si trattava, senza essere interpellato si offrì di portarmi lui subito la sedia a casa. Io gli avrei insegnato la strada che egli diceva di non conoscere.

La donna però doveva conoscere bene lui perché mi consigliò di far prima i patti.

– Facciamo a tassametro, – disse lui, sempre dall'alto, – primo scatto una lira, dieci centesimi ogni cento passi di poi.

– Allora la sedia la pago una seconda volta a te – osservo io. Interviene la donna e si fissa il compenso in lire due: di queste il ragazzo ne vuole subito una, per il primo scatto, vale a dire per il salto dal cumulo delle pietre a terra.

– E non lo perda d'occhio – mi consiglia la donna: al che egli brandisce la sedia per vendicare il suo onore offeso, poi mi passa davanti, sull'orlo dell'abisso, e dice con accento marziale:

– Andiamo.

Andiamo. Sul principio egli cammina rapido ed io stento a seguirlo in quel labirinto di rovine. Ma più giù la strada si fa meno difficile e il ragazzo incontra un primo amico, col quale si scambiano un mucchio di insolenze e di scherzi, a proposito della sedia. Io li raggiungo e convinco il ragazzo a proseguire con me; anzi tento una benevola conversazione con lui.

– Come ti chiami? Vai a scuola? Cosa fa tuo padre?

È come parlare con la sedia, ch'egli adesso s'è caricato sulla testa; e con la testa irrequieta sotto quella specie di tettoia, egli si volge di tanto in tanto a guardare indietro, arrabbiato e provocante, e fischia acutamente appuntando le labbra perché il suono ne esca più lungo e sottile.

È un fischio di richiamo, di quelli che usano gli uomini della malavita per comunicarsi qualche cosa di sinistro, ma che ha pure una nota di allegra ironia per chi lo ascolta senza intenderlo.

Io non mi sorprendo quindi nel vedere che l'amico del ragazzo ci raggiunge con un rinforzo di altri monelli: tutti rassomiglianti fra loro come membri di una stessa famiglia zingaresca. In un attimo la squadra volante si dispone intorno a me al ragazzo e alla sedia, e questa è presa di mira dai loro frizzi e anche dal tiro di qualche sassolino.

– Eccola lì la torre girante. Ammazzala, come è alta.

Il ragazzo è pronto: con i bastoni della spalliera ben stretti fra le mani si piega e corre verso l'uno o verso l'altro dei persecutori e li investe, come un toro infuriato, coi piedi della sedia.

– Mo' vi faccio vedere le stelle, dalla torre girante.

Anche i passanti ne sono travolti; cominciano a protestare e cambiano marciapiede; finché uno della compagnia, un zoppetto intrepido e più feroce degli altri, non si afferra alla sedia, dietro le spalle del ragazzo, e lo costringe a fermarsi.

– E fammi sedere – grida forte. – Apposta mia madre mi ha fatto zoppo, per zompare su questa cattedra.

Allora il ragazzo cambia tattica: lascia andar giù la sedia, l'afferra con una mano per la spalliera e comincia a rotearla vertiginosamente intorno.

– A chi tocca tocca.

Se non mi scosto a tempo tocca pure a me, mentre i nemici tentano un accerchiamento, si stringono, riescono ad afferrare chi il ragazzo chi la sedia e tutti assieme piombano a terra in un gruppo infernale.

Allora intervengo io.

– Sentite ragazzi, se non la smettete chiamo una guardia.

– Chiamane anche dieci – grida lo zoppetto, e tutti, ancora attaccati alla sedia e gli uni sugli altri come scarabei, ridono d'intesa affratellati contro di me.

Finalmente, con comodo loro, si rialzano e riprendono la marcia: adesso però è un altro guaio, perché ridivenuti amici, ogni tanto si fermano e discutono di affari loro.

Arrivati poi alla svolta della strada alcuni si sbandano, altri dicono di fermarsi lì ma solo per tre minuti, ad aspettare il ritorno dell'amico.

Allora questo, che prosegue solo con me, diventa svogliato, dice che è stanco, che la sedia pesa, e ad ogni passo domanda se c'è molto ancora.

Siamo in una strada solitaria, poco distante dalla mia, ed è quasi notte: anche qui scavi, ingombri, ostacoli.

– È questo il suo cancello? Lei mi ha detto che c'è un cancello sotto gli alberi. È questo? – domanda con insistenza il ragazzo, fermandosi in un punto scuro della strada, davanti a un cancello chiuso.

– È questo, sì – si risponde da sé.

Non c'è verso di convincerlo a proseguire: rinunzia piuttosto al resto della mancia, pur di raggiungere gli amici prima che i tre minuti siano passati; e sparisce in un lampo.

Che dovevo fare? Feci come quel filosofo che avendo molti problemi da risolvere pensò bene di andarsene a dormire. Così io sedetti sulla mia sedia, accanto al cancello chiuso di là del quale, intorno a una villa, un giardino solitario già dormiva anch'esso nel silenzio dolce della sera. Io sembravo la portinaia seduta fuori a prendere il fresco. E la sedia mi pareva ancora più comoda di prima, e me le sentivo già affezionata per le comuni vicende.

Ma non potevo passare la notte in quel posto, per quanto la luna nuova sospesa sopra gli alberi mi invitasse a restare: d'altra parte non mi sentivo semplice e forte fino al punto di trasportare io la sedia: l'aggiustai quindi bene contro il muro, all'ombra sporgente di un salice, e ancora una volta mi affidai alla divina provvidenza.

Ed ecco fatti pochi passi vedo una coppia d'innamorati. La donna è appoggiata al muro e piange e dice male parole: l'uomo è un giovanissimo operaio che io riconosco perché ha lavorato ultimamente in casa mia. Anche lui parla fitto fitto e inveisce contro la ragazza; a quanto capisco è una scena di gelosia; e una luminosa idea mi attraversa la mente: fare del bene a quei due e ricuperare la mia sedia.

— Buona sera — dissi al giovine, che riconoscendomi salutò anche lui con rispetto. — Non potreste farmi un favore?

Racconto la mia vicenda, e prego l'operaio di prendere con suo comodo la sedia e portarmela a casa.

La donna s'era sollevata e rideva, con gli occhi ancora pieni di lagrime. Era una bellissima ragazza bruna, alta, con le labbra che parevano tinte; ed io intesi la giusta gelosia del piccolo operaio.

Per non disturbarli oltre tirai avanti: e passò bene del tempo prima che la sedia arrivasse sana e salva a casa. Per castigo delle tribolazioni che mi aveva procurato la feci mettere in cucina, dove del resto parve subito troneggiare nel vero senso della parola; poi volli dare una piccola mancia al giovine operaio; egli però se ne schermì, non solo, ma si profuse in ringraziamenti.

— Lei non sa, signora, che m'ha salvato forse la vita, certamente la libertà, perché stavamo sul punto di accopparci, con la ragazza. Crede lei che la scena di gelosia la facessi io? La faceva lei, e ci aveva il coltello con la punta in fuori giù dentro il pugno. E io perdevo il lume degli occhi. Che vuole? Eravamo stanchi tutt'e due, perché anche la ragazza lavora da sarta; e quando si è stanchi si litiga anche senza ragione. E così siamo andati a cercare la sedia, ci si è seduti un poco, in quel bel sitino all'ombra, dove non c'era nessuno, e abbiamo fatto pace.

La duchessa Di Flores ricordava che nella sua lontana giovinezza, quando voleva attirare nel suo salone uomini famosi per intelligenza o per galanteria, usava far loro sapere, in modo garbato e indiretto, che al ricevimento avrebbero preso parte giovani e belle donne.

Adesso, vecchia di ottant'anni, ma ancora arzilla e maliziosa, vigile e giovane di spirito nonostante la solitudine in cui la sua fortuna alquanto diminuita la costringeva a vivere, in una sua villa campestre, metteva in opera lo stesso mezzo per attirare i suoi numerosi nipoti, quasi tutti brillanti ufficiali sparsi nei varî reggimenti dell'esercito italiano. Quando sapeva che qualcuno di essi andava in licenza, scriveva invitandolo nella sua villa, almeno per otto, almeno per tre, almeno per due giorni, e non mancava di accennare a qualche sua ospite giovane e bella. Conoscendo l'umore dei suoi discendenti, l'esca variava a seconda: per cui al suo ventenne pronipote Beniamino (di nome e di fatto) scrisse che l'ospite, pronipote di una sua amica di giovinezza, era un pallido fiore di loto galleggiante ancora nelle limpide acque di una purissima fanciullezza.

Beniamino aveva dunque venti anni: figlio unico d'una nipote della duchessa e di un ricco industriale, allevato fra l'incuranza paterna e lo sfarzo indolente materno, ne aveva già fatte di cotte e di crude: nel suo attivo c'erano molte cattive amicizie, un tentativo di fuga dalla casa dei genitori, bocciature che ogni anno maturavano con le zucche, tre anni di collegio militare, debitucci di gioco e altre piccole cose: con tutto questo, già sottotenente di cavalleria, bel giovane, con un metro e settanta di statura e novantotto centimetri di torace, Beniamino non conosceva quasi ancora la donna e sognava una fidanzata della quale voleva essere il primo e l'ultimo amore.

E la duchessa lo sapeva.

Beniamino non amava la vita militare, che è un po' come la luna, brillante di lontano e aspra e pietrosa da vicino: quindi non amava neppure la divisa: quindi si vestì in borghese per andare dalla duchessa.

Il viaggio era lungo e noioso: per fortuna egli riconobbe in treno un suo compagno di collegio, anche lui appena uscito dalla scuola allievi-ufficiali; e fra i racconti, le spacconate, le narrazioni di avventure galanti straordinariamente fantastiche, e sopratutto le storielle spiritose, le ore passavano rapide e inavvertite come i paesaggi fuori dei finestrini dello scompartimento. Basti dire che a poco a poco anche gli altri viaggiatori si misero ad ascoltare come incantati: e di tratto in tratto una risata generale faceva coro al recitativo dei due. Per dare un'idea di questi meravigliosi racconti basta riferirne uno, inventato o plagiato dal compagno di collegio.

– Dunque si deve sapere che in Francia i trasporti funebri in ferrovia costano enormemente: allora, due fratelli di nobile famiglia decaduta, dovendo far trasportare da Lione a Parigi un terzo loro fratello morto, pensarono di vestirlo di tutto punto e in carrozza lo condussero alla stazione: poi lo presero sotto braccio, uno da una parte l'altro dall'altra, e lo portarono in uno scompartimento ancora vuoto, lo adagiarono bene in un posto d'angolo, col cappello tirato sugli occhi, in modo che pareva dormisse, e per non dar sospetto, loro si misero in uno scompartimento molto avanti. Or ecco che ad un'altra stazione sale un viaggiatore e prende posto nello scompartimento del morto. Bisogna avvertire che era notte e mezzo treno dormiva: quindi il viaggiatore non si meravigliò del profondo sonno del suo compagno; un bel momento, anzi, si addormenta anche lui. Ma un altro bel momento si sveglia e con terrore vede che il suo fino allora poco importuno compagno è stramazzato a terra e si muove solo per il traballamento del treno. Premuroso egli si precipita sul disgraziato, lo scuote, lo solleva, lo interroga, e infine si accorge che è morto.

– È morto, è morto, – pensa, con le mani fra i capelli, – e adesso Dio sa quante seccature avrò, se pure non mi accuseranno di averlo ucciso io.

Allora, cosa fa? Piglia e butta fuori dal finestrino il morto, col cappello bastone e tutto.

Ed ecco si arriva a Parigi, e i fratelli del morto vanno nello scompartimento per rinnovare il giochetto fatto alla stazione di Lione: prelevare cioè il caro cadavere, farlo scendere, condurlo in carrozza alla tomba di famiglia.

Che è che non è, guarda qua, guarda là, il morto non si vede più. Disperati interrogano il viaggiatore che tira giù le valigie e pare un bravo uomo.

– Per piacere, signore, non ha veduto lei qui un viaggiatore che dormiva?

– Sì, sì – risponde l'altro, gentilissimo. – L'ho veduto. È sceso all'altra stazione.

Arrivati anche loro, Beniamino e il compagno, alla piccola stazione del paese dove abitava la duchessa, scesero assieme.

Scesero assieme perché durante l'ultimo tratto di viaggio erano rimasti soli e Beniamino aveva confidato all'altro lo scopo intimo della sua visita alla bisnonna, vale a dire la certezza di ritrovare finalmente la fidanzata ideale.

– Nonnina però, sebbene ami la gioventù, è molto austera e non mi permetterà di stare neppure un momento solo con la fanciulla. Tu dovresti accompagnarmi: avrai un'ospitalità regale. Farai un po' di corte a nonnina, ed io potrò così fare una passeggiatina in giardino con la fanciulla.

– Ma bravo! Tenerti il moccolo e addizionare i miei venti agli ottant'anni della duchessa per formare un secolo giusto. Bravo davvero!

Ma poiché erano tutti e due buoni e bravi ragazzi davvero, si misero d'accordo e scesero assieme.

La notte era calda, serena. Grandi stelle verdognole illuminavano il cielo scuro, e i due giovani camminarono per un pezzo col viso in aria quasi orizzontandosi al loro chiarore. Del resto la strada lievemente in salita era abbastanza rischiarata dai lumi dei casolari e da un fuoco di stoppie che ardeva in un campo: e la villa della duchessa era lì a due passi, bianca sullo sfondo nero e stellato degli alberi del giardino. Già se ne vedeva il profilo merlato; e un profumo di rose, a tratti, pareva illuminasse l'aria.

– Nonnina ha la passione delle rose – spiega Beniamino con una voce che non pare più la sua; una voce tenera, musicale,

colorita anch'essa di quel profumo e dei riflessi delle stelle. –
Ne fa venire le piante da tutte le parti del mondo, anche dalla
Persia, e il giardino, la casa, le terrazze ne sono sempre piene.

– È il profumo che più amo – disse l'altro, serio e grave. –
Quando odoro una rosa sento uno stordimento misterioso; mi
ricorda come una vita anteriore, bellissima.

Intanto erano arrivati sotto la villa: una figura di donna, tutta vestita di nero, con un fazzoletto nero legato a benda intorno alla testa, stava seduta immobile sul paracarri della strada e
guardava verso la valle. Dall'altra parte della strada la villetta
appariva silenziosa, con solo qualche finestra all'ultimo piano,
dove dormiva la servitù, debolmente illuminata: pareva che già
tutti si fossero ritirati, ma quando i due amici si avvicinarono al
cancello, Beniamino si meravigliò di trovarlo socchiuso.

Pratico del luogo andò avanti per il viale d'ingresso, e vide
la terrazza al primo piano, nascosta fra gli alberi, con le vetrate
aperte e illuminata; e anche lassù, fra le ghirlande di rose rampicanti che salivano dalle colonne del portichetto sottostante,
una figurina bianca di donna, seduta accanto alla balaustrata,
appariva immobile nell'incanto della notte.

– È lei, dev'essere lei – dice sottovoce Beniamino, piegandosi sul compagno. – Quella è la camera che nonnina di solito
assegna agli ospiti. E quante volte mi sono arrampicato dal
portico alla terrazza per entrare di sorpresa dalla mia mamma.

– Perché non lo fai ancora? Forse lei ti aspetta – dice l'altro,
fra il serio e il beffardo.

Un attimo; e il cuore di Beniamino palpita come quello del
principe che vuol rapire la bella prigioniera dell'orco. Gli antichi istinti di animale rampicante si ridestano nelle sue vene
giovani, e lo spirito avventuroso che è la parte più viva del suo
carattere, eredità degli avi spagnuoli, lo prende e spinge come
un vento di ubriachezza.

Il lieve accento di beffa dell'amico lo ha punto: in fondo
forse egli cerca l'avventura per dimostrare la sua agilità e il
suo ardire; ma è anche una specie di scalata al sogno che egli
vuol tentare, poiché l'occasione si presenta e il sogno si prende solo così, come i giovani cacciatori prendono l'aquila in cima alla roccia.

Senza più parlare butta giù il cappello: poi rapido e silenzioso si avventa verso il portico, giungendovi quasi piegato a terra; abbraccia la colonna, vi si allunga, sale, sale, è in cima come il vincitore dell'insaponato albero di cuccagna; salta dritto sulla terrazza. Un grido incrina il silenzio cristallino della notte.

– Nonnina! Perdonami. Ti ho spaventato? Volevo farti una sorpresa.

La piccola vecchia sebbene spaventata gli sorride con tutti i suoi denti falsi, e mentre abbandona al bacio di lui la mano destra inanellata, con la sinistra gli dà dei colpi non troppo lievi alla testa.

In un attimo tutta la villa si desta. Anche nel giardino si sente parlare e ridere, e Beniamino dice che ha lasciato giù il suo amico. Allora la duchessa, non senza una punta di malizia, gli spiega che l'ospite era giù a passeggiare nella strada, in cerca di fresco: nel vedere i due uomini entrare per il cancello lasciato socchiuso da lei, li ha certo seguiti, e dietro le spiegazioni del compagno rimasto nel viale ride con lui per la prodezza di Beniamino.

Ma Beniamino non si scompone, anzi, pensando che le donne che passeggiano sole la notte per le strade non gli vanno a genio, si allunga e fa il saluto militare.

– Tutte le esperienze son buone nella vita. E ride bene chi ride l'ultimo.

LA PALMA

Uno scrittore, del quale forse s'indovina il nome, aveva stabilito di regalare la sua penna alla cuoca, per la nota della spesa.

Troppi dispiaceri la letteratura gli dava. Qui non si parla del lavorio interno che fa dell'artista un eterno arrotino occupato ad affilare il proprio coltello: si tratta di dispiaceri più gravi. Il più solido glielo aveva ultimamente procurato l'Agente delle imposte, con un avviso di accertamento di redditi di ricchezza mobile, che lo tassava per la sua *professione* di scrittore; seguiva il Comune, che senza tanti complimenti lo tassava non solo per professione ma anche per *esercizio* (rivendita dei propri libri). Venivano dopo i nemici minori: l'editore che s'infischia della diffusione dei volumi; i librai che fanno altrettanto, i critici che candidamente confessano di non capire nulla del libro letto; infine certi scrittori che in buona o mala fede prendono lo spunto dai suoi romanzi e novelle e riescono a interessare più di lui.

Considerate bene tutte queste cose, egli decise dunque di non scrivere più, e neppure di pensare più come un artista. Voleva ridiventare un uomo qualunque, occuparsi solo di affari comuni: del resto, fatto bene il calcolo delle sue rendite patrimoniali, scoprì che aveva abbastanza da vivere e spassarsela coltivando il suo giardino.

Così, regalò la sua penna alla cuoca, che gliene aveva richiesta una, e scese nel giardino per passarci le ore durante le quali usava scrivere. A dire il vero egli non conosceva a fondo tutto il suo giardino del quale non si era mai personalmente occupato: e anzitutto fece un giro di esplorazione. Gli parve di passeggiare su una pagina di geometria, intorno ai circoli, ai triangoli e ai quadrilateri delle aiuole, in mezzo a ognuna delle quali sorgeva una pianta diversa. E si meravigliò di vedere, in settembre, i crisantemi fioriti.

C'era anche un pergolato di vite americana con sotto una bella panchina verde che gli destò una delle solite immagini. «Questa panchina verde pare far parte della vegetazione intorno, nata pur essa nel giardino, col suo profumo di vernice».

Si ribellò immediatamente: all'inferno le immagini letterarie, che sono come una lebbra sulla pelle nuda e sana della
realtà; la panchina, per quanto d'origine boschiva, è opera del
falegname e fatta per sedercisi. Egli ci si siede e guarda in su,
non più per godersi il gioco del verde e dell'azzurro, ma come
il gatto che finge di contemplare il cielo mentre guata l'uccellino sul ramo: cioè per contare i grappoli dell'uva calcolando
quanti chilogrammi possono pesare.

Questo calcolo però è attraversato da altri pensieri invo-
lontarî; si direbbe che il cervello funzioni per conto suo; e così
egli si accorge con spavento che pensa all'invidia di certi scrittori se lo vedessero così in mezzo al suo bel giardino a goder-
selo in panciolle; e le immagini, è inutile, sono lì a portata di
mano come i grappoli dell'uva che sullo sfondo smerigliato del
cielo sembrano dipinti su una lacca giapponese.

Maledizione delle maledizioni; eppure bisogna ammazzar-
lo questo *come*, schiacciarlo come i grappoli dell'uva per trarne il vino schietto della semplicità. E qui egli cerca di spiegarsi
perché l'artista accoppia sempre le cose, come il contadino i
buoi, per tirare meglio avanti: perché in realtà tutte le cose si
rassomigliano, e alcune formiche leste e intrepide, condotte da
un formicone con la testa rossa, che assalgono la torre del suo
fianco fino all'orlo della tasca, gli ricordano un qualche gruppo
di soldati da ventura o di ladri in grassazione. Egli lascia tuttavia che l'assalto prosegua; già il condottiero s'è introdotto nella
tasca e le formiche lo seguono; ma come respinti da un esercito nascosto ne vengono subito tutti fuori sbaragliati e fuggono:
è l'odore del tabacco da pipa che produce la ritirata. Più tenace
e famigliare è un piccolo grazioso ragno bianco che lieve e rapido lo esplora dai piedi alla testa e gli si ferma di preferenza
sui risvolti della giacca girando intorno ai bottoni: gira e rigira
finalmente sosta e medita: medita senza dubbio un colpo
straordinario; tessere la sua tela sul nobile petto dell'artista. Già
attacca un filo a un bottone...

Qui bisogna essere sinceri: questo avvenimento commuove
l'uomo; le immagini letterarie lo abbandonano ed egli a sua volta
si abbandona alla realtà semplice e meravigliosa: gli pare di essere

eguale all'albero, alla vite, e di aver finalmente ritrovato l'equilibrio nello spazio. Ma una voce lo riscuote da questo sogno; ed egli manda via brutalmente il ragno, vergognandosi di essere sorpreso in corrispondenza con la natura. La voce che viene di dietro le sbarre della cancellata è del resto timida, e l'uomo che chiama: – Signore? Signore? – pare un giovine mendicante, vestito di tela, con le scarpe rotte. Il contrasto fra tanta miseria e la luce viva di due grandi occhi verdi attira l'attenzione dell'artista.

– Che volete? – domanda accostandosi indolente alla cancellata; e lo sguardo col quale l'altro lo esamina, chiaro e scrutatore come quello del gatto che osserva un animale sconosciuto, gli rinnova l'impressione della corsa del ragno sulla sua persona. E come il ragno l'uomo deve provare un senso d'improvvisa confidenza perché senz'altro la sua voce si fa sicura:

– Volevo chiederle se le foglie della palma sono da vendersi.

Lo scrittore si volge tutto d'un pezzo a guardare la palma: a mala pena egli sa che nel giardino esiste una palma: adesso se la vede sorgere a un tratto davanti nel reparto a sud del giardino, grave, un po' massiccia, col tronco che pare un'enorme pigna donde si slanciano come da un vaso scolpito le grandi foglie raggianti. È bella; ha qualche cosa di religioso, e il cielo sopra la guglia delle ultime foglie si ravviva e ricorda quello del deserto.

– Vede, – dice l'uomo introducendo il braccio nella cancellata, – quelle foglie sotto sono tutte malate: bisogna levarle; mi pare che quest'anno la pianta non sia stata potata. Bisogna potarla e curarla.

L'artista lascia la sua contemplazione.

– Ma, non so, è mia moglie che se ne incarica.

– E dov'è adesso la sua signora moglie?

– È fuori in campagna coi ragazzi.

– E lei non va in campagna?

– Io odio la campagna – si confida serio l'artista: e l'altro non domanda di meglio che prendersi confidenza.

– E quale più bella campagna di questa? Ma questo giardino è mal tenuto.

– Ma come, se ci son già i crisantemi?

– Quelli si chiamano astri e fioriscono in agosto.

L'artista non fiata più: l'altro insiste:

– La palma va curata, potata, spruzzata di cenere; altrimenti chi sa dove va a finire.

E discorri discorri andò a finire che lo scrittore aprì il cancello e l'uomo entrò.

L'uomo teneva nascosta sotto la giacchetta, come un ladro, una sega a mano che pareva la mascella di un coccodrillo. Piano piano, con cautela, poiché le spine della palma sono velenose, segò un primo cerchio di foglie: a misura che queste cadevano le sollevava delicatamente, come ventagli di piume, e le metteva una sull'altra.

– Adesso mi pare che basti – disse l'artista, pensando a sua moglie.

Quell'accidente d'ometto indovinava però i suoi più intimi pensieri.

– Non si preoccupi: la sua signora moglie sarà contenta. Vede come le foglie sono tutte nere e scabbiose? Hanno proprio la scabbia: questo secondo cerchio è anch'esso infestato e la pianta morirà se non si leva. Queste foglie, poi, che io posso lavare e vendere gliele pago: una lira l'una.

– A che servono?

Questa volta gli occhi verdi s'illuminarono di compassione.

– Per le corone dei morti.

– È vero, – esclamò l'artista; – e anche per metterle in mano ai màrtiri.

E rise: rideva di sé stesso.

Poi mentre l'uomo continuava a rodere come un topo intorno alla palma, egli fu ripreso dal gorgo dei soliti pensieri: chi quelle grandi foglie ricoperte di fiori dovevano accompagnare all'estrema dimora? Forse una fanciulla uccisa dall'amore, forse un potente della terra, forse un uomo che aveva scelto nella vita la via del male.

– Va all'inferno – disse a voce alta a sé stesso, ritraendosi ancora una volta dal vortice della fantasia.

L'uomo cessò immediatamente di segare, pur fingendo di non aver sentito quelle parole. Contò le foglie ristrette in due gruppi: erano sedici, delle quali, al suo dire, solo dieci buone ancora per le corone. E trasse palpandolo bene dal suo portafogli un biglietto nuovo da dieci lire.

L'artista prese il denaro con una certa soddisfazione: pensava che il giardino cominciava a rendere: e tutto era buono dopo che egli rinunziava al lavoro di tavolino.

– Se vuole, – disse l'uomo vedendolo così interessato, – posso lasciarle i mozziconi delle foglie: sono buoni per la stufa: fanno un calore terribile.

Lo scrittore accettò: e dopo qualche minuto si trovò ai piedi come tanti grandi scorpioni i sedici mozziconi irti di zampe velenose.

Così, sotto la palma che dava l'idea di una pecora stordita dopo la tosatura, lo trovò la sua cuoca quando venne a consultarlo come doveva cucinare il cefalo che teneva fra le mani e dal quale faceva sprizzare con un coltello le scintille delle scaglie d'argento.

Nell'accorgersi del disastro ella si appoggiò ad un albero: veniva meno.

– Ma che è accaduto? – balbettò infine. Egli le fece vedere le dieci lire, osservando che il cefalo se lo era ben guadagnato anche senza scrivere; ma la cuoca gli agitò il pesce sulla faccia come volesse percuoterlo.

– Adesso la sua signora moglie! Adesso la sua signora moglie!

– Ma che ti senti male?

– Ma non capisce che quello ha veduto la sua faccia? Che lo ha derubato? Che le ha rovinato la palma? Che lui rivende le foglie a dieci lire l'una?

Mai in vita sua lo scrittore si sentì più umiliato di così.

– Capisco – disse a testa bassa, come parlando ai mozziconi della palma. – Chi è nato artista non può morire uomo di affari. È meglio che mi rimetta a tavolino, a scrivere le mie favole.

E poiché era abituato alla sua penna la richiese alla cuoca.

– Prima almeno mi lasci fare il conto – disse lei.

Il conto lo aveva già fatto e il cefalo vi era segnato per lire undici; ma pensando che il padrone lo si poteva dunque imbrogliare allegramente, corresse in questo modo: cefalo, lire sedici.

E il padrone le regalò anche un'altra penna.

LA TARTARUGA

Anelante la donna tornò nella sua tana, che era una di quelle tettoie sulle terrazze a riparo dei cassoni per il deposito dell'acqua. I cassoni erano stati ingranditi e portati più in là sotto una tettoia più vasta, ed ella aveva ottenuto quel riparo dal padrone dello stabile, della cui famiglia da molti anni era donna di fatica: tutto è buono per i proprietari di case e tutto è buono per i disgraziati senza alloggio.

Ella possedeva una chiave della terrazza, dove a turno le serve degli inquilini stendevano i panni ad asciugare. Anche quella notte, dalle corde e dai fili di ferro pendevano panni bianchi e di colore e file di calze lunghe e corte. La luna, a piombo dal cielo bianco di luglio, dava forme e trasparenze spettrali a quei corpi vuoti e alle loro ombre sul pavimento bianco della terrazza; e la donna provava, nel passare in mezzo ai panni per arrivare al suo rifugio, l'impressione di essere toccata da fantasmi.

Arrivata là dentro si gettò sul suo giaciglio corto che non permetteva alla sua lunga persona di stendersi bene: col piede spinse la porticina, ma con lo stesso piede la riaprì. Soffocava; le pareva di essere un topo agitato dentro la trappola: ma non voleva muoversi, non dar segno neppure all'aria di questa sua agitazione interna. I piedi però le pulsavano tanto che le pareva di sentirli parlare; si cacciò via le scarpe e si allungò in modo da metterli sulla striscia di luna che imbiancava la soglia: e a poco a poco il bagno della notte glieli rinfrescò. A poco a poco il sangue le si chetò nelle vene e il pensiero smarrito tornò nel suo cervello come lei era tornata nella sua buca: allora l'istinto della salvezza, più che il rimorso o il pentimento, la costrinse a ricostruire la scena del suo delitto.

Si rivide nell'appartamento al secondo piano, abitato da un vecchio signore al quale, dopo sbrigate le grossolane faccende nella casa del padrone, ella ripuliva le camere. Il vecchio aveva piena fiducia in lei, tanto che le lasciava le chiavi mentre egli era fuori per la colazione. Ed ecco ch'ella, con la pesante sveltezza dei suoi cinquant'anni robusti, riordina la camera di lui:

306

una camera vasta con due finestre, coi mobili di mogano e il letto grande coi lenzuoli di lino dolci a toccarsi più che la seta. Fa caldo, e lei pensa con terrore al suo buco su nella fornace della terrazza: fa caldo, tutte le cose puzzano, e anche lei sente un cattivo fermento di perversione ribollirle nel sangue: quel fermento di dolore antico che ricorda all'uomo, quando la natura lo opprime, la maledizione della sua carne.

La donna lavora e si domanda perché il vecchio scapolo egoista e sporcaccione, che non ha mai fatto nulla in vita sua, deve dormire in quel letto, fra due finestre aperte sul giardino verde, e lavarsi con acqua profumata, e andarsene a mangiare nelle trattorie fresche dove le mense sembrano coperte di neve e di oggetti di ghiaccio iridescente, mentre lei ha le ossa ingrossate dalla fatica e mangia gli avanzi altrui e non ha mai pace né gioia e nessuno le vuol bene.

Qui, nel ripulire lo specchio dell'armadio, vede la sua grande figura di Giunone pezzente, e sente in sua coscienza di esagerare. C'è qualche gioia per lei, quella fra le altre di andare all'osteria, dove tutti, specialmente verso sera, si vogliono bene; e c'è la soddisfazione della sua libertà, in quelle ore, il riversarsi della sua fatica nelle chiacchiere e nel bicchiere di vino.

E c'è, a sera, una creatura di Dio che l'aspetta negli angoli umidi della terrazza, e quando ella torna stanca e si butta sul giaciglio, le gira attorno per sentirne l'odore di fatica e di ubbriachezza serena; e le slaccia le scarpe come una piccola serva fedele; poi si ritira nel suo angolo umido e il suono di un bacio continuo, fra lei e la terra, addormenta la donna ricordandole i campi donde è venuta e l'infanzia e le fresche origini della vita.

Ma questi ricordi, che accompagnano quello della tartaruga sua compagna di solitudine nella terrazza, non le rinfrescano l'anima; la certezza che lei non potrà mai tornare indietro, mai ritornare alla terra se non come cadavere, accresce anzi la sua arsura.

Quasi per tentare di rinfrescare davvero quest'arsura, in quel momento più interna che esterna, per la prima volta dopo che serve fedelmente e rispettosamente il vecchio signore, osa lavarsi con l'acqua e il sapone di lui. In un cassetto del lavabo ella sa che ci sono anche certe polveri rinfrescanti: apre adunque il cassetto e i suoi occhi si spalancano, la mano rimane sospesa nell'atto di prendere.

Una specie di libretto, con figure, ghirigori, numeri e cifre, è dentro il cassetto, fra le scatole di ciprie e di pomate che hanno un profumo nauseante; sullo sfondo bianco di un medaglione inciso sulla prima paginetta, una donna melanconica, con un lungo ricciolo azzurro pendente dalla tempia destra, s'appoggia ad un'ara fumante: ha strani oggetti in mano; quello che sostiene con la destra sembra un bastone; e alcuni bambini nudi, ai suoi piedi, si divertono a guardarlo e forse a tentare di prenderglielo.

Anche lei, la serva, guarda così il libretto: si china meglio a osservarlo, infine lo prende e lo sfoglia; è fatto di molti biglietti di cinquanta lire nuovi, ancora appiccicati gli uni agli altri.

– Con questi – pensa – potrei filare subito alla stazione e tornarmene laggiù *da noi*. Chi sa niente di me? Cercala! Il vecchio è appena uscito e non tornerà che fra due ore: e a lui questi soldi non fanno né caldo né freddo.

Un attimo: e il *potrei* del primo impeto si cambia in *posso*.

Si cacciò il libretto nel seno e finì di riordinare la camera: un ragionamento errato di salvezza la guidava; se la raggiungevano e la prendevano, laggiù dove voleva andare, faceva a tempo a negare: però si affrettava: chiuse le persiane, tornò nell'ingresso buio.

Ma mentre sta per aprire la porta, questa, come nei sogni, si spalanca da sé, e nel vano grigio appare la piccola figura del vecchio.

– Buon giorno, buon giorno – dice lei, untuosa e vibrante. – Ho finito e vado.

– Aspettate un momento, ho dimenticato una cosa – egli dice, lasciando la porta aperta. E va di là, nella camera, e apre il cassetto.

Da quel momento, come tutti i delinquenti dicono per scusarsi, ella perde la propria coscienza. Fuggire? La prenderanno per le scale. Negare: non le resta che negare: ma il vecchio la investe, le salta addosso come un gatto arrabbiato, grida con la sua piccola voce che vuole denunziarla, che chiamerà gente se lei non restituisce subito i denari. Lei tace, si lascia spingere e stringere; ma d'un tratto chiude con un calcio la porta e a sua volta soverchia l'uomo, gli afferra il collo con le sue mani che il lavoro millenario suo e dei suoi avi ha mantenuto gigantesche, e glielo torce come quello di una gallina.

Un rumore, se così può chiamarsi, più tenue e indefinibile di quello del rosicchiare del tarlo la destò dall'incubo.

Ella lo riconobbe subito. Era la tartaruga che veniva a farle la sua visita notturna e cominciava il suo giro d'ispezione nella tana. Ella si alzò a sedere, coi capelli pesanti di sudore, ritrasse i piedi poiché la luce della luna glieli fece apparire enormi, e attese. Si sentiva il rumore notturno della città, come quello di una nave in rotta nell'oceano; ma il succhiar della bestia, nell'angolo dove c'era la brocca dell'acqua e quindi un po' di umido per terra, sembrava alla donna la voce più potente della notte. Il cuore le si scioglieva dalle catene infernali della disperazione: quel ritorno della tartaruga era come un ritorno di speranza e quindi di vita.

Aspettò che la bestia si avvicinasse: si avvicinava, le fu presso i piedi, e lei sentì sulla caviglia come la punta di una spina. Allora si piegò e prese la sua amica in mano, la sentì fredda e dura come una scatola, eppure le parlò, avvicinandosela alla guancia come si fa con l'orologio per ascoltare se cammina.

– Le scarpe me le ho già levate – le disse, piano. – Avevo tanto caldo. Ho corso tutta la giornata, oggi, al sole, di qua di là, non so, per tutte le strade, fino giù alla campagna, al fiume. Volevo buttarmi nel fiume, ma non ho avuto il coraggio. Dio non vuole, che si uccida. E adesso aspettiamo: verranno a prendermi; sia fatta la volontà di Dio. I denari li ho rimessi a posto, mica per paura che mi accusassero, ma perché così dovevo fare. Mi dispiace di lasciarti, in questa fornace, dove ti ci ho portato io; le serve ti butteranno giù, perché sono tutte cattive, e tu ti romperai come un vetro, come sono rotta io.

La tartaruga tirava fuori dalla sua cupola la testina e le zampe; e sul suo polso di legno la donna sentiva quelle unghie molli scavarle la pelle come per arrivare al sangue e succhiarne i germi avvelenati.

Allora l'idea di salvare la sua amica, di ridonarla alla terra, dominò l'istinto stesso della salvezza propria. L'avvolse in un fazzoletto, si rimise le scarpe e scivolò giù per le lunghe scale, passando a occhi chiusi davanti a *quella* porta: trovò il modo di uscire inosservata e camminò ancora, a lungo, attraversando come in sogno la città notturna ardente dei colori dell'arcobaleno; finché arrivò agli orti fuori le mura, dove Dio parlava ancora con la voce solitaria dell'acqua corrente.

UCCELLI DI NIDO

Tranne che per i funzionari in via di far carriera, le scale di certi uffici pubblici sono dure per tutti: quelle della Questura, per esempio. Luride scale continuamente animate di figure che solo per essere lì appaiono equivoche e sinistre, anche se rappresentano disgraziate vittime di ladri, o afflitti padri di famiglia che vanno a denunziare l'*allontanamento* di un figlio giovinetto dalla casa paterna.

Questa volta è la madre, a salire l'ignoto calvario: il padre è in giro per il mondo, all'affannosa ricerca dell'uccello scappato dal nido. È stato a Napoli, è stato a Genova, porti dove si dirigono invariabilmente questi uccelli aspiranti migratori, persuasi che per conquistare il mondo basta il biglietto da mille e gli anelli *presi* dal cassetto della mamma: Napoli e Genova avendo dato risultato negativo, il padre è corso anche alla Spezia, poi a Livorno; infine ha spedito un telegramma alla moglie consigliandole di recarsi subito in Questura, possibilmente dal Commissario Finzi, famoso per il ritrovamento di persone scomparse.

E la madre a sua volta va alla ricerca del Commissario come il malato di un terribile male dal medico che lo può guarire.

Il primo rampante della scala, in fondo a un ingresso ove il pavimento era tornato allo stato naturale di terra polverosa, riceveva luce solo dall'alto: un rimasuglio di luce che proveniva dal secondo rampante e si versava nel primo come per pietà o per curiosità.

La madre saliva piano, curva sotto il peso della sua croce, domandandosi ancora una volta quali erano i peccati che doveva scontare così: la coscienza non le rinfacciava nulla, se non forse il peccato originale che, per quanto lavato e raschiato, grava ancora sugli uomini. Arrivata al pianerottolo si fermò ansando. Il secondo rampante delle scale era illuminato da una finestra alta velata di una grigia tenda di ragnatele. Ma il calvario non finiva lì; c'era un terzo rampante da superare. Una vecchia ricoperta di stracci raggiunse anche lei a stento il pianerottolo, e anche lei si fermò guardando in su.

– Sa dirmi, per gentilezza, signora, dov'è l'ufficio del Commissario Finzi?

– Veramente non sono molto pratica del luogo – dice la madre, stranamente rianimata per l'incontro di questa compagna di sventura. – Lo cerco pure io, il Commissario Finzi.

– Pure lei! Le è scappata la serva?

– Magari – sorride tristemente la madre; e riprende a salire piano piano la scala.

La vecchia la segue rispettosa, ammirandone alle spalle il ricco mantello e le scarpette fini. Altre persone scendono e salgono, e gli uni non badano agli altri: tuttavia la madre ha l'impressione di essere osservata da tutti, e al suo dolore si unisce la vergogna, e anche un po' di dispetto contro il marito che, per un pregiudizio umano e la speranza di rintracciare il figlio, non ne ha immediatamente denunziato la scomparsa.

Ed ecco superato il secondo rampante; ma neppure in cima al terzo il calvario finisce.

– Oh Dio, Dio, – geme la vecchia, appoggiandosi alla parete, – mi viene fastidio.

È pallida, infatti; le grosse mani gonfie le tremano: e nonostante il suo proposito di diffidare di tutti, in quel luogo di perdizione, la madre prova un senso di pietà. Si ferma, aiuta la vecchia a sedersi sullo scalino alto sotto il vano della finestra, e le si mette davanti come per ripararla dalla curiosità inutile dei passanti. La vecchia straluna gli occhi, due poveri occhi che conservano un rimasuglio di tinta celeste, arrossati dal lungo piangere, e pare abbia una irresistibile voglia di addormentarsi.

– Su, su, – dice sottovoce la signora, – coraggio.

Anche lei però si sente venir meno, come per il contagio dell'altra; le ginocchia le si rammolliscono, e istintivamente, senza volerlo, si lascia cadere seduta accanto alla vecchia stracciona, sullo scalino nel vano della finestra.

La vecchia è la prima a rimettersi dal suo stordimento e a sua volta aiuta la signora a sollevarsi: riprendono assieme, sostenendosi a vicenda, la triste ascesa; assieme penetrano nei foschi ambulacri del luogo, finché riescono a farsi indicare la stanza dove il Commissario Finzi riceve. Ma occorre aspettare; ed entrambe aspettano, di nuovo sedute assieme in un angolo scuro del corridoio. Il posto è favorevole alle confidenze e la vecchia non chiede di meglio che chiacchierare; ma la sua pena adesso pare attutita dalla curiosità di sapere che ha quell'altra, così ben vestita, eppure così afflitta anche lei. E la investe di domande, senza riuscire però a sapere tutta la verità.

– Sì, – dice la signora, sottovoce, parlando suo malgrado, – una persona di servizio è scomparsa di casa, portando via qualche cosa.

– Non dubiti, gliela pescano subito, – afferma la vecchia, – quelle si ritrovano sempre: sono disgraziate anche loro. E scommetto che lei le aveva fatto del bene, che ci si era affezionata, che ci soffre.

– Oh, sì, sì – geme l'altra, tutta ripresa dalla sua pena.

– Lei è buona, signora mia; come si fa a tradire una persona così?

– E voi non siete buona? Eppure…

– Figlietta mia! Lei è indovina. Sono buona, sì; che cosa non ho fatto per quella creatura? Adesso le racconto tutto. Lei mi vede così, come un gufo spennacchiato, ma non sono una mendicante: mi sono ridotta così per loro, mia figlia e il marito suo, che non amava lavorare e ha fatto morire di crepacuore la disgraziata. Poi lui è scappato; ed ho tirato su io la loro creatura, un bambino bello e forte; l'ho tirato su come figlio di signori, come lei, amore mio bello, può aver tirato i suoi, Dio glieli benedica e glieli tenga da conto. Sì, eh, l'ho mandato a scuola, sempre vestito bene, sempre col suo cestino pieno, sempre coi libri che ci volevano. Io ho fatto di tutto, per lui; lei mi avrà veduto anche a scopare le strade, mangiando un tozzo di pane condito con polvere; ebbene, adesso anche lui se n'è andato; ieri se n'è andato, portandosi via la sua roba e la coperta di lana. La coperta di lana… – ella ripete stordita, e comincia a piangere sommessamente, come, più che per altro, per la scomparsa della coperta di lana.

La madre non seppe dirle una parola di conforto. Le pareva di essere davanti a uno specchio che rifletteva ingrandita e orribilmente deformata la sua stessa miseria: ma che poteva dire per cancellare sia pure una linea di questa miseria?

D'altronde la vecchia smise subito di piangere: sollevò uno dei suoi stracci e s'asciugò gli occhi, poi si soffiò rumorosamente il naso volgendosi per educazione verso la parete; e la luce della speranza le rianimò il viso.

– Io penso che tornerà: tutti i ragazzi che scappano di casa tornano. Sono i grandi quelli che non tornano.

– Quanti anni ha? – domandò la madre.

– Tredici, figlietta mia; tredici compiti il giorno di San Giuseppe.

– Come il mio – pensò la madre; e la speranza della vecchia si accese anche nel suo cuore.

– Il Commissario Finzi, poi, mi aiuterà. Tutti me lo hanno detto. Non importa ch'io sia così, così, come una scopa da buttarsi via, – riprese la vecchia sollevando di nuovo i lembi sfrangiati del suo grembiale, – egli dà ascolto ai poveri; dicono che li riceve male, che li carica di rimproveri, ma poi fa di tutto per aiutarli, perché a lui pure un tempo è scappata di casa una figlia. Ah, lei non lo sapeva, signorina mia? Sì, una figlia di tredici anni: e quella non è più tornata, e per quante ricerche in tutto il mondo si facessero nessuno più l'ha veduta. Proprio così. Ah, e lei non lo sapeva? Tutti lo sanno; e lui, il signor Commissario, è diventato come pazzo, e ha preso questa specialità di ricercare le persone scomparse, sopra tutto i ragazzi, per via della disgrazia accaduta a lui in persona.

Di nuovo la madre non sa commentare il fatto. È vero, non è vero? Forse è una fantasia popolare; ma ha tale un soffio di dolore e di mistero che fa piegare l'anima smarrita. E se fosse vero? Se anche il suo ragazzo, che per lei è ancora il suo bambino, non dovesse tornare mai più?

La pena è così forte che ella balza in piedi per non lasciarsi di nuovo venir meno: poi si ricompone perché l'uscio della stanza dove il Commissario riceve si apre e varie persone ne escono.

– Adesso tocca a noi – dice la vecchia, alzandosi anche lei: e trema tutta.

– Andate voi, prima, andate; la vostra disgrazia è più grave della mia – dice l'altra, spingendola piano piano verso il bianco vano dell'uscio.

La vecchia allora si piega e le bacia il lembo del mantello, come fosse quello della Madonna.

– Dio la benedica, lei e le sue creature.

E quando uscì rimase a sua volta ad aspettare che l'altra avesse finito; poi se ne andarono assieme, un po' disilluse per il freddo e secco interrogatorio del Commissario, ma sostenute, in fondo, da uno spirito di solidarietà umana e sopra tutto di fede e di speranza nell'aiuto, più che degli uomini, di Dio.

– Quell'uomo non doveva amare la figlia, – dice la vecchia, – se no la ragazza sarebbe tornata: l'amore fa molto, figlietta mia, fa più che i poliziotti.

Infatti i due ragazzi tornarono a casa, prima che la Questura si movesse a ricercarli.

CURA DELL'AMORE

Con l'arrivo del nuovo medico condotto si sparse nel paese la voce delle sue arditissime teorie scientifiche, alcune delle quali egli intendeva mettere in pratica immediatamente: fra le altre quella del dottore americano Betmann, sull'amore.

L'amore, secondo il Betmann, è una malattia come tutte le altre. Si nota, infatti, in essa, il periodo d'incubazione, l'ascesa, la crisi e la discesa. A volte, non curata in tempo, diventa cronica; e allora prende forme morbose d'idea fissa e di manìa, e può avere conseguenze funeste.

Si sa che il cranio dell'uomo è suddiviso in tanti scompartimenti o bernoccoli, entro ognuno dei quali si annida il seme delle nostre diverse tendenze: uno di questi bernoccoli è riservato all'idea o tendenza dominante; che può essere l'ambizione, la religione, la criminalità: nelle donne, invariabilmente, è l'amore: spesso anche negli uomini. E quando questa idea degenera in malattia mentale basta un lieve atto operatorio per sradicarla.

Una sera dopo cena si parlava di tutte queste cose in casa del prevosto. E si rideva tanto, sopratutto per i commenti salaci dei gaudenti amici convenuti intorno alla mensa ben fornita, che qualcuno sentiva il bisogno di uscire nella vigna attigua per renderle il suo vino.

La vigna era in fiore e il suo profumo indefinibile si fondeva col chiaro di luna come fosse questo a succhiarlo dalla vite e spanderlo nell'aria azzurra.

Anche la sorella del prevosto, a un certo punto, sentì bisogno di allontanarsi dall'allegra compagnia, e uscì nella vigna. Aveva riso anche lei, troppo aveva riso: adesso ne provava disgusto, quasi avesse anche lei bevuto come il fratello e i suoi compagnoni.

Non bisogna tradire la verità col dire che anche lei la sua brava parte di lambrusco non se l'era trincata: è necessario bere dopo aver mangiato egregiamente, e per mangiato, questo non è vergogna, avevano mangiato bene tutti.

Ella sentiva dunque quell'irritazione e quella melanconia

feroce che prova anche il lupo quando col corpo gonfio del-
l'intero agnello divorato gira e non trova la fontana dove disse-
tarsi. Dov'era questa fontana? La donna ne sentiva la frescura
nell'aria, e quel profumo che pareva venire dall'alto come l'odore dell'uva fragola del pergolato nelle sere d'autunno, accresceva la sua sete interna.

Andò fino alla siepe e guardò verso i campi grigi alla luna,
tutti tranquilli e inanimati come disegni geometrici; qualche canale scintillava qua e là, ma non era acqua da bere, quella. Anche l'orizzonte si sprofondava vuoto, e su tutto quel paesaggio
grasso ed eguale la luna piena guardava con viso materno.

La donna tornò indietro: vedeva la sua ombra rotonda sul
viale erboso, e le pareva di essere così, grottesca e ridicola; non
tanto di fuori come di dentro, con le sue inquietudini e le inutili
fantasie. Ma durante la notte e il giorno dopo il suo malessere au-
mentò. Era una donna forte, verso i quaranta, che non aveva mai
avuto bisogno del medico; anzi si piccava d'intendersi dei mali
altrui e curava il fratello nelle sue frequenti indigestioni, e la vecchia serva che viveva con la loro famiglia da oltre mezzo secolo.

Adesso quell'agitazione nervosa, l'insonnia, gli incubi dopo, e la vertigine che la portò via in un turbine quando si piegò
a pettinarsi i lunghi capelli neri, la impensieriscono: è l'età criti-
ca, o la minaccia dell'arteriosclerosi che il farmacista di malaugurio, reggente la condotta durante il concorso per il nuovo
medico, ha gettato come una corona di spine sul capo del prevosto e dei suoi compagni di tavola?

Il prevosto si ride di questa minaccia, e lo dimostra sfidando il farmacista a bere e mangiare più di lui: fra i due è una ga-
ra pantagruelica, innocente del resto, che può condurre a una
morte onorata. La donna però ha un vago senso di paura e si
confida con la serva.

– Perché non chiami il nuovo dottore? – dice la serva. – Dicono che l'è bravo come un Solone.

Il nuovo dottore è venuto. È un giovanottone alto, calvo,
con un viso d'affamato: ma i suoi occhi sono belli, azzurri, un
po' tristi un po' maliziosi. Ha sempre con sé una busta nera misteriosa, che attira la curiosità delle donne.

Nella sala da pranzo della parrocchia, che dà sulla vigna quieta, sta seduta rigida sul canapè di giunco la sorella del prevosto. Il suo viso, che ricorda quello di Minerva, è un po' pallido sotto la corona delle trecce di bronzo: ma dal resto dell'aspetto florido non si giustificherebbe la visita medica. I suoi occhi sfuggono quelli del dottore, i quali occhi d'altronde, mentre egli le tasta il polso, sembrano occupati a spiare solo qualche dettaglio della persona di lei, come per esempio i piedi stranamente piccoli per una donna così formosa.

Il polso è normale; solo, al contatto di quelle dita d'uomo, il sangue si agita un poco, nel ramo della vena, come le foglie sul ramo dell'albero al passare del vento.

È un attimo. Ma basta perché l'uomo della scienza senta di trovarsi davanti a una malata immaginaria e lei di essersi già confessata.

– Mi dica cosa si sente – egli domanda, sedendosi davanti al canapè; in modo che i suoi lunghi piedi vanno a raggiungere quelli di lei che si ritraggono smarriti.

Ella abbassa la testa, ma sente lo sguardo di lui fastidioso come un riverbero che le danzi sul viso.

– Sono vertigini; e la notte o non dormo o faccio tali sogni che ho terrore di riaddormentarmi: e a volte mi sveglio con la parte destra del corpo come paralizzata.

– È da molto che sente questi fenomeni?

– Sì, da qualche tempo: questa notte, poi, peggio che mai.

Egli le rivolse alcune domande intime, alle quali ella rispose arrossendo: cosa che stabilì già un senso di familiarità fra loro: e quello che doveva accadere accadde. Ella era una bella donna, con una pelle meravigliosa sotto la quale il sangue, nutrito di buoni cibi e di buon vino, scorreva troppo denso e quindi a volte si fermava come una folla festiva nelle vie strette. E il dottore la desiderò: spinto quindi da un senso più personale che professionale, le domandò se non aveva mai pensato a sposarsi.

Allora lei sollevò la testa, piano piano, e lo guardò in viso trascolorata, con due occhi d'animale preso al laccio.

– Il male è questo – disse con voce rauca e lagrimosa. – Anni fa sono stata fidanzata, poi egli mi ha lasciato e non pensa più a me. Io invece non ho cessato un momento di pensare a lui, un giorno come l'altro, un anno come l'altro. Ho fatto di tutto, per dimenticare: mi dissero che bastava ingrassare e viver bene per scacciar via questa debolezza; invece è peggio, più si sta bene di corpo, più l'anima soffre. Non sono una stupida, e, creda, faccio di tutto per togliermi da quel pensiero; ma è come una mala radice sotterra, che soffoca ogni altra cosa. È infine un'idea fissa che a volte mi conduce fino alla riva del canale. Lei mi capisce: lei, dicono…

Si fermò accorgendosi ch'egli si scostava e arrossiva come sfiorato da una vampa. Capì confusamente di averlo offeso e tornò a reclinare la testa, disperatamente. Non c'era più scampo.

– C'è, c'è, lo scampo – egli le disse un giorno, dopo che anche lui fu diventato un assiduo frequentatore della mensa parrocchiale, e seduti soli sul canapè di giunco aspettavano che sopraggiungesse il prevosto coi suoi amiconi. – Il farmacista ha sparso quelle voci sul conto mio perché non voleva concorrenti: e voi donne guardate la mia busta nera come se dentro ci fossero davvero i ferri capaci di estrarre dalle vostre teste i pensieri d'amore. E, almeno riguardo a lei, dentro la mia busta c'è davvero un ferro buono a guarirla.

– Cos'è? – domanda lei, un po' intimidita, un po' accesa dal contatto premente di lui.

– È un chiodo – egli le soffia all'orecchio; e scoppiano entrambi a ridere, con dentro gli occhi il riflesso delle stoviglie e delle coppe di cristallo della tavola apparecchiata. Poi fu silenzio.

Quella sera egli fu il più allegro compagnone della mensa: ci si sentiva oramai padrone; e il suo viso macerato dai mezzi digiuni di una giovinezza famelica, pareva quello di un Cristo risorto.

Anche il prevosto era allegro, di una sua muta allegria che ravvivava quella dei commensali come la luce delle lampade la letizia della mensa. La presenza alla sua tavola del giovine dottore lo rassicurava contro le sinistre profezie dell'altro: la corona di spine tornava ad essere di rose.

E in fondo alla sua gioia c'era qualche cosa di religioso; tanto che, quando l'allegria un po' corrusca dei commensali minacciava di scoppiare malamente come le bottiglie a quei primi calori estivi, egli sollevava la coppa, la mostrava agli uni, la mostrava agli altri, con un segno di benedizione, poi la tracannava mormorando:

– *Pax vobiscum!*

Tutti ridevano. E fra le discussioni e gli scherzi, e l'inchinarsi delle bottiglie, e il gioco dei piatti e il fantastico sparire delle vivande, gli sguardi del dottore e della donna s'incrociavano a volo, si prendevano e si lasciavano, come passeri sopra un albero carico di frutti.

Ma il punto massimo di quel miracolo che si chiama felicità fu raggiunto quando, per spegnere un'ultima discussione stridente fra due grossi mercanti di scope che per nascoste ragioni di concorrenza si sfogavano a distinguere i veri dai falsi lavoratori, il dottore disse:

– Siamo tutti lavoratori, tutti operai: solo i morti non lavorano.

– E non bevono – disse qualcuno.

– Ma neppure passano male la notte – disse qualche altro.

Allora il dottore prese la sua busta nera, e fra la curiosità di tutti ne trasse un fascicoletto che sfogliò leggendo fra sé e sé parole misteriose che v'erano scritte. *Amore fanciullo. Notte. A Francesca. Il chiodo* (sollevò rapido e malizioso le sopracciglia). *L'aratro*, ah, ecco, *Canto di lavoratori ubbriaconi.* D'improvviso la sua voce si alzò, come quella di un ragazzo che declama la sua lezione.

CANTO DI LAVORATORI UBBRIACONI

A stento, navigando,
S'è attraversato il fiume nero della notte,
Con isole di sonno, zone agitate d'insonnia,
Scogli mostruosi di cattivi sogni:
E all'alba siamo approdati
Alle bianche rive del giorno,
Stanchi, sfiniti, ma pronti
A vivere, a lavorare, a trincare ancora.

Tutti risero e applaudirono, sebbene non tutti avessero capito bene.

Il prevosto ordinò alla sorella di portare altre bottiglie per festeggiare il poeta: e pregato da tutti il poeta lesse altre poesie: alcune, come *Amore fanciullo* e *L'aratro* commossero l'uditorio fino alle lagrime.

Il prevosto ordinò altre bottiglie.

– Legga *Il chiodo* – pregò finalmente la donna sulle cui guance ardeva il riflesso delle ciliegie che rallegravano la tavola.

– Quella no: è un segreto professionale – egli disse: ma il suo sguardo iridescente promise alla donna di leggerle i versi quando sarebbero di nuovo soli.

E senza che il fratello glielo ordinasse ella portò a tavola altre bottiglie.

Ma durante la notte il prevosto si sentì male, e invece che alle «bianche rive del giorno» approdò al nero lido della morte.

E la donna pensò d'interrompere immediatamente la sua cura.

UN PEZZO DI CARNE

Una signora, antica mia conoscenza, è venuta oggi a trovarmi, dopo molti anni che non ci si rivedeva. Al primo vederla, vestita di nero, piccola, umile, ho creduto ch'ella avesse bisogno di qualche cosa: ma il suo viso è calmo, chiaro, e gli occhi hanno una luce com'è solo negli occhi dei bambini felici.

Ella intuisce subito il mio pensiero, e dopo essersi informata, gentilezza che molti visitatori si dimenticano di usare, dello stato della mia salute e del mio umore, mi rassicura sul conto suo.

– Ho finalmente affittato la mia casa a una famiglia per bene, – dice, – una famiglia ordinata e che paga puntuale: ma ne ho passate, finora, dopo la morte del mio povero marito. Il mio povero marito è morto senza lasciarmi altro che questa casa, con rate ancora da pagare, e non bene finita ancora. Morto lui, sapendosi delle mie tristi condizioni, il vuoto si è fatto intorno a me; ed io stessa mi sono rintanata nel mio dolore, nella mia miseria. Bisogna proprio aver fede in un'altra vita, dove solo ai buoni è concesso di riunirsi a Dio e alle persone amate, per vincere il terrore della solitudine interna ed esterna di questa vita mortale. Pare di camminare al buio, nella nebbia, in un luogo deserto dove neppure esistono le emozioni del pericolo perché anima vivente non si cura di te; pare così, ma in fondo non è; la luce e la compagnia delle persone amate è dentro il nostro cuore; altrimenti questo cesserebbe di camminare, e se cammina è appunto per attraversare lo spazio desolato che ci separa dal grande paese dove il dolore non esiste più.

Ma tutte queste cose le sai meglio di me, – dice poi con un risolino di compiacenza per l'evidente interesse con cui si vede ascoltata: – piuttosto ti racconterò un fatto curioso, dal quale, se vuoi, puoi trarre una novella. Mettendoci un po' di arte, come tu puoi fare, diventa una novella straordinaria: io ci ho pensato, anzi volevo scriverla io, ma mi tocca troppo, è una cosa troppo mia perché io possa scriverla. Però ho bisogno di raccontarla, e sono venuta da te per questo.

Dunque, dopo il primo stordimento per la mia disgrazia, per campare la vita e tener fronte ai miei impegni, ho dovuto affittare la casa: io mi sono ritirata in due stanzette del sottosuolo, dalle quali una scaletta conduce al giardino, portandomi giù solo il letto dov'è morto lui e la macchina da cucire.

Come puoi pensare non facevo che piangere: la notte sognavo di lui e di tutte le cose care lasciate, con l'impressione di esser io la morta: morta e sepolta sotto la nostra casa. Nessuno più mi cercava né io cercavo nessuno. Con la somma depositata per garanzia dai miei inquilini avevo sistemato tutti i miei impegni, e mi restava il necessario per arrivare alla fine del mese: inoltre avevo qualche lavoro di cucito, procuratomi appunto dagli stessi inquilini. Era una famiglia straniera, di profughi, ricchi ma disordinati, con cameriere e bambini che giocavano tutto il giorno fra di loro rincorrendosi come matti nel giardino. Di sopra si suonava e si cantava, e si ballava anche, sebbene nel contratto questo fosse proibito. Era insomma un chiasso continuo; ma il fitto stabilito era talmente vantaggioso per me che lasciavo correre. Ero poi così piegata dal mio dolore, così distaccata da tutto, che nulla più mi premeva. Vivere per tacere e aspettare la grande ora. Eppure il poco riguardo di quella gente, che sapeva di aver sotto i piedi una pena come la mia, accresceva il mio accoramento. I bambini e le serve, poi, erano anche, sia pure senza volerlo, veramente crudeli. I loro giochi, le risate, gli urli davanti alla mia finestruola, irridevano la mia paziente solitudine. Un giorno di carnevale, coprirono gli alberi e i viali di *stelle filanti* e di coriandoli rossi, gialli e verdi. Era bello; pareva che il giardino fosse fiorito; tutti si fermarono a guardare, e un giorno sento una signora che dice ad un'altra:

– È il giardino della vedova Pistuddi.

– Si vede che è una vedova allegra – dice l'altra.

Io piangevo.

Ma adesso veniamo al fatto.

I bambini si divertivano anche con un gattino molto bello, bianco e nero, che pareva avesse sul faccino bianco una bautta di velluto nero attraverso la quale gli occhioni azzurri guardavano come da una lontananza di sogno. Era giovine, e quindi molto allegro: se si affacciava al mio finestrino e se lo guardavo s'inarcava tutto e raspava l'inferriata; ma non osava saltare dentro perché una volta l'avevo scacciato malamente. I bambini ci giocavano, ma bestialmente; si divertivano a tormentarlo, e il più piccolo lo martoriava in tutti i modi. Un giorno ch'erano loro due soli in giardino sento il gatto miagolare così disperatamente che salgo la scaletta e mi affaccio per vedere che cosa succede.

Il piccolo boia aveva legato il gatto a un palo e gli girava intorno frustandolo senza pietà. L'animale si contorceva, stralunava gli occhi, e dalla bocca gli colava una bava sanguigna.

– Lascialo, – dico io, – non vedi che è arrabbiato e se riesce a morsicarti muori?

Il monello, spaventato, si ritira: io slego il gatto che corre stordito qua e là e salta infine sul mio finestrino: non osa penetrare nel mio rifugio, ma trema tutto contro l'inferriata. Io torno dentro e lo chiamo: allora non esita a saltare nella mia cameretta, ma ancora accecato dal terrore va a nascondersi sotto il letto. Io lo lascio tranquillo: i bambini vengono a cercarlo, più tardi; io dico che non so dove sia, e, sebbene chiamato e richiamato, lui non si fa vedere.

Sul tardi gli metto da mangiare in un piatto accanto al letto: vedo la sua zampetta allungarsi, afferrare qualche cosa e sparire.

A poco a poco, rassicurato, viene fuori leccandosi i baffi, gira qua e là in esplorazione nella mia cameretta, mi guarda tranquillo, poi salta sul finestrino e se ne va; dopo un momento lo vedo che gioca sul muro del giardino con un altro gatto. Ho l'impressione che si burli di me; però mi sbaglio, perché da quel giorno siamo diventati amici. Sempre che io lo voglio entra in casa mia, fruga dappertutto, si corica sul mio letto, gioca col mio gomitolo: se lo chiamo mi salta in grembo, e io gli confido le mie pene, gli parlo male dei suoi padroni.

Questi padroni sono divenuti insopportabili: è già scaduto il mese e non solo non hanno pagato il fitto ma neppure il lavoro manuale che io ho eseguito per loro. Il gattino ascolta, ma dei miei guai gliene importa nulla; lo interessano meglio i bottoni del mio vestito coi quali tenta di giocare. Eppure la sua compagnia mi è di conforto: lo accarezzo e lo sento caldo, dolce e vivo sotto la mia mano: è un essere anche lui, per me più vicino e umano degli uomini.

E che abbia un'anima, o almeno un istinto superiore a quello che si attribuisce alle bestie, e specialmente ai felini, me lo dimostra il fatto al quale infine vengo.

Dunque i miei inquilini non mi pagavano: per timidezza o per fierezza io non li sollecitavo; le mie risorse erano completamente esaurite, e piuttosto che prendere roba a credito dal droghiere o dal fornaio avrei preferito patire la fame. Tutte queste miserie le confido al gattino, quando viene silenzioso a trovarmi e prende posto nel mio cestino da lavoro.

E arriva un triste giorno; un giorno di pioggia, di freddo, di malessere: io non ho più nulla in casa, tranne un po' di carbone che accendo perché almeno il colore e il tepore delle brace mi ricordino la vita.

È verso sera, tutto è fuliggine e disperazione, fuori; io tremo per la tristezza e il malessere, e neppure le brace mi scaldano. Vado per chiudere gli scurini della finestra e poi seppellirmi nel mio letto freddo, e vedo sul davanzale il gatto. Mi pare strano che sia in giro con questo tempo: forse lo hanno maltrattato ancora e cerca scampo presso di me. Allora apro; esso balza via fuori e scompare: ma sul davanzale trovo un bel pezzo di carne fresco e intatto.

L'ha rubato per sé, nella cucina disordinata ma sempre ben fornita dei suoi padroni, l'ha rubato per me? Io non lo so; so che ho accettato il dono con superstizione religiosa, non per ciò che rappresentava di materiale: so che anch'io, come il gattino di sotto il letto dove il terrore per l'incoscienza umana l'aveva cacciato, ho teso la mano diffidente ma non più tremante di spavento, verso quel segno tangibile di una legge di pietà e d'amore che deve unire tutti gli esseri viventi, anche se la nostra coscienza la ignora e non la vuole.

ECCE HOMO

Eravamo entrati in una pasticceria all'angolo fra una grande strada e un vicolo poco frequentato, e il conoscente col quale mi trovavo per caso in compagnia sceglieva alcune paste da portare ai suoi bambini. Il pacchetto roseo era pronto, e l'uomo aveva già pagato, quando il cameriere balzò di scatto contro un individuo che si disponeva ad andarsene, gli afferrò le braccia, per di dietro, lo scosse ruvidamente, gridandogli contro le spalle:

– E adesso per Dio basta, sa! È già tre giorni che fa lo stesso giuoco. Ma che prende la gente per cretini? Si vergogni, si vergogni.

L'assalito era un uomo alto, anziano, distinto. Vestiva anzi con una certa eleganza, con le ghette grigie sopra le scarpe di lustrino, i guanti in mano, il cappello chiaro col nastro turchino. Dal mio posto io vedevo solo di scorcio il suo viso, una guancia rasa alquanto appassita e l'orecchio che all'assalto del cameriere s'era fatto rosso come insanguinato.

Del resto egli non diede alcun altro segno di turbamento: non si volse, non aprì bocca. Il cameriere adesso gli era passato davanti, senza lasciarlo, come girando di posizione intorno a una fortezza, e mentre continuava a gridargli vituperi, gli frugava con una mano le tasche. Ne trasse alcune paste, già un po' schiacciate, e le buttò con rabbia per terra.

– Non per questo, sa, ma perché lei dovrebbe vergognarsi. Si vergogni. Vada via, vada via, – urlò in ultimo, spingendolo fuori della porta, – e si guardi bene dal lasciarsi rivedere.

E quando l'uomo se ne fu andato, senza mai volgere il viso per non farsi vedere dai pochi ch'eravamo dentro la pasticceria, il cameriere si asciugò la fronte congestionata, poi automaticamente si chinò a raccogliere le paste che rigettò più indietro, sotto il banco, come si trattasse di cosa sporca: infine si calmò e diede spiegazione di quello che già tutti avevamo capito.

– È tre giorni che viene qui, mangia, ruba e se ne va senza pagare.

Nessuno fiatava; eravamo tutti come colti da vergogna per il nostro simile, e ci si guardò anzi a vicenda, con un vago smarrimento, come se ciascuno di noi sospettasse nell'altro un compagno del disgraziato.

– Disgraziato! – dissi io, mentre subito dopo col mio compagno si lasciava la pasticceria, uscendo dalla porta verso il vicolo. – Avrà forse fame: forse voleva portare le paste ai suoi bambini. Non importa il vestire e le apparenze. Io conosco un impiegato che non riesce a sfamare completamente la sua famiglia.

Il mio compagno, che oltre ad essere un ottimo padre di famiglia è un colosso sempre famelico, mi ascoltava pensieroso. La scena lo aveva profondamente disgustato e quasi atterrito, e le mie considerazioni, mi confessò dopo, gli destarono un fremito. Disse burbero:

– Ad ogni costo, anche a veder morir di fame i propri figli, queste vergogne non si fanno. L'uomo non deve, specialmente a una certa età, far arrossire per lui gli altri uomini. E quel cameriere ha fatto male a non dargli una lezione migliore. Doveva chiamare una guardia. Adesso quel miserabile fa il giuoco in altri posti. Ah, eccolo lì, che cammina come se niente fosse... – disse poi sottovoce, fermandosi e fermandomi per il braccio, come se davanti a noi, nel vicolo nero, solitario, poco illuminato da una sola lampada ad arco alta e bianca come la luna, scivolasse un essere pericoloso.

Posso dire che ho quasi sentito battere il cuore del mio compagno: certo era il suo orologio, ma mi parve il suo cuore. Certo ho sentito digrignare i suoi denti. Mi diede da tenere il suo pacchetto, poi senza dire una parola si slanciò avanti calcandosi il cappello sulla fronte come uno che vuol compiere una corsa vertiginosa. La sua ombra grottesca mi parve che lo seguisse affannosa, trascinata da lui con violenza. In un attimo raggiunse l'uomo del quale nella penombra si distinguevano le ghette e il cappello, come dipinti con la biacca per risalto al resto della forma scura: in un attimo lo investì, e mentre anche le due ombre si mischiavano per terra in una lotta misteriosa, lo volse con le spalle contro il muro e gli cacciò il pugno sotto gli occhi.

Anch'io correvo, atterrita, ma nello stesso tempo curiosa e presa da un senso d'ilarità. Perché i movimenti di quei due erano veramente ridicoli e la tragedia era solo nel mischiarsi informe delle ombre che pareva lo scontro interiore dei due uomini.

Il mio compagno parlava forte, ma in modo diverso del cameriere, con una voce lenta e cavernosa che non mi pareva più la sua.

– Si vergogni! Abbiamo veduto tutti, e ci siamo vergognati per lei. E devo dirle che se non la conduco in Questura è per riguardo alla signora che accompagno: ma badi che mi tengo a mente i suoi sporchi connotati, e che se l'incontro un giorno che siamo soli glieli cambio a furia di pugni.

L'altro non rispondeva. Fermo contro il muro, con le braccia abbandonate e la testa china, pareva un morto appoggiato per forza a una parete. E il suo viso era come scavato da una croce nera, senz'altri connotati che quelli di un dolore senza nome e senza forma.

Mai in vita mia ho provato un senso di pietà così straziante nella sua impotenza come quello che quel viso mi destò.

– Lo lasci – imposi all'assalitore – non vede che è un poveraccio? Forse non ha la camicia.

La camicia ce l'aveva, e di seta; ma io dissi così perché realmente avevo l'impressione di vedere il buon ladrone nudo ai piedi della croce: il vero *ecce homo* che è in tutti i disgraziati fuori dell'umanità.

Il mio compagno non poteva capire: si irritò anzi contro di me.

– Mò le faccio vedere se la camicia ce l'ha. Aspetti...

E gli frugò nelle tasche come aveva fatto il cameriere: ne trasse il portafoglio, lo aprì: era pieno di denaro. Lo buttò per terra e ci sputò sopra.

– Andiamo – disse, con terrore.

L'uomo non si moveva. Solo quando noi due si fu un poco avanti e io mi volsi, vidi che raccoglieva il portafogli, con cautela, per non macchiarsi con lo sputo.

– È fuori dell'umanità. Ma troverà la sua – borbottava il mio compagno.

Eppure io sentivo crescere in me la pietà, fino alla desolazione, fino alla vergogna di sé stessa.

IL NOME DEL FIUME

Quell'anno cominciò a nevicare in novembre, e non la smise più: e poiché noi si abitava un po' fuori del paese, per essere ancora in comunicazione col prossimo si dovette aprire un sentieruolo fra la neve come in una foresta vergine. Una povera servetta mocciosa di natura, e che il freddo rendeva ebete, andava e veniva per questo filo di strada, portando i viveri e la posta; e mai personaggio potente e grandioso rappresentò per me la forza della vita come questa legnosa ragazzina avvolta di stracci e assiderata.

Con ciò si capisce che oltre i giornali col tumulto del mondo dei vivi, e le prime comunicazioni con l'Editore, che è come dire col pianeta Marte, ella mi portava le lettere del fidanzato.

Anche questo fidanzato viveva ad una rispettabile distanza che di giorno in giorno minacciava di farsi sempre più misteriosa e terribile.

Era un esploratore; e si preparava ad una spedizione di grande stile, cioè verso una regione assolutamente sconosciuta. Lui di me non conosceva che una poesia, io di lui non conoscevo che il nome: eppure eravamo fidanzati.

Bisogna dire che, oltre tutto il resto, mi lusingava in lui una qualità senza la quale il coraggio, la fantasia, la tenacia, la bellezza morale e la forza fisica di un personaggio di tal genere contano come zeri senza il numero avanti: l'essere egli ricco.

E bisogna essere fanciulli, soli, poeti e poveri, per intendere il vero significato di queste parole.

Si è peggio che poveri e soli in una famiglia numerosa della quale da poco è morto il padre, la madre è debole e malata, i fratelli e le sorelle piccole si stringono intorno alla maggiore che è l'unica responsabile di tutto e deve provvedere a pagare, con le scarse rendite di un vasto patrimonio incolto, la tassa di successione del padre, le imposte e tutti gli altri obblighi.

Le tasse e tutto il resto pagato, pochi denari rimangono in casa; si deve vivere quindi con le provviste casalinghe che danno un ottimo ma preistorico pasto, a cominciare dal pane biscotto e le carni salate del maiale e terminare col formaggio pecorino rosso come la cera vergine, e le olive violette e amarognole come il fiore del radicchio. Chi si accorge di tutto questo? Inquietudini, privazioni, disagi del tempo cattivo, sono coperti dal velo iridescente della speranza: ogni settimana è segnata da una tacca sullo spigolo dell'anta del camino e questa misteriosa scaletta sale e sale verso il punto ove batte, nelle belle giornate, un occhio di sole.

Ma le belle giornate sono rade e accompagnate dalla tramontana che coi denti di lupo morde i muri; ed ecco ricade la neve e il suo peso fa scricchiolare il tetto: bisogna puntellarlo, il tetto, e si vive così, come gli abitanti delle palafitte nei primi albori dell'umanità in consorzio.

Ad accrescere l'impressione di questa vita sull'acqua corrente, una vena si apre davvero nella cantina e la inonda, e ci travolgerebbe come le lepri dei boschi fiumani se non si provvedesse a un tubo di zinco che fa scolare l'acqua fuori. E il tubo di zinco si porta via con l'acqua anche il vino della cantina che viene venduto a vile prezzo per pagare le spese del disastro.

Di notte, quando tutti dormivano, io leggevo. Leggevo accanto al camino della cucina, perché era il posto più caldo: la tenue luce del lume ad olio si mangiava i miei occhi: che importava? Quando si è ricchi di una cosa non si esita a scambiarla con un'altra che sembra egualmente preziosa: e sono invece scambi di perle vere con perle false.

Dei libracci letti in quel tempo non ne ricordo uno; eppure non li rinnego perché la loro prosa era come il libretto scempio di un'opera musicale grandiosa. L'orchestra dei venti, del torrente ingrossato, dei boschi sul Monte contorti dal dolore dell'inverno, rombava intorno alla casa minacciata dalla rovina: e pareva d'essere davvero in una imbarcazione protetta solo da Dio, che andava, andava giù per un grande fiume ignoto, verso una lontana riva di sogni.

Una notte però la barca parve arenarsi; l'impressione di un

pericolo inevitabile mi fa sospendere la lettura: fra il chiasso del vento sentivo vaghi lamenti, richiami di soccorso: il cane cominciò a urlare, poi tacque d'improvviso: il vento spazzò via tutto. La mattina dopo ci si accorse che i ladri ci avevano rubato le galline e strangolato il cane.

Il vento della speranza spazzava a sua volta le orme di queste piccole miserie: le tacche sull'anta del camino salivano, la neve si scioglieva e qua e là la terra faceva rivedere il suo materno viso bruno. Il carnevale scuote i suoi sonagli dipinti, e fino alla casa in duolo arrivano le musiche dai ballabili lenti e sensuali.

Un giorno un uomo mascherato batte alla nostra porta. Ci si deve aprire? Noi non abbiamo nemici, nessuno può farci del male. La maschera però è, sempre, un segno di mistero, e l'uomo viene ricevuto con curiosità paurosa. È alto e smilzo, vestito con un antico costume da caccia di velluto verde. Il fucile è rassicurante, perché tutto di legno; più rassicurante la polveriera piena di confettini colorati. Egli s'inchina di qua e di là, bacia la mano alla mamma, rivolge frasi graziose alle ragazze, compresa la servetta paurosa nascosta dietro l'uscio. I suoi occhi sono dolci, castanei, fatti più belli e vivi dall'immobilità della maschera di cera. Dev'essere, in realtà, un cacciatore di dote; ma in fondo io non penso così. In fondo il cuore mi batte come quello di un uccello ferito: quegli occhi che si rivolgono spesso a me, dal mistero del viso sconosciuto, e quella voce mai sentita che esce come dalla bocca di una statua, mi destano un tremito più indefinibile di quello della servetta dietro l'uscio.

Poiché l'esploratore mi aveva scritto che i preparativi per la sua spedizione erano finiti ed egli stava per partire: e il pensiero che egli fosse venuto a conoscermi così, di nascosto, nel suo bel costume del colore delle foreste vergini, mi travolgeva la mente.

È venuto; è l'annunzio squillante della primavera, e il cacciatore che prende i sogni senza colpo ferire e li butta sui capelli delle adolescenti come i coriandoli del carnevale.

Ma perché tu, o madre, fai portare il bicchiere dell'ospitalità, e preghi l'uomo di togliersi la maschera?

Sotto la maschera tirata in su di un colpo appare il viso dell'accalappiacani del paese.

La primavera arriva davvero: anche i monti si tolgono la loro maschera bianca e solo i mandorli della valle conservano ancora sui loro rami neri la neve dei loro fiori. L'esploratore è partito: mi ha scritto una lunga lettera prima d'imbarcarsi sul grande transatlantico, e chiede di chiamare col mio nome la regione che scoprirà. In fondo alla lettera è scritto con caratteri chiari l'indirizzo d'oltre oceano per la risposta. Io copio lettera per lettera l'indirizzo e mando la risposta: due mesi devono passare prima che arrivi un'altra lettera di lui. Passa aprile col fiore dello zafferano, passa maggio con le rose e le api ronzanti nel sole: arriva con giugno il primo alito della disperazione che rende oscure anche le giornate più azzurre. Scrivo ancora, con ricevuta di ritorno: passa luglio, il più bel mese, il re dei mesi dell'anno, ma il chiaro di luna è più triste del chiarore della neve, e al canto dell'usignuolo, all'invito d'amore delle serenate, alla dolcezza piccante dell'uva moscata, si contrappone con infinito rimpianto il ricordo dei venti, del freddo scricchiolare della casa, delle castagne arrostite fra la cenere.

In agosto la casa è riattata, le dispense rifornite: il frumento, le mandorle, il sughero, persino i fichi d'India si convertono in denaro: ma io mi sento mille volte più povera che nell'inverno passato; ogni giorno più povera, povera per l'eternità.

In settembre mi arrivarono, con la ricevuta di ritorno non firmata, le mie due lettere respinte dall'ufficio postale d'oltre oceano. Nessuno si era presentato a ritirarle: e mai più nulla ho saputo dell'esploratore, del quale, del resto, ho dimenticato anche il nome.

Adesso, però, una persona mi dice che molti anni fa un esploratore ha chiamato col mio nome un grande fiume da lui scoperto in una regione sconosciuta. Non sa dirmi altro, non ricorda da chi la notizia gli è stata riferita: ed io non domando altro. È vero? Non è vero? È l'avventura fantastica dell'adolescenza che prende forma e nome? O è ancora la maschera verde dell'illusione che nasconde la realtà grottesca? Che importa? In queste sere di agosto, quando le stelle filanti mi ricordano le scintille del fuoco che si spegneva nel camino paterno, sento ancora quel rombo di fiume lontano, che mi porta con sé, ed è la forza della poesia, unica ricchezza della vita.

BIGLIETTO PER CONFERENZA

Questo biglietto era concepito così:

«La signora Rosa Bianca Marchini è invitata alla conferenza che avrà luogo giovedì 21 corrente alle ore 18 nella sala del Circolo Giapponese. Parlerà il principe

Tai Oiokama

su "La Corte Giapponese nel secolo XIX". Assisterà Sua Altezza il principe Ereditario.

Il biglietto è strettamente personale».

– Il biglietto è strettamente personale – ripeté a voce alta la piccola signora Marchini, che ha l'abitudine di pensare parlando. – Chi può essersi ricordato di me, in luogo così aristocratico? E perché di me e non del povero Marchini?

Al ricordo del marito, al quale lei nel suo pensiero, e quindi nelle sue espressioni, dà costantemente la qualifica di povero, sebbene sia un uomo aitante nella persona e con la borsa piena, il suo sentimento di vanità lusingata e un tantino perversa, si tinge di malumore.

– Non mi permetterà di andarci, no – ella confida al biglietto giallo sul quale reclina la piccola testa che per il carico di trecce castane pare grossa e sproporzionata al minuscolo corpo infantile. – Quando è che lui mi ha dato mai una soddisfazione? Adesso poi! Adesso che l'invito è solo per me, figuriamoci. Dirà magari che hanno sbagliato, o che si tratta di un pesce di aprile, o che ho intrigato e brigato io, per averlo. Proprio io, – aggiunse con tristezza: – io che non sono buona neppure a dire «la smetta, imbecille» se qualche scimunito mi segue per la strada. Ah, ma che sia stato quello? Che sia lui? Quel signore lungo vestito di nero, che l'altro giorno mi seguì fino al portone di casa? La faccia del giapponese ce l'aveva. Ma no, stupida, va a farti benedire, va.

Ella aveva di queste reazioni contro la sua fantasia. Eppure il suo viso pallido di anemica, succhiato da tutti quei capelli prepotenti, s'era tinto di un rosa quasi violaceo, al ricordo dell'uomo alto che ogni tanto le appariva nella strada come un fantasma e la seguiva, senza mai rivolgerle una parola. A lei quest'uomo non piaceva, ma le destava ogni volta un senso di mistero, e lusingava la sua vanità femminile, perché aveva proprio l'aspetto di un gran signore, di un diplomatico a spasso, e anche di uno che non cerca l'avventura d'amore ma l'amore vero; e lei, così piccola, quasi nana, non possedeva che questa sola specialità per attirare l'attenzione della gente. Queste cose però le diciamo noi, perché, su questo punto lei non parlava mai e quindi non si sa quale fosse il suo occulto pensiero.

Il suo pensiero adesso era affermato solo dal progetto di profittare a tutti i costi del biglietto d'invito.

– Voglio andarci. Voglio e voglio – disse sollevando la testa, con un balenìo di luce nei grandi occhi celesti. E anche le sue miti sopracciglia si sbatterono come due piccole ali dorate. – Dopo tutto un piccolo divertimento posso permettermelo, io che lavoro e dalla mattina alla sera compio il mio dovere come nessun'altra donna al mondo. Vuol dire che ci andrò di nascosto del povero Marchini. Tanto peggio per lui.

E di nuovo un senso di cattiva allegria la prese, non tanto per la decisione di andare alla conferenza quanto al pensiero di fare un piccolo torto al povero Marchini. Tanto peggio per lui se egli era così diffidente e meticoloso, se non le permetteva di fare la vita che fanno le altre donne, non per gelosia o per paura ch'ella, così fragile e di poca salute, ne avesse danno, ma per semplice spirito di contraddizione e di autorità maritale.

Del resto ella subiva quasi allegramente quest'autorità perché sapeva di sfuggirvi sempre che voleva: lontano di casa il povero Marchini, lei faceva quello che le pareva e piaceva; riusciva anche a piegare la volontà di lui, quando le tornava comodo, e adesso pensava di andare di nascosto alla conferenza non perché fosse certa di esserne impedita da lui, ma perché alla faccenda si mischiava un odore di frutto proibito.

– E adesso, amico mio, – disse al biglietto, rimettendolo nella busta e il tutto nascondendo sotto il marmo del comodino, – adesso bisogna pensare al vestito.

– Marco mio, coccolino, piccolino, mammolino – cominciò a susurrare aggirandosi intorno al marito, mentre lui, mangiato bene e bevuto meglio, si disponeva a fumare la sua pipa. Era il momento psicologico, lei lo sapeva, e quell'omaccione tutto d'un pezzo, becero e sentimentale, lo si poteva prendere con una semplice rete di paroline dolci e ridicole.

– Be', lasciami in pace – egli disse, calcando la punta nera del pollice sulla pipa ripiena. – Lo sappiamo che vuoi qualche cosa: sbrigati e smettila con le scempiaggini.

Ella gli tolse un capello grigio dal bavero della giacca e si appoggiò con tutte e due le mani sull'omero di lui.

– Marco, lo sai, ho bisogno di un vestito. Lasciami spiegare. Ho bisogno del solito vestito di mezza stagione, però fa già caldo non senti? E io sono nervosa e non ho la pazienza di sottomettermi alle torture che mi infligge con le sue prove e riprove quella smorfiosa della mia sarta. E poi lei mi dà così ai nervi col suo eterno chiacchierare, col suo Parigi di qua Parigi di là, lei che non è stata mai neppure a Frascati. Tu devi preoccuparti della mia salute, Marco, se non altro perché io sono necessaria alla famiglia, e se manco io neppure ti sogni quello che può succedere qui. Perché io il mio dovere lo faccio, come nessuna altra donna al mondo, e sono contenta di farlo, e sono felice di vivere e di lavorare, per te, per tutti: e non ho grilli per la testa, e non sono leggera né vanitosa né bugiarda, come sono le altre donne. Questo non per vantarmi, ma insomma per dire che qualche riguardo anche alla mia salute si deve avere. Io non me la sento, dunque, di sottopormi adesso al supplizio di farmi fare il vestito dalla sarta, che poi me lo finirebbe per l'altra mezza stagione. Ho bisogno di comprare subito il vestito già bell'e fatto.

Respirò, come dopo una corsa vertiginosa, e anche il marito respirò. Aveva temuto di peggio, tanto che, sotto quella sottile pioggia di parole non s'era deciso ad accendere la pipa come si trovasse sotto una pioggia vera: però, conoscendo anche lui a fondo la sua donnina, presentì subito qualche birbonata di lei.

– Comprati pure il vestito, – disse con la sua solita voce calma e sonora, – ma adesso lasciami fumare in pace.

Questa sua subita e insolita condiscendenza turbò la moglie, anzi le destò un senso di scrupolo. Le venne il desiderio di rivelare il suo segreto: ma pensò che c'era tempo a farlo, anche per mantenere il suo prestigio presso il povero Marchini.

Che il povero Marchini sospettasse però di qualche cosa, ella se ne accorse subito, perché egli le domandò se era uscita, chi aveva veduto, se aveva ricevuto posta; poi quando si trattò di comprare il vestito volle accompagnarla, con la solita scusa che lei non doveva andare in giro con molti denari in tasca perché già due volte era stata borseggiata.

Il vestito lo scelse lei, con questo interno ragionamento: qui, cara amica, bisogna essere furbi. Lui forse crede che io voglia scegliere un abito vistoso e di effetto, anche perché gli ho dato sempre ad intendere che i vestiti chiari che mi sono fatta venivano a costare molto di più di quanto realmente spendevo. Adesso ti servo io, caro Marco. E fra i cento stracci che venivano fuori dagli armadî come palloncini sgonfiati e fra le abili mani del commesso si rigonfiavano e pareva volessero volare, ella scelse un vestito scuro, semplice, con solo un fiore rosso ricamato dalla parte del cuore.

– Lei ha buon gusto – la complimentò il commesso.

Era il vestito che costava di più.

E per non dare ulteriori sospetti al marito lo indossò il giorno dopo: doveva fare una visita, e le visite almeno le erano permesse, sempre previo avvertimento.

Il vestito, indossato da lei, diveniva un altro: pareva si animasse della gioia di lei, e il fiore sul petto palpitava come un fiore vero sul cespuglio natio. Ella non avrebbe sfigurato, no, tra la folla aristocratica della conferenza: solo le spiaceva di non potervi andare a testa nuda, incoronata come la regina delle bambole dalle sue trecce meravigliose.

Ed ecco, neppure a farlo apposta, quel giorno le riapparve il *suo* fantasma. Egli la seguiva, di lontano, e per non raggiungerla coi suoi lunghi passi ogni tanto si fermava a guardare qualche vetrina.

Non c'era più dubbio: egli la seguiva, ma alla soddisfazione vanitosa ch'ella ne provava, più per il suo vestito che per sé stessa, un dubbio seguì: un dubbio che le diede un senso di calore alla testa come se i capelli le bruciassero.

– Adesso lo so chi è quello spilungone: è un agente segreto, ed è lui, Marco, che mi fa pedinare.

Ma poi, per dignità verso sé stessa, scartò l'ipotesi, tanto più che nei giorni seguenti l'uomo non riapparve più. Qualche altro però si voltava a guardarla, e un vecchione le rivolse parole galanti. Ella camminava felice nelle strade pur esse felici sotto il cielo di maggio, e quando tornava a casa sollevava il marmo del comodino per visitare il biglietto e ringraziarlo ad alta voce di averle procurato tutte quelle emozioni.

Ma la più grande delle emozioni le era riserbata proprio per il giorno della conferenza. Il marito le disse che andava a fare una gita in campagna: sarebbe tornato la sera sul tardi. Non la invitò ad andare con lui per la semplice ragione che non l'aveva mai fatto: e lei sulle prime fu tutta contenta, poi ricordò che i mariti fingono di partire e poi piombano sul più bello a disturbare la moglie in colloquio con l'amante.

Qui sorrise: non perché il suo dubbio le sembrasse ridicolo ma perché s'immaginò il viso che avrebbe fatto il povero Marchini se realmente l'avesse sorpresa con un uomo. E quando quest'uomo prese, nella fantasia di lei, la lunghezza e il vestito funebre dello sconosciuto che la seguiva per strada, il sorriso sbocciò in una risata infantile: infantile ma non sincera.

Perché qualche cosa di torbido c'era dentro il suo cuore; e lei lo sapeva e in fondo si sorvegliava. In fondo fino all'ultimo momento fu indecisa di andare alla conferenza, non perché ci fosse del male ma perché lei ci metteva della malizia. E appunto per dimostrare a sé stessa che male non c'era, e per dare una lezione al marito, decise di andare e poi raccontargli tutto.

Ci andò, senza affrettarsi, all'ora indicata. Se non trovava posto tanto meglio, sarebbe tornata indietro: e poi in certi posti è più aristocratico arrivare tardi.

Eppure quando arrivò la sala era ancora quasi vuota: solo alcune vecchie signore straniere e alcuni piccoli uomini gialli con gli occhi obliqui sedevano compunti e quasi tristi nelle prime file delle sedie: e pareva che tutti meditassero qualche cosa di religioso guardando sulla tavola in alto per il conferenziere un mazzo di tulipani e un bicchiere pieno d'acqua.

Ma quello che la colpì come un pugno alla faccia, fu, nel volgersi per scegliere il posto che le sembrava migliore, lo sguardo del povero Marchini. Egli l'aveva seguita davvero, e vista la poca affluenza degli invitati, l'usciere gli aveva permesso di entrare senza biglietto.

PICCOLINA

In quel tempo – raccontò la mia amica – io non entravo in cucina che due o tre volte al mese. Ad ogni modo il mio domestico Fedele si teneva sempre pronto, poiché la mia visita alla cucina segnalava un cataclisma. Si teneva pronto, vale a dire stava davanti ai fornelli anche se non cucinava, col grembiale pulito, e tutto intorno ordine perfetto.

Sulla tavola coperta da una tovaglia ricamata verdeggiava, entro un vasetto di terra, una pianticina di capelvenere; i recipienti appesi alle pareti erano in parte misteriosamente avvolti in fogli di carta velina; e la stessa cassetta per le immondezze, nell'angolo dietro l'uscio, col suo bravo coperchio lucidato, pareva un mobile da salotto.

La finestra poi, socchiusa, lasciava intravedere un fresco cielo turchino di tramontana che faceva dimenticare di essere nel cuore di un grande casamento nel centro di una grande metropoli.

Era un cielo che, come noi, non conosceva il verde delle foreste, eppure richiamava al pensiero un puro orizzonte sopra un bosco di montagna: e il rumore confuso della città intorno accresceva questa illusione.

Del resto io e Fedele non si era romantici, e non c'importava nulla della campagna. Si viveva bene in città, in quel grande appartamento fresco d'estate e riscaldato d'inverno; ed io anzi preferisco quest'ultima stagione che permette di stare in casa o di uscire, di veder gente o no, secondo il proprio umore.

Di umore molto variabile, in quel tempo, io avevo periodi di sociabilità, e periodi di misantropia. Vedova e senza figli, senza stretti parenti, pienamente libera di me, senza preoccupazioni materiali, a volte sentivo un grande vuoto intorno a me, come se il palazzo dove abitavo fosse crollato lasciando salvo solo il mio appartamento. Uscire non si poteva, restare in casa era pericoloso; in quei giorni ispezionavo la cucina, e anche Fedele sentiva odore di tempesta. Eppure nessuna cattiva parola veniva pronunziata. Io avevo di lui lo stesso terrore ch'egli aveva di me. Sapevo che se io lo rimproveravo in malo modo egli era pronto a dirmi che se ne andava. E questa sola minaccia accresceva il senso di abisso intorno a me: in fondo ero certa che non se ne sarebbe mai andato se io frenavo il mio desiderio di maltrattarlo, ma questo sforzo aumentava il mio scontento di lui e di tutto.

E non la gratitudine per il suo lungo e fedele servizio, per il suo rispetto, il suo modo di vivere presso di me come una macchina buona a tutte le faccende domestiche, ma il pensiero che a girare tutto il mondo non avrei trovato un'altra macchina simile, mi tratteneva dal trattarlo con ingiustizia. D'altronde ero certa che anche lui stava presso di me per tornaconto, perché non avrebbe anche lui trovato un posto migliore; e quindi non mi credevo in obbligo di riconoscergli alcun merito. Se commetteva davvero una mancanza non esitavo a dirglielo: ed egli riconosceva giuste le mie osservazioni; ma oltre di là non si andava. Forse anche lui, che era intelligente, mi riteneva la più perfetta macchina di padrona che esistesse al mondo.

Una mattina però lo scontro avvenne. Era un giorno di scirocco e tutto il casamento tremava e scricchiolava sinistramente: cattivi odori salivano dal cortile, sul quale davano le finestre delle cucine e dei ripostigli; si sentivano le padrone sgridare aspramente le serve, e queste rispondere sullo stesso tono.

Entro anch'io da Fedele, con la convinzione che quella mattina si doveva una buona volta rompere il lungo armistizio. Facevo i più brutti pensieri sul conto suo: che mi rubasse sulla spesa, che ricevesse donne in casa, quando io non c'ero, che parlasse male di me con la gente del mercato: quel giorno poi, tutte le cose sembravano sporche, e la colpa non era del tempo, ma sua. All'affacciarmi sull'uscio lo vedo al solito posto, davanti ai fornelli: tutto intorno è pulito e in ordine; anche il cestino con le verdure ha qualche cosa di elegante e di pittoresco.

Io non trovo nulla da ridire, ma volgendomi verso l'angolo dietro l'uscio vedo la cassetta per i rifiuti insolitamente aperta, e una goccia come di mastice sciolto che vi cade d'improvviso dentro mi fa sollevare gli occhi.

Un senso di allucinazione mi fa restare per un momento immobile e smarrita; davanti a me, appollaiato su un bastoncino collocato tra l'uscio e la parete, vedo un uccello nero, con un grande becco aquilino, e vicini fra di loro due occhi di un azzurro pallido che mi fissano severi.

– Che cos'è? – grido quasi impaurita, come se l'uccello misterioso fosse penetrato da sé nella mia casa con cattive intenzioni.

– È una cornacchia – rispose Fedele, senza muoversi.

– E perché è qui? Chi l'ha portata?

– Io.

Allora mi rivolsi a lui, terribile.

– E perché? Chi vi ha dato il permesso? Da quando è qui?

– Da una settimana. L'ho comperata e mi tiene compagnia. Non può volare perché ha le ali e la coda mozze – aggiunse, scusando, più che sé stesso, l'uccello.

Il suo accento dimesso, quasi idiota, mi disarmava: eppure l'idea che egli si credesse così disperatamente solo nella mia casa da cercarsi la compagnia di una cornacchia, mi irritava e umiliava allo stesso tempo. Volli, per questo, fargli del male: e frenando il mio sdegno, anzi mostrandomi quasi dolente del mio volere, dissi:

– Oggi stesso porterete via di casa quest'uccello. Voi sapete che non amo le bestie in casa: né cani, né gatti, né uccelli. Lo sapete: eppoi voglio che la cassetta sia chiusa.

Così dicendo io stessa rimisi alla cassetta il coperchio: e la cornacchia, nel sollevarmi che feci, mi beccò i capelli: poi lasciò cadere insolentemente, sul lucido legno, un'altra goccia che vi si impresse come un sigillo di cera gialla. E mi fissava coi suoi occhi vicini, inumani eppure per me beffardi, e pareva volesse dirmi: ringrazia il cielo che non te l'ho fatta addosso.

Fedele si avvicinò, con uno straccio tolse la goccia e si chinò per alitare sulla lieve macchia che, ripassatovi su lo straccio, scomparve.

– Va bene, – disse risollevandosi, – oggi stesso provvederò a me e alla mia Chia: intanto posso metterla nella mia camera.

Mise il braccio piegato davanti alla cornacchia e questa vi saltò su, con un lieve strido di gioia. Ed egli le posò una mano sopra, per accarezzarla e proteggerla. Io provai di nuovo una strana impressione: mi pareva di sognare. Fedele aveva pronunziato il nome della cornacchia come quello di una persona, e i suoi occhi d'un azzurro verdastro avevano preso una espressione simile a quella degli occhi di lei. Qualche cosa di selvaggio, d'irriducibile ad ogni umano sentimento, si rivelava improvvisamente in lui, risaliva dal fondo del suo essere primordiale. Ed io ebbi la stessa misteriosa paura che mi inspirava l'uccello da preda: così fragili entrambi, in apparenza addomesticati, pronti ad affondarvi il becco negli occhi. E uniti entrambi da uno stesso amore che solo i simili fra di loro, quelli di una stessa razza, possono sentire.

– Va bene – dissi anch'io, ritirandomi dignitosamente.

Sentivo invece che tutto andava male: se Fedele mi lasciava, una parte, sia pure la parte più meccanica, ma appunto per questo la più necessaria, della mia esistenza quotidiana, crollava. Sentivo che per ottenere i servizi da lui resi, occorrevano per lo meno altri due domestici, maschi o femmine che fossero; e già pensavo a loro come a dei nemici in agguato dietro la mia porta. Forse esageravo: forse c'era un fondo sentimentale nel mio disappunto, poiché con Fedele se ne andava un periodo, se non felice almeno quieto e sicuro, della mia esistenza.

Mi ritirai nello studio, mentre lui, silenzioso come non ci fosse, rimetteva in ordine la mia camera da letto; e tentai di scrivere una lettera alla direttrice di un'agenzia di collocamento, che per caso conoscevo, onde pregarla di trovarmi una persona di servizio fidata e abile.

Ma non mi riusciva. Aspettiamo, pensavo; forse Fedele cambierà idea e butterà dalla finestra l'uccellaccio.

E d'improvviso sentii che eravamo ridicoli tutti e due: e che l'uccellaccio, in fondo, ci univa più di prima, mettendo a prova il nostro egoismo e la nostra calcolata indifferenza reciproca.

Finito ch'egli ebbe di riordinare la camera, – e mi parve che lo facesse con più rapidità e accuratezza del solito, – vi entrai col proposito di vestirmi e uscire. Volevo andar di persona dalla direttrice dell'Agenzia: ma le finestre della mia camera davano una a levante e l'altra a mezzogiorno, e il vento vi batteva così forte che i vetri pareva dovessero spaccarsi. Io amo il vento, quando ne sono difesa, forse perché il pensiero di affrontarlo all'aperto mi riempie di terrore. Aspettiamo dunque ancora, pensai; è ridicolo che io mi agiti così per una persona di servizio. Tanto più che Fedele mi dava il buon esempio: eseguiva le sue faccende con calma e silenzio, quasi ignorasse la mia presenza nella casa. La casa era abbastanza grande perché servo e padrona non ci si incontrassero che nei momenti stabiliti: così, rientrando nello studio ritrovai sulla tavola i giornali e la posta, come venuti da per sé; e più tardi nella sala da pranzo la tavola apparecchiata e Fedele pronto a servirmi, zitto e silenzioso come un fantasma. Non ci si scambiò una parola, non uno sguardo. Solo quando venne a servirmi il caffè, egli mi domandò sottovoce:

– La signora oggi non va fuori?

– Sì, esco – risposi aspra; subito pentita aggiunsi: – Perché? Volete andar fuori voi?

– Sì, volevo chiederle un'ora di permesso.

Egli andava certo a cercarsi un altro servizio: e poiché il pericolo adesso mi appariva di fronte, vivo e immediato, mi sentii tutta fredda. Per vendicarmi, poiché istintivamente sapevo che Fedele rifletteva i miei sentimenti, e aspettava una sola parola per rassicurarmi e rassicurarsi, risposi:

– Se volete andate pure. Non ho bisogno di voi.

Ed egli uscì, lasciandomi spaurita.

Date le abitudini e le circostanze della mia esistenza di quel tempo, bisogna dire che quell'ora concessa a Fedele fu una delle più brutte della mia vita. Invano mi proponevo di uscire anch'io e cercare un'altra persona di servizio, certa che l'avrei trovata. Pagando bene si ottiene tutto. Anzi volevo vendicarmi: congedarlo appena rientrava, e non pensarci più. Per aver una scusa dignitosa andai a vedere se dalla cucina era sparita la cornacchia.

La cornacchia era lì, sul bastoncino dietro l'uscio, e allungò il collo guardandomi fisso negli occhi con gli occhi severi. E d'un tratto, non so perché, mi parve che la mia casa non fosse più così solitaria come un momento prima. Un essere misterioso l'abitava, incarnato in quell'uccello austero e silenzioso. Mi accostai per guardarlo meglio, tendendo però l'orecchio per paura che Fedele tornasse e mi sorprendesse in quell'atto. Anche la cornacchia, senza dimostrare sfiducia per me, tendeva il collo guardando lontano sopra la mia spalla, come scrutasse un pericolo ignoto: o forse vedeva il pericolo in me, e fingeva per salvarsi.

Infatti io avevo desiderio di prenderla e buttarla dalla finestra nel cortile. Nel cortile i ragazzi della portinaia avrebbero pensato loro a farne scempio: il pensiero però di destare la loro curiosità e le conseguenti chiacchiere mi trattenne. Tuttavia cercai di afferrare la cornacchia, ma dovetti ritirare la mano per evitare una beccata; tentai di prenderla di sorpresa, per di dietro; essa si volse subito, allungò il collo, mi beccò forte le dita. Sdegnata le diedi un colpo sulla testa: essa parve sghignazzare, oscillò sul bastoncino, cadde sbattendosi sul pavimento, si sollevò di scatto e cominciò a svolazzare qua e là come una farfalla ferita.

Allora pensai con terrore a Fedele, come s'egli fosse il padrone ed io la serva colpevole. – Adesso, se ritorna e ci trova così! – pensavo correndo dietro la cornacchia col vano proposito di riprenderla e rimetterla su. Impresa più difficile non mi era mai capitata: l'uccello mi svolazzava spaurito davanti; e alle mie preghiere false, di lasciarsi prendere, per il suo bene, e infine alle mie maledizioni rispondeva con dei *cra cra* rauchi e beffardi che mi impaurivano. Finalmente trovò da rifugiarsi nell'angolo dietro la colonna del forno a gas, e per quanto mi piegassi e cercassi di scovarla non uscì più di lì. – Va bene, benone anzi, – dissi ad alta voce, passeggiando furiosa su e giù per il corridoio dall'uscio della cucina alla porta d'ingresso, – così quando quel mascalzone torna darò la colpa a lui se l'uccello gira liberamente per la casa; e sarà una migliore scusa per licenziarlo.

Se Fedele fosse rientrato in quel momento avrei forse dato ascolto ai miei rabbiosi propositi: ma egli non rientrava. Era già passata l'ora ed egli non rientrava. Forse, come certe serve maleducate, se n'era definitivamente andato. Questo timore mi calmò; e quando egli rientrò non gli feci osservazione alcuna. Anche lui non mi disse nulla, a proposito della sua uscita; più tardi, mentre io lavoravo nello studio, venne a domandarmi alcuni ordini per la sera, e vidi che si chinava premuroso a togliere un filo dal tappeto.

Tutto questo mi rassicurò. Rinunziai anch'io ad uscire, decisa di fingere di dimenticare la scena della mattina.

La sera scendeva triste e scura: il vento soffiava con violenza, velando col suo rumore i rumori della città. Nessuno venne a trovarmi, quel giorno, perché io non avevo amici abbastanza affezionati da ricordarsi di me anche nelle cattive giornate: né io me ne dolevo. I miei veri amici, in quel tempo, erano i libri belli; e di questi ne possedevo molti. Quando le lampade furono accese ripresi dunque a rileggere *Anna Karenine*: i casi di questa infelicissima donna, che mi avevano sempre interessato come quelli di una persona di mia conoscenza, quella sera mi lasciavano indifferente. Il rumore del vento richiamava la mia attenzione; e mi pareva di veder giù nella strada correre la gente, gli uomini tenendosi fermo il cappello in testa e le donne con le vesti svolazzanti: qualcuna di esse, forse, correva nella bufera, verso l'amore e verso la morte, come l'eroina del mio libro. E il ricordo di quel terribile senso di solitudine, ch'ella prova durante la sua ultima passeggiata, quel senso di vuoto e d'inutilità della vita anche se felice, mi tornava al pensiero: quante volte, senza aver amato e sofferto, o appunto per questo, avevo pure io sentito qualche cosa di simile!

E anche quella sera mi sentivo sola, nel vento, come in cima a una torre sopra un luogo deserto, e intorno a me fino ai limiti estremi della vita non vedevo che vuoto e desolazione.

Fedele è uscito per comprare i giornali della sera e fare altre spese: io sono di nuovo curiosa di vedere dove ha messo la cornacchia, e furtivamente ritorno nella cucina. Non accesi la luce, poiché le persiane erano aperte e non volevo che per caso egli rientrando dal cortile vedesse la finestra illuminata. Del resto ci si vedeva ancora, e al barlume lontano del crepuscolo distinsi la cornacchia sul suo bastoncino, immobile, con la testa un po' piegata e gli occhi socchiusi. Dormiva. Dormiva appoggiata su una zampa sola: l'altra la teneva sospesa, semi-nascosta fra le piume del ventre: e tutto il suo aspetto, nella penombra, era così dolce e timido, così triste di abbandono che uscii in punta di piedi per non svegliarla.

Si era verso la fine dell'inverno, e quelle giornate di vento si ripetevano spesso; ma era un vento caldo, il vento dei pollini, che portava fin lassù nella nostra casa un alito di terre lontane già fiorite. Fedele poi ogni due giorni rientrava con fasci di fiori comprati al mercato, e mi diceva che costavano poco. Insomma tornava il bel tempo, e il mio cuore non si era ancora tanto indurito da non risentirne una certa gioia.

La domenica seguente a quel giorno dello scontro in cucina, Fedele, che aveva il diritto di alcune ore di libertà, uscì appena ebbe rigovernato. Non disse dove andava: io avevo sempre l'impressione che si cercasse un nuovo servizio, ma nel frattempo non osavo chiedergli nulla. Si era quindi più che mai in armistizio.

Anche quel giorno soffiava il vento, ed io non sentivo desiderio di uscire: mi annoiavo però: le giornate si erano tristemente allungate, e fin lassù, nonostante il vento, si sentiva la città rumorosa insolitamente sfaccendata, la esasperante città domenicale.

Dopo aver fatto cento inutili cose, esco per caso nel corridoio, ed ecco vedo una strana creatura venirmi incontro confidenzialmente, anzi con una certa curiosità. Era la cornacchia. Fedele aveva dimenticato l'uscio della cucina aperto ed essa era scesa dal suo rifugio ed esplorava la casa. Non ebbi il coraggio di scacciarla: veduta così per terra era graziosa, quasi bella: rassomigliava a una pollastrina nera senza la cresta. Arrivata davanti a me cominciò a beccarmi la punta delle scarpe, poi ne tirò i lacci come volesse scioglierli: questo mi divertì. Feci alcuni passi e lei mi seguì coi suoi passetti silenziosi: mi piegai per prenderla, e lei indietreggiò, non come la prima volta però, nemica e selvaggia, anzi quasi scherzosa, aprendo un poco le ali mozze e con quello strido di gioia che usava quando Fedele le porgeva il braccio per salirvi su.

Il desiderio di prenderla mi vinse. Mi piegai ancora di più inseguendola fino all'angolo del corridoio e parlandole come a un bambino capriccioso: e con mia grande meraviglia, anzi, adesso posso confessarlo, con improvvisa commozione, sentii sulla mia mano le sue zampine fredde.

Quando mi sollevai, con lei afferrata al mio polso, ero un'altra donna. Quelle zampine fredde sulla mia calda carne mi riattaccavano a un mondo che da molto tempo avevo dimenticato.

La natura umana, con tutti i suoi istinti di tenerezza per ciò che è piccolo, che ha bisogno di protezione e di aiuto, e solo per questo si fa amare, poiché l'uomo vero ama negli altri quanto vi è di buono e di grande in lui, si ravvivava in me.

Accostai il viso alla testina della cornacchia: ed essa mi beccò lievemente il lobo dell'orecchio. Anche lei seguiva il suo istinto, che era in fondo malvagio; ma pareva lo frenasse nel sentire il calore di affetto che oramai l'avvolgeva. La portai davanti ai vetri della finestra chiusa: vi beccò subito un moscherino solitario che ingoiò vivo, poi allungò il collo, piegò la testa da un lato, e con un occhio solo fissò il cielo. E l'occhio, che nella penombra era verde, si rifece azzurro.

Si stette così qualche tempo. Io non osavo accarezzarla perché ad ogni mio tentativo del genere sbuffava e si rivoltava per beccarmi la mano, ma la guardavo come una cosa straordinaria. E lei, se io stavo ferma, pareva non accorgersi neppure di me: ferma sul mio braccio caldo come sul ramo di un albero fissava il cielo volgendo e rivolgendo la testina in su. E pareva ascoltasse il rumore del vento, forse ricordando il mormorio degli alberi della selva dove era nata.

Così cominciò la nostra amicizia segreta. La riportai sul suo bastoncino, e osservai che sopra la credenza c'era un vasetto con dentro della pasta minuta, e un altro vasetto alto pieno d'acqua: immaginai fossero destinati a lei e infatti, nel vedermi a toccarli, essa aprì le ali e si protese in avanti. Mi parve un segno di grande intelligenza; o forse era già un segno di debolezza mia verso di lei. Ad ogni modo le accostai il vasetto con la pasta e lei vi beccò dentro avidamente: pure avidamente bevette, sollevando dopo ogni sorso la testa e schizzandomi l'acqua sulla mano: quando fu sazia afferrò a tradimento col becco l'orlo del vasetto e tentò di rovesciarlo: poi si scosse tutta e, con le piume della testa dritte e gonfie, mi guardò severa. Questa era la sua gratitudine. Io mi divertivo: raccolsi qualche granellino di pasta caduto per terra, e rimisi ogni cosa a posto, per cancellare le tracce del mio passaggio, poi feci appena a tempo ad andarmene perché Fedele rientrava.

E nella notte mi sorpresi a pensare alla cornacchia: mi pareva di vederla dormire su una sola delle sue zampe di corallo nero, con gli occhi socchiusi a sognare, in quel suo melanconico esilio, le macchie e gli acquitrini dove l'avevano presa e le sue compagne con le lunghe code e le ali possenti volano a stormi alte sul cielo solitario. Sentivo compassione di lei.

– Se la teniamo qui, vivrà anche lei senza gioia e senz'amore.

Anche lei. Poiché ricordavo bene i miei lunghi anni vissuti senza amore e senza gioia.

– Le faremo crescere le ali e la coda e in primavera la lasceremo volare, in cerca del suo compagno.

Non so perché mi figuravo fosse una femmina: forse per concatenazione d'idee. E non sorridevo di me stessa, no: anzi provavo un senso di gioia nel ritrovare in fondo al mio cuore il filo spezzato della poesia.

Questo filo si riallacciò stranamente, per opera dunque di una cornacchia. Una pianticella, un ragno, un uccellino, bastano per rallegrare la solitudine di un prigioniero, di un eremita. Il pane che il corvo portava al profeta Elia era forse, nel pensiero di chi scrisse l'episodio, il nutrimento di vita, vale a dire di amore, necessario anche agli uomini che credono di poterne fare a meno.

Io conoscevo molta gente ma non amavo nessuno perché credevo di avere abbastanza esperienza per non illudermi sull'amore degli altri. Lo stesso Fedele brontolava quando invitavo gente a pranzo o davo qualche ricevimento. Una volta mi disse: – Provi a non dar loro né da mangiare né da bere e vedrà che nessuno ritorna –. Era probabile che anche la cornacchia, pure dandole da mangiare e da bere, non si affezionasse a me: eppure sentivo di volerle bene.

Quando il giorno dopo Fedele uscì per le spese, andai a visitarla. E attraverso il corridoio scuro sentii d'un tratto che il bel tempo tornava. La cornacchia cantava. Era un vociare aspro, con fischi e lamenti, ma aveva un tono infantile, come il canto di un monello che per attirare nella rete gli uccelli di macchia ne imita i sibili e i richiami.

La primavera entrava nella mia casa, con quel canto selvaggio.

Quando mi vide, la cornacchia sollevò le ali e si protese tutta verso di me: dunque mi riconosceva. Eppure rifiutò il cibo che le porgevo. Accettò invece di venire sul braccio, e cominciò a beccare i bottoni della mia veste, e sulle falde di questa mi regalò una goccia di mastice per nidi! In cambio accettò per la prima volta, ma sbuffando e ritraendosi, una carezza sulla testa. Mai ho sentito una cosa più morbida delle sue piume vive: e quella testa che pareva grossa e nella minaccia lo diveniva ancora di più, era piccola come una nocciuola, attaccata alla cordicella finissima del collo flessibile. Istintivamente allora le diedi un nome, che la distingueva nettamente dalla Chia di Fedele.

Chia era la cornacchia di Fedele: la mia la chiamai *Piccolina*.

Si accorse Fedele di tutto questo?

Se ne accorgesse o no mi pareva di non curarmene; ad ogni modo ero certa che egli non me ne avrebbe mai fatto cenno né rimprovero. Altre cose mie, altre debolezze, altre vicende della mia vita egli conosceva, e a sua volta non se ne curava. In fondo ci si rassomigliava, in questo, nella perfetta indifferenza per i fatti altrui, anche se questi fatti ci riguardavano indirettamente. Tutto era sopportato e scusato purché non ci si toccasse nel nostro interesse.

Così ero pure certa che l'avrei più molestato col far palesi le mie visitine alla sua cornacchia che col fingere di essermene completamente dimenticata. Un giorno però lei stessa fu per turbare il nostro tacito accordo.

Io stavo a lavorare nello studio: nonostante lo strepito della strada, al quale del resto ero così abituata che non lo sentivo più, il silenzio dentro era tanto profondo che mi colpì un piccolo suono strano all'uscio del salotto precedente; era come se un bambino vi raschiasse lievemente con una punta acuta. Incuriosita vado a guardare e vedo la cornacchia che appena socchiuso l'uscio allunga il collo e mette dentro la testa col proposito fermo di entrare nel salotto. Come sempre, la sua presenza mi desta un senso di sorpresa e di allegria, per non osar dire di gioia. Quest'essere selvatico, quest'uccello di rapina, carnivoro e ladro, che gira tranquillo per la casa, curioso e petulante, bisognoso di compagnia, mi dà sempre l'impressione di un essere misterioso la cui affinità e la distanza con noi non riusciremo mai ad esplorare.

Fu un uomo un giorno? Ladro e feroce fu condannato a rinascere nell'uccellaccio delle paludi: eppure conserva gli antichi istinti della casa e il bisogno di riavvicinarsi all'umanità. E stavo per aprire di più l'uscio quando sentii il fruscio particolare del passo di Fedele in fondo al corridoio. Rapida e silenziosa come lui chiusi e ritornai al mio posto.

La domenica seguente aspettai che egli uscisse, per andare a vedere la cornacchia. Di nuovo era cattivo tempo e lei doveva sentirlo perché se ne stava melanconica e intirizzita, sebbene nella cucina facesse caldo. O forse sentiva la sua solitudine. Nel vedermi, infatti, si rianimò. Beccò, senza avidità, anzi quasi svogliatamente i granellini di pasta che le porgevo nel cavo della mano, scegliendo quelli più piccoli che si nascondevano fra le mie dita, e rifiutò di bere. Ad ogni granellino che ingoiava sollevava la testa e mi guardava. Pareva volesse dirmi: lo faccio per compiacerti, ma desidero sapere che cosa vuoi da me.

Il contatto del suo becco quando frugava fra le mie dita mi faceva piacere. Ecco, pensavo, potrebbe beccarmi e strapparmi la pelle e invece pare mi accarezzi: dunque mi vuole già bene.

– Piccolina, – le dissi, parlandole come si fa coi bambini, – è vero che mi vuoi bene? Siamo tutte e due sole, disarmate e lontane dal mondo: sole sole peggio che nella foresta. Piccolina, vuoi darmi un bacio?

Sorridevo di me stessa e sentivo di essere un po' rimbambita; e non scambiai certo per un bacio la lievissima beccata che Piccolina mi diede al labbro inferiore, ma la scambiai per un segno di intelligenza o almeno di simpatia.

– Andiamo, – le dico porgendo il braccio, – tu sei curiosa e voglio soddisfarti. Voglio farti visitare tutta la casa –. Lei mise una dopo l'altra le sue zampe sul mio braccio e si lasciò condurre. – Cominciamo di qui, dalla sala da pranzo.

La sala da pranzo era la stanza più simpatica della casa: mobili antichi, in quercia; vecchie maioliche, pesanti argenterie di grande valore. La vetrata di cristalli gialli la rallegrava: pareva ci fosse anche nei tristi giorni il sole.

Piccolina allungava il collo e guardava di qua, di là, sotto e su, veramente curiosa e con interesse. Nessuno mai dei miei invitati aveva osservato con tanta franchezza la mia sala da pranzo. Peccato che lei si permettesse di lasciare di tanto in tanto cadere, con naturalezza senza esempio, la solita goccia di mastice; ma io aveva provveduto a questo mettendo sotto il braccio che la sosteneva un pannolino come si usa coi bambini innocenti.

Così si fece il giro di tutto l'appartamento: arrivate nello studio lei parve infinitamente sorpresa per la grande abbondanza di carte che vi si trovava: i suoi sguardi di traverso, anche di sopra della mia spalla, i suoi allungamenti di collo, il volgersi e rivolgersi della testa, non finivano mai.

Quando poi la deposi sull'ampia tavola da studio diede quel suo caratteristico strido che pareva uno strillo di gioia. E dapprima saltò sopra un giornale e parve leggerne il titolo; poi lo beccò producendo un rumore secco sul legno sotto, e lo afferrò, lo trascinò qua e là finché, nonostante la mia impotente difesa, non lo ridusse in minutissimi brani.

– Adesso Fedele, adesso stiamo fresche – io gridavo rincorrendola. Ma in fondo mi divertivo.

Fu quella sera che Fedele rientrò tutto stravolto in viso, con gli occhi lagrimosi e i denti serrati.

Alle mie domande rispose che aveva preso freddo.

– Procurerò di sudare, questa notte: domani sarà tutto passato – disse.

Infatti si alzò all'ora solita, accudì alle faccende solite e uscì a fare la spesa. Il tempo era orribile: il cielo bianco e basso dava un senso di tristezza funebre: ed io provai un presentimento di sventura.

Fedele rientrato dalla spesa lavorava in cucina: tutto intorno era pulito e in ordine come sempre; solo osservai che egli non aveva rinnovato i fiori nel vaso della tavola da pranzo; però mi guardai bene dal rimproverarlo, quando venne a servirmi la prima colazione. Era livido in viso e stringeva i denti.

– Fedele – dico io quasi sdegnata. – E perché non sei rimasto a letto? Tu sei malato.

– È un po' di freddo, passerà: prenderò adesso un po' di aspirina.

L'aspirina parve fargli bene: all'ora solita mi servì la seconda colazione, poi riordinò la cucina e mi chiese il permesso di mettersi un po' a letto. Più tardi mi si ripresentò tutto vestito per uscire, ma col viso rosso per la febbre e gli occhi lucenti.

– Ascolti, – disse, umile e fermo, – io vado fuori a farmi visitare qui nella clinica accanto. Ho un dolore al fianco; è certo un reuma: è meglio, però, assicurarsi. Non s'impensierisca se tardo: se mi permette telefonerò dalla clinica: intanto per questa sera c'è tutto pronto. Le manderò poi su la Lauretta che si incaricherà di portar via la cornacchia.

Io cerco invano di oppormi: lo afferro anche per il braccio e lo supplico di restare. Farò venire il medico, farò venire un infermiere; lo curerò io. Invano. Egli andava verso la porta come uno che è aspettato in qualche posto e deve assolutamente non mancare: la sua sola preoccupazione era di assicurarmi l'intervento di Lauretta, la figlia del portiere, che spesso ci rendeva servizio. E se ne andò quasi ruvidamente, senza guardarmi, senza salutarmi.

L'anima nostra ha momenti di chiaroveggenza terribili. Io sento, nel momento che Fedele tira dietro a sé la porta, che egli mai più rientrerà in casa nostra. Sì, *nostra*, poiché quella casa apparteneva tanto a lui che a me. Ebbi desiderio di uscire sul pianerottolo, di guardarlo a scendere le scale, come si fa con una persona cara che parte: il pensiero del suo giudizio malevolo mi trattenne. Allora mi aggirai smarrita per la casa. Sopra tutto il pensiero delle difficoltà materiali che l'assenza di lui mi procurava, pareva destasse il mio turbamento: chi pulirà più così accuratamente le stanze, chi mi servirà puntualmente i pasti? Io ero la negazione assoluta di tutto ciò che è donnesco: e diffidavo profondamente delle altre donne, specialmente quelle di servizio. La speranza che Fedele tornasse era il mio solo conforto; ma la sentivo fallace.

Egli non era forse arrivato ancora alla clinica che già mi disponevo a telefonare domandando notizie: il timore di diminuirmi ai suoi occhi mi trattenne di nuovo.

Ed ecco suonano alla porta. La sola idea che sia lui, che tutto ritorni nell'ordine di prima, mi fa sobbalzare di gioia. È Lauretta, invece, che già viene a domandarmi se mi occorre qualche cosa. È una buona e allegra ragazza, spesso afflitta da dispiaceri amorosi: ad ogni sua delusione segue però una nuova illusione, e l'amore per lei non è che questione di scelta: cambiano i fidanzati ma l'amore è sempre lo stesso.

– Per il momento non ho bisogno di nulla – le dico senza lasciarla entrare. – Se puoi vieni verso sera –. E ho desiderio di chiederle che cosa ne pensa della malattia di Fedele: lei stessa mi previene, con una smorfia di poca speranza.

– Poveraccio: aveva un brutto aspetto. Speriamo che se la scampi; ma la peste è di nuovo in giro, e lui lo sa. E adesso mi consegni la cornacchia.

La cornacchia? L'avevo completamente dimenticata. La cornacchia? Perché sento un lieve calore alla fronte? Abissi dell'anima nostra! Il pensiero che l'uccello adesso è tutto mio, che finalmente posso allacciare la mia infinita solitudine alla selvaggia solitudine sua, mi rende quasi contenta che Fedele sia andato via.

– La porterai via più tardi – dico alla ragazza: e sento che le parlo così per vergogna di me stessa, per nasconderle il mio disumano sentimento.

Desolato e nero il giorno moriva sopra la città fangosa che per il contrasto pareva rumoreggiasse più del solito, ma di rumori meccanici, come una grande macchina in rotazione.

. Anche il silenzio della mia casa veniva interrotto da squilli frequenti. Il telefono era in contatto con quello di un ufficio d'avvocato, e tutto il corridoio tremava per le incessanti chiamate. D'altronde non volevo togliere la comunicazione in attesa di notizie di Fedele.

A questa continua vibrazione metallica rispondeva quella dei miei nervi scossi: mai mi ero sentita più sola e senza aiuto in mezzo alla grande città ove pure gli uomini possono comunicare fra di loro anche senza muoversi dalla loro camera, e gli uni sono legati agli altri dai fili infrangibili della civiltà: a me pareva di essere entro una rete, come gli uccelli nei giardini zoologici, segregata oramai dall'umanità. E l'ombra della morte che minacciava il servo si allungava fino a me, si stendeva su tutta la casa, coi veli neri della notte.

Accesi tutte le lampade: ma sotto quella luce anch'essa fredda e senz'anima la casa mi parve ancora più funebre: era come una casa rimessa in ordine dopo che vi è stato portato via un morto. E quel morto, lo sentivo bene, era tutto il mio passato.

Lo squillo atteso risonò infine, e mi parve ancora un segno di vita.

— Pronti, pronti, sono Fedele. Mi hanno visitato: ho un principio di polmonite, ma non è niente; fra due o tre giorni è risolta. Resto qui; ho preso una cameretta a pagamento; il letto ha il numero undici. Non si preoccupi. È venuta Lauretta? Lei come sta?

La sua voce era un'altra, quasi giovane, quasi famigliare. Non l'avevo mai sentita e mi sembrava quella di un estraneo, tanto che volevo chiedere, all'uomo misterioso che mi parlava, notizie precise di Fedele.

— Io sto bene, — dissi, — solo mi dispiace che tu non sii rimasto a casa. Domani mattina verrò a vederti.

— Non si disturbi. Farò telefonare dall'infermiera. È venuta Lauretta? — ripeté con insistenza. Poi tacque. Sentii che tossiva: la voce ritornò la sua, bassa e umile e come logorata dal tempo: — Si ricordi di far chiudere le persiane: si faccia far tutto da Lauretta.

— Sì, sì, non ti preoccupare. Cerca di guarire presto. Buona notte.

— Buona notte, signora.

Solo dopo che la comunicazione fu tolta mi parve di aver dimenticato di dirgli qualche cosa. Ah, la cornacchia. Ne ebbi rimorso, e fui per riattaccare discorso: ma di nuovo quel senso di distanza che era fra noi, — poiché speravo ch'egli guarisse e tornasse, — mi allontanò da lui.

La mattina dopo andai a trovarlo.

Era una clinica quasi di lusso, quella dove egli si rifugiava, quieta e circondata di giardini: una specie di pensione per malati, la presenza dei quali non si sarebbe avvertita senza il passare silenzioso delle infermiere vestite di candidissimi camici, e quell'odore lugubre di disinfettanti che desta il pensiero della morte.

Ed io recriminavo ancora una volta i gusti spenderecci di Fedele, che accumulava i suoi risparmi e poi li buttava via in un momento, quando pensai che forse era entrato in quel luogo con la certezza di starci poco...

L'infermiera che mi condusse da lui rispose con una smorfia d'indifferenza alle mie domande: pareva non sapesse, o neppure si curasse di sapere di che malattia si trattava.

La prima cosa che mi colpì, entrando nella cameretta dov'ella m'introdusse, fu un pesco fiorito che rosseggiava sullo sfondo della finestra grande quanto la parete. Da quanto tempo io non vedevo un pesco fiorito! Tutta la mia fanciullezza mi riapparve lì; e nello stesso tempo ebbi l'impressione che fosse stato Fedele a prepararmi quella sorpresa per distogliermi dal guardare il suo lettuccio bianco, nel centro della camera bianca e nuda come un sepolcro, col cartellino numerato che cambiava un uomo sofferente in una cifra, come nelle prigioni; il suo povero corpo che sotto la coperta banale e le lenzuola ruvide appariva più grande del solito, quasi gonfio e allungato; e soprattutto il suo viso macchiato di lividori, già percosso dallo staffile della morte.

Neppure lui s'illudeva: anzi cercai d'illuderlo io.

– Mi pare che non stai male, Fedele. Sei rosso e fresco.

Egli mi guardò, di sotto in su, e i suoi occhi severi, con quello sguardo già lontano che fissava qualche cosa di lontano, di là della mia persona, mi ricordarono quelli dell'uccello.

– Lauretta è venuta? – domandò riprendendo il filo della sua sola preoccupazione.

– È venuta; ha fatto tutto. È svelta e intelligente, quella ragazza: non credevo.

Egli lo sapeva già, quindi non fece osservazioni: anzi parve lievemente contrariato, come ingelosito. Che passava nell'anima sua già coperta di nebbia? Forse vedeva Lauretta al suo posto, nel luogo dov'egli aveva lasciato la parte migliore della sua vita, e ne provava dolore.

Non disse nulla: non mi domandò neppure della cornacchia: pareva se ne fosse dimenticato. Ma quando io, accostando la sedia per sedermi accanto al suo letto, dissi che non avevo permesso a Lauretta di portarla via, si animò lievemente. Di nuovo parve contrariato.

– Perché? – domandò scuotendo la testa sul guanciale. – Sporca troppo.

– Ma no, poverina: se ne sta tranquilla sul suo bastoncino, sopra la cassetta aperta. Le ho dato io da mangiare e da bere; non ti preoccupare. Dimmi piuttosto cos'è che ti senti. Che dice il dottore?

– È la polmonite; null'altro. Passerà.

– Passerà – ripeto io con fiducia. Ma l'aspetto di lui non mi piace. Adesso egli è calmo, rassegnato: non ha tosse e neppure difficoltà di respiro: i suoi occhi guardano verso la finestra, senza vedere il pesco fiorito, come aspettando di là un segno misterioso; ma questo suo raccoglimento, questa sua indifferenza per me e per le cose che gli vado stentatamente dicendo, e soprattutto il calore intenso che si spande dal suo corpo come se dentro tutto gli si arda e consumi, mi preoccupano più che se egli si agitasse e lamentasse.

Solo quando accennai ad andarmene e gli chiesi se aveva bisogno di nulla, se dovevo regolare io i conti con la direzione della clinica, si agitò alquanto.

– No, no, – disse con voce sibilante: – è tutto regolato. E lei non si agiti, non torni.

– Sei tu che ti agiti; sta quieto – gli risposi, mettendogli una mano sulla testa. – Se ti dispiace non torno, no.

Egli fremeva tutto; non replicò, e al tocco della mia mano parve a poco a poco calmarsi. E io mi avvidi che chiudeva gli occhi per nascondere le sue lagrime.

Diedi una buona mancia all'infermiera, perché lo trattasse bene, avvertendola di telefonarmi di tanto in tanto per darmi notizie. Domandai anche di parlare col dottore: ma il dottore a quell'ora non si poteva avvicinare.

Avevo stabilito di mangiar fuori, quella mattina, anche per distrarmi: nella strada però mi parve di ricordarmi che qualcuno mi aspettava, a casa: qualcuno che era solo e aveva fame e sete e forse soffriva per l'abbandono completo in cui veniva lasciato.

Piccolina! Una tenerezza improvvisa mi riassale, per lei, come si tratti di un piccolo essere umano affidato ormai alle mie cure.

Compro qualche cosa da un rosticciere e torno a casa. La casa ha un odore di chiuso, di morto; ma nell'attraversare il corridoio sento lo strido della cornacchia, che ha riconosciuto il mio passo, e mi pare un grido di vita.

Si sollevò tutta, nel vedermi, aprì le ali; ed io la presi con me alla mia tavola e mangiai con lei, parlandole infantilmente. Le racconto la mia visita al suo amico, le confido le mie speranze e i miei timori: essa becca nel mio piatto e beve nel mio bicchiere, tentando poi di rovesciarlo: non le importa nulla di quanto le dico; è piuttosto curiosa di sapere che cosa contengono gl'involtini da me deposti sulla mensa, e tenta di slegarli; si diverte col tappo della bottiglia e s'impunta a forarlo col becco: si allunga tutta verso la lampada, guardandola bene in giro, e tende l'orecchio al battito eguale della pendola: quando io verso l'acqua nel bicchiere lei introduce il becco nel collo della bottiglia e beve; forse ricorda la sorgente nel bosco: tutto la interessa fuori che le mie inquietudini. Eppure io non mi sento più sola, con lei, e la sua compagnia basta per attenuare la mia tristezza.

L'infermiera, nonostante la buona mancia, anzi avendola già ricevuta, non telefonava: ed io non domandavo notizie per orgoglio. Orgoglio di che? Di tutto e di nulla. Si può sapere chi è superiore e inferiore a noi? Noi stessi: ed è di fronte a noi stessi che noi ci si umilia e ci si esalta. Verso sera tornò Lauretta e mi domandò notizie di Fedele: e parve rallegrarsi sinceramente quando le dissi che egli non stava poi tanto male; aggiunse però:

– Però se lui, Dio non voglia, avesse a morire, verrei tanto volentieri io, qui da lei. Si sta bene, qui: pare di essere fuori del mondo. Mi vuole?

A dire la verità io avevo paura a star sola, specialmente la notte. Le dissi quindi che se voleva venire, provvisoriamente, sarei stata contenta. Ella si mise a ballare per la gioia: poi prese sul braccio la cornacchia, l'accarezzò, cominciò a dirle frasi d'amore. Eppure di lei non sentivo gelosia: e i suoi passi di danza, il colore vivo dei suoi capelli e del suo vestito mi comunicavano un senso di gioia.

Andò giù a chiamare il padre, e col consenso di lui rimase presso di me.

La mattina dopo si alzò presto, andò a fare la spesa di sua iniziativa, fece tutti i servizi che faceva Fedele, come una sua scolara; mi contentò in tutto. Una sola cosa osservai: ella non aveva comprato i fiori, come egli usava.

Ecco dunque risolto il grande problema: con questo di più: che ella destava in me un senso completo di fiducia, di intimità, di solidarietà femminile.

Non mi dispiacque, infatti, ch'ella entrasse in camera mia mentre mi pettinavo: cosa che mai avevo permesso a Fedele.

– Se l'infermiera non telefona vuol dire che la malattia segue il suo corso regolare – penso. Tuttavia nel pomeriggio mando Lauretta a domandare notizie. Io resto a casa, e mi diverto a portare la cornacchia sul davanzale della mia finestra. Il tempo s'è rasserenato; un cielo infinitamente grande e puro si stende sopra la città ancora lievemente assopita in quel primo calore primaverile. Pare che un velo sia disteso sotto le mie finestre: e i rumori vi arrivano attutiti, sotterranei; mentre di sopra, nell'aria trasparente, tutto vibra con armonia. Ed ecco l'uccello si mette a cantare: ma è una voce nuova, la sua, come di un altro uccello; è quasi dolce, è un richiamo insistente, squillante, che vuole, vuole, e si meraviglia di non ottenere quel che vuole e gli è dovuto.

Infine, stanca, Piccolina tace, si abbatte, si arruffa, china la testa e pare si sottometta a un comando superiore.

– Così è – le dico io, riprendendola sul braccio e riportandola nel suo angolo melanconico. – È tempo d'amore; ma i tuoi compagni sono nel bosco e non ti sentono.

Lauretta tornò dalla clinica stravolta e agitata.

– Che luogo, Dio mio, che luogo! Pare bello eppure là dentro si muore. È vero, dunque, che si muore.

È vero, sì, e per i giovani il pensiero della morte sarà sempre inverosimile e inumano; per noi invece che discendiamo la china, la morte appare come il placido porto ove c'imbarcheremo su una nave meravigliosa. Così le notizie poco buone di Fedele non mi comunicarono il terrore risentito dalla fanciulla: ma il mio pensiero rimaneva fisso *laggiù*, dove l'uomo arrivava lentamente al porto, mentre lei già aveva dimenticato la sua impressione e canticchiava ogni tanto volgendosi alla cornacchia per prodigarle carezze e languide frasi d'amore.

– Ti ha chiesto di lei? – domando io, che contro il solito mi attardo nella cucina. La cucina è bella, con le sue maioliche bianche, il merletto verde intorno alla cappa del camino, gli arnesi lucenti che riflettono la lontana luminosità del cielo. Fedele aveva il culto della bellezza, anche nelle cose umili: era, nelle sue condizioni, un artista e un aristocratico: e lo ricordo ancora, in certe sere quando egli indossava il frak, e la sua linea, il viso un po' duro e angolare, coi freddi occhi verdoni, lo trasformavano in un qualche gentiluomo nordico venuto misteriosamente fra noi.

– Non mi ha chiesto nulla – dice Lauretta, oscurandosi ancora in viso. – Guarda sempre verso la finestra e pare non si accorga di nulla.

Più tardi tento di telefonare alla clinica. Prima che l'infermiera risponda passa un lungo minuto: ed ecco sento il silenzio lugubre della clinica, nella notte, quando i malati tacciono e le lampade notturne sembrano già vegliare i loro cadaveri.

Fedele peggiorava: e l'infermiera lo disse a voce alta con la convinzione che la mia indifferenza fosse pari alla sua.

Il giorno dopo tornai a visitarlo. Non so per quale ragione, forse perché pensavo di acquistarne per me al ritorno, mi venne in mente di portargli dei fiori. Poi tirai dritta: non si portano fiori ad un servo: una barriera insormontabile, accumulata da millenni di odio e di interessi feroci, divide ancora servi e padroni.

Comprai invece dolci e arance: cose che gli piacevano: ma appena vidi il suo viso deposi la borsa come una cosa mortalmente inutile.

Eppure il suo viso esprimeva una certa volontà: era ancora il viso duro, angolare, con gli occhi verdoni, dei quali la pupilla grande e mobile si fissava su gente sconosciuta, forse odiata, che però bisognava servire in silenzio.

Per un attimo mi guardò: mi riconobbe, ma tosto volse di nuovo le pupille in là, come già si fosse dimenticato di me, o non volesse più riconoscermi.

L'avevano un po' sollevato a sedere, perché l'affanno era già grave; egli però non si lamentava, anzi quel suo sforzo di volontà pareva destato dal desiderio preciso di vincere l'affanno. Le mani, abbandonate sulle lenzuola, aride e tristi, erano già vinte; e la testa, a un tratto piegatasi giù, coi capelli grigi arruffati, mi ricordava quella dell'uccello che dopo aver chiamato invano si sottometteva a un comando superiore.

Chiesi insistentemente di conferire col dottore che curava Fedele. Ero sdegnata: mi sembrava che non avessero fatto nulla per aiutare e salvare il malato. Il dottore passava rapido nel corridoio, dando ordini a destra e a sinistra alle infermiere che entravano ed uscivano dalle camere dei malati e s'incrociavano come spole. Dovetti andargli appresso, mentre egli, invece di rispondere alle mie domande, mi chiedeva a sua volta se il malato aveva parenti. Null'altro: ma da queste semplici parole spirava l'alito della morte.

Rientrai presso Fedele, sedetti accanto al lettuccio: lo guardavo, poi guardavo il pesco fiorito, dietro i vetri chiusi, con l'impressione confusa che la vita dell'uomo, spegnendosi, accrescesse quella dell'albero. Oramai che sapevo la sua sorte mi sentivo quasi tranquilla; ma l'assistere al lento trapasso di un'anima da un mondo ch'è tutto luce e realtà ad un altro del quale ancora non conosciamo il mistero, è certamente pauroso e triste.

Eppure m'illudevo ancora: l'aspetto di Fedele non mi sembrava mortale: il suono stesso della mia voce, mentre tentavo di sottrarre il malato al suo affanno, parlandogli di cose inutili, mi dava un senso di vita. E fuori la grande giornata primaverile, il sole che tingeva di sangue roseo i fiori del pesco, i voli degli uccellini pazzi di gioia, tutto negava l'esistenza della morte. Oh, questa non esiste finché siamo vivi noi.

Così lasciai la clinica dandomi la speranza che Fedele migliorasse: il tempo buono aiuta il malato a guarire. Del resto io compivo il mio dovere verso di lui: se egli moriva non era colpa mia. E s'egli se ne fosse andato, un giorno, come aveva minacciato di fare, non ci si sarebbe separati lo stesso?

Compro dunque i fiori per me: rientrando a casa sento Lauretta che canta una canzone d'amore e la cornacchia che imitando il grido del cuculo si crea forse d'intorno l'illusione della foresta in primavera. Tutti si cerca la gioia dove meglio si può.

Fedele non aveva parenti. Figlio illegittimo di un'antica cameriera di casa nostra, che si era illusa di poterlo far studiare, dopo la morte di lei, rimasto solo e senza mezzi, anche lui era entrato al nostro servizio. Aveva qualche anno più di me. Ricordo che un giorno mentre la madre mi sorvegliava, bambina, in un giardino pubblico, egli era arrivato di corsa, con altri ragazzi, e che tutti assieme, tumultuosi e violenti, mi avevano destato un senso di paura. Aggrappata alla donna tremavo tutta, finché lei non chiamò Fedele accanto a noi.

– Vedi, non è niente, sono bambini che giocano. Fedele, sta un po' tranquillo.

Egli aveva messo una mano sulla mia spalla: ansava per la corsa e la lotta coi compagni, ma la voce era buona, dolce.

– Ma no, piccolina, perché devi aver paura?

Nel pomeriggio telefonarono dalla clinica: Fedele stava meglio e desiderava vedermi. Dio sia lodato; sì, durante tutta la giornata mi ero sentita serena, con l'impressione che una gioia, invece che un dolore, dovesse attendermi. E quello stesso desiderio di Fedele, che durante le mie visite s'era mostrato indifferente e quasi infastidito di me, mi confortava.

Egli stava ancora seduto sul letto, e questa volta i suoi occhi mi vennero incontro, ma opachi, quasi neri, con già dentro l'ombra del mistero: e fin dalla soglia sentii l'affanno che egli non reprimeva più. Pareva avesse corso a lungo, follemente. Mi ritornò l'immagine di lui ragazzo e la mia paura e il sollievo della sua voce.

Sedetti al solito posto: il piccolo spazio fra me e il letto mi dava un senso di angoscia, come un abisso. L'infermiera stava dall'altro lato, ferma, in attesa, quasi pronta a raccogliere e portar via l'anima che come un fiore stava per sbocciare sulla bocca del morente.

Ma egli forse voleva che altri cogliesse e portasse via questo fiore, perché allungò la mano col dorso in su, facendo atto di scansare la donna. Anch'io le accennai di andarsene: ella obbedì.

– Fedele, – domandai sottovoce, – hai da dirmi qualche cosa?

Egli non poteva parlare per l'affanno: rovesciò la testa sui guanciali, chiuse gli occhi e aprì la bocca, come chi è molto, molto stanco.

D'impulso, io gli afferrai la mano, per trattenerlo, ma anche per sostenermi. Avevo paura, ed egli lo sentì. Sollevò la testa, sorpreso, e la sua mano rispose alla mia stretta.

– Piccolina… – mormorò, ma come fra sé. Ed io ebbi l'impressione che egli avesse l'abitudine di pronunziare spesso, anche senza volerlo, quella parola.

Sulle prime pensai che chiamasse la cornacchia: ma no, egli non le dava quel nome. A chi dunque lo dava?

– Fedele! – gridai spaventata. Egli teneva ancora gli occhi aperti, con la pupilla che andava in su, in su, finché scomparve. Era l'anima che se ne andava.

Nella sua camera abbiamo trovato i libri dei conti: null'altro. Ma in questi libri non appare mai il conto dei fiori ch'egli comprava quasi tutti i giorni. Questo è l'unico segno che un'anima vera e viva è passata accanto all'arida e meccanica anima mia.

E anch'io gli ho portato i fiori al cimitero: ma egli non li *sentirà* come io non ho sentito i suoi.

E il tempo passa, e facilmente si dimentica chi non si è amato.

Lauretta, quasi felice per la scomparsa di lui, canta, ride, mi ruba nella spesa, si fa amare da me e dalla cornacchia che le salta continuamente sull'omero e le becca lievemente e come con delizia i peli biondi della nuca e delle orecchie.

Con me invece Piccolina è sempre un po' selvatica, a giorni anche nemica, e se può mi becca sul serio senza tanti riguardi. Però mi viene sempre appresso, ed io le voglio egualmente bene, anzi più è selvaggia e lontana dalla mia natura umana, più mi piace: uccelli di solitudine tutti e due, uniti da un vincolo inspiegabile d'amore come quello che avvince uomini in apparenza infinitamente diversi fra loro, eguali in fondo nella loro essenza divina.

IL NEMICO

La vecchia Marala saliva al paesetto per vendere la sua roba ai villeggianti. E non intendeva venderla per poco, al giorno d'oggi costando parecchio la roba anche ai produttori; ma neppure ad un prezzo d'usura, come fanno gli altri contadini. Poiché lei era donna di coscienza, e per questo, e perché in fondo non aveva bisogno di vendere, si credeva da più di una semplice vecchia contadina. Ma quando la roba si ha, non si deve buttarla; e così lei saliva al paesetto per venderla ai villeggianti.

Sedette un momento sul parapetto della strada, dando le spalle all'abisso selvoso che vi si sprofondava sotto, e guardò questa sua famosa roba della quale era colmo il cestino deposto al suo fianco. C'era di tutto: uova, insalata e altre verdure, frutta, caciole fresche e secche, e polli già pelati. Poiché lei era una donna pietosa che non amava veder soffrire le bestie; e non faceva come gli altri sordidi contadini che legano barbaramente per le zampe, a coppie, gli infelici giovani polli e li portano a testa in giù vivi al mercato; e se non li vendono a peso d'oro li riportano a casa. Lei strozzava e pelava i polli, per portarli ai villeggianti; tanto, era sicura di venderli.

D'improvviso trasalì e ricoprì la sua roba; si sollevò e guardò in su. Le era parso di sentire un bisbiglio, come di gente che sottovoce parlasse male di lei: e un bisbiglio si sentiva infatti, sopra la strada deserta, nel grande silenzio del monte; ma era un soffio di vento che saltando come un daino di macigno in macigno metteva in subbuglio i ginepri e le felci.

Marala riprese a camminare, col cestino fermo sulla testa come un semplice copricapo. Camminava più diritta di prima, adesso, con la lunga persona rigida come un fuso, gli occhi fissi in alto ad esplorare la strada. Altre volte aveva camminato così, con l'impressione, se era buio, che i suoi occhi fossero lanterne e illuminassero la via da percorrere. Così, badando ai propri passi, fingendo di non aver paura e pronti a sfuggire agli agguati, camminano coloro che hanno qualche nemico.

E la contadina credeva di averne uno. Non sapeva chi era, se uomo o donna, ma era certa di averlo.

Per quanto, ogni volta che andava a confessarsi, facesse con scrupolo l'esame di coscienza, non le riusciva di aver mai fatto male a nessuno. E non era vanitosa, non si curava dei fatti degli altri, non domandava a Dio che di vivere e morire in pace, lavorando, senza peccato: eppure un nemico ce l'aveva, e da lungo tempo, dagli anni della giovinezza. E in quel tempo si poteva spiegare l'esistenza di lui: forse era un pretendente respinto, o un vicino invidioso, o un parente offeso da ragioni d'interesse: forse lo stesso sagrestano che ancora pretendeva si pagassero alla parrocchia le decime, e le otteneva dai paesani superstiziosi. E lei era donna di coscienza; ma la sua roba non la buttava via così, per leggerezza o per paura.

Fatto sta che il nemico si era manifestato più volte, perseguitandola di nascosto, ma in modo tale che parecchie delle sue cattive azioni ella se le era legate alle dita.

Ed ecco che ella solleva la mano destra, chiude il pugno che sembra un nodo di vecchio ramo, e aprendone poi una dopo l'altra le dita comincia a contare.

Dapprima la persecuzione di quando si era fidanzata col ricco mercante di legname e carbone. Non lo amava: pensava però che col matrimonio, i figli, la vita agiata, l'amore sarebbe venuto. Qualcuno, il nemico, andò a riferire al mercante ch'ella aveva già una relazione col cugino, e il ricco matrimonio andò a monte.

È vero che tutti sapevano della sua relazione col cugino, e nessuno si meravigliò quando loro due si sposarono: le maldicenze cominciarono dopo, sempre per opera del nemico. Il cugino era un bel ragazzo, molto innamorato della moglie ma poco del lavoro. Marala cominciò quindi a maltrattarlo e a rinfacciargli che per colpa di lui non s'era sposata col ricco mercante: questi modi, invece di spingere il marito verso la zappa e il campo, lo spinsero all'osteria. Furono tristi anni. Ella però avrebbe sopportato cristianamente la sua disgrazia, senza le mormorazioni della gente: brutte voci correvano sul conto suo; ch'ella bastonava il marito, che lo tradiva, che lo minacciava di morte. E tutti parteggiavano per lui, che oltre il conforto dell'osteria aveva trovato quello di qualche facile donnina pietosa. Così a lei restavano il danno e la beffa.

Al ricordo di quei tempi Marala si ferma in mezzo alla strada, ancora assalita da un impeto di rabbia e di dolore.

– Era lui, era lui certamente che spargeva le calunnie sul conto mio: era lui che aizzava contro di me quel disgraziato del mio povero uomo, e ne ha causato la morte. Perché senza tutte le nostre discordie il mio povero uomo non avrebbe bevuto fino a morire di un colpo. Lui, lui.

– Lui – gridò, ancora esasperata dal ricordo. E l'eco nascosta nei macigni le diede ragione. – Lui.

Il nemico.

E qui ritorna alla memoria il mercante di legname e carbone. S'era sposato anche lui, ma ogni volta che se ne presentava l'occasione, passava, sul suo bel cavallino sardo da montagna, davanti alla casa di Marala. Voleva farle dispetto o voleva farle la corte? Tutte e due le cose assieme. E poiché la faccenda continuò anche dopo la disgrazia del marito, lei, che non intendeva di essere sbeffeggiata oltre, un giorno affrontò il suo antico pretendente e lo caricò di male parole.

Senza scomporsi, egli scese di cavallo e la pregò di riceverlo un momento dentro casa. Voleva parlarle. Aveva modi insinuanti, ed era ben vestito, con gli orecchini, due catene d'oro e la pistola guarnita d'argento.

Ella lo ricevette. Egli tornò altre volte, anche di notte. Che male c'era? Ella era libera e poteva ricevere in casa sua anche il frate che passava per la questua, come infatti lo riceveva.

Ma il nemico stava all'erta. E se per il frate non fiatava, per il mercante ricominciò a soffiare sul fuoco della calunnia. Ricominciarono le persecuzioni. Alla moglie del mercante, che s'era mangiata un cocomero di tre chili, vennero i dolori di ventre: e Marala si vide in casa il brigadiere dei carabinieri in persona, che la interrogò a lungo: la interrogò circa il veleno ch'ella doveva aver fornito al mercante per liquidare la moglie.

E per giunta il mercante non si fece più vedere. Chiusa nel suo campo intorno al quale aveva fatto mettere una siepe alta tre metri, Marala lavorava e piangeva. Pregava anche, ma arrivata alle parole del paternostro: «rimetti a noi i nostri debiti come noi li rimettiamo...» si fermava. Si fermò ancora: ancora sedette sul parapetto della strada, come oppressa dalla stanchezza di tanti anni di solitudine e di umiliazione. E sospirò. Meno male, da quel tempo il nemico l'aveva lasciata in pace. Lei però passava veloce sulle parole del paternostro, senza impegnarsi circa la remissione dei debiti altrui.

Una donna scendeva quasi di corsa la strada. Nel vedere e riconoscere Marala si fermò d'un botto e si fece il segno della croce.

– Non sono poi il diavolo – disse lei con la sua voce d'uomo.

– Marala! Voi, voi! Io scendevo per cercarvi. E il Signore mi vi manda incontro! Come non farsi il segno della croce? Marala, Marala, amore santo, ho bisogno di voi.

– Peccato che non sia un maschio: sarebbe il momento di prendervi, tanto sembrate innamorata.

La donna le si inginocchiò davanti, le mise la testa quasi fra le ginocchia. Ansava, e davvero pareva basisse d'amore.

– Marala, mio figlio, che è garzone nel caffè dei villeggianti, ha commesso una cattiva azione: ha rubato cento lire al padrone, e il padrone mi ha mandato a chiamare perché le rivuole entro oggi; altrimenti caccia il ragazzo in prigione. Ho pensato a voi, Marala. So che date denari a interessi...

Marala guardò su e giù per la strada, poi disse ad alta voce:

– Un corno, interessi! Aiuto qualche buon cristiano, quando capita l'occasione di fare del bene.

– Sì, lo sappiamo: siete una santa donna. Datemi le cento lire.

E poiché Marala la guardava quasi deridendola, l'altra riprese, sottovoce:

– Ve le renderò sabato, quando ritorna mio marito dalla foresta. Vi renderò cento venti lire.

– Non le ho – disse burbera la vecchia. – Venite più tardi a casa e vedremo.

La donna si volse verso il cestino della roba, con le mani giunte.

– Non è il cestino col Bambino Gesù – disse allora Marala, ridendo come una ragazza. – Ho già capito.

– Sì, Marala; datemi la vostra roba: la vendo io e poi vi rendo il cestino. Cento lire ci si ricavano di certo.

Marala aveva calcolato sulle ottanta lire: dignitosamente disse:

– Oh, se ne ricaveranno anche cento venti. Solo i polli valgono dodici scudi.

Sollevò con religione il fazzoletto che copriva la roba, e toccò con un dito i polli.

– Vedi, sono grassi, bianchi e teneri come bambini appena nati.

Così Marala si risparmiò la fatica di andare fino alla stazione dei villeggianti. Ma appena la donna scomparve in alto come divorata dal macigno mostruoso che si sporgeva alla svolta della strada, ella sentì distintamente una voce:

– Usuraia.

Si sporse a guardare. Giù nel torrente turchino della valle i pastori lavavano il gregge prima di tosarlo, e una donna coglieva i frutti di un ciliegio più rosso che verde. Sembrava il paradiso terrestre, e Marala si sollevò col cuore in pena. No, la cattiva voce non poteva venire di laggiù. Piuttosto dall'alto della strada, dai macigni che sembravano grandi diavoli con la barbaccia verde e le corna di rami secchi. Lassù stava nascosto lui, il nemico. L'aveva aspettata per anni, in diabolico agguato, e adesso avrebbe ricominciato la persecuzione.

Un senso di follia le ottenebrò la mente. Nascoste fra i macigni le parve di sentire a sogghignare le persone alle quali dava in segreto denari a forti interessi: ma queste, no, non potevano tradirla: erano persone dignitose che non confessavano di aver debiti.

Gridò infuriata, sfidando i macigni:

– Chi sei dunque, per Dio?

L'eco rispose:

– Io.

E lei sentì che era finalmente la sua coscienza a rivelarle il nome del suo vero nemico.

IL TESORO DEGLI ZINGARI

La notizia del tesoro ritrovato dagli zingari arrivò anche alla piccola Madlen, che da settimane giaceva malata nella prima tenda del loro accampamento; e non l'avrebbe distolta troppo dal suo soffrire senza i particolari misteriosi coi quali la sorella maggiore l'accompagnava.

– Pare sia stata la vecchia, a sognarselo. Sentiva come un rumore d'acqua, sotto la testa, mentre dormiva; e vedeva una grande luce. Allora hanno scavato, lei e il figlio, e hanno subito trovato un vuoto, perché pare che qui sotto esistano grotte profonde, dove si nascondevano i cristiani e vi seppellivano i loro morti. Il tesoro è, dicono, dentro un vaso di oro: non si sa di preciso in che consista, forse in monete, forse in diamanti. A guardarci dentro, nel vaso, viene un barbaglio che acceca. La vecchia piange e ride; pare divenuta matta, mentre quel barbone del figlio è più nero che mai: non parla con nessuno e non si allontana più dalla loro tenda.

– Essi sono i padroni – mormorò Madlen, volgendosi verso la parete di tela. Pareva infastidita; eppure da quel momento il pensiero del tesoro le alleggerì il mal di testa e il dolore alle reni che la stroncavano tutta. Il tesoro, infine, apparteneva a tutti; perché tutto, nella tribù, era della comunità. Dunque apparteneva anche a lei, e lei doveva rallegrarsene, o almeno interessarsene. Non che le premesse il valore delle cose contenute dal vaso: ma il mistero delle cose stesse, e quella luce che emanavano.

Che cosa sarà? Qualche cosa più fulgida degli zecchini, delle sterline, delle perle false e delle patacche rilucenti che brillano sui corsetti delle sue parenti e compagne: qualche cosa che non si può fissare, come il sole. Ma il sole lei era buona a fissarlo, quando stava bene, e dentro il vaso d'oro lei sola, forse, è capace di guardarci a lungo come dentro un pozzo senza fondo.

Prima che la vecchia e il figlio lo lascino vedere ci vorrà del tempo, però. Loro sono i capi della tribù: veramente il capo dovrebbe essere il figlio, ma è talmente attaccato e ligio alla madre, che la vera padrona di tutti è lei. Lei tiene la cassa della comunità, lei impartisce ordini, da lei dipende lo stare in un posto o nell'altro: lei presiede ai lavori degli zingari magnani e ramai; infine è lei che adocchia se c'è qualche cosa da *prendere* nei dintorni e comanda sia *presa*, o se la piglia lei senza far chiacchiere.

– Adesso possono anche far venire il dottore a visitarmi – pensava Madlen, rivoltandosi con dolore nel suo giaciglio. – Io sono stanca, stanca, stanca.

E più che stanca si sentiva infinitamente triste: il pensiero che la morte poteva dar fine al suo male non le passava neppure in mente: la sua mente, anzi, era piena di immagini di vita, e questo continuo impotente fantasticare accresceva la sua stanchezza.

Dall'apertura della tenda intravedeva l'officina primordiale dove gli zingari, coi calzoni di velluto nero e la camicia gialla o turchina, lavoravano il rame. I bei paiuoli dalle cupole splendenti, le teglie rotonde che luccicavano al sole, le padelle fuori d'oro e dentro di argento, le richiamavano continuamente al pensiero il misterioso vaso ritrovato dai capi della tribù.

Eccola lì, la vecchia, con le mani sui fianchi, alta e dura come una regina. Dall'ampia sottana rossa pieghettata si slancia la vita sottile circondata d'una cintura di perline: un fazzoletto verde e viola le stringe la testa serpentina, e dalle orecchie le scendono, coi lunghi pendenti, due treccioline bianche con due uncini in fondo. Anche il viso pare tinto con la terra gialla e il bistro; gli occhi dorati, il naso, le dita adunche, ricordano un qualche uccello da preda. Va di qua, va di là, osservando tutto, parla con la più giovane e bella delle zingare, quella che con gli occhi che sembrano finti, di cristallo nero, legge la sorte sulla palma della mano sinistra ai giovanotti che s'avvicinano all'accampamento; infine si ferma davanti alla siepe sopra gli orti intorno e forse osserva se c'è qualche cosa da prendere.

Madlen la segue con uno sguardo fra di ammirazione e di odio. Di lei ha una grande stima, mista a terrore, perché oltre il resto la sa brava a fare i sortilegi: ma dal giorno della notizia del tesoro sente anche di odiarla. Il tesoro appartiene a tutti, perché dunque non lo lascia vedere, almeno vedere, se non toccare? E perché non spende una delle monete ritrovate, per chiamare il medico?

– Io sono stanca, stanca, stanca – ripete fra sé Madlen; e

chiude gli occhi per sentire meglio la sua infinita stanchezza.

Le pareva che la sua pelle se ne andasse, attaccata agli stracci che la coprivano; che le ossa si disgiungessero, e si bucassero come quelle dei morti.

La notte, specialmente, era lunga e tormentosa; anche se i beveraggi di estratto di papavero e di lattuga, preparati dalla madre, la facevano sonnecchiare. Sogni terribili le finivano di succhiare il sangue.

E la mattina presto, quando il canto del gallo le faceva intravedere il rosseggiare dorato del cielo, e gli zingari si alzavano uno dopo l'altro, tutti, anche i più piccoli, e si sentivano tossire, ridere e starnutare, intorno ai fuochi che fuori le donne accendevano; e lei sola rimaneva nel suo giaciglio, straccio fra gli stracci, e la pelle d'orso che la copriva, puzzava e pesava come ancora grave del corpo della bestia, una tristezza senza conforto le invecchiava l'anima e il viso. In fondo però la speranza non l'abbandonava. Solo una mattina provò un primo senso di disperazione. Era il lunedì dopo Pasqua: svegliandosi dopo una notte più febbrile delle altre, ella sentì qualche cosa di insolito fuori nell'aria e nel recinto della tribù, e nel crepuscolo stesso della capanna dove i suoi parenti già si agitavano e qualcuno anche mangiava e beveva. La pelle d'orso le pareva più pesante del solito, più repugnante e paurosa, come fosse l'orso vivo; mentre la polvere sollevata dalla madre nel pulire il pavimento con uno straccio le ricordava quella delle strade nei caldi giorni di estate e di gioia.

D'un tratto si mise a piangere infantilmente. La madre, che era la sola a curarsi di lei, e non troppo, le fu sopra, spaurita. Da quando era malata, Madlen non aveva mai pianto: adesso i suoi stridi parevano quelli di un bambino appena nato, dolorosi e incoscienti e senza ragione.

– Che hai? Che hai? Ti senti male?

Madlen volse il visetto livido contro il guanciale, sotto la matassa intricata dei capelli oleosi, e parve vergognarsi del suo pianto. La madre la rivolse in su, la sollevò, le aggiustò il giaciglio: poi le fece bere un po' di caffè freddo con acquavite: e credette che la piccola avesse la febbre, perché toccava con ripugnanza la pelle d'orso e diceva:

– Levami questo, levami questo: ho paura.

– Di che hai paura, piccola stella? L'hai tenuta sempre addosso, e ti piaceva. Adesso avrai freddo.

– Non vedi che c'è l'orso? – strillò Madlen, con terrore, torcendosi tutta.

– Va bene, me la metterò io – disse la sorella maggiore, tirando giù dal lettuccio la pelle calda: e vi si sdraiò subito a pancia in aria come un gatto al sole.

La madre credeva che Madlen avesse la febbre forte; forse era al termine della sua malattia e doveva andarsene. Bisognava avvertire la vecchia.

Di solito era la vecchia, che curava i malati; nella sua tenda esisteva un piccolo reparto farmaceutico, e lei distribuiva continuamente il chinino agli zingari, e preparava unguenti contro le malattie della pelle: per questo aveva fama di fare stregonerie.

Fu chiamata presso Madlen: il solo suo entrare maestoso e luminoso nella capanna fece bene alla fanciulla. Le parve che il sole stesso, coi suoi zecchini scintillanti e il rosso il giallo il viola dei suoi raggi guardati ad occhi socchiusi, si affacciasse all'apertura del suo triste covo. E quando le dita sottili della vecchia, dure e rossastre come i pampini secchi, le toccarono il polso e le sollevarono le palpebre, rabbrividì tutta.

– Adesso le domando che mi faccia vedere il tesoro. Adesso le dico che è di tutti; che deve farlo vedere a tutti – pensava con audacia. Ma non osava neppure guardarla in viso ed anzi aveva paura che quella indovinasse i suoi pensieri.

Dopo aver bevuto un bicchierino d'acquavite offertole dalla madre della piccola malata, la vecchia andò sull'apertura della tenda e sputò fuori.

– La bimba non ha niente – disse, senza voltarsi. – Piuttosto dovreste metterla un po' fuori, al sole. Oggi è davvero una giornata di primavera.

Madlen fu rivestita dei suoi stracci e messa fuori, sulla pelle dell'orso stesa sull'erba, nell'angolo dell'accampamento dove il sole batteva più forte. Ella volle portare con sé una cosa che teneva nascosta sotto il guanciale, la sua unica proprietà, uno di quei piccoli specchietti che le donne tengono dentro le loro borsette, e che al tempo dei tempi, quando correva scalza con gli altri ragazzi, uno di questi aveva *preso* alla bella zingara che leggeva la sorte, e ceduto a lei per un soldo nuovo.

Ella teneva lo specchietto nascosto, per paura che la zingara glielo vedesse; ma aspettava il momento opportuno per trarlo fuori e servirsene per *giocare* col sole.

Il sole era lì, sopra di lei, caldo e buono; la copriva tutta, le penetrava attraverso i poveri vestiti che pur nella miseria conservavano i colori vivi che danno gioia agli occhi, le gonfiava le matasse dei capelli come le piume bagnate degli uccelli quando si asciugano in cima al ramo. Ed ella provava invero un senso di gioia e di sollievo come devono sentirlo gli uccelli dopo la bufera: la sua pelle si dilatava e il sole penetrandole fino alle ossa gliele ricomponeva e riallacciava.

Si stese supina e tentò come altre volte di fissarlo, il grande sole; ma gli occhi erano deboli: li chiuse e le parve che l'azzurro vivo del cielo le coprisse il viso come una stoffa di seta. E sotto questa meravigliosa coperta si addormentò.

Questa cura le giovò meglio che se avessero chiamato il più famoso dei dottori. Già al terzo giorno poté, sorretta dalla madre, fare qualche passo fino alla siepe dell'accampamento; vide gli orti giù tutti fioriti, le canne che rinascevano, i carciofi che parevano, sugli alti gambi argentei, grandi bocciuoli di rose. Un odore di giaggioli e di glicine portato dal venticello d'aprile dava l'idea, a Madlen, che una bella signora passasse dietro la siepe lasciando nell'aria il suo profumo. Era la signora primavera.

Allora pregò la madre di portare la pelle d'orso più in qua, verso la siepe: voleva veder da vicino gli uccellini che vi si posavano.

Uccelli, farfalle, calabroni, mosche, api, tutto un popolo laborioso nel suo ozio apparente, si agitava in mezzo alla siepe: un ragno, sospeso al suo invisibile filo, danzava per aria e pareva volasse. Venne anche, come una freccia, una giovane cornacchia con gli occhi azzurri e la coda come un ventaglio dalle stecche di ebano. Un'altra cornacchia la raggiunse, e tutte e due gridarono assieme volando in alto fino a sperdersi nel sole.

Madlen sentì voglia di piangere: ma di un pianto le cui lacrime avevano il sapore aspro e dolce delle goccie d'acquavite che la madre le concedeva nei grandi momenti.

Stesa sulla pelle il cui pelo e l'odore si confondevano con quelli dell'erba, pensava al tesoro della vecchia e al modo di poterlo vedere.

Oh, ci arriverà certo: fra un anno, fra dieci, quando anche lei avrà venti anni e leggerà la sorte sulla palma liscia dei bei ragazzi che vengono nell'accampamento per vedere le zingare belle, e sarà furba e forte anche lei, arriverà a vederlo, il tesoro. E poi è di tutti, è della comunità, e la vecchia dovrà bene tirarlo fuori.

– È di tutti, come il sole – mormora Madlen; e per farsi un'idea del misterioso splendore che sgorga dal vaso d'oro, trae lo specchietto rotondo e lo contrappone al sole. Lo specchietto brilla e vuole davvero follemente parere un piccolo sole. Madlen lo fissa, ma non è soddisfatta: altra luce è quella che splende dentro il vaso d'oro. Allora, dopo essersi divertita a *giocare* un po' col sole, agitando lo specchietto e facendone balzare il riverbero intorno sull'erba e la siepe, pensa che forse il tesoro si vedrà meglio nel sole stesso.

Si butta supina e poiché gli occhi non vogliono stare aperti si tira in su le palpebre con le dita: un grande barbaglio la investe tutta: le lagrime che le velano gli occhi lo accrescono: le pare di essere sotto una pioggia di perle, di monete, di gioielli e di stelle. E finalmente ha davvero l'impressione di quello che è il tesoro della comunità degli uomini tutti, la gioia di vivere.

VIALI DI ROMA

È triste eppure bello, in queste sere dell'estremo autunno, dopo una giornata di lavoro e di solitudine, andarsene soli lungo certi viali di Roma, ancora praticabili dai sognatori che non vogliono finire con le ossa stritolate da un'automobile.

Quello che io preferisco è il viale davanti al Policlinico. Ci si può camminare ad occhi chiusi, e il marciapiede di asfalto è così molle e soffice che il passo non vi risona.

Verso sera è quasi sempre e quasi del tutto deserto. Gli alberi già spogli disegnano i loro rami sul cielo pallido, e solo qualche foglia scura, secca e dentellata, dà l'idea di un qualche uccello addormentato.

Lo sfondo arioso, con vapori colorati, dà l'impressione che laggiù vi sia il mare.

E mentre a destra di chi cammina verso quello sfondo, le mura romane, coi loro ciuffi d'erba in cima, appaiono come i bastioni di una città della quale si sente il rumore sonoro di vita, di lavoro e di gioia, a sinistra, dietro le cancellate e le sagome delle palme, fra il biancheggiare dei viali e il profumo dell'erba che vince quello dei disinfettanti, i padiglioni con le vetrate illuminate, i balconi ancora chiari al crepuscolo, i portici che sembrano preludere all'ingresso di palazzi incantati, danno anch'essi l'illusione che là dentro tutto sia bello e felice.

Una festa si svolge, là dentro; le figure bianche di agili donne che corrono silenziose attraverso i viali, sono forse di giovani dame pronte per la danza, e corrono verso le sale illuminate per perdersi nel sogno del piacere.

Una festa è là dentro, sì: è la festa eterna del dolore umano.

Il sognatore che cammina rasente la cancellata trasalisce al pensiero: per distrarsi guarda verso il centro del viale, d'un tratto animato da gruppi di persone; e lo spettacolo interessa subito la sua ricerca di colore e di induzioni psicologiche.

In apparenza lo spettacolo non è allegro, ma è riposante, solenne, e si armonizza straordinariamente col luogo, l'ora, con la maestà stessa dello sfondo.

È infine un triplice funerale, eseguito con ordine, con calma, con silenzio.

Il primo è senza dubbio quello di un vecchio militare, perché sulla bara del carro funebre di terza classe sta ripiegata una bandiera, i cui vivi colori, rosso, bianco e verde, risaltano sul nero più che i colori smorti dei fiori delle corone.

Soldati in fila accompagnano il carro: sono giovani, dritti e seri, e paiono in marcia verso una battaglia; precedono i trombettieri, e le trombe risplendono come d'oro sul grigio della massa; non suonano, però, forse per non dare l'allarme a quelli che restano e sperano ancora di vincere la battaglia contro la morte: se ne vanno tutti silenziosi, certo pensando ciascuno ai casi suoi, contando i passi che li avvicinano all'ora della libertà: sono giovani, e la morte per loro non ha senso. E il vecchio soldato morto, in mezzo a loro, sotto i colori caldi della bandiera, aspetta forse lo squillo vivo delle trombe, per scuotersi dal suo sonno momentaneo ed entrare a suon di marcia nei campi dell'eternità.

Il secondo funerale è, a giudicarne dal veramente mesto corteo che lo segue, quello di una popolana.

Era vecchia? Era giovane? Non si sa. Sole donne, e qualche ragazzo, seguono il modesto carro senza corone; sopra la bara un fascio di crisantemi bianchi e gialli, di quelli che crescono negli smossi orti di Roma, dà una tenue nota di colore al quadro grigio che pare si muova nella nebbia.

Le donne sono tutte popolane, alcune giovani, col bel profilo di Minerva mortificato sinceramente da un improvviso dolore. Quando il corteo sarà sciolto anch'esse, come i soldati del primo funerale, torneranno a ridere e a dir male parole; per adesso dimostrano sul viso tutto quell'impeto di solidarietà col dolore altrui che è la caratteristica più generosa delle donne del popolo di Roma. Le anziane e le vecchie sembrano più indifferenti; più pronte a raccogliere contro il loro cuore, come fanno coi lembi dei loro poveri scialletti, il pensiero della morte. Esse accompagnano la morte, ma si sentono anche accompagnate da lei; e non se ne sgomentano. Sono tutte donne stanche di lavorare, di lottare contro le lunghe interminabili avversità della vita: si vede dal modo come camminano, strascinando i piedi logori, dal modo come pregano, con quella rassegnazione che viene dall'abitudine a tutte le tristezze quotidiane. E forse invidiano la donna morta, che ha finito la sua giornata faticosa, e se ne va tranquilla finalmente, non coi passi delle sue rosicchiate calzature, ma come una signora in carrozza, tirata dai cavalli i cui pennacchi sembrano i meravigliosi fiori neri del giardino della morte.

Il crepuscolo intanto si è addensato ma anche rischiarato per uno splendore lontano che viene dall'orizzonte tutto acceso di rosso.

Anche i fanali accanto agli alberi si accendono d'un tratto, come di volontà propria, e una luce fantastica dà colori violetti e gialli ai rami nudi, alle foglie secche e allo sfondo delle mura di là dal viale.

In quest'atmosfera quasi di allucinazione si svolge il terzo funerale: e pare di vederlo in una scena di teatro o su una pagina illustrata a colori di un libro di fiabe.

È il funerale di un bambino.

Adesso non c'è da sbagliarsi; il piccolo carro è tutto bianco, con lievi decorazioni dorate: sembra un cofano nuziale, e i cavalli bianchi, i necrofori in livrea bianca, le bambine del corteo vestite di bianco, i bambini tutti coi mazzolini di fiori bianchi in mano, le corone di rose bianche, tutto dà un senso quasi di gioia come al passare di un corteo di nozze.

La morte stessa si rischiara e prende i veli di sposa per accoglierti nei suoi regni, o bambino.

E i compagni e le compagne di scuola, che guidati dalle Suore grigie sembrano piccoli allegri pulcini in fila dietro le chioccie che li portano a razzolare nel prato, pensano a tutt'altro che a piangere. Qualcuno succhia di nascosto una caramella, qualche altro dà a tradimento uno spintone al compagno.

Le bambine osservano i particolari dei loro vestitini, pronte a ridere se una di loro ha sporgente un lembo del sottanino bianco o la scarpetta slacciata.

Sono un po' tutti anch'essi come i soldati che accompagnano il loro superiore ai bruni prati dove la stagione è sempre una, senza più mutamenti né pericoli: finito il funerale torneranno ai loro giochi; e col passare degli anni il piccolo compagno morto avrà su tutti loro, che lo hanno veduto svanire nel crepuscolo come una bianca nuvola portata via dai bianchi cavalli del vento, il vantaggio di restare bambino, felice di non crescere e di non conoscere il terrore della vita e il terrore della morte.

IL VIVO

Due anni or sono, di questi tempi, è stata la sora Maddalena a raccontarmi i suoi guai.

Lei e il marito vignaiuolo ci avevano affittato per l'estate la loro casupola. Casupola che se il sor Andrea vignaiuolo fosse disposto a cedermi, piglierei in cambio del mio villino di Roma. Come un castello costruito da un architetto e da operai nani, sorge, fabbricata di piccole pietre calcari cementate con la semplice terra, su un poggio che si dà l'aria di una cima di montagna; e se da una parte guarda arcigna sulla vigna ardente di sole, dall'altra stende la sua ombra mite fino a raggiungere le ombre di una tremula pioppaia che a loro volta si precipitano giù per la china erbosa e vanno a confondersi con quelle più basse e nascoste della brughiera.

Giù è il mare. E intorno al poggio, dal mare al mare, una fantasmagoria di altri poggi verdi, coi laghetti d'oro del grano quasi maturo, i gomiti azzurri dei fiumi, le mille migliaia di fiammelle delle ginestre in fiore.

I giovanetti pioppi scherzano fra di loro, e giù sull'erba è un barbaglio di ombre e di luci che pare destato dal soffio del mare. Ma che ne sa, la sora Maddalena, di questi incantesimi? Lacera e sporca e coi capelli pieni di ragnatele, ella conta i parecchi denari che io le ho dato, tanto per la sua casupola quanto per gl'incantesimi intorno; e dopo averli stretti bene in un fazzolettino se li caccia nel seno dalla parte del cuore.

– Così è, – disse sollevandosi sulla sua gobba, – il denaro è mio, la casa e la vigna e la pioppaia sono mie; eppure Andreino non è contento. Non che mi maltratti, ché allora si troverebbe il modo di fargli ritrovare la strada donde è venuto, ma non è contento no, non è contento.

E scuoteva la testa in su in giù, di qua di là, come dando ragione una volta a sé stessa un'altra al suo Andreino. Riprese:

– La sua idea è di andarsene in città. Là, dice, si aprirebbe una rivendita di vino. Si comincia col vendere il nostro a tre lire il litro, invece di darlo via per pochi centesimi, come adesso si fa; poi si compra altro vino appunto per pochi centesimi e lo si rivende caro: in breve si è ricchi sfondati. E va bene, dico io, non sono di parere contrario: ma qui chi si lascia? Lui non risponde, ma si fa scuro e storto in viso e va via sacramentando: perché la sua idea è di lasciare qui la moglie gobba, che non attirerebbe certo la gente nell'osteria, e di andarsene lui solo laggiù. Laggiù, – ella aggiunse stendendo la mano a indicare la strada che conduce alla città sconosciuta, – egli trova quante donne belle vuole, per metterle a vendere nell'osteria. E così si mangiano e si godono assieme la mia roba, mentre a me, qui, lavora e lavora, la gobba cresce allegramente.

Ella diceva queste cose senza agitarsi, anzi con un lieve accento d'ironia verso sé stessa: ma i suoi occhi piccoli rotondi e duri come due nocciuole erano pieni di lagrime. Io volevo dirle per consolarla che il destino suo era quello di tutte le ricche donne brutte che sposano i bei giovanotti poveri: manco a farlo apposta però in quel momento emersero su dalla pioppaia la testa pelata e il naso a zucca del piccolo sor Andrea.

Solo gli occhi del piccolo sor Andrea erano belli: grandi, glauchi, attoniti, ad ogni parola ch'egli pronunziava od ascoltava si animavano ed esprimevano i variabili sentimenti del suo cuore sensibile. Egli voleva bene alla moglie, a modo suo, e a sua volta mi confidò che solo gli dispiaceva di non aver figli da lei, nascessero pure gobbi.

– È una gran brava donna, silenziosa e tranquilla. Vede come tiene la casa in ordine? Ha mai veduto, signora, una casa più in ordine e più pulita di questa?

È vero, sor Andrea, la casettina è un modello di rifugio per gente che arriva dalla città ancora sotto l'incubo della lucidatura dei pavimenti, della pulizia dei tappeti e della baraonda degli oggetti inutili che risucchiano la nostra vita dandosi anche l'aria di essere necessari.

Specialmente le tre stanze in fila affittate a noi, che aperti gli usci ne formano una sola e tutte s'affacciano sulla ridente pioppaia, hanno pur esse qualche cosa di fantastico. Non c'è nulla e c'è tutto: e qui ci si parla da camera a camera come da cuore a cuore, e basta stendere la mano, senza muoversi e senza staccare gli occhi dal materno viso della natura, per trovare quello che pur materialmente ci è necessario per vivere.

Come la fata trasformata in gobbina per provare il cuore della gente, la sora Maddalena passa ogni tanto in queste stanzette e rimette a posto le cose che le nostre abitudini di disordine scompongono: ed è lei a renderci dolce il ritorno dalle escursioni col farci miracolosamente ritrovare la tavola apparecchiata e il cibo pronto. Peccato che la sua tristezza, sebbene sepolta, guasti l'aria intorno.

Un altro suo difetto era la ripugnanza per le cose superflue.

Un giorno che portai a casa un mazzo di ginestre, invano le domandai un vaso dove metterle. Anzi s'irritò.

– I fiori bisogna lasciarli stare sulla pianta. Non si vedono dalla finestra? Staccati servono solo per i morti.

«La mia povera moglie è morta – scrisse il sor Andrea lo scorso anno, quando si trattò di rinnovare l'affitto della casetta. – È morta il giorno di Pasqua, dopo che tutto l'inverno è stata a letto malata. Per fortuna è venuta ad assisterla una sua nipote, ch'era al servizio in città, e questa ragazza, educata e pratica, se lei crede, signora, potrà servirla. Sa anche leggere e scrivere». Questo lo credo, perché la lettera non è scritta coi soliti caratteri primordiali del sor Andrea; la notizia però non ci commuove; perché in quanto a leggere e scrivere è meglio non pensarci, lassù.

Ci si dovette pensare, invece, appena tornati lassù, perché la nuova padrona non faceva altro che leggere e scrivere.

– Da un mese ho sposato la nipote della povera Maddalena – ci annunziò il sor Andrea venuto giù alla stazione per incontrarci. – Che si poteva fare? Senza una donna in casa non si sta. Eppoi è una gran brava ragazza, bella anche, e sembra una signorina di città. Vedrà, signora, le piacerà.

– Come si chiama?

– Anche questo c'è di buono. Si chiama Maddalena; così non capita di sbagliare nome, se la chiamo ricordandomi la prima.

– Perché, diventerebbe gelosa? – domando io con cattiveria.

Ma il sor Andrea è proprio un buon uomo, e passandosi la mano sulla testa, come fanno le persone preoccupate, risponde pensieroso:

– Non è questo, non c'è pericolo; però tante volte capita che occorre una cosa e allora, ricordando che la povera Maddalena era sollecita, la si chiama come fosse ancora lì. Ma si capisce, questa qui è tanto giovane ancora.

Questa sora Maddalena seconda ci apparve, come una fata anche lei, al limite della pioppaia; una fata autentica, questa volta, vestita d'azzurro, bionda e rosea, incoronata di pettini e pettinini di celluloide. Non le mancava neppure la collana, dello stesso genere, e le gambe dritte parevano nude per il colore delle calze dei merciai ambulanti.

Teneva in mano un mazzo di fiori, fatto con arte, con lo sfondo di felci e il giallo della ginestra mescolato al cremisi della digitale porpurea; e me l'offrì piegando alquanto il ginocchio destro: così avevo veduto una signorina dell'aristocrazia offrire un mazzo di fiori a una principessa di sangue reale.

Mi fece buona impressione, non tanto per i fiori e l'inchino quanto per la speranza ch'ella sapesse anche stirare i vestiti come le cameriere fini: speranza che cadde senza più rialzarsi quando si entrò nella casetta. Disordine, polvere, sporcizia, fiori appassiti e dispense sgualcite di romanzi popolari, nonché foglietti della *Canzonetta d'amore* si facevano bella compagnia. E neppure una goccia d'acqua per lavarci, e il fuoco spento come nelle case di nessuno.

– Maddalena? Maddalena?

Maddalena si provava davanti allo specchio inclinabile del cassettone il cappellino ch'io m'ero levata; ed anzi trovò un altro specchietto per guardarsi di profilo e di dietro.

– Sor Andrea, – dissi allora al vignaiuolo rimasto di fuori, – per piacere non ha un po' d'acqua per lavarci le mani?

– Maddalena? Maddalena?

Anche lui chiamava, ma era come se davvero chiamasse l'altra: e dalla pioppaia rispondeva il fringuello lieto e melanconico assieme.

Così si tirò avanti alla meglio, industriandoci da noi.

Del resto il povero sor Andrea si faceva a pezzi per aiutarmi, visto e provato che rivolgersi alla giovine sposa era come supplicare una santa sull'altare. Bella e buona e sempre adorna come una santa di terracotta, Maddalena rispondeva invariabilmente: – Vengo, faccio, sì – ma non si muoveva dallo specchio o dalla tavola di cucina dove scriveva indirizzi su cartoline illustrate. Poi a volte spariva, e la si vedeva tornare dal fitto della pioppaia con gli occhi stralunati e in mano un fascicolo arrotolato del grande romanzo *La principessa cieca*.

Il sor Andrea era già stato a fare la spesa, aveva messo a cuocere la verdura e preparava il vino per la tavola. Lei si degnava di rifinire le faccende, ma con aria stanca e nauseata.

Doveva essere figlia bastarda di qualche grande signore.

Il marito non la sgridava mai: era triste però, come la prima sora Maddalena. Un giorno si tornò a confidare con me.

– Che vuole? Il torto è mio, di averla voluta sposare. È un uccellino di città, non di bosco, lei. E il suo desiderio è di tornare laggiù; – anche lui con la mano indicava la strada che conduce alle grandi città; – e credo mi abbia sposato solo perché le ho promesso che s'avrebbe ad aprire una rivendita di vino a Roma. Ma non ce la conduco, no. No, e no – affermò infine a sé stesso, con due energiche scosse del capo.

Eppure ce la dovette condurre; in novembre, quando i pioppi cessano di ridere e di scherzare e le foglie stanche di gioia si ammalano e muoiono. Anche lei tossiva, aveva sempre freddo e ricordava la pelliccia leggera e calda ch'ella si provava a insaputa della sua ultima padrona.

Il sor Andrea la portò da uno specialista, che gli consigliò di ricondurla su, dove c'è l'aria buona; ed egli pazientemente se la ricondusse a casa, finché un giorno di marzo la riportò ancora giù, accanto alla prima sora Maddalena, nel piccolo cimitero dove si sentiva già l'odore delle giunchiglie.

Siamo tornati ancora nella casetta. Il sor Andrea è venuto come sempre alla stazione e carica il bagaglio sul suo calesse. Sta bene, il sor Andrea; s'è ingrassato e ringiovanito, e i suoi occhi mi ricordano la pioppaia mutevole ridente.

– Vedrà come starà bene, quest'anno, signora. Vedrà, non dico altro.

Tutto infatti è ordinato e pulito, come il primo anno: e c'è un mazzo di fiori in mezzo alla tavola. Le brocche sono piene d'acqua fresca, il fuoco acceso.

– Comanda, signora?

È il sor Andrea che per ridere s'è messo il grembiulino bianco ricamato, ricordo della sua seconda moglie.

IL PASTORE DI ANATRE

Pino si recava di mala voglia dai contadini Bilsi, presso i quali lo inviava sua madre con queste precise istruzioni:

– I Bilsi hanno rimandato al Signore il loro unico figlio Polino, che tu conoscevi; e adesso cercano un ragazzino a giornata, per guardare le anatre: tu vai là e dici alla Marta Bilsi: mi manda mia madre, per l'affare delle anatre. Poi, a tutte le sue osservazioni, devi rispondere con rispetto, e dire sempre di sì. Hai capito? Va: prendi un pezzo di pane, e non farti vedere affamato.

E Pino andava, col pezzo di pane in mano, i calzoncini rimboccati fino alle ginocchia come dovesse guadare il fiume, e un nero pensiero negli occhi chiari. Perché la sera innanzi egli aveva sentito confabulare i suoi genitori; e la madre diceva sospirando:

– Dio volesse davvero, che gli si affezionassero fino a tenerlo con loro per figlio.

Ecco, sì, i suoi genitori lo mandavano dai Bilsi come i Bilsi avevano rimandato al Signore il loro Polino.

Trecento passi lungo l'argine bastarono a Pino per raggiungere la casa dei Bilsi. Volgendosi vedeva benissimo la sua: grande differenza però c'era, fra la sua e la casa dei Bilsi, quella nera e screpolata come la casa dei gufi, questa nuova e bianca con le persiane verdi, l'aia grande quanto un prato. Piante di girasoli alte come alberi, con tanti piccoli soli che si volgevano di qua e di là dondolandosi, circondavano il campo di zucche che la precedeva: e anche le zucche, tra le foglie già vizze, erano dorate come il fuoco. Tutto bello, tutto ricco; ma non ci si vedeva un bambino, e Pino guardava sempre verso la sua catapecchia, sembrandogli di vedere nel prato sotto l'argine i suoi numerosi fratellini mocciosi giocare e azzuffarsi, già immemori di lui come del comune amico Polino.

La madre di Polino, con un fazzoletto nero legato intorno alla testa in segno di lutto, lo accolse quasi con ostilità. Il dolore la rendeva cattiva; le faceva odiare tutti i bambini rimasti nel mondo, mentre il suo se n'era andato non si sa dove. Pino aveva sperato di ricevere almeno, per buona entrata, una fetta di polenta calda con un pezzetto di burro: invece gli fu messa in mano una lunga fronda di salice, e gli furono subito presentate le anatre.

– Le vedi? Sono dodici. Contale un po'. Sei buono a contare?

Egli non era certo di contarle senza sbagliarsi, ma ricordò le avvertenze della madre e rispose franco di sì.

– Allora le conduci qui nel prato sotto l'argine, verso il fiume: se hanno voglia di entrare in acqua lasciale entrare; purché non vadano lontano. A mezzogiorno ritorna su. Bada che ci siano tutte. Hai capito? Tutte.

I modi di lei erano così bruschi che a Pino veniva voglia di svignarsela senz'altro; ma ricordava il rimbombo di tamburo delle sue spalle quando il padre gli dava senza risparmio le busse; e per non risponder male alla donna inghiottiva la saliva come dopo aver bevuto la purga. Meno male che le anatre lo circondavano gracchiando, sempre più strette ed espansive. Era a chi più poteva metter su il becco verso le mani e il petto di lui; una gli si slanciò fin quasi al viso. Pareva volessero baciarlo. Oh, come già dimostrarono di volergli bene. Ma lui non si scomponeva; sapeva che era il suo pezzo di pane ad attirarle.

E andò via con loro: fuori sull'argine ebbe la tentazione di recarsi con loro verso casa: si avvide però che la padrona lo osservava e tirò dritto. Tirò dritto per modo di dire perché le anatre, perduta la speranza del pane, si allontanavano da lui e tendevano a sbandarsi. Ed era un gran da fare, correndo da una parte all'altra con la fronda su e giù, per riunirle; poiché sebbene paressero sciancate e stupide, esse camminavano rapide e con pretese d'indipendenza; solo una, che rimaneva in coda al branco, si metteva ogni tanto giù accucciata per terra perché era zoppa davvero.

Come Dio volle si andò giù dunque per l'argine, fino al prato in riva al fiume. Pino respirò, e le anatre gracchiarono di

gioia tendendo in alto i grandi becchi gialli e grigi che parevano nasi di cartone come quelli delle maschere grottesche. Si
sentiva il soffio dell'acqua corrente e l'odore dei gigli palustri:
ma la vera poesia che sollevava il cuore di Pino e i becchi delle
anatre scaturiva dal fatto che innumerevoli chiocciline coprivano di una crosta simile alla lebbra i cespugli della riva.

Era d'agosto e faceva caldo anche laggiù: le zanzare poi pareva nascessero dall'erba e senza riguardo s'introducevano nei
calzoni di Pino, punzecchiandogli anche il sedere. Abituato a
ben altre disavventure, adesso che le anatre stavano tutte attaccate ai cespugli e li succhiavano come mammelle, egli si abbandonava ai suoi ricordi. Gli sembra di essere ancora nel prato, di
là dall'argine, coi fratelli e i cugini: si bastonano a vicenda,
contendendosi un toporagno che è stato preso dalla trappola
combinata in comune. L'animaletto, con gli occhi lucenti e
aguzzi come punte di ago, si dibatte anche lui dentro la trappola di giunchi, piccola quanto un pugno: le bambine piangono e scappano, perché hanno paura di tanto mostro, e in casa
si sente la mamma questionare col nonno. Tutto è triste e mo-
vimentato laggiù: e in mezzo alla calma del prato ove le grosse
anatre di Maria Bilsi fanno strage di chiocciole, pure il cuore di
Pino è triste e agitato perché è rimasto laggiù.

Quando furono sazie, le anatre si riunirono e parvero far
consiglio: e Pino ne profittò per contarle. Una, due, tre; una,
due, tre; le contava a gruppi, ma non gli riusciva di raggiungere il numero di dodici: allora pensò di sciogliere il consiglio e
farle camminare. Un colpo di fronda, e le anatre si misero in fila: allora egli osservò che erano una diversa dall'altra, anche di
fisionomia, chi grigia, chi bruna, chi bianca, chi gialla; persino
la punta di colore turchino delle loro ali variava di tinta. Questo lo confortò; perché lo aiutava a distinguere se c'erano tutte.
E dopo averle lasciate un po' diguazzarsi nell'acqua bassa
di una pozza del greto le ricondusse non senza una certa soddisfazione a casa. Aveva indovinato anche l'ora, o meglio l'aveva

indovinata il suo stomaco, e Marta poteva dirsi contenta di lui. Ella però non poteva più essere contenta di nulla, in questo mondo, e lo accolse con la solita freddezza, come se dandogli da pascolare le anatre gli avesse concesso un favore.

Anche il desinare non corrispose alle speranze di Pino. Egli aveva pensato che i Bilsi, specialmente adesso che non avevano più a chi lasciare i loro campi, mangiassero polli e salame tutti i giorni: ed ecco, invece, non venne a tavola che la minestra di riso e fagioli con la quale lui aveva antica dimestichezza. Meno male che il lungo contadino Bilsi era di buon umore: cominciò a scherzare col ragazzo, stuzzicandolo ogni tanto con un bastoncino per farlo meglio ridere. Si fece raccontare da lui, a più riprese, com'era andata la storia del nonno, al quale alcuni burloni avevano attaccato sul dorso un cartellino con su scritto: «Fusto da vendere» (il nonno di Pino era il più famoso ubbriacone di tutti i dintorni); e ogni volta rideva da tenersi la pancia.

Pino lo guardava sorpreso. Era un padre, quello, il quale da appena dieci giorni aveva rimandato al Signore il suo unico figlio? E non sapeva, il piccolo pastore d'anatre, che il lungo contadino rideva e scherzava così per cercare di distrarre la moglie.

Ma anche il Bilsi cambiò d'umore quando ritornò al lavoro. S'era fatto accompagnare da Pino, poiché solo più tardi si dovevano ricondurre le anatre al pascolo, e gli ordinò di cavare certe erbacce rampicanti che si abbarbicavano ai pomidoro ancora carichi di frutti. Non era una fatica lieve, perché se le radici venivano via facilmente dal terreno umido, i viticci non intendevano di staccarsi dai fragili rami ai quali stavano tenacemente attorcigliati. Qualche pianta un po' tenera si sradicò quindi assieme col suo parassita: il contadino se ne accorse e sgridò il ragazzo chiamandolo persino «figlio di un cane». Sembrava davvero un altro, adesso, il Bilsi, con una faccia arrabbiata come d'uno ch'è stato mortalmente offeso e non può vendicarsi. Anche Pino era offeso e sdegnato. Erano modi, quelli, da trattare la gente? Neppure il padre quando gli dava le busse lo chiamava «figlio di un cane». È vero che parlando così avrebbe dato del cane a sé stesso; ma Pino a questo non ci pensava, anche perché s'era tagliato un piede con un pezzo di vetro e il sangue che ne veniva fuori, più rosso dei pomidoro intorno, gli destava un senso di terrore. Per fortuna la madre gli aveva dato un fazzoletto, che egli s'era proposto di tener pulito. Con grandi sospiri lo trasse e lo spiegò: con grandi sospiri si legò il piede: e non dimenticò mai l'amarezza che provò quando il Bilsi, senza alcun senso di pietà, pur vedendolo così gravemente ferito, gli gridò di riprendere il lavoro.

Le giornate di agosto non sono poi tanto lunghe: ma per Pino quella fu la giornata più lunga dell'anno.

Verso il tramonto egli conosceva già una per una le dodici anatre, il modo di ciascuna di camminare, di guardare, di starnazzare: e le odiava dalla prima all'ultima. Quando era sicuro di non esser veduto le maltrattava, battendole con la fronda o buttando loro manciate di terra. Prese la zoppa e la scaraventò nell'acqua, e rise nel vederla dibattersi come un nuotatore al quale è venuto il crampo ai piedi. Sentiva di essere diventato pure lui cattivo. Oh bella, e gli altri non lo erano con lui, cominciando dai genitori? E non pensava che, dopo tutto, per lui forse era meglio che i Bilsi lo trattassero così, da povero servetto: non pensava né questo né altro, intontito dalla solitudine e un po' anche dalla fame. Nulla gli avevano dato, dopo la minestra del mezzogiorno; e giù nello sterpeto fra l'argine e il fiume dove lo costringevano a restare per via delle chioccioline, altro non c'era che le chioccioline.

Si nutriva di sola speranza. Al ritorno, certo, Marta Bilsi avrà fatto già la polenta, e gliene darà una bella fetta calda. Egli rinunzia anche al burro; ci rinunzia perché non ci spera: come avviene per lo più in tutti i comuni casi di rinunzia.

Al ritorno dovette rinunziare anche alla fetta di polenta. Marta Bilsi non aveva acceso ancora il fuoco, e pareva non ne avesse neppure l'intenzione. Seduta sulla soglia, assieme con una vecchietta che filava, raccontava come s'era ammalato, come era morto e come era stato sepolto il suo Polino. Dal suo accento e dalla cadenza della sua voce s'indovinava ch'ella aveva raccontato questa storia almeno centocinquanta volte. La sapeva a memoria e la recitava come una canzone o come una preghiera. Di tutto il resto non le importava nulla. E così, quando Pino, mentre le anatre navigavano unite nell'immensità dell'aia come una flotta in mare, le si piantò davanti e la guardò coi suoi grandi occhi di gatto affamato, ella lo fissò trasognata e gli disse:

– Allora puoi andare, allora.

Ed egli se ne andò, con la testa e lo stomaco vuoti. Per distrazione s'era portato via la fronda, e camminando lungo l'argine gli pareva di aver ancora davanti le anatre che tentavano di sbandarsi: egli agitava la fronda, qua e là, tagliando il silenzio del rosso crepuscolo.

Ma il digiuno aguzza le idee: e così egli d'improvviso ne ebbe una, che gli sollevò finalmente il cuore.

– Se dico che sono stato trattato male mi piglio anche qualche ceffone dalla mamma – pensò. – Ecco che lei grida: per colpa tua, perché non sai fare. Dice sempre così, lei. Invece io…

Si mise a correre. Oh, ecco il buon odore di casa sua! Odore di letame, di bambini sporchi, di erba falciata, di latte lasciato andare sul fuoco. Odore di gente viva. La mamma ha già fatto la polenta: già l'ha versata sull'asse; e la luna piena che s'affaccia alla finestra spalancata nella sera verdolina è meno bella di quel mezzo globo dorato fumante.

– Be', Pinetto, com'è andata?

Egli si piantò davanti alla mamma come davanti a Marta Bilsi: i suoi occhi però adesso luccicavano, al riflesso della luna, come quelli del gatto che ha preso il sorcio.

– Ma bene, è andata. Forse i Bilsi mi prendono per figlio – disse con noncuranza imitata alla perfezione.

E la prima fetta di polenta fu per lui, con un pezzo di burro che vi si scioglieva sopra come una nuvoletta sul cielo dorato del mattino.

IL FIGLIO DEL TORO

Il toro aveva due anni e mezzo, e doveva essere venduto perché, come a tutti quelli della sua razza, già la forza virile gli scoppiava in ferocia. Alto, ossuto, pareva scolpito a colpi di scure nel legno di qualche favoloso tronco di sandalo, e che sotto la pelle lucente gli scorresse fuoco: anche gli occhi erano velati di sangue e la coda si agitava come una cometa di malaugurio.

Solo il bifolco della masseria e la giovane moglie di lui lo potevano avvicinare: la donna spiegava questa lusinghiera preferenza col dire che lo aveva curato lei, di una indisposizione, facendogli bere caffè caldo amaro; il padrone galante replicava però che lei era tanto bella da affascinare anche i tori andati in ferocia.

Per ordine del padrone, il bifolco partì dunque un giorno, per condurre il toro nella stalla di un mercante di bestie da macello. Ed era triste, l'uomo, perché voleva bene al grande animale che lo seguiva docile come un cane al guinzaglio. Per non spaventare le donne e i bambini, percorrevano di buon passo le strade meno frequentate; ma quando in una di queste, che pareva una gola di montagna, tanto era incassata fra due siepi scure alte e fitte, con gli sfondi lontani azzurrini, apparve un piccolo tabernacolo ricoperto d'edera, l'uomo vi si fermò davanti, facendosi il segno della croce, e parve incantarsi come un bambino a guardare attraverso le sbarre del cancello. Vi si vedeva solo un piccolo altare e, sopra, sulla parete verdastra ed umida, tra fiori di carta che parevano strane farfalle morte, un quadro sbiadito dove un avanzo di San Cristoforo dava da mangiare ad un avanzo di cervo; eppure il bifolco aveva l'impressione di trovarsi davanti ad un bosco incantato, con le fontanelle d'oro dei lumicini accesi ai piedi dell'altare: poiché i migliori ricordi della sua vita svolazzavano là dentro come gli uccelli fra la siepe sovrastante.

Là era venuto la prima volta, bambino, con la nonna che lungo la strada gl'insegnava le preghiere in versi, dolci come *ninne nanne*; là aveva assistito lui la messa in suffragio del padre morto, là davanti aveva avuto il primo convegno d'amore con la moglie. Questa moglie era allora la più bella ragazza della contrada, e aveva preferito lui a tutti gli spasimanti che la corteggiavano nell'osteria campestre tenuta dal padre, dove i grossi mercanti di saggina e di frumentone venivano apposta per vedere lei, e vi sostavano bevendo fino ad ubbriacarsi in omaggio alla sua graziosa bellezza.

Ella aveva preferito a tutti il semplice bifolco della masseria accanto, brutto e anziano; e lui non se ne meravigliava. Sapeva di possedere una forza miracolosa che lo faceva amare anche dai malvagi e dai cani di guardia: quella di voler bene a tutti.

Ed ecco, mentre egli sta incantato a guardare il suo San Cristoforo mutilato dal tempo, ed a chiacchierare con lui delle cose passate, il toro dà uno scossone alla catena e muggisce annoiato.

– Sì, è tempo di andare: e tu, piccolone, non sai dove vai.

Si rimise a camminare: ma un profondo peso dietro di lui lo fermò subito. Era l'animale che non voleva più muoversi: solo scuoteva la testa, come cercando di liberarsi dal collare che lo infastidiva. Un po' di bava gli colava dalla bocca dirignante.

L'uomo lo guardò negli occhi e non tentò di trascinarlo oltre. Quegli occhi spaventati gli dicevano che la bestia si sentiva male.

Fu un male che si manifestò subito con violenza. Il toro muggì, con un lamento cupo che risonò nel grande silenzio del tramonto come il ruggito del leone nel deserto; poi vomitò; infine si piegò sulle zampe anteriori e parve inginocchiarsi davanti alla cappella.

L'uomo non si spaurì. – È una colica – pensava. La pietà per la bestia, e la sua impotenza ad aiutarla, cominciarono a turbarlo quando il toro invece di risollevarsi si abbatté del tutto e giacque pesante come morto.

Per fortuna passò in quel momento un ragazzo in bicicletta, diretto verso il paese dove risiedeva il veterinario.

– Se tu mi fai venir subito il veterinario ti regalo due scudi – gli gridò il bifolco, senza permettergli di fermarsi: e il ragazzo corse via come una lepre.

Ma le ore passavano e nessuno arrivava. Dopo il tramonto pallido scendeva una sera fresca e scura: in quel mistero, nel cerchio di funebre chiarore che usciva dalla cappella, col grande animale che ogni tanto si sollevava per muggire come invocando aiuto e poi ricadeva contorcendosi, il bifolco credeva di aver la febbre o di essere sotto l'opera di un cattivo incantesimo. Guardava di qua, guardava di là, verso gli sfondi della strada, e gli occhi nebbiosi dell'orizzonte gli sembravano quelli del toro morente.

– San Cristoforo caro – disse infine, parlando verso il tabernacolo con accento di rancore – da *voi* questo non lo aspettavo.

Subito brillò un lume volante, ed un grande ventaglio di splendore violetto parve sollevare di terra l'uomo e il toro. Anche l'interno della cappella rifulse fantastico come quello di una grotta marina.

Era l'automobile del veterinario.

– Questa bestia è stata avvelenata – disse l'uomo della scienza, appena ebbe guardato la bava del toro.

– Da chi? E perché? – domandò il bifolco.

Ma il veterinario non era uomo di parole: tutt'al più rivolgeva qualche improperio alle bestie riottose che rifiutavano il medicamento. Questa però si mostrava docile: trangugiò la miscela che le fu versata per le fauci aperte, e si sottopose senza lamenti alle lavande posteriori.

Poi si alzò, col ventre gonfio, enorme, e quando cominciò a scaricarsi, davanti e di dietro, parve il monumento di una fontana mostruosa.

– Dio sia lodato, Dio sia lodato – mormorava il bifolco; e fra di sé pregava, ringraziando il Signore perché la bestia era salva.

Ma quando il pericolo fu scongiurato, l'eco della sua domanda da chi e perché era stato avvelenato il toro, gli risonò dentro con un muggito implorante, simile a quello della bestia straziata.

– Solo mia moglie poteva avvicinarsi alla mangiatoia – disse al veterinario, con un istinto di terrore.

Il veterinario disprezzava gli uomini, e soprattutto gli uomini semplici: quello lì, poi, lo irritava perché gli pareva un campione deteriorato della razza umana.

– E sarà stata tua moglie, per farti passare la notte fuori di casa – disse, ripulendo e rimettendo a posto i suoi strumenti. E neppure cercò di stendere sulle sue parole il velo pietoso dell'ironia.

Ritornato nell'ombra, il bifolco palpò il toro tutto umido e freddo, e si sentì umido e freddo anche lui.

– E va bene – esclamò. – E adesso dove andiamo?

Aveva in mente di tornare a casa e sorprendere la moglie infedele e ribalda; ma forse era già tardi e tutta la masseria avrebbe riso di lui vedendolo ritornare col toro in quello stato.

Andò dunque avanti, senza neppure salutare il suo San Cristoforo, che tuttavia, dal fondo del suo bosco notturno, lo seguiva col suo sguardo sbiadito. Andò avanti: la strada era molle di polvere e i passi suoi e quelli del toro vi destavano appena un fruscìo; per un grande tratto a lui parve però di trottare pesantemente, in un luogo aspro, roccioso: e aveva l'impressione di essere tutta una cosa con la bestia, destinati tutti e due a fermarsi nella stalla del macellaio per esservi massacrati.

La vita nella masseria continuò eguale, e della faccenda del toro non si sarebbe saputo niente senza la nota salata che il veterinario mandò al padrone. Il padrone pagò senza fare osservazioni; le coliche sono frequenti nel bestiame in viaggio, e quella del toro non doveva essere stata che una colica. Cominciava a crederlo anche il bifolco, quando la moglie gli annunziò che era incinta. Neppure questa sarebbe stata una cosa straordinaria, poiché la donna aveva già avuto un bambino, senza i fenomeni dolorosi che accompagnavano la gravidanza.

Il bifolco vedeva la moglie deperire e farsi brutta, piena di macchie livide in viso, col ventre sempre più gonfio come s'ella dovesse da un momento all'altro partorire. Infatti cominciò presto ad accusare forti dolori, e una notte si svegliò mugolando, con la bava alla bocca.

Il marito provò un senso di terrore e di pietà; gli pareva, nel dormiveglia, di trovarsi ancora davanti alla cappella campestre, col toro che domandava soccorso. Tutta la notte la donna spasimò, pronunziando nel delirio del patimento strane parole: supplicava il marito di ucciderla, e fissandolo con gli occhi spaventati e torbidi diceva:

– È giusto, è giusto: non intendi che è giusto?

Mezzo nudo, tremante di freddo e di angoscia, egli si stringeva al petto il bambino assonnato e piangente, e per soggezione e tenerezza di questo, non interrogava la donna; anzi aveva paura ch'ella parlasse troppo, e per confortarla e confortarsi diceva, anche lui come vaneggiando:

– Ce ne andremo, Cata, porta pazienza: per San Michele ce ne andremo.

Ella infatti spalancava gli occhi come un bambino malato al quale si promette un giocattolo nuovo; si assopiva un momento, poi ricominciava.

All'alba, quando le tacchine unirono i loro gridi esasperati a quelli di lei, venne la padrona vecchia. Al contrario del figlio, che dimostrava una grande preferenza per il bifolco e la moglie, e forse anche per la gelosia e il sospetto destati da questa preferenza, ella non amava troppo i suoi dipendenti: nascondeva però la sua antipatia, come del resto nascondeva ogni altro suo sentimento; e quando vide la donna accovacciata sul letto, con un viso di Medusa, le dita contratte dal dolore, non disse che poche parole:

– La creatura non è sola.

– Non ci mancherebbe che questo – mormorò allora il bifolco, amaro e disperato: poi per riguardo alla padrona e a sé stesso, aggiunse: – sia fatta la volontà di Dio.

Poiché le parole della vecchia massaia significavano che la donna doveva partorire due o forse anche tre gemelli.

– Non importa – diceva a sé stesso il bifolco, rassegnato e triste. – Saranno due, saranno tre, li alleveremo e insegneremo loro a lavorare. Basta andarsene. E tu, moglie, filerai dritta.

Oh, ella filava già dritta, tormentata giorno e notte dai suoi dolori terribili; una notte volle confessarsi, convinta che doveva morire.

La levatrice diceva ch'era finzione, o per lo meno suggestione.

– Tu devi aver sentito, forse anche in sogno, qualcuno urlare così e lo fai per vezzo. Siete tutte canaglia, voi donne incinte.

Ma quando nacque la creatura, anche lei si sentì presa in quel cerchio tragico di angoscia inumana, che stringeva la famiglia del bifolco.

Questi aspettava di fuori, con ansia dignitosa: aveva fatto preparare una grande cesta, nella previsione di un'abbondante raccolta di nascituri; quando sentì ch'era uno solo, si fece il segno della croce:

– Dio sia lodato.

E aspettò che gli presentassero il bambino. Ma la levatrice e la padrona vecchia, che aveva voluto assistere al parto, non si facevano vedere. Egli tentò di spingere l'uscio e sentì la levatrice confortare la moglie che piangeva.

– Dopo tutto è morto, e non lo diremo dal pulpito, che era così.

– Anche la Barbera, del resto, mia nipote Barbera, non ha fatto una bambina negra, perché fissava sempre il quadro con la Regina Taitù? Per fortuna è morta anche quella. Muoiono sempre, per fortuna.

Questa era la voce, accompagnata da sospiri di sollievo, della padrona vecchia.

Il bifolco allora entrò con violenza, e senza parlare scoprì il corpo del bambino: e quando vide quel viso rossastro camuso e peloso, con due piccole corna sulla fronte, gli parve che non il peccato degli altri, ma il dolore suo e quello del toro, in quella notte indimenticabile, avessero generato il mostro.

LO SPIRITO DENTRO LA CAPANNA

Spesso, durante le mie lunghe passeggiate estive, mi fermavo a riposare su un rialto dal quale si vedeva quasi tutta la pineta, fino al mare. In cima al rialto sorgeva una capanna di assi rinforzate e fermate da striscie di latta e da chiodi grossi come castagne: il tutto annerito come da un incendio. La capanna era sempre chiusa; anzi pareva non avesse neppure porta né finestra: e fu appunto per questo che attirò la mia attenzione. Le girai intorno infantilmente, sul breve ripiano erboso che la circondava, e riuscii a scoprire le connessure di due finestrini ai lati, e i cardini della porta quasi invisibile: tesi l'orecchio e mi sembrò di sentire nell'interno un lieve strido, o meglio come un vagito lamentoso di bambino appena nato.

Ma stringendo subito i freni alla fantasia guardai meglio intorno e mi accorsi che il gemito veniva dal ramo di un pino, stroncato dal vento, che lentamente finiva di staccarsi dalla pianta. E sedetti lì accanto, sull'orlo del ripiano erboso, pensando che del resto anche gli alberi hanno i loro drammi, e che quel ramo agonizzante, giovane ancora, ancora carico dei suoi frutti di rame cesellato, soffriva fino a trovare un suono quasi di voce umana per esalare il suo dolore.

La pineta era molto frequentata: per le vene dei suoi sentieri come nelle strade di un paese passava continuamente gente. Oltre le comitive in gita di piacere, coi relativi cestini e le macchine fotografiche, passavano donne con carretti a mano colmi di sterpi, operai che lavoravano alle bonifiche di là dalla pineta, e ragazzi, ragazzi, ragazzi. Questi anzi parevano una popolazione fissa del luogo, e certo ne conoscevano tutti i meandri. I loro stridi si confondevano con quelli delle cornacchie grigie, e il tonfo delle pigne e dei sassi che le facevano cadere risonava continuo e regolare.

Fu ad uno di questi ragazzi che domandai che ci stava a fare sull'altura in vista al mare la capanna nera e chiusa come un sepolcro di selvaggi.

– C'era il guardiano, una volta, adesso ci sono gli spiriti – gridò il ragazzo e corse via con una certa preoccupazione, come se io, con l'andare a riposarmi sull'orlo dell'altura, fossi già in relazione con gli abitanti della capanna.

Dico la verità, questi spiriti, che abitano facilmente in molti posti, anche nei palazzi delle città e persino nei grandi alberghi, non mi riescono antipatici: quelli della capanna, poi, li ringraziavo di tenermi il luogo libero e pulito per le mie soste. Mi spiegavo adesso perché i monelli della pineta non davano la scalata al rialto, e le comitive passavano al largo. Solo alcune colonie di formiche mi tenevano poco gradita compagnia; ma per allontanarle bastava buttare qualche pezzetto di pane che per il loro assalto diveniva subito nero come le more intorno. Un giorno però, mentre mi divertivo ad osservarle, vedo una donna con un mazzolino di fiori violetti, stretto stretto come usano farlo le contadine, salire l'altura e inginocchiarsi davanti alla porticina ermeticamente chiusa della capanna.

Lì comincia a farsi segni di croce, a battersi il petto col mazzolino, a pregare e sospirare. Aveva una figura strana alta e magrissima, un viso dorato di zingara e pure di zingara due treccioline che le scappavano dal fazzoletto nero, con le cocche del quale ogni tanto ella si asciugava gli occhi: provai quindi nuovamente l'impressione che la capanna racchiudesse la tomba di qualche selvaggio.

Il più strano fu, poi, che la donna, finiti i suoi sospiri e le sue preghiere, deposto il mazzolino davanti alla porta, venne a sedersi poco discosto da me, e tratto da una tasca di sotto la larga sottana un involtino, cominciò a far merenda. E mangiava con gusto, piano piano, rosicchiando golosamente, come fanno i bambini quando non hanno molta fame, la sua pagnottina imbottita di prosciutto: per il piacere del pasto si colorì in viso e divenne bella. Quando ebbe finito scosse le briciole dalla veste, fece un batuffolo della carta dalla quale aveva tolto la merenda e se lo ricacciò in tasca; poi si volse a me, fissandomi coi suoi vivi occhi azzurri, e disse nel dialetto del paese:

– Adesso ci vorrebbe un bel bicchiere di acqua.

Così senz'altro si fece conoscenza; e a me parve cosa gentile far sapere alla donna che poco distante dall'altura c'era una fontana.

Ella guardò subito verso il sentiero che conduceva alla fontana e il suo viso si rifece giallo e floscio: anche gli occhi ridenti si circondarono di rughe e parvero appassirsi come due fiori di genziana.

– Quante volte l'ho fatta, quella strada – disse, e nascose il viso sul braccio per togliersi alla vista del sentiero e del luogo intorno.

Io m'alzai e mi avvicinai a lei: sentivo odore di dramma.

– Che cosa è successo in questa capanna? E perché è chiusa? È vero che ci sono gli spiriti? E perché...

La donna si rianimò subito; fece un gesto, sollevando e scuotendo le mani, come per dirmi: troppe cose vuol sapere in una volta; ma poiché non domandava di meglio che di chiacchierare e sfogarsi, senza tanti preamboli cominciò:

– Qui, vede, ci ha lasciato la vita il mio povero marito. Sono poche parole, a dirle, queste; e sembrano niente, invece è una storia lunga che a raccontarla tutta ci vorrebbe un libro.

– Meglio, meglio, – l'incoraggio io, – raccontate pure.

– Allora le dirò proprio tutto. Forse la colpa è stata mia, ma l'ho scontata davvero come un debito. Dunque io a sedici anni avevo già marito: Giuliano, si chiamava, Giuliano il lungo, perché era alto come quel pino lì, e per distinguerlo dal cugino Giuliano il corto. Questo Giuliano il corto era un ragazzo non troppo alto ma bello, svelto e bruno come uno scoiattolo. Faceva molti mestieri, persino l'orologiaio, ed era incaricato della sorveglianza della pineta. Siccome però lui di notte non poteva lasciare il paese, a sua volta aveva nominato guardiano mio marito. Gli fece costrurre questa capanna, e gli fissò un mensile buono. Questo ci faceva comodo, perché Giuliano mio, il lungo, guadagnava poco. Ho dimenticato di dire che era stagnaio. Gira di qua, gira di là, ma le padelle di rame e i coperchi da stagnare erano pochi, e la gente usava già quelle brutte robe di ferro smaltato. Qualcuna anche di queste si bucava, ma non c'era da far nulla perché sul ferro lo stagno non attacca. E così Giuliano veniva ogni notte qui: d'estate ci venivo anch'io, ma, dico la verità, avevo paura. Specialmente nelle notti di luna mi sembrava di sentire i ladri a segare i pini e trascinarne i rami. Ecco, pensavo, adesso Giuliano si alza, prende il fucile e se quelli non la smettono, li uccide. E rattenevo il fiato per non svegliarlo: poiché non volevo che egli si dannasse l'anima per un pino abbattuto. Meno male che egli dormiva.

– Egli dormiva, – riprese la donna dopo un momento di silenzio durante il quale s'era di nuovo nascosta il viso sul braccio, – ma faceva brutti sogni, sospirava, s'agitava e parlava. Una notte si sollevò, anche, come uno spiritato: e diceva: sì, li sorprendo e li ammazzo tutti e due. Poi si svegliò e cominciò a stringermi. Tremava e batteva i denti come ci avesse la febbre. E finalmente mi disse che un male davvero ce l'aveva, e da molto tempo. Era geloso, ecco; geloso del cugino Giuliano; e credeva che questi venisse la notte a trovarmi. D'altra parte mi voleva così bene ed era tanto bonaccione che non aveva mai osato parlarmi dei suoi sospetti. Ebbene, dico io, allora verrò tutte le notti qui, e tu così sarai tranquillo. E per qualche tempo le cose andarono bene, ma col sopraggiungere del freddo lui stesso, il povero Giulianone, che sembrava guarito del suo male, mi pregò di restare a casa.

La mattina, però, lo vedevo tornare stravolto; girava qua e là per la stanza e pareva fiutasse le cose come un cane sospettoso. Brutto male la gelosia! Mi faceva pena, il povero Giuliano, ed io stessa gli consigliai di lasciar andare il suo mestiere notturno; egli però era puntiglioso anche con sé stesso e non mi diede retta.

Così tornò la bella stagione; e con la bella stagione il male della gelosia crebbe nel cuore di mio marito. Egli non aveva pace neppure nelle notti in cui io venivo a dormire qui con lui nella capanna. Io gli dicevo: sono le streghe della pineta, che ti hanno fatto qualche brutto incantesimo. E lui ci credeva; e pregava Dio come un bambino perché lo liberasse dalla fattura. Una notte, poi, avvenne una cosa terribile. Era una notte di luglio, con la luna grande, ma faceva tanto caldo che a star dentro la capanna si soffocava. Io avevo una gran sete e chiesi a Giuliano, che già s'era coricato, se potevo andare a bere alla fontana:

lui non rispose, non dimostrò alcun sospetto. Io vado, dunque: ci si vedeva come di giorno. E la disgrazia non mi fa incontrare alla fontana proprio Giuliano, il corto, il cugino di mio marito? Che male c'era in questo incontro? Lui, Giuliano il cugino, era il vero sorvegliante della pineta, e aveva il diritto e il dovere di venirci sempre che voleva. Ad ogni modo io lo scongiurai di andarsene: di andarsene subito. Avevamo finito appena di scambiare qualche parola quando un'ombra grande e nera apparve sotto i pini: io vedo ancora brillare come un occhio di fuoco, sento ancora un rimbombo come se mi spaccassero la testa con una scure, e vedo il piccolo Giuliano cadere lungo davanti a me con le braccia aperte come un ragazzo che corre stordito e inciampa e cade. Pazza di paura mi metto a correre ed a gridare:

– Hai ammazzato un cristiano: hai ammazzato il tuo fratello –. Perché sapevo bene ch'era stato lui, mio marito, a sparare. Era stato lui, sì; l'ombra nera sotto il pino era lui. Quando mi sentì gridare parve ritornare in sé: non mi disse una parola, e neppure rispose alle invettive che io, rassicurata per conto mio, gli rivolsi piangendo. – Che hai fatto, gli dicevo, sciagurato che altro non sei? Adesso non ti resta che trascinare il cadavere fino al mare e buttarvelo con un macigno legato al collo. Altrimenti andrai in galera, per tutta la tua vita, come andrai all'inferno nell'altra.

Egli taceva; anzi chinava la testa e trascinava il fucile per terra come non avesse più neppure la forza di reggerlo: tornati quassù io mi buttai a sedere in questo punto preciso e continuai a piangere e lamentarmi. L'hai fatta la bevuta, stanotte, dicevo a me stessa; va là che l'hai fatta buona la bevuta, stanotte.

Giuliano non apre bocca; rientra nella capanna, chiude la porta, ed io non faccio a tempo ad alzarmi che sento di nuovo il rimbombo di uno sparo.

Egli si era ucciso.

La donna tremava ancora, nel ricordare: io partecipavo alla sua pena, ma sentivo che la storia non era ancora finita. Ella infatti riprese:

– L'altro non era morto: neppure ferito. Nel sentire il rumore della fucilata, indovinando di che si trattava, s'era buttato per terra fingendo d'essere colpito. Ed io avevo contribuito a salvarlo con le mie grida. Due anni dopo ci siamo sposati: ed abbiamo avuto anche tre figli: ma il Signore, che tutto vede e sa, ci ha castigato. I figli sono morti; uno dopo l'altro sono morti, quando già cominciavano a parlare. E lui, Giuliano il piccolo, ha un'artrite alle gambe che non gli permette di muoversi. Lavora ancora da orologiaio: e fra tanti orologi che accomoda, che camminano, che egli guarda e smonta e avvicina all'orecchio, ogni tanto non fa che dirmi:

– Rosa, guarda che ora è.

Così la storia pare finita davvero: io però non mi contento:
– Rosa, – dico alla donna, chiamandola anch'io per nome come una vecchia conoscenza, – ditemi tutta la verità. La gelosia del vostro povero primo marito aveva ragione d'essere, non è vero?

Ella tornò un'ultima volta a nascondersi il viso sul braccio, senza rispondere. E nel religioso silenzio del tramonto, in mezzo ai pini che ardevano sul cielo rosso come grandi torcie festive, il gemito dell'albero stroncato pareva uscire dalla capanna; ed era forse davvero il lamento di uno spirito non ancora placato.

LA PRIMA CONFESSIONE

Di dover un giorno o l'altro rivelare i suoi peccati a un uomo di Dio, non importava gran che alla Gina di Ginon il pescatore d'acqua dolce: i suoi peccati erano noti da una riva all'altra del grande fiume paterno, e lei non si curava di nasconderli; ma che dovesse confessarli proprio a don Apollinari, il nuovo parroco del paese, questo Gina non poteva concepirlo.

Don Apollinari era l'unico essere al mondo capace di destare in lei quel senso fra di paura, di soggezione e di ammirazione, che la spingeva a nascondersi come una lucertola fra i cespugli quando egli, col suo libro in mano, passava lungo l'alto argine del fiume. La persona di lui, che senza l'abito nero sarebbe parsa trasparente, tanto era sottile e bianca, sembrava a Gina quella di San Luigi disceso e uscito dalla sua cappella campestre: a volte non gli mancava neppure un fiore in mano: e i capelli rossi, se don Apollinari camminava a testa nuda, fiammeggiavano confusi con le nuvole infocate del tramonto.

Tutti, in paese, dicevano che egli era un santo, venuto a convertire la popolazione che negli ultimi anni, dedita solo a far quattrini e a mangiare e bere, si era dimenticata di Dio e della chiesa.

E Gina lo credeva benissimo: ma a lei i santi piacevano dipinti come quelli dei tabernacoli solitari aperti a tutti nei crocicchi delle strade campestri; i santi vivi le facevano paura, e il pensiero d'incontrarne uno le dava le ali ai piedi quando era costretta ad avvicinarsi alla chiesa arcipretale del paese.

Ed ecco un giorno don Apollinari apparve come un fantasma nero in mezzo ai pioppi del bosco lungo il fiume. E cercava di lei, proprio di lei, Gina di Ginon il pescatore d'acqua dolce.

Il pescatore s'era edificato in riva al fiume un'abitazione quasi stabile, fatta di tronchi, di assi, di rami e di stuoie di giunco: oltre ad una camera coi suoi bravi lettucci c'era un'ampia tettoia con tavole e panche dove alla festa i buontemponi del paese venivano a banchettare; e dietro l'accampamento non mancava una specie di cortile dove il bravo Ginon allevava le anatre selvatiche e alcune oche grosse e tranquille come pecore.

La Gina, orfana di madre, faceva da massaia. In principio veniva solo di giorno a portare da mangiare al padre e badare alle oche quando egli era alla pesca: poi col sopraggiungere della bella stagione aveva abbandonato del tutto la casa della nonna, per fermarsi nello stabilimento paterno. E avrebbe seguito Ginon anche nella pesca, se fosse stato in lei; ma essendole questo proibito, trovava da pescare per conto suo, con una piccola rete da gioco.

Protesa su una barca legata alla riva, era riuscita, dopo lunga e paziente attesa, a prendere uno di quei pesciolini che si chiamano gatti ed hanno proprio i baffi, quando il parroco apparve. Le anatre e le oche lo circondavano, ed egli si volgeva di qua e di là come per benedirle e conversare con loro. Vederlo e buttarsi in fondo alla barca a pancia in giù, poiché in altro modo non poteva nascondersi, fu tutt'uno per la Gina.

– Egli se ne andrà bene – ella pensava, chiudendo forte gli occhi e rattenendo il respiro. – Sarà venuto a spasso e se ne andrà. Non poteva trovare un altro posto? Non poteva proprio?

Passarono alcuni secondi. Ella sentiva la barca dondolare come una culla, e nel silenzio le anatre gracchiare sommesse, sempre più sommesse, e infine tacere. Anche le anatre sapeva ammaliare, il prete, con le sue parole magiche.

– Forse se n'è già andato – ella pensava; ma sentiva ch'egli era lì ancora; poiché la presenza di lui spandeva un profumo misterioso attorno, come i pioppi che odorano di rosa.

D'improvviso la barca dondolò forte, a lungo, avvertendo Gina che qualche cosa di straordinario accadeva.

– Bambina, – disse una voce che pareva venire di sott'acqua, – alzati.

Ella si alzò, con gli occhi chiusi nascosti sul dorso della mano.

– Giù quella mano – disse la voce, adesso vicina ed intensa.

Gina lasciò cadere la mano; e di fra le palpebre che si aprivano e si chiudevano spaurite vide don Apollinari seduto sull'asse, come Gesù nella barca di San Pietro. Le mani e il viso di lui avevano il colore madreperlaceo dell'acqua corrente; degli occhi Gina non distingueva il colore perché non poteva fissarli coi suoi.

– Bambina, – egli disse, immobile come dipinto sullo sfondo arboreo della riva, – io sono venuto qui per cercarti. Tutte le altre pecorelle sono tornate all'ovile; anche tuo padre viene alla messa e s'è accostato alla santa comunione. Tu sola fuggi via ancora, tu sola vivi ancora con le bestioline del bosco e della riva. È tempo che anche tu ti ricordi di essere cristiana.

Ella prese coraggio, ella che contrastava a tu per tu coi peggiori ragazzacci del paese.

– È ben quello che volevo dire, sior prevosto; non sono una pecorella, io.

– Brava, brava – egli disse contento; – allora mettiti lì a sedere e discorriamo.

Ella si mise a sedere in faccia a lui; voleva dirgli: – Discorriamo pure, ma io a confessarmi non ci vengo, no –; la sua sfacciataggine però non arrivava a tanto; l'idea che egli in persona era venuto a cercare di lei la riempiva di orgoglio, e già anzi il pensiero di offrirgli qualche cosa, fosse pure un uovo d'anatra, come si usa coi buoni ospiti, germogliava in lei.

– Gina, – egli disse, con le bianche mani giunte e bassa la testa, quasi fosse lei la santa e lui il peccatore, – da molto tempo io ti conosco e ti seguo. Tu hai già dieci anni compiuti e ancora non sai né leggere né scrivere né, credo, dire il paternostro. Tu hai per compagni i peggiori ragazzi del paese, che ti insegnano le brutte cose, e imprechi e maledici anche tuo padre e quella poveraccia della tua vecchia nonna che non bada a te perché ha da combattere con troppe altre miserie. Per questo io sono venuto da te. Se tu vorrai, sarò io il tuo vero padre; vieni in chiesa, ascolta le parole che io rivolgo agli altri bambini: ti sentirai un'altra. Verrai? Me lo prometti?

– Sì, sì – rispose lei, riavutasi completamente. – E lei mi darà le immagini e le medagliette.

– Ti darò le immagini e le medagliette; ma tu, in cambio, alla notte ritornerai a dormire presso la tua nonna e non andrai più coi ragazzi: e se loro ti vengono appresso scansali. Del resto anche loro adesso vengono in chiesa, e spero diventeranno migliori.

– Diventeranno migliori – ammise Gina: – uno no, però, perché è figlio del diavolo.

– Quale sarebbe?

– Che, non lo conosce? – disse lei sorpresa. – È Nigron, quello che porta il carbone. Egli viene di là – ella aggiunse, additando la riva opposta del fiume dove il bosco si eleva come una muraglia nera. – Là c'è il diavolo che fa il carbone con le pietre, e Nigron viene a venderlo con la sua barca nera.

Il prete non conosceva questo Nigron, che apparteneva ad un'altra parrocchia, e che del resto si tratteneva poco sulla riva dopo aver venduto la sua merce al rivenditore di carbone del paese: le parole di Gina quindi lo interessarono.

– Perché questo Nigron non può diventare buono? E in che consiste la sua cattiveria?

– Egli ci ruba le anatre, e l'altro giorno mi ha bastonato; e dice che se io parlo dà fuoco alla nostra casa. A lei, sior prevosto, lo dico, però – ella mormorò in tono di confessione; poiché sapeva che il confessore non può riferire i segreti del penitente.

– Dimmi la verità, Gina: e tu hai fatto qualche dispetto al Nigron?

Ella chinò la testa: poi disse, piano:

– Lui aveva legato la barca ed era andato a cercare il rivenditore che ancora non veniva. Io allora sono scesa nella barca ed ho buttato l'acqua sul carbone.

– Con questo hai forse fatto il suo interesse; – disse sorridendo il prete; – ad ogni buon fine lui dunque ti ha bastonato e in cambio dell'acqua ti ha promesso il fuoco. Ma dimmi un'altra cosa: è vero che anche tu non rispetti molto la roba altrui?

Qui era il punto difficile. Gina sentì un intenso calore al viso e le parve che i suoi capelli divenissero rossi come quelli del prete: ma poiché non si trattava di confessione in chiesa, finì con l'ammettere che pure lei non rispettava troppo la roba altrui.

– Quando vedo dell'uva la prendo: *la me piass tant!* – esclamò, e fissò in viso il prete come per chiedergli: «E a lei l'uva non piace?». – Poi ho veduto delle pere grosse come la mia testa e ne ho prese due... Due sole, – confermò con l'indice e il medio tesi verso don Apollinari: e con un impeto di sincerità aggiunse: – e se mi capita piglio le altre.

– Tu le altre non le toccherai, – egli disse guardandola severo eppure sorridente: ma il sorriso gli morì sulle labbra, poiché Gina faceva una smorfia che significava: «E chi me lo impedisce?».

– Ho rubato pure una gallina, – ella riprese quasi vantandosi delle sue prodezze; – ma l'ho lasciata andar via per paura che il babbo mi bastonasse: poi anche una scarpa, al mio cugino Renzo; ma questo l'ho fatto per dispetto. La scarpa l'ho buttata in acqua. Poi…

Qui veniva il grosso: lei stessa lo capiva e si fermò spaurita. Egli l'incoraggiò:

– Poi? Di' su pure.

– Poi ho preso gli orecchini della nonna. Lei però crede li abbia presi Vica la gobba, quella che ruba dappertutto, e nessuno le dice niente perché se no porta sfortuna.

– Che ne hai fatto, di questi orecchini? – domandò con sorprendente dolcezza il prete.

Ella taceva, piegandosi sulla sponda della barca come per cercare qualche cosa nell'acqua che vi si sbatteva lieve.

– Non li avrai buttati nel fiume, quelli: di' su pure. Che ne hai fatto, Gina?

Era strana la voce del prete: rassomigliava a quella dei ragazzi quando con altri compagni s'incoraggiavano a fare assieme qualche birbonata. Ella sollevò la testa, senza sollevare la persona, e dopo una bestemmia disse:

– Mica li ho mangiati. Li ho nascosti.

– Dove li hai nascosti? In casa, o qui?

Ella si sollevò di scatto: pareva che tutta la sua personcina protestasse per la dabbenaggine del prete, che la riteneva così stupida da nascondere il furto in casa propria. E coi lunghi occhi di piccola tigre sorridenti di malizia crudele, confessò il più grosso dei suoi peccati.

– Li ho nascosti nella barca del Nigron.

Allora fu lui, il santo prete, ad arrossire di collera.

– Che hai fatto, Gina! – esclamò con un estremo sforzo di dolcezza. – E se vengono ritrovati nella barca il ragazzo passerà per essere un ladro.

– E non lo è? Lo è, sicuro.

– Come sei cattiva – diss'egli allora, passandosi disperato la mano sui capelli ardenti. E sentì che qui non c'era da procedere oltre con mezze misure. Si eresse anche lui sulla rigida persona e si rimise il cappello in testa. Anche la sua voce mutò: e tutto parve nero e minaccioso in lui.

– Sei tu, e non Nigron, la vera figlia del diavolo. E se continui così, egli, il diavolo, una sera verrà a prenderti e ti condurrà certamente alle foreste dell'inferno. Sicuro!

Questa bella promessa ebbe l'effetto desiderato. Gina impallidì e tornò a nascondersi gli occhi sul dorso della mano.

– Ti sai almeno fare ancora il segno della santa croce?

Ella si fece il segno della croce, ma con la mano sinistra: poi, atterrita dalla visione delle foreste dell'inferno, dove intorno ai cumuli di carboni ardenti migliaia di diavoletti simili al Nigron danzavano sogghignando, disse con una vocina di ranocchio:

– Verrò... verrò...

Voleva dire: verrò a confessarmi: e non pensava che la prima confessione l'aveva già fatta.

Un tempo frequentava la nostra casa un giovine pittore, nostro lontano parente: bravo ragazzo, allegro, sano, ricco di casa sua e quindi disinteressato.

Anche troppo, disinteressato. Aveva, per esempio, la mania di far regali. Ogni volta che veniva a trovarci portava fiori, libri, disegni, scatole di dolci. Una volta mi regalò un bel gatto soriano, un'altra un pacco di carta da lettere con tanto di stemma e di corona; prezioso dono del quale però non ho mai potuto approfittare per non andare incontro ad una accusa anche giudiziaria di abuso di titoli nobiliari.

Il peggio è che il nostro amico non voleva assolutamente essere contraccambiato, neppure con un modesto invito a pranzo; il che, a lungo andare, continuando egli nella sia pure inutile sua generosità, dava un certo fastidio. Si fu quindi quasi contenti quando egli partì per un viaggio di studio in Libia. Per qualche tempo non si seppe nulla di lui; finché un giorno mi vedo capitare in casa un giovine servo arabo, tutt'occhi e tutto denti, che ha da consegnarmi una lettera urgente.

È il nostro amico che scrive: è ritornato dal suo viaggio, col bruno servetto, con un cavallo berbero, con un leoncino, e non so quante casse di tappeti e oggetti orientali. Annunzia una sua prossima visita.

– Adesso! – penso io spaventata. – Adesso mi riempie la casa di oggetti caratteristici e belli, ma dei quali farei molto volentieri a meno.

Il mio spavento si mutò in terrore quando egli venne. Per la prima volta da che ci si conosceva, non portava nulla: solo mi annunziò che mi avrebbe più tardi regalato il leoncino.

– Prima lo lascio crescere, poiché ha bisogno di certe cure e di una educazione speciale, poi glielo porto. Vedrà come è interessante e diverso dal come ci si immagina sia un leone.

– Senta, – dissi io garbatamente, – perché non lo regala

meglio al Giardino Zoologico? Anche Sua Eccellenza il Presidente del Consiglio ha fatto così.

– Lasci andare. Lei parla in questo modo perché naturalmente ha paura che la bestia possa far del male. È un ridicolo malinteso attribuire qualità feroci al leone. Il leone è l'animale più timido che esista, ed anche generoso. Molti esempi ce lo provano. Inoltre è lui che ha paura dell'uomo e non lo assale mai se non per difendersi. Da giovane, come il mio, è poi anche veramente bello di aspetto, e grazioso nei suoi giochi innocenti. Mi permetta di portarglielo; vedrà, poi mi ringrazierà. Lei che ama le bestie, che si diverte a osservarle e descriverle, lei che ha tratto inspirazione anche da una vile e ingrata cornacchia, vedrà quante cose belle potrà scrivere quando avrà conosciuto il mio leoncino.

Parlava serio e convinto: convinta però non mi sentivo io, e quindi insistevo:

– Senta, la ringrazio molto; ma io non amo più le bestie: non mi interessano più. E poi non ho più neppure voglia di scrivere.

– Queste sono storie. Io il leone glielo porto. Quando meno pensa, lei se lo troverà in casa e non si pentirà di accettarlo. Per adesso non parliamone più.

E si parlò di altre cose. Egli raccontava del suo viaggio, dei suoi lavori, delle sue avventure, del servetto arabo; io l'ascoltavo con attenzione, ma non mi sentivo tranquilla; poiché tutti i suoi discorsi, ed anche il suo modo di esprimersi, un tempo limpido e lieto, adesso avevano una tinta di stramberia: quindi mi davano l'impressione che il sole d'Africa avesse non solo abbronzato la pelle ma anche sconvolto le belle qualità mentali del nostro amico; e la sua fissazione di portarmi in casa una belva feroce mi dava da pensare per sé stessa.

Quando dunque se ne fu andato dissi alla mia domestica:

– Bada che quel signore io non voglio riceverlo più. Se ritorna gli dirai che sono partita, ma che non sai per dove, né quando ritornerò. O trova tu la scusa migliore.

Non le spiegai il perché, per timore ch'ella più paurosa di me, mi scappasse di casa; ma il giorno dopo, con la scusa che i ladri cominciavano a visitare i nostri dintorni, feci mettere la catena di sicurezza alla porta, con l'avvertenza a tutti in famiglia di non aprire se non dopo essersi assicurati chi c'era di fuori.

Fortunatamente il pittore non si lasciava più vedere. Sapevo che aveva stretto una relazione intima, con una bella signora, e nello stesso tempo preparava una sua importante mostra di quadri e disegni; speravo quindi che fra tante sue occupazioni l'amicizia per noi sbiadisse o magari si cancellasse del tutto.

Un giorno però egli venne in persona a portare i biglietti d'invito per l'inaugurazione della mostra, e la domestica, fedele alla sua consegna, non lo lasciò entrare.

La sera stessa parecchie persone vennero a domandare notizie della mia salute. La mia salute era ottima, e non sapevo a che attribuire tanta premura in gente che credevo indifferente, quando la serva mi spiegò:

– Sa, poiché quel signore insisteva per sapere notizie di lei gli dissi che era gravemente malata.

– Facciamo gli scongiuri – dico io; ma realmente comincio a sentire un certo malessere quando so che la notizia si è rapidamente diffusa nella città e fuori. Arrivano lettere e telegrammi di amici e parenti; i fornitori domandano alla serva se è vero che il Papa mi ha mandato la sua speciale benedizione: persino la signora X, che ce l'ha con me a morte per la sola innocente ragione che al suo giovine figlio scrittore di novelle i giornali non concedono un adeguato compenso, persino lei s'impietosisce e domanda se c'è probabilità di salvarmi.

Di giorno in giorno la malattia si aggrava e si complica; e deve essere veramente eccezionale perché nessuno sa dirne il nome.

Poi il tempo e la primavera dissiparono il pericolo: lo strano fu che, dopo essere stata per venti giorni fra una vita e una morte immaginarie, io mi sentivo davvero come una convalescente, non felice però come lo sono di solito gli scampati a una penosa malattia. Tutto mi dava fastidio, specialmente lo squillo del campanello della porta. Non avevo più voglia e forza di lavorare: seduta davanti allo scrittoio mi incantavo a guardare il bianco ciliegio che dallo sfondo azzurro della finestra mi porgeva i mazzi dei suoi fiori delicati; e respingevo quest'omaggio, domandandomi cosa c'è dopo tutto di meraviglioso nel periodico ritornare della primavera. Passerà di nuovo la primavera, passeranno e torneranno le altre stagioni; tutto va e viene, tutto è vuoto ed inutile. Sta a vedere che divento nevrastenica pure io. Avrei bisogno di scuotermi, con qualche cosa d'insolito che mi facesse soprattutto ridere: non mi divertono più neppure gli acrobatismi del bel gatto soriano che scherza intorno a me, e penso piuttosto con rimpianto al leoncino rifiutato: la sua presenza regale, i suoi giochi pericolosi, lo scuotersi della sua criniera che deve ricordare il colore e l'agitarsi delle sabbie del deserto, sono certo più interessanti dei salti di un gatto da salotto.

Ed ecco un pomeriggio, sul tardi, mentre ero sola in casa e non sapevo se sdegnarmi o rallegrarmi coi bambini che giocavano nella strada e suonando ogni tanto il campanello della mia porta mi procuravano la scusa di non andare ad aprire neppure a qualche probabile visitatore, sento un'automobile che viene giù di corsa rombando e si ferma sotto le mie finestre.

I bambini urlano. Poi silenzio. Poi sento che il pizzicagnolo di fronte abbassa la saracinesca del suo negozio; poi il grido di spavento di una donna; infine lo squillo insistente e violento del mio campanello.

Una disgrazia è certamente accaduta; qualcuno è andato sotto l'automobile, e si suona alla mia porta in cerca di soccorso.

Corro dunque ad aprire, e la prima cosa che intravvedo sono i bambini che fuggono; poi molte persone affacciate con curiosità ed inquietudine alle finestre alte.

Davanti a me, fresco, sorridente, in gambali e spolverina, col berretto in mano, è l'amico pittore. In mezzo alla strada c'è l'automobile con dentro il leone.

A dire il vero il leone io l'avevo già intravveduto, nel mio stesso presentimento. Quindi non ricordo di essermi spaventata e neppure stupita. O forse il coraggio mi era cresciuto in tutto quel tempo di noia e di meditazioni sulla inutilità dei nostri vecchi sentimentalismi e pregiudizi: fatto sta che spalancai la porta, e mentre invitavo il giovine ad entrare, guardavo in alto, verso i miei esterrefatti vicini di casa, pensando quasi con allegria ai loro commenti sui personaggi e le visite che io ricevevo.

Il giovine però non si decideva ad entrare.

– Ho condotto io la macchina e non posso lasciarla sola, capirà, per quanto la gente non si avvicini.

Non era vero. Un operaio che passava in quel momento,

con la giacchetta sulla spalla e fumando la pipa, s'era fermato a guardare; non solo, ma con tanta tranquillità che si tolse la pipa di bocca per sputare.

Anche il leone, per dire il vero, non dimostrava la tradizionale ferocia; non si agitava neppure come quelli dei giardini zoologici. Era davvero un leone straordinario, con gli occhi fissi e imbambolati di agnello, e la giubba, di qua e di là della faccia schiacciata, chiara e ondulata come una parrucca bionda: era infine un leone imbalsamato.

Rimase freddo e buono anche quando io mi accostai alla sua gabbia di lusso e gli accarezzai la testa; allora le donne di servizio, i bambini, il lattaio e il pizzicagnolo, e persino un vecchio prete e una coppia distratta di innamorati si accumularono intorno all'automobile, e tutti si rise come davanti alla baracca ambulante delle marionette.

ACQUAFORTE

Eri venuta ospite nostra una notte d'inverno, e delle notti d'inverno avevi il nero splendore. Solo un latteo chiarore circondava la tua grande pupilla, e quando il giorno era limpido, piegando da un lato e dall'altro la testa, tu fissavi il cielo or con l'uno or con l'altro dei tuoi occhi, quasi per riattingervi e rinnovarvi la luce.

Il tuo grido era allora di gioia: un grido boschivo che ricordava la serenità ombrosa delle foreste sui monti, e pareva rispondere a un lontano grido di gioia da noi non sentito.

Ma quando il tempo era scuro il tuo gracchiare selvaggio accompagnava la corsa insensata delle nuvole, lottava con l'assalto feroce del vento, e pareva una protesta contro l'uomo che ti aveva preso dal nido e mutilato le ali e la coda, riducendoti come una barca senza remi e senza timone, per renderti meglio prigioniera degli uomini e impedirti di volare e di mischiarti, elemento fra gli elementi, al movimento eterno dell'universo.

Eppure eri amica degli uomini, e, forse per ragioni di natura, di quelli più elementari, più vicini a te. Quando gli operai barbari e sensuali ti chiamavano dalla strada, tu rispondevi a loro, con un'altra voce tua speciale, pietrosa e risonante, che pareva l'eco delle alte grotte dove la tua famiglia si rifugia nei giorni scuri e freddi.

Ed eri amica anche delle persone in apparenza semplici, che si divertivano ad osservare i tuoi molteplici movimenti d'istinto; istinto di lotta continua che pareva un giuoco, come del resto è il gioco degli uomini; e traendone materia di riso, di studio, di deduzioni ricercate fin nelle più profonde origini, non si accorgevano che, pure compassionandoti e ingozzandoti, ti trattavano crudelmente per il loro solo piacere.

Ma sopratutto eri amica di chi veramente ti amava perché eri piccola e distolta dalla tua sorte, o solo forse perché nella tua come nella sua pupilla ritrovava l'infinito mistero di Dio.

Illusione era forse anche questa amicizia: tu non sapevi con chi avevi da fare; non sapevi se io ero un uccello simile a

414

te, o un albero, o una roccia: certo, però, tu rispondevi al mio richiamo, e salivi sul mio braccio e sulla mia spalla come sui rami di un albero rivestiti di musco.

Non per affetto ci salivi, ma perché ti era grato il tepore della mia veste e della mia carne; e per rubare le forcine dai miei capelli e arrotare il tuo becco sul mio pettine.

Ti divertivi a tuo modo, ed io a modo mio. La levità dei tuoi arti feroci, la carezza del tuo becco uncinato che, più terribile di un doppio pugnale, può introdursi nella carne viva per strapparne meglio ad una ad una le fibre sanguinolenti, il contatto con le tue piume tiepide, mi davano l'impressione di essere, pure curva sull'umile lavoro domestico, un pino slanciato nell'immensità della bianca notte estiva.

Per queste illusioni, anch'io, e non per te stessa ti amavo.

E se avevi imparato a rispondermi, se mi venivi sempre appresso e la mia camera alle altre preferivi, era perché io ti davo da mangiare, ti difendevo dai pericoli, ti permettevo di nasconderti nell'armadio come nelle tue grotte natìe: ma io te ne ero egualmente grata, per questo avvicinamento materiale, illudendomi che esso potesse svolgersi in amicizia umana.

– Se tu un giorno te ne andrai, – pensavo, – tu tornerai certamente, non fosse altro per i vantaggi che io ti offro.

Così, dopo che tu avevi fatto il tuo bagno selvaggio, ti lasciavo il mio posto al sole, ti pettinavo col mio pettine.

E tu te ne mostravi grata; piegavi in avanti la testa e i tuoi occhi si riempivano di una luce che mi sembrava quasi di occhi umani. Era la tua voluttà animale che ti faceva far questo; io lo sapevo, eppure mi illudevo che fosse la gratitudine.

E se un estraneo entrava nella mia camera tu lo beccavi, gracchiando; così un cane fedele morde e abbaia se il padrone è minacciato. Perché facevi questo? Perché facevi questo anche contro il mite sarto dalle bianche mani insensibili, quando, inginocchiato sul tappeto come davanti ad una santa mi provava, senza toccare altro che la sua stoffa preziosa, il vestito di lusso?

Forse sentivi che anche lui, lui più di tutti, era un mio cattivo nemico.

O era un'illusione mia pure questa; ma io ti volevo bene appunto perché mi creavi queste illusioni.

Da te ho tratto argomento di poesia; da te che sei, dopo il corvo, l'uccello il più malvagio e sgraziato; la cornacchia nera: ma sei anche l'uccello che, dopo l'aquila, ama stare più alto di tutti; la cornacchia dei campanili.

I bambini hanno riso nel leggere la storiella della tua prima fuga, quando ancora senza coda e senza ali, ma già ingrata e irriducibile, fuggisti di casa, e invece di raggiungere il cielo sei finita in un sottoscala. Per te i grandi hanno pianto, leggendo la storia del servo che lungamente in segreto amò la padrona insensibile e interessata.

Anche ieri un uomo mi disse di aver passato la giornata più triste della sua vita confortandosi col leggere la storia del povero Fedele. Per questo ti volevo bene; perché producevi del bene.

Ed ora scrivo la tua terza ed ultima storia, non per gli altri, ma per me.

Io ti ho lasciato crescere le ali e la coda, per farti volare. Dicevo a me ed agli altri: è un delitto opporsi alla natura, fermarne il movimento universale, sia pure col tener prigioniera una cornacchia e proibirle di continuare la sua specie.

Ti facevo crescere le ali e la coda; e la natura mi aiutava nell'opera buona. Poiché era il tempo degli amori e della cova dei tuoi simili; tempo di autunno, quando gli uccelli carnivori e predatori, che per procreare sdegnano il molle nido sugli alberi, si raccolgono nei ripostigli rocciosi, in alto, o sulle cime più alte costrutte dagli uomini. Ti eri fatta bella; avevi perduto le prime piume; te le eri strappate tutte di dosso, e le nuove ti rinascevano meravigliose.

Dove tu passavi rimanevano i brandelli della tua prima veste mutilata; ed erano come ricordi di dolore e debolezza che tu buttavi via dietro di te. Le piume nuove riflettevano adesso, nere fino all'impossibile, i colori dell'iride.

Eri bella. O eri bello? Perché mai si è saputo se eri maschio o femmina. La testa era certamente di femmina, con le orecchie coperte da ciuffi di piume infinitamente piccole, e il resto da un casco di altre piume che a toccarle davano il senso della cosa più morbida dolce e voluttuosa che esista sulla terra.

Forse eri femmina, perché preferivi alle donne deboli e sentimentali che ti dimostravano amore, i giovani dominatori ai quali obbedivi e ti sottoponevi.

Ma il corpo, o l'apparenza del corpo, era di maschio: mentre prima sembravi un D'Artagnan volatile, speronato, con la sola penna della coda fuori del corto mantello come la punta obliqua della spada audace, adesso, con le ali nere armoniose ripiegate sulla coda perfetta, davi l'idea di un don Giovanni moderno che col suo inappuntabile frak si dispone a recarsi ad un ballo di corte.

Per questo ti si voleva bene: per la tua elegante e ambigua bellezza. Anche quelli che non vogliono bestie nella loro casa, poiché essi, per la loro civiltà che ha raggiunto il punto piramidale della perfetta coscienza, si sentono definitivamente fuori dello stato animale, anch'essi ti volevano bene.

Poiché la bellezza s'impone, come la più pura emanazione di Dio.

Bellezza e fortuna. E tu rappresentavi anche la fortuna, come il gatto nero, come il doppio frutto venuto dalla Persia, come tante altre cose rare: fantasie orientali che si diffusero nei popoli, come il chiarore del sole, fino all'estremo occidente, e rinnovano il mito della Terra promessa.

E c'era chi ti sopportava solo per questo. Ma infine c'era pure qualcuno che ti voleva bene solo perché amava chi ti amava.

Per lungo tempo si parlò di te, fra noi, come di un bambino alle sue prime prodezze, ed anche come oggetto di osservazioni profonde.

E vi furono dissensi famigliari per te; per l'acqua che sprizzava dalla catinella del tuo bagno; per il tuo intempestivo intervento sulla tavola apparecchiata, per i libri religiosi sul tavolino del credente che tu strappavi con furore pagano. Ma quando eri minacciata di castigo sapevi ben rifugiarti sulla mia spalla; e di lassù irridevi tutto e tutti come dalla cima del tuo campanile natìo.

Per tutte queste cose, e perché col metterti a dormire nel tuo rifugio notturno io salutavo il giorno passato in pace e in guerra, io ti volevo bene.

Per te, per difenderti dal tuo solo dichiarato nemico, altro ospite un tempo favorito, ho scacciato crudelmente di casa il bel gatto Tigrino.

E quando Tigrino è scomparso, probabilmente tramutatosi in lepre o coniglio sulla tavola dell'osteria accanto, ho sospirato oramai sicura della tua salvezza.

Perché tu già cominciavi a volare e ricercare la tua libertà all'aperto. Passavano le altre cornacchie, rompendo il silenzio dei primi freddi coi loro stridi d'amore.

E se il cielo era scuro e tu dovevi stare in casa ti agitavi come una piccola belva. Non potendo volare sugli alti pini, volavi sui letti e sugli scrittoi, facendo egualmente scempio dei libri e delle carte del credente, dello scienziato e dell'umanista.

Solo sulla tavola del poeta nulla trovavi; poiché, come te, il poeta non possiede che le sue ali ognora crescenti, e la forza, a lui stesso misteriosa, conferitagli da Dio.

E, come te, ha la penna per becco e il nero lucente del suo calamaio; e queste sole sue armi le tiene nascoste per evitare ogni pericoloso disordine.

Un ordine nuovo tu l'hai portato anche nel resto della casa: hai costretto la serva a chiudere gli usci, e, poiché volavi anche sui cassettoni, e vi rubavi gli oggetti preziosi, insegnasti a noi di nasconderli come si deve fare coi nostri sensi più cari.

Ma quando tutto pareva sistemato, tu sei volata via. Dal balcone ti ho veduto volare sull'albero più alto, donde mi salutasti col tuo grido di gioia: dall'albero sul tetto; e di là hai incrinato il chiaro cielo che si è aperto per raccoglierti.

Come la pupilla del moribondo sei scomparsa in alto e il cielo si è chiuso sopra di te.

Così, d'improvviso, hai abbandonato la casa comoda e tiepida, il cibo sicuro, l'amore degli uomini; così forse vola via dal carcere caldo e molle della carne e ritorna dove nulla esiste tranne il suo stesso sogno, l'anima nostra. Allora, Checcolina, piccola cornacchia cattiva, allora, posso dirti la verità, ho provato con te un senso di gioia e di liberazione: ti ho pure invidiato.

Ma quando sul cielo la sera si distese nera come una grande cornacchia morta inchiodatavi su ad ali aperte, ho pianto come un'amante ingiustamente abbandonata.

Sapevo di piangere non per te, e per la tua fuga, ma perché tu ti eri portata via un anno intero della mia vita, forse il migliore, con tutta la sua collana di giorni trascorsi in pace e in guerra: anno che non tornerà mai più. E non c'è morte che noi piangiamo come la morte di noi stessi.

STRADE SBAGLIATE

Perché in gà co... ricevere are la sua libertà
all'aperto. Passavano le altre comacchie, rompendo il silenzio
dei primi freddi coi loro stridi d'amore.
E se il cielo era sereno e tu dovevi stare in casa ti agitavi co-

Nell'ampio e ordinato gabinetto del celebre frenologo, davanti all'imperiale figura di lui sta seduta, tutta protesa verso lo scrittoio che li separa, una signora ancora giovane ed elegante, ma il
cui impeccabile *tailleur* col relativo gilè bianco, sembra preso in
prestito da una persona molto più grassa di lei: il cappellino rosso
contrasta con gli occhi azzurri spalancati e strabici, come la linea
dei denti luminosi e intatti col viso scavato e ombroso di peli.

In un canto è seduto, rigido e con le mani incrociate sulle ginocchia unite, pallido e consunto come un martire già morto, un
uomo di mezza età. È il marito della signora. Egli ha già ultimato
tutte le pratiche per l'"internamento" di lei, e aspetta che il Grande Dottore interroghi la malata e l'accolga nell'Istituto che ha un
fresco nome di Villa salutare e felice mentre la contadina che vi
porta le uova di giornata la chiama semplicemente *«la pazzeria»*.

– Dunque, cara signora, – dice con voce brusca e burlevole
il salvatore delle menti naufragate, – lei mi racconterà adesso,
con calma, com'è andata la cosa.

– Com'è andata? Devo cominciare da principio? Da quando
è cominciata la malattia? O prima ancora? Da quando ero bambina? Da dove devo cominciare, Albino? Da quando?

– Si rivolga a me, signora, non a suo marito.

– Ma è lui che deve dirmi...

– Ma chi è il medico qui? Io o suo marito? Dunque, stia
buona: risponda a me. Quando è cominciata la sua malattia?

– Sono dieci mesi circa, sì, dall'estate scorsa. Al mare. Mi
hanno condotto al mare, capisce, mentre dovevano condurmi in
montagna. Perché io sono nervosa, e sono nervosa perché tutte
le cose mi sono andate di traverso, nella vita. Già, sono figlia di
un padre vecchio: era un dottore, mio padre, medico condotto
in un paesetto sperduto di montagna: era un uomo intelligente,
ma la solitudine e il contatto con montanari rozzi e idioti lo esa-
speravano. Allora beveva. Ed ecco che sono nata io. Egli lo sapeva, che dovevo nascere disgraziata; perché mi ha fatto nascere? Lo dica lei il perché. Lei che sa delle leggi fatali dell'eredità.

– Lasci l'eredità, signora. Neppure i polli credono più, adesso, a queste famose leggi. E lasciamo in pace i morti. Mi parli di lei, e solo di lei.

– Di me? Ah, sì, di me. Da bambina, dunque, anch'io sentivo la melanconia d'esilio che tormentava mio padre, e le esaltazioni di lui dopo che aveva bevuto. Allora egli parlava del mondo lontano, delle città grandi, come di un paradiso conquistabile. Mia madre, ch'era del paese, scrollava la testa, e si rattristava. Ma era una debole anche lei: non sapeva opporsi alle sregolatezze del babbo e non sapeva sottrarmi all'influenza di lui. Così io facevo una vita quasi animalesca, sempre fra i dirupi, a guardare le lontananze ed a cantare, a cantare; ma un canto esasperato che era come il richiamo a cose impossibili. Sognavo niente meno di sposare un principe, venire nella grande città, ed essere sempre in festa, fra musiche, canti, danze, colori. Ma io l'annoio, dottore, io parlo male; ho la testa vuota e non so quello che dico. Io sono malata, molto malata, e lei deve compatirmi. E questo santo uomo di mio marito, Albino, le dirà…

– Continui lei, signora, prego. Lei parla benissimo. Continui.

– Ah, dunque, non ricordo più. Ho la testa come la volta di una cattedrale, grande, grande; e le parole vi rimbombano come il suono delle campane. Dunque; ah, sì; sognavo un principe: e invece mi domandò in matrimonio il veterinario. Era un bel giovane, alto, forte, che curava le bestie con affetto paterno: anche gli uccelli feriti, curava, anche i conigli e, mi ricordo, una volta, anche una tartaruga che noi si aveva nell'orto ed era caduta da un muraglione. Era buono, con due occhi che sembravano due margherite brune. Mi piaceva, adesso posso dirlo anche davanti a te, Albino; gli ho corrisposto in segreto; ma quando si trattò di sposarmi non ho voluto più saperne. Mi vergognavo di lui, della sua posizione, del mio e del suo amore. Poi sei venuto tu, Albino: ti ricordi, Albino?

– Parla col dottore – ammonisce rassegnatamente il martire.

– Mio marito è ingegnere ferroviario: era capitato lassù quando si costruiva la linea: ci si incontrò, e la sola possibilità di andar via con lui, e la speranza di un avvenire luminoso, me lo fecero apparire subito come un inviato da Dio.

– O dal diavolo, via! – brontola il martire, con un sorriso nero.

– No, Albino, no, – comincia a spasimare lei, tremando e

sussultando tutta come un'acqua ferma dentro la quale si buttano sassi, – non parlare così. Zitto, zitto! Zitti tutti! Non mi date contro, non mi perseguitate. Una corda, piuttosto, una corda per strangolarmi.

– Calma, signora, calma.

Passato alquanto l'accesso che non è stato forte perché il marito non vi si è opposto, ella riprende:

– Ah, dunque, che cosa dicevo? Ah la mia testa è un mulino a vento; le mie braccia sono le ali. Vede come girano? Eppoi i sogni, dottore mio, i sogni orribili, nei brevi momenti di sonno. Dormire sarebbe guarire, ma i sogni sono l'inferno. È il castigo: è giusto. Io mi sono sposata senz'amore, e non ho voluto figli. Volevo divertirmi, godere la vita: e l'ho goduta. Ho avuto le cose che sognavo, i vestiti, le feste, le musiche, le amicizie che mi hanno stravolto la mente. Quelle donne del palazzo dove si abitava... Mi pigliavano in giro, si beffavano di me... Ero vestita come una contadina... Ma io ho voluto vincere. Sono andata dai grandi sarti. Albino mio marito, qui presente, povero amore, povero cristiano, Albino mi ha comperato la pelliccia e le perle... Ma non ero contenta; mai contenta. Leggevo le cronache mondane e invidiavo le dame dell'aristocrazia: loro sole erano felici; e mentre si davano le grandi feste, le prime rappresentazioni, i concerti di lusso, io mi rodevo, a casa, costretta ai lavori domestici. Ma in fondo sentivo di essere stupida e ignorante. Allora ho cominciato a leggere, a leggere, di giorno e di notte, chilometri e chilometri di pagine, in una corsa pazza nel mondo dell'impossibile. Anche libri di scienze, leggevo: volevo sapere, volevo spiegarmi il mistero di questa nostra vita senza meta e senza scopo. E la lettura riempiva in qualche modo il vuoto che era non fuori ma dentro di me. Allora mi riprese l'antica passione. Pensavo sempre al mio primo fidanzato. Albino è buono, è santo, ma è la realtà fatta persona; quell'altro era il sogno, l'amore, la fanciullezza perduta. E ho voluto rivederlo. Lassù. Aveva moglie e figli. Era grasso e invecchiato, con gli occhiali sporchi. Non mi guardò neppure. Ritornai giù più disperata di prima: Albino, povera creatura, faceva di tutto per distrarmi: i suoi guadagni se ne andavano per me. Io avevo già il verme nel cervello: gli occhi mi si offuscavano. Dovetti smettere di leggere, e questo fu l'ultimo crollo. D'altronde neppure i libri m'interessano più. Tutto è vuoto d'intorno a me, tutto è vuoto d'intorno a me, tutto è vuoto…

– Abbiamo capito, signora – dice il grande dottore, strizzando gli occhi con una certa malizia. E d'improvviso si solleva, ancora più imponente, ed anche sulla sua testa ferina i grandi capelli d'argento pare si gonfino come le piume di un'aquila in collera. Eppure egli non è sdegnato: anzi sembra sul punto di ridere: forse ha trovato nella malata un soggetto speciale, e lo accoglie con gioia, come una fonte di nuovi studi. Volge l'orecchio verso di lei, per ascoltarne meglio la voce.

– Lei, signora, adesso risponderà semplicemente alle mie domande. Lei quali sintomi, oltre quelli da lei vagamente indicati, sente? Ha palpitazioni, senso di soffocamento, freddo alle estremità?

– Sì, sì – ella risponde con ansia. E maggiore è la sua ansia, maggiore è la soddisfazione di lui.

– Benissimo. Benissimo. Sente lei l'assenza assoluta di volontà a vincere la sua angoscia?

– Sì, sì… Ma mi spieghi lei, perché?…

– Le spiegherò dopo. Sente lei…

E dopo il lungo interrogatorio egli spiega alla donna ansiosa il mistero della sua malattia.

– Lei crede di essere pazza, e la sua pazzia consiste nel credersi tale. Lei è come uno che ha lasciato la strada dritta e sicura per inoltrarsi in un'altra che gli pareva più breve e piacevole. E invece si è smarrito; è in un labirinto boscoso e pietroso dal quale crede di non poter più uscire vivo. Cadono le tenebre e il terrore aumenta. L'uomo corre, cerca tutte le uscite, torna indietro, si aggira intorno a sé stesso, chiama aiuto, e il suono stesso della sua voce, gli sembra la minaccia di un nemico. S'egli si buttasse a terra e facesse una bella dormita, potrebbe, al ritornare della luce, rifare la strada percorsa e ritrovare la buona via. Invece no, corre ancora, nel buio, urla, si ferisce con le pietre e con le spine: crede di essere pazzo e lo è semplicemente perché si crede tale. Ma queste sono accademie. Lasciamole lì. È meglio che io adesso, cara signora, le faccia fare un bel bagno caldo, poi la metto a letto per venti giorni. Là ha tempo di ripensare ancora al suo bel veterinario il quale, poveraccio, in questo momento starà a salassare qualche cavallo.

MATTINO DI GIUGNO

Quando i primi rumori della città incrinano il silenzio ante-lucano e il cielo si apre bianco verdino come una fava fresca appena sbucciata, la madre di famiglia si sveglia; non del tutto però, poiché è sana ed ancora giovane, e il dormiveglia dell'al-ba la possiede con tutta la sua mollezza serpentina.

Ma mentre il corpo si abbandona ancora a questo tradi-mento, lo spirito già vigila e concede al suo compagno la breve sosta sul margine del sogno, come un interesse anticipato sul credito che quello sborserà durante la giornata: poi al momen-to opportuno lo scuote e lo fa balzare. La madre di famiglia si alza, e fa la sua breve ma non trascurata toeletta: è come una corazza ch'ella indossa, per non pensarci più ed essere subito pronta al combattimento quotidiano. Lasciato lo specchio ella non ricorda più le sue sembianze: solo gli oggetti intorno e le persone care hanno oramai sembianze e vita per lei.

La finestra è aperta, e il verde viso del giardino sorride, river-so, alla padrona che lo guarda un momento dall'alto per scrutare da lui, più che dal cielo, il colore del tempo. Se il giardino sorride e il primo sole dora le foglie della palma come quelle della dome-nica avanti Pasqua, vuol dire che la giornata è bella. Sia ringrazia-to dunque il Signore che ancora una volta manda sulla terra il do-no divino di una bella giornata. Questa è l'esultante preghiera che la donna madre di famiglia ricambia in regalo a Dio.

Poi comincia a rifare la sua camera. La sua camera è grande, piena d'aria e di luce, ma arredata ancora all'antica, con mobili a colonnine, il letto matrimoniale ricoperto da una campagnola coltre bianca. Da questo letto ella ha esiliato in un'altra camera il marito, non perché non si vogliano ancora bene, ma perché egli russa, e la madre di famiglia ha bisogno di riposare la notte.

Rimessa in ordine la sua camera, ella entra in quella atti-gua, per salutare il suo sposo (da poco sono state celebrate le loro nozze d'argento) che in mezzo al caos degli oggetti intor-no si fa la barba e risponde affettuosamente al saluto della sua compagna, a patto però ch'ella non metta neppure la punta di un dito nelle cose rimescolate e come fatte impazzire da lui.

Ella sa aspettare: i suoi occhi dicono agli oggetti:

– Pazienza, eh? Saprò farvi poi rinsavire e tornare a posto io.

C'è da fare altro, intanto; ed ella va a picchiare all'uscio dei figliuoli che devono andare a scuola, e poi a svegliare la sua bambina. Odore di latte, di capelli folti, di fiore di vita, è nella piccola camera dove la bambina dorme e alla scossa e al richiamo della madre si sprofonda col viso sul guanciale come chiedendo aiuto al sonno perché non se ne vada.

Il sonno la tiene ancora, ma la madre è più forte di lui e con le buone e con le cattive lo scaccia lontano. Allora la bambina torna d'un balzo alla gioia di vivere: rivolge il viso alla madre, e la madre ha l'impressione di vedere una rosa che sboccia sul cespo lucente. Ella non assiste alla toeletta della bambina, alla quale ha già insegnato a vestirsi, a pettinarsi, a curare il tesoro di perle vive dei suoi denti nuovi: ha molto da fare e non può indugiarsi in inutili tenerezze.

Ha molto da fare; specialmente in cucina. C'è la serva, ma questa serva sembra piuttosto un figurino di mode, con le calze di lusso e l'aria svogliata di una principessa che è stata al ballo. Ha lasciato andare il latte sul fuoco e spolvera i mobili e i pavimenti solo dalla parte visibile: eppure la padrona non le dice niente: possono mai i timidi uccelli parlare con gli spauracchi delle vigne e dire loro: levatevi di lì che ci vogliamo stare noi? La signora anzi cerca di evitare la "signorina" come un astro intelligente che gira al largo da un pianeta pericoloso.

E poi ha tanto da fare in cucina: prepara la tavola dove il marito e i figliuoli fanno colazione in piedi, pronti a volarsene via dal nido domestico: il buon pane quotidiano è già lì, e le bianche tazze vuote aspettano la gioia di essere riempite. La madre di famiglia beve solo una mezza tazza di latte, senz'altro, e pare lo faccia per dovere, come si trangugia una medicina, buona ma sempre medicina. E poi ha tanto da fare: ha da rimettere in ordine le cose ribaltate dalla serva, e cominciare il rito, davanti al fuoco violetto del gas, dei pasti domestici.

Si comincia dal caffè: il caffè, amico dell'uomo, suo sostegno e lieto consigliere finché l'uomo non ne abusa come fa con certi amici troppo buoni. La cuccuma balla sulla fiamma; le dita bianche e quasi infantili della signora stringono il cucchiaino come un fiore d'argento, e tutta la persona di lei è protesa sul nero abisso dal quale esala un aroma d'oriente che vorrebbe ubbriacare l'attenzione di lei. Ma non si lascia illudere; e quando il caffè tenta di salire fino ad evadere dalla cuccuma, ella lo ricaccia dentro col cucchiaino, rimescolandolo fino a placarlo, pronta anche a sollevare il recipiente col pericolo di scottarsi.

Tutte le faccende vanno fatte così, fuori e dentro di noi: ella lo sa, e forse ha imparato dalle dure lezioni della vita ad eseguire le cose più semplici con attenzione e rischio di sé stessi.

Del resto ella sente una certa poesia anche nei colori della cucina, e più che poesia un senso pittorico, forse perché da fanciulla dipingeva fiori e nature morte, e faceva dei versi: tutta roba cancellata dalla gelida spugna dell'esistenza quotidiana.

Così, il grido dell'erbivendolo giù nella strada le dà l'impressione dei verdi orti con lo scintillio nero della terra irrigata e le macchie sanguinanti dei pomidoro: e il coscio d'agnello del quale ella taglia senza pietà il garretto e il tendine sopra il ginocchio, per collocarlo meglio nella teglia d'arrosto, le ricorda i prati bianchi di margherite e la macchia rotonda del gregge così immobile che da lontano sembra una piazza polverosa.

La teglia ben preparata è messa dentro il forno, e in breve si sente un lamentìo, poi una cantilena come di gente che preghi col solo soffio del suo cuore. Forse è l'offerta dell'agnello a Dio perché il sacrifizio della sua carne innocente ridondi tutto al bene dell'uomo.

E poiché all'agnello arrosto deve accompagnarsi l'insalata tenera e fresca, la madre di famiglia scende lei stessa a coglierla nel giardino, dove la lattughella ondulata e rosea, con le conche delle foglie umide di rugiada e il cuore appena assalito dalla chiocciolina golosa, fa concorrenza ai fiori.

Se la donna avesse ancora il tempo di scrivere versi, ci direbbe forse come è dolce atto d'amore il piegarsi sulla terra e vederne da vicino le meraviglie: la pupilla iridata della rugiada, nel centro del fiore della fragola, vale bene la pupilla dell'occhio di un amante, con la differenza che questa vi tradisce, quella no.

Ma la raccoglitrice d'insalata non pensa più a queste cose: pensa piuttosto che l'annata è cattiva, per il giardino: la siccità e il vento divoratore hanno devastato egualmente i gigli e i carciofi, e bisogna provvedersi di un doppio quantitativo d'acqua per tener vivo il luogo.

Questo non le impedisce di cogliere le ultime rose per rendere più lieta, col loro colore e il loro profumo di giovinezza, la casa dove lei e i suoi cari vivono come un'anima sola.

Un vecchio mal vestito e col viso di ammalato, si ferma a guardare di fuori fra le sbarre della cancellata, e i suoi occhi hanno lo stupore invidioso di chi vede una cosa desiderata che non sarà mai sua. La donna lo crede un mendicante e gli si avvicina per dargli una moneta: il vecchio solleva gli occhi lattiginosi e dice:

– Mi dà una rosa?

Ecco la rosa: e nel piegarsi, la donna sente che porge ancora, all'eterno mendicante che è l'uomo vecchio, l'elemosina dell'illusione.

Ma adesso è ora di rientrare a casa: la sola palpabile realtà della vita, il lavoro, l'aspetta: realtà dalla quale, del resto, come dal tronco i rami, si slanciano più vigorosi i sogni. Mentre la donna ricuce le vesti dei figli, l'avvenire dei figli le si presenta alla mente intessuto di fili d'oro: essi, i figli, ascoltano adesso la lezione dei maestri, ma domani saranno maestri anch'essi. La bambina è nella casa austera delle Suore, ma fra dieci anni sarà nel giardino felice dell'amore.

E il lavorare per *essi* dà alla necessità del lavoro la luce miracolosa del piacere.

Forza del rematore che conduce la barca, ardire del navigatore dell'aria che spezza il mistero dell'ignoto, non avete forse la stessa radice nella volontà che guida la madre di famiglia a lavorare silenziosamente per il bene dei figli?

Quando questi ritornano, col peso dei libri e dei primi calori di giugno sulle giovani carni anelanti di cibo e d'aria, e si dispongono intorno alla mensa apparecchiata, il padre e la madre che hanno lavorato per loro e che li nutrono adesso del loro lavoro e del loro amore, possono sentirsi anch'essi, da umili eroi, vicini alla divinità.

Un'orchestra regale accompagna il modesto pasto. Sono gli usignoli che cantano nel giardino.

IL SIGILLO D'AMORE

Da venti anni Adelasia di Torres viveva nel suo castello del Goceano. Già la leggenda ve la diceva rinchiusa dal suo secondo marito, Enzio, il biondo chiamato bastardo di Federico II; ma in realtà ella vi si era ritirata dopo la partenza di lui per le guerre d'Italia.

Bello, elegante, guerriero e poeta, Enzio aveva venti anni, e venti meno di lei; e sebbene sposandola si fosse incoronato Re di Sardegna, non poteva certo starsene quieto nella piccola reggia di Ardara, dove fino a pochi anni prima i patriarcali Giudici di Torres dettavano leggi e sbrigavano gli affari di Stato seduti sotto una quercia.

Egli era dunque partito, dopo soli due anni di matrimonio, lasciando suo Vicario donno Michele Zanche, e presso Adelasia, forse per sorvegliarla e spiarla, una giovine camerista tedesca che egli aveva portato, con altro personale di servizio, dalla corte paterna. Adelasia non amava questa donna, dall'aspetto maschio e dai piedi enormi; tuttavia la prese con sé nell'esilio volontario nel castello del Goceano, e le affidò la bambina, Elena, nata dalle nozze con Enzio.

Nella nuova dimora ella scelse, per abitarvi, le camere più alte, e fin dal primo giorno s'affacciò alla finestra dalla quale meglio si dominava la strada che dal castello scendeva alle terre del Goceano e si perdeva attraverso le valli del Logudoro.

Aspettava il ritorno di Enzio. E fin dal primo giorno vide alla finestra attigua la testa rossa quadrata di Gulna. Con la piccola bionda Elena fra le braccia, anche Gulna, la serva straniera, aspettava il ritorno del suo signore.

La strada, che ai piedi del colle roccioso di Burgos si restringeva quasi in un sentiero, arrampicandosi fra le pietre e i cespugli fino allo spiazzo del castello, era quasi sempre deserta: gli occhi tristi della Regina non cessavano tuttavia di fissarne le lontananze, e se qualche cavaliere vi appariva, il cuore di

lei palpitava come quello di una fanciulla al suo primo convegno di amore. Ma il cavaliere era spesso un paesano che viaggiava sul suo ronzino, o un armigero in perlustrazione. Anche
di notte, nelle chiare notti solitarie, ella si affacciava alla finestra; poi, sola nel suo grande letto vedovile, *vedeva* ancora la
strada che ormai le pareva appartenesse alla sua stessa persona, come le vene delle sue braccia, come la treccia che le
scendeva fino al cuore; la vedeva anche nel sonno, come si
partisse dai suoi occhi e scendesse al mare, e attraversasse il
mare, strada di desiderio e di vana speranza, fino a raggiungere il giovine sposo. E quando al mattino i lentischi e i macigni
del sentiero brillavano di rugiada, a lei pareva di averli bagnati
con le sue lagrime.

Un giorno finalmente un gruppo di cavalieri autentici animò
la solitudine del luogo. Uno dopo l'altro salivano il sentiero: le
loro vesti di velluto mettevano note di colore nel grigio e nel
verde triste del paesaggio, le loro voci ne scuotevano il silenzio.
Uno di essi domandò udienza alla Regina. Gulna, insolitamente
pallida, si piegò fino a terra davanti a lui, poi lo condusse senz'altro dalla sua Signora.

Era il Vicario, donno Michele Zanche. Giovane ancora, nero ed aquilino, egli zoppicava d'un piede, ma non nascondeva,
anzi pareva esagerasse questo difetto, tanto sapeva di piacere
egualmente alle donne. La fama, infatti, già lo diceva amante
della madre di Enzio, Bianca Lancia, concubina dell'imperato-
re, e la stessa Adelasia dimostrava grande simpatia per lui.

Infatti, nel riceverlo, s'era animata e fatta bellissima. I suoi
occhi splendevano come i due diamanti del fermaglio che Enzio, il giorno delle nozze, le aveva allacciato sulla veste, fra seno e seno, per chiuderle il petto ad ogni altro amore che non
fosse quello per lui.

E questi occhi vedevano, nel Vicario nero che aveva il viso
rapace e lo sguardo nemico, quasi un messaggero alato, biondo e bello come lo stesso Enzio: poiché notizie di Enzio egli le
portava.

– Il nostro Re sta bene. Combatte da prode e nelle soste si diverte e combina canzoni d'amore. Una è giunta fino a noi, e noi l'abbiamo imparata a memoria per ripeterla alla nostra Regina. La ripeteremo dopo aver parlato degli affari del Regno.

Parlarono degli affari del Regno, che andavano molto bene, sotto il vigoroso dominio di lui, soprattutto riguardo a lui, che vendeva favori e accumulava denari per conto suo: Adelasia approvava tutto, si compiaceva di tutto, ma il suo viso impallidiva come al cadere della sera. Poiché ella pensava che i versi d'amore del suo Enzio non erano certamente per lei, e ch'egli forse non sarebbe tornato mai più.

Eppure continuava ad aspettare, e le visite del Vicario le riuscivano crudelmente gradite. Rompevano in qualche modo il suo monotono dolore, e le notizie dell'infedele Enzio, anche dopo ch'egli s'era unito ad un'altra donna, le ravvivavano il sangue.

Donno Michele si divertiva a tormentarla, a vederla soffrire: un giorno però la trovò fredda e insensibile come già morta.

Anche lui, sebbene dentro si sentisse una letizia d'avvoltoio che piomba sulla preda, finse tristezza.

– Il nostro Re...

Adelasia sapeva già la notizia, portata da Gulna. Enzio era stato fatto prigioniero in battaglia e chiuso per sempre in un palazzo di Bologna.

Da venti anni la Regina viveva nel castello del Goceano, e neppure le visite di Michele Zanche la interessavano più. La figlia Elena s'era sposata e viveva lontano. Spento ogni raggio di giovinezza intorno a lei e dentro di lei, Adelasia viveva come in un lungo crepuscolo: tuttavia si sentiva sempre meno infelice, raccogliendosi e ripiegandosi in sé come il fiore che nell'appassire si chiude intorno al suo seme.

Non usciva più dalla sua camera, inginocchiata a pregare sotto il grande azzurro della finestra, e non voleva essere servita che da Gulna.

Gulna la serviva, premurosa, sebbene in apparenza sempre dura e fredda. Non parlavano mai. Solo, una sera, Adelasia sentì il bisogno di confidarsi e raccomandarsi a lei. Era d'autunno e già da qualche giorno la Regina provava un senso di languore e di stanchezza: non soffriva, però, anzi, sdraiata sul suo grande letto coperto di un drappo a fiori, le pareva di navigare, incorporea, in una atmosfera nuova. I primi venti di autunno avevano purificato l'aria, e dalla finestra il cielo appariva altissimo, con solo qualche nuvola d'oro e di scarlatto che ricordava alla Regina il colore dei tulipani e dei garofani di Persia che Enzio, nei giorni delle nozze, aveva fatto venire, con altre raffinatezze delle corti di oltre mare, alla semplice reggia d'Ardara.

Ricordi. Ricordi andavano, ricordi venivano, ma tutti oramai addolciti dal distacco, galleggianti anch'essi in quell'atmosfera irreale che circondava la Regina.

Gli stessi mobili, nella vasta camera già vellutata d'ombra, mutavano aspetto; specialmente le grandi arche nere scolpite che racchiudevano il corredo di lei. Su una di queste la luce della finestra stendeva una patina d'argento; e i colombi, le palme, i fiori del melagrano, il calice sacro e la croce che vi erano scolpiti, prendevano, agli occhi di Adelasia, quasi colore e movimento.

Un sorriso rischiarò anche le sembianze di lei, che avevano già la marmorea serenità della morte.

Chiamò Gulna. Gulna, che vegliava dietro l'uscio, entrò, alta e nera, ma coi capelli rossi ancora fiammanti e gli occhi pieni di azzurro. Si piegò inchinandosi davanti al letto della Regina e attese gli ordini.

– Gulna, apri la cassa lunga, e fammi vedere il vestito di Enzio.

La donna obbedì; nel sollevare il coperchio pesante dell'arca le grandi mani le tremavano alquanto, per la prima volta; poiché per la prima volta la Regina aveva, in presenza di lei, chiamato il Re col suo dolce nome.

Un velo copriva le robe dentro la cassa: ella lo sollevò e parve che il velo stesso del tempo si aprisse per lasciar risorgere il passato.

– Gulna, avvicinati alla finestra e fammi vedere bene.

Gulna obbedì, lentamente traendo e spiegando contro luce

i brani del fantasma luminoso. Erano le vesti di sposo di Enzio;
e i loro colori rinnovavano nella grande camera triste quelli della festa nuziale.

Dapprima fu il giustacuore di velluto in colore del giaggio-
lo, poi un farsetto vermiglio che pareva di donna; i calzoni di
maglia di seta verdone, e il berretto dello stesso colore; i calza-
ri a punta ricurva, lo stiletto e la cintura: infine due ali scure si
aprirono sul pallore della finestra: era il lucco del giovine Re.

Adelasia chiuse gli occhi prima che la visione sparisse; sentì
Gulna che rimetteva le cose a posto, le ricopriva col velo, chiudeva l'arca. Il passato tornava nella sua tomba, e adesso si spa-
lancavano le porte del grande avvenire.

– Gulna – disse, quando la donna si fu ripiegata davanti al
letto, – anche tu lo hai amato, anche tu lo hai atteso e pianto.
Sei rimasta presso di me per respirare nel mio amore ancora
qualche cosa di lui, ma soprattutto per obbedire a lui. Obbedi-
sci ancora: sorveglia perché non mi si tolga dal petto il sigillo
che egli vi ha fermato.

Si coprì con una mano il fermaglio; l'altra porse alla donna
che la baciò piangendo.

Seicento anni dopo i due diamanti furono trovati nella tomba di Adelasia: il corpo di lei s'era disciolto, ma il suo amore viveva ancora.

Finito di stampare nel mese di gennaio 1996
presso lo stabilimento della
Tipografia Torinese, Grugliasco (TO)